여러분의 합격을 응원하는
해커스공무원 특별 혜택

FREE 공무원 세법 특강

해커스공무원(gosi.Hackers.com) 접속 후 로그인 ▶ 상단의 [무료강좌] 클릭 ▶ [교재 무료특강] 클릭하여 이용

해커스공무원 온라인 단과강의 **20% 할인쿠폰**

E2F6D3C8A6D8D338

해커스공무원(gosi.Hackers.com) 접속 후 로그인 ▶ 상단의 [나의 강의실] 클릭 ▶
좌측의 [쿠폰등록] 클릭 ▶ 위 쿠폰번호 입력 후 이용

* 등록 후 7일간 사용 가능(ID당 1회에 한해 등록 가능)

해커스 회독증강 콘텐츠 **5만원 할인쿠폰**

CD884A862837CDJE

해커스공무원(gosi.Hackers.com) 접속 후 로그인 ▶ 상단의 [나의 강의실] 클릭 ▶
좌측의 [쿠폰등록] 클릭 ▶ 위 쿠폰번호 입력 후 이용

* 등록 후 7일간 사용 가능(ID당 1회에 한해 등록 가능)
* 특별 할인상품 적용 불가
* 월간 학습지 회독증강 행정학/행정법총론 개별상품은 할인대상에서 제외

합격예측 **온라인 모의고사 응시권 + 해설강의 수강권**

DDEA2C6BF887854X

해커스공무원(gosi.Hackers.com) 접속 후 로그인 ▶ 상단의 [나의 강의실] 클릭 ▶
좌측의 [쿠폰등록] 클릭 ▶ 위 쿠폰번호 입력 후 이용

* ID당 1회에 한해 등록 가능

쿠폰 이용 관련 문의 **1588-4055**

KB084107

단기 합격을 위한
해커스 커리큘럼

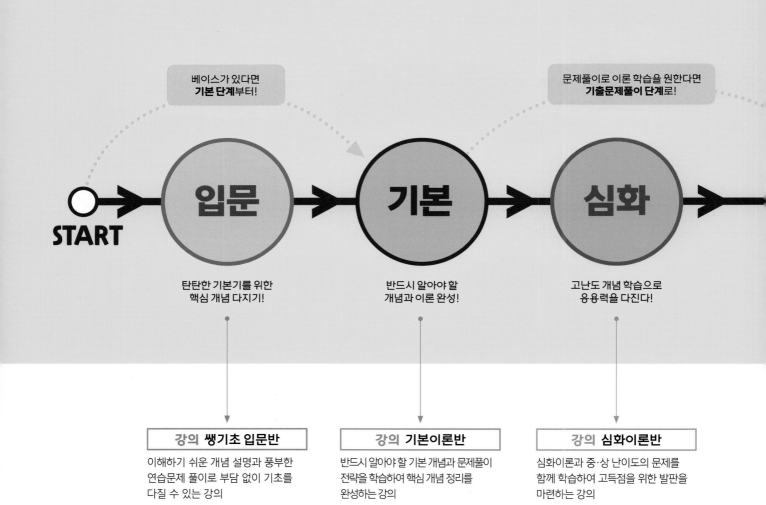

베이스가 있다면
기본 단계부터!

문제풀이로 이론 학습을 원한다면
기출문제풀이 단계로!

START

입문

기본

심화

탄탄한 기본기를 위한
핵심 개념 다지기!

반드시 알아야 할
개념과 이론 완성!

고난도 개념 학습으로
응용력을 다진다!

강의 **쌩기초 입문반**

이해하기 쉬운 개념 설명과 풍부한
연습문제 풀이로 부담 없이 기초를
다질 수 있는 강의

강의 **기본이론반**

반드시 알아야할 기본 개념과 문제풀이
전략을 학습하여 핵심 개념 정리를
완성하는 강의

강의 **심화이론반**

심화이론과 중·상 난이도의 문제를
함께 학습하여 고득점을 위한 발판을
마련하는 강의

단계별 교재 확인 및
수강신청은 여기서!

gosi.Hackers.com

* 커리큘럼은 과목별·선생님별로 상이할 수 있으며, 자세한 내용은 해커스공무원 사이트에서 확인하세요.

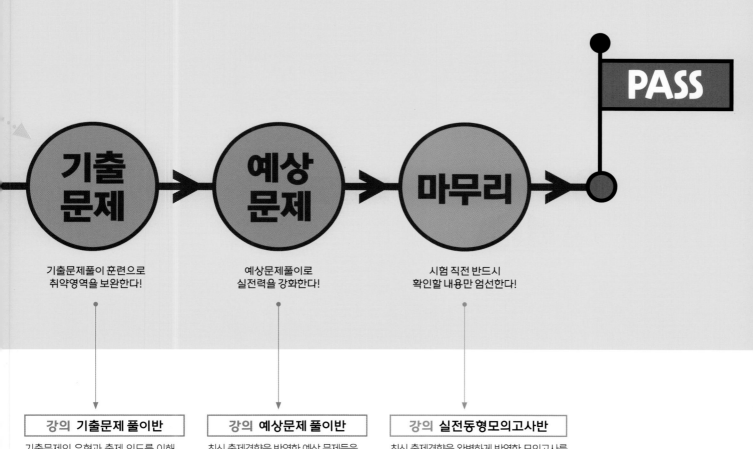

기출문제

기출문제풀이 훈련으로
취약영역을 보완한다!

예상문제

예상문제풀이로
실전력을 강화한다!

마무리

시험 직전 반드시
확인할 내용만 엄선한다!

PASS

강의 기출문제 풀이반

기출문제의 유형과 출제 의도를 이해
하고, 본인의 취약영역을 파악 및 보완
하는 강의

강의 예상문제 풀이반

최신 출제경향을 반영한 예상 문제들을
풀어보며 실전력을 강화하는 강의

강의 실전동형모의고사반

최신 출제경향을 완벽하게 반영한 모의고사를
풀어보며 실전 감각을 극대화하는 강의

강의 봉투모의고사반

시험 직전에 실제 시험과 동일한 형태의
모의고사를 풀어보며 실전력을 완성하는 강의

5천 개가 넘는
해커스토익 무료 자료!

대한민국에서 공짜로 토익 공부하고 싶으면 해커스영어 Hackers.co.kr ▾ 검색

RC 정수진   **RC 이상길**

강의도 무료

베스트셀러 1위 토익 강의 150강 무료 서비스,
누적 시청 1,900만 돌파!

문제도 무료

토익 RC/LC 풀기, 모의토익 등
실전토익 대비 문제 3,730제 무료!

LC 한승태   **RC 김동영**

최신 특강도 무료

2,400만뷰 스타강사의
압도적 적중예상특강 매달 업데이트!

공부법도 무료

토익고득점 달성팁, 비법노트,
점수대별 공부법 무료 확인

가장 빠른 정답까지!

615만이 선택한 해커스 토익 정답!
시험 직후 가장 빠른 정답 확인

*미션 달성 시

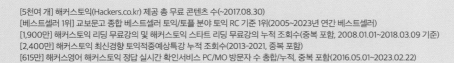

더 많은 토익무료자료
보기 ▶

해커스공무원

이훈엽
세법

기본서 | 2권

해커스공무원

이훈엽

약력

고려대학교 경영학부 졸업
현 | 해커스공무원 세법 강의
현 | 해커스 경영아카데미 세무회계 강의
현 | 이촌세무회계 대표
전 | J&N 세무법인 근무

저서

해커스공무원 이훈엽 세법 기본서
해커스공무원 이훈엽 세법 단원별 기출문제집
해커스 세무회계연습 1·2
해커스 세무회계 기출문제집
객관식 세법 1·2, 나우퍼블리셔
세법엔딩 vol. 1·2·3, 나우퍼블리셔
세법플러스, 나우퍼블리셔

공무원 시험 합격을 위한 필수 기본서!

공무원 공부, 어떻게 시작해야 할까?

『해커스공무원 이훈엽 세법 기본서』는 수험생 여러분들의 소중한 하루하루가 낭비되지 않도록 올바른 수험생활의 길을 제시하고자 노력하였습니다.

이에 『해커스공무원 이훈엽 세법 기본서』는 다음과 같은 특징을 가지고 있습니다.

첫째, 세법의 핵심을 쉽고 정확하게 이해할 수 있도록 구성하였습니다.

기본서를 회독하는 과정에서 기본 개념부터 심화 이론까지 자연스럽게 이해할 수 있도록 세법의 핵심 내용만을 짜임새 있게 구성하였습니다. 이를 통해 단순히 기본서를 '이론 학습'의 목적으로만 학습하는 것이 아니라, 수험생활 전반에 걸쳐 본인의 학습 수준에 맞게 사용할 수 있습니다.

둘째, 최신 출제 경향과 개정 법령을 빠짐없이 반영하였습니다.

공무원 세법 기출문제를 철저히 분석하여 최신 출제 경향을 반영하였으며, 재출제 가능성이 높은 지문들을 선별하여 수록하였습니다. 또한 정확한 세법 내용을 학습할 수 있도록 이론 전반에 최신 개정 법령을 꼼꼼히 반영하였습니다.

셋째, 다양한 학습장치를 통해 수험생 여러분들의 입체적인 학습을 지원합니다.

커리큘럼과 학습 정도에 맞추어 세법 이론을 공부할 수 있도록 '핵심정리', 'Check', '참고', '기출 체크' 등의 다양한 학습장치를 교재 곳곳에 배치하였습니다.

더불어, 공무원 시험 전문 사이트 해커스공무원(gosi.Hackers.com)에서 학습 중 궁금한 점을 나누고 다양한 무료 학습 자료를 함께 이용하여 학습 효과를 극대화할 수 있습니다. 부디 『해커스공무원 이훈엽 세법 기본서』와 함께 공무원 세법 시험 고득점을 달성하고 합격을 향해 한걸음 더 나아가시기를 바랍니다.

『해커스공무원 이훈엽 세법 기본서』가 공무원 합격을 꿈꾸는 모든 수험생 여러분에게 훌륭한 길잡이가 되기를 바랍니다.

이훈엽

목차

2권

PART 5

부가가치세법

01 부가가치세법 총칙

1 우리나라 부가가치세 특징

I 의의

1. 부가가치세란 부가가치(Value added)에 과세하는 조세이며, 부가가치란 기업이 사업활동을 통하여 창출한 가치이다. 부가가치는 기업에 생산요소(토지, 자본, 노동)를 제공한 노동자, 지주, 자본가에게 임금, 지대, 이자로 배분되고 남은 이윤이며, 각 단계의 매출액에서 매입액을 뺀 금액이다.

2. 기업이 창출한 국민총소득(부가가치)은 국민총소비이므로 기업의 부가가치에 과세하는 것은 결국 소비에 과세하는 효과를 지닌다. 따라서 부가가치세는 모든 재화 또는 용역의 소비행위에 과세하는 일반소비세이다.

II 간접세

1. 부가가치세는 실질적인 소득에 대하여 과세하는 소득세와는 달리 납세의무자와 담세자가 분리되는 간접세로서 사업상 독립적으로 재화 또는 용역을 공급하는 자를 납세의무자로 본다. 이는 개체수가 많은 소비자들보다 기업단위로 세금을 징수하는 것이 효율적이기 때문이다.

2. 따라서 부가가치세는 납세의무자인 사업자에게 거래징수의무를 두어 실질적인 조세부담자인 재화 또는 용역을 공급받는 자로부터 부가가치세를 거래징수하여 정부에 납부하도록 하고 있다.

III 다단계거래세

부가가치세는 재화가 생산되어 최종소비자에게 도달하는 모든 거래단계에서 과세하는 다단계거래세이다.

Ⅳ 부가가치세 계산방법

1. 전단계세액공제법은 각 사업자 단계의 공급가액에 10% 세율을 적용하여 매출세액을 계산하고, 여기서 재화 또는 용역을 구입할 때 부담한 매입세액을 공제하여 부가가치세를 계산하는 방법이다.

> 매출액 × 세율 − 매입세액 = 부가가치세

2. 전단계세액공제법에서 과세표준인 공급가액은 그 사업자가 창출한 부가가치뿐만 아니라 전단계 사업자가 창출한 부가가치를 모두 합한 누적액이므로 매출액에 세율을 곱하여 과세하면 그 이전 단계에서 과세된 부가가치가 중복과세된다. 이러한 문제를 방지하기 위하여 매입세액공제를 두고 있다.

Ⅴ 매입세액세금계산서

1. 사업자가 구입할 때 부담한 매입세액을 공제받기 위해서는 구입 시 부가가치세를 부담하였음을 증명하는 세금계산서를 발급받아 정부에 매입처별 세금계산서합계표를 제출함으로써 매출세액에서 공제할 수 있다.

2. 전단계세액공제법을 채택하고 있는 현행 「부가가치세법」 체계에서 세금계산서 제도는 당사자 간의 거래를 노출시킴으로써 부가가치세뿐 아니라 소득세와 법인세의 세원포착을 용이하게 하는 납세자 간 상호검증의 기능을 갖고 있다.

Ⅵ 소비지국과세원칙

1. 소비지국과세원칙이란 생산지국에서 부가가치세를 과세하지 않고 소비지국에서 부가가치세를 과세하는 방법이다.

2. 현행 「부가가치세법」은 소비지국과세원칙에 따라 재화의 수출에는 영세율을 적용하여 부가가치세를 과세하지 않고 재화의 수입에는 세관에서 내국물품과 동일하게 부가가치세를 과세한다.

2 납세의무자

I 내용

사업자 또는 재화를 수입하는 자로서 개인, 법인(국가·지방자치단체와 지방자치단체조합 포함), 법인격이 없는 사단·재단 또는 그 밖의 단체는 「부가가치세법」에 따라 부가가치세를 납부할 의무가 있다.

과세대상	납세의무자
재화 또는 용역의 공급	사업자
재화의 수입	재화를 수입하는 자

II 사업자

사업자란 사업 목적이 영리이든 비영리이든 관계없이 사업상 독립적으로 재화 또는 용역을 공급하는 자를 말한다.

사업목적 불문	부가가치세의 경우 사업자가 공급받는 자로부터 부가가치세를 징수하여 납부하므로 영리·비영리에 관계없이 부가가치세 납세의무를 진다.
사업성	사업자는 부가가치를 창출해 낼 수 있는 정도의 사업형태를 갖추고 계속적·반복적으로 재화 또는 용역을 공급하는 자이어야 한다.
독립성	사업자는 자기책임과 자기계산으로 재화 또는 용역을 공급하는 자이며, 다른 자에게 고용된 노동자는 납세의무를 지지 아니한다.
과세재화·용역 공급	부가가치세 과세재화·용역을 공급하는 경우 납세의무가 있으며, 면세대상 재화·용역을 공급하는 자는 부가가치세 납세의무를 지지 아니한다.
거래징수 등 여부	사업자가 부가가치세가 과세되는 재화를 공급하거나 용역을 제공하는 경우에는 해당 사업자의 사업자등록 여부 및 공급 시 부가가치세의 거래징수 여부에 불구하고 해당 재화의 공급 또는 용역의 제공에 대하여 부가가치세를 신고·납부할 의무가 있다.

III 재화를 수입하는 자

1. 재화를 수입하는 자는 그 재화의 수입에 대하여 「관세법」에 따라 관세를 세관장에게 신고하고 납부하는 경우에 재화의 수입에 대한 부가가치세를 함께 신고하고 납부하여야 한다.

2. 재화를 수입하는 자는 사업자 해당 여부 또는 사용목적 등에 관계없이 부가가치세를 납부할 의무가 있다.

🏛 **기출 체크**

부가가치세 납세의무자인 사업자란 사업상 독립적으로 재화 또는 용역을 공급하는 자로서 그 사업 목적은 영리인 경우에 한한다. (×)

집행기준 3-0-2【납세의무자의 범위】
① 과세의 대상이 되는 행위 또는 거래의 귀속이 명의일 뿐이고 사실상 귀속되는 자가 따로 있는 경우에는 사실상 귀속되는 자에 대하여 「부가가치세법」을 적용한다.
② 사업자가 아닌 개인 또는 면세사업자가 우발적 또는 일시적으로 재화 또는 용역을 공급하는 경우에는 부가가치세 납세의무자에 해당되지 않는다.
③ 집합건물의 구분소유자들이 「집합건물의 소유 및 관리에 관한 법률」 제23조에 따라 관리단을 구성하여 자치적으로 집합건물을 관리하고 그 관리에 실지소요된 비용만을 각 입주자들에게 분배하여 징수하는 경우 해당 관리단은 부가가치세 납세의무자에 해당하지 않는다. 다만, 그 관리단이 입주자들로부터 관리에 관한 사항을 일임받은 경우 또는 별도로 재화나 용역을 제공하고 대가(예 주차장 관리수입, 건물 개·보수 수입 등)를 받는 경우에는 납세의무자에 해당된다.
④ 공동주택의 입주자대표회의가 단지 내 주차장 등 부대시설을 운영·관리하면서 입주자들로부터 실비상당의 이용료를 받는 경우 부가가치세 납세의무가 없으나, 외부인으로부터 이용료를 받는 경우에는 해당 외부인의 이용료에 대하여는 부가가치세 납세의무가 있다.

Ⅳ 국외거래에 대한 납세의무

1. 부가가치세의 납세의무는 대한민국의 주권이 미치는 범위 내에서 적용하므로 사업자가 대한민국의 주권이 미치지 아니하는 국외에서 재화를 공급하는 경우에는 납세의무가 없다. 다만, 중계무역방식의 수출, 위탁판매수출, 외국인도수출, 위탁가공무역방식의 수출로 재화를 공급하거나 원료를 대가 없이 국외의 수탁가공 사업자에게 반출하여 가공한 재화를 양도하는 경우에 그 원료를 반출하는 경우에는 그러하지 아니한다.

2. 우리나라 국적의 항공기·선박에서 이루어지는 거래는 국외거래로 보지 않는다.

구분			납세의무
Check 사업자의 구분			
과세사업자	일반과세자	영세율이 적용되는 경우	○
		10% 세율 적용되는 경우	○
	간이과세자	영세율이 적용되는 경우	○
		10% 세율 적용되는 경우	○
	과세·면세 겸영사업자		○
	면세사업자		–

3 신탁 관련 납세의무

I 일반적인 경우

1. 원칙 - 수탁자 과세

(1) 신탁재산과 관련된 재화 또는 용역을 공급하는 때에는 「신탁법」에 따른 수탁자가 신탁재산별로 각각 별도의 납세의무자로서 부가가치세를 납부할 의무가 있다.

(2) 공동수탁자의 연대납세의무: 수탁자가 납세의무자가 되는 신탁재산에 둘 이상의 수탁자가 있는 경우 공동수탁자는 부가가치세를 연대하여 납부할 의무가 있다. 이 경우 공동수탁자 중 신탁사무를 주로 처리하는 수탁자(대표수탁자)가 부가가치세를 신고·납부하여야 한다.

2. 예외 - 위탁자 과세

다음 중 어느 하나에 해당하는 경우에는 「신탁법」 제2조에 따른 위탁자가 부가가치세를 납부할 의무가 있다.

(1) 신탁재산과 관련된 재화 또는 용역을 위탁자 명의로 공급하는 경우

(2) 위탁자가 신탁재산을 실질적으로 지배·통제하는 경우로서 다음 중 어느 하나에 해당하는 경우

① 수탁자가 위탁자로부터 「자본시장과 금융투자업에 관한 법률」의 재산을 수탁받아 부동산개발사업을 목적으로 하는 신탁계약을 체결한 경우로서 그 신탁계약에 따른 부동산개발사업비의 조달의무를 수탁자가 부담하지 않는 경우. 다만, 수탁자가 「도시 및 주거환경정비법」 또는 「빈집 및 소규모주택 정비에 관한 특례법」에 따른 재개발사업·재건축사업 또는 가로주택정비사업·소규모재건축사업·소규모재개발사업의 사업시행자인 경우는 제외한다.

② 수탁자가 「도시 및 주거환경정비법」 제28조 제1항 또는 「빈집 및 소규모주택 정비에 관한 특례법」 제56조 제1항에 따른 재개발사업·재건축사업 또는 가로주택정비사업·소규모재건축사업·소규모재개발사업의 사업대행자인 경우

③ 수탁자가 위탁자의 지시로 위탁자와 「국세기본법 시행령」 제1조의2 제1항, 제2항, 같은 조 제3항 제1호 또는 「법인세법 시행령」 제2조 제5항 각 호의 관계에 있는 자에게 신탁재산과 관련된 재화 또는 용역을 공급하는 경우

④ 「자본시장과 금융투자업에 관한 법률」에 따른 투자신탁의 경우

3. 특례

위탁자의 지위 이전을 신탁재산의 공급으로 보는 경우에는 기존 위탁자가 해당 공급에 대한 부가가치세의 납세의무자가 된다.

4. 신탁의 설정·종료

신탁재산의 소유권 이전으로서 다음 중 어느 하나에 해당하는 것은 재화의 공급으로 보지 않는다.

(1) 위탁자로부터 수탁자에게 신탁재산을 이전하는 경우

(2) 신탁의 종료로 인하여 수탁자로부터 위탁자에게 신탁재산을 이전하는 경우

(3) 수탁자가 변경되어 새로운 수탁자에게 신탁재산을 이전하는 경우

Ⅱ 신탁 관련 제2차 납세의무 및 물적 납세의무

1. 수익자의 제2차 납세의무

수탁자가 납부하여야 하는 다음 중 어느 하나에 해당하는 부가가치세 등을 신탁재산으로 충당하여도 부족한 경우에는 그 신탁의 수익자는 지급받은 수익과 귀속된 재산의 가액❶을 합한 금액을 한도로 하여 그 부족한 금액에 대하여 납부할 의무를 진다.

(1) 신탁 설정일 이후에 법정기일이 도래하는 부가가치세로서 해당 신탁재산과 관련하여 발생한 것

(2) (1)의 금액에 대한 강제징수 과정에서 발생한 강제징수비

2. 수탁자의 물적 납세의무

(1) 부가가치세를 납부하여야 하는 위탁자가 부가가치세 등을 체납한 경우로서 그 위탁자의 다른 재산에 대하여 강제징수를 하여도 징수할 금액에 미치지 못할 때에는 해당 신탁재산의 수탁자는 그 신탁재산으로써 이 법에 따라 위탁자의 부가가치세 등을 납부할 의무가 있다.

(2) 수탁자가 납부하여야 하는 부가가치세가 체납된 경우에는 「국세징수법」 제31조에도 불구하고 해당 신탁재산에 대해서만 강제징수를 할 수 있다.

❶
신탁의 수익자가 제2차 납세의무를 지는 경우에 신탁의 수익자에게 귀속된 재산의 가액은 신탁재산이 해당 수익자에게 이전된 날 현재의 시가로 한다.

4 과세기간

Ⅰ 일반적인 경우

사업자에 대한 부가가치세의 과세기간은 다음과 같다.

구분	과세기간
간이과세자	1월 1일부터 12월 31일까지
일반과세자	① 제1기: 1월 1일부터 6월 30일까지 ② 제2기: 7월 1일부터 12월 31일까지

Ⅱ 신규사업자의 최초과세기간

신규로 사업을 시작하는 자에 대한 최초의 과세기간은 사업개시일부터 그 날이 속하는 과세기간의 종료일까지로 한다. 다만, 사업개시일 이전에 사업자등록을 신청한 경우에는 그 신청한 날부터 그 신청일이 속하는 과세기간의 종료일까지로 한다.

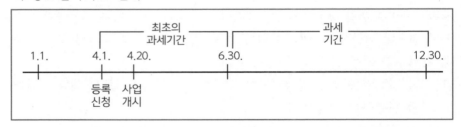

Ⅲ 폐업자의 최종과세기간

사업자가 폐업하는 경우의 과세기간은 폐업일이 속하는 과세기간의 개시일부터 폐업일까지로 한다. 이 경우 폐업일은 다음의 구분에 따른다.

1. 합병으로 인한 소멸법인의 경우

합병법인의 변경등기일 또는 설립등기일

2. 분할로 인하여 사업을 폐업하는 경우

분할법인의 분할변경등기일(분할법인이 소멸하는 경우에는 분할신설법인의 설립등기일)

3. 위 외의 경우

사업장별로 그 사업을 실질적으로 폐업하는 날. 다만, 폐업한 날이 분명하지 아니한 경우에는 폐업신고서의 접수일

→ 폐업일이 속한 달의 다음 달 25일까지 부가가치세 확정신고를 해야 함

Ⅳ 폐업의제

사업개시일 전에 사업자등록을 한 자로서 사업자등록을 한 날부터 6개월이 되는 날까지 재화와 용역의 공급실적이 없는 자에 대해서는 그 6개월이 되는 날을 폐업일로 본다. 다만, 사업장의 설치기간이 6개월 이상이거나 그 밖의 정당한 사유로 인하여 사업 개시가 지연되는 경우에는 그러하지 아니하다.

→ 4. 26. 사업 개시 전 등록을 하고 10. 26.까지 사업실적이 없는 경우 폐업의제

Ⅴ 과세유형 전환

간이과세자에 관한 규정이 적용되거나 적용되지 아니하게 되어 일반과세자가 간이과세자로 변경되거나 간이과세자가 일반과세자로 변경되는 경우 그 변경되는 해에 간이과세자에 관한 규정이 적용되는 기간의 부가가치세의 과세기간은 다음의 구분에 따른 기간으로 한다.

일반과세자가 간이과세자로 변경되는 경우	그 변경 이후 7월 1일부터 12월 31일까지
간이과세자가 일반과세자로 변경되는 경우	그 변경 이전 1월 1일부터 6월 30일까지

Ⅵ 간이과세포기자

간이과세자가 간이과세자에 관한 규정의 적용을 포기함으로써 일반과세자로 되는 경우 다음의 기간을 각각 하나의 과세기간으로 한다.

1. 간이과세자의 과세기간

간이과세의 적용 포기의 신고일이 속하는 과세기간의 개시일부터 그 신고일이 속하는 달의 마지막 날까지의 기간

2. 일반과세자의 과세기간

신고일이 속하는 달의 다음 달 1일부터 그 날이 속하는 과세기간의 종료일까지의 기간

I 원칙

1. 의의

(1) 납세지는 납세의무자가 세법에 따른 납세의무를 이행하고, 과세권자가 세법에 따른 부과권과 징수권 등의 권리를 행사하는 기준이 되는 장소를 말한다.

(2) 부가가치세는 사업장단위로 과세하는 것이 원칙이지만, 납세편의를 위하여 주사업장총괄납부와 사업자단위과세제도를 두고 있다.

2. 사업장 단위과세

(1) 사업자의 부가가치세 납세지는 각 사업장의 소재지로 한다. 이러한 사업장은 사업자가 사업을 하기 위하여 거래의 전부 또는 일부를 하는 고정된 장소로 한다.

(2) 한편, 사업자가 사업장을 두지 아니하면 사업자의 주소 또는 거소를 사업장으로 한다.

3. 사업종류별 사업장

사업	사업장의 범위
광업	광업사무소의 소재지. 이 경우 광업사무소가 광구 밖에 있을 때에는 그 광업사무소에서 가장 가까운 광구에 대하여 작성한 광업원부의 맨 처음에 등록된 광구 소재지에 광업사무소가 있는 것으로 본다.
제조업	최종제품을 완성하는 장소. 다만, 따로 제품 포장만을 하거나 용기에 충전만을 하는 장소와 「개별소비세법」에 따른 저유소는 제외한다.
건설업·운수업·부동산매매업	① 법인: 법인의 등기부상 소재지(등기부상의 지점 소재지 포함) ② 개인: 사업에 관한 업무를 총괄하는 장소
부동산임대업	부동산의 등기부상 소재지. 다만, 부동산상의 권리만을 대여(부동산 전대)하거나 한국자산관리공사 등 공기업이 부동산을 임대하는 경우에는 그 사업에 관한 업무를 총괄하는 장소를 사업장으로 한다. ※ 국가·지방자치단체 등: 사업에 관한 업무를 총괄하는 장소
무인자동판매기	사업에 관한 업무를 총괄하는 장소 ∵ 자판기 설치장소별로 사업자 등록을 하면 수입금액이 분산됨에 따라 간이과세가 적용되거나 납부의무가 면제됨으로써 부가가치세를 고의적으로 회피하는 사례를 방지하기 위함

국가 등의 과세사업	국가, 지방자치단체 또는 지방자치단체조합이 공급하는 부동산 임대업, 도소매업, 음식점업, 숙박업, 골프장 및 스키장 운영업, 기타 스포츠시설 운영업의 사업장은 사업에 관한 업무를 총괄하는 장소. 다만, 위임·위탁 또는 대리에 의하여 재화나 용역을 공급하는 경우에는 수임자·수탁자 또는 대리인이 그 업무를 총괄하는 장소를 사업장으로 본다.
비거주자 외국법인	사업자가 비거주자인 경우에는 「소득세법」 제120조에 따른 장소를 사업장으로 하고, 외국법인인 경우에는 「법인세법」 제94조에 따른 장소를 사업장으로 한다.
신탁재산 관련	수탁자가 납세의무자가 되는 수탁자는 해당 신탁재산을 사업장으로 보아 사업자등록을 신청하여야 한다. 이 경우 해당 신탁재산의 등기부상 소재지, 등록부상 등록지 또는 신탁사업에 관한 업무를 총괄하는 장소를 사업장으로 한다.

4. 신청에 의한 사업장

위 사업장 외의 장소도 사업자의 신청에 따라 추가로 사업장으로 등록할 수 있다. 다만, 무인자동판매기를 통하여 재화·용역을 공급하는 사업의 경우에는 그렇지 않다.

5. 사업장을 설치하지 않은 경우

사업장을 설치하지 아니하고 사업자등록도 하지 아니한 경우에는 과세표준 및 세액을 결정하거나 경정할 당시의 사업자의 주소 또는 거소를 사업장으로 한다.

6. 직매장

사업자가 자기의 사업과 관련하여 생산하거나 취득한 재화를 직접 판매하기 위하여 특별히 판매시설을 갖춘 장소(직매장)는 사업장으로 본다.

7. 하치장

재화를 보관하고 관리할 수 있는 시설만 갖춘 장소로서 하치장으로 신고된 장소는 사업장으로 보지 아니한다. 하치장을 둔 사업자는 하치장 설치 신고서를 하치장을 둔 날부터 10일 이내에 하치장 관할 세무서장에게 제출하여야 한다.

8. 임시사업장

각종 경기대회나 박람회 등 행사가 개최되는 장소에 개설한 임시사업장으로서 신고된 장소는 기존사업장에 포함되는 것으로 본다(∵ 임시사업장에 대한 사업자등록 및 폐업신고를 해야 하는 불편한 점 해소). 또한 임시사업장을 개설하려는 자는 임시사업장 개설 신고서를 해당 임시사업장의 사업 개시일부터 10일 이내에 임시사업장의 관할 세무서장에게 제출해야 한다.

9. 재화의 수입

재화를 수입하는 자의 부가가치세 납세지는 「관세법」에 따라 수입을 신고하는 세관의 소재지로 한다.

Ⅱ 주사업장 총괄납부

1. 개요

(1) 내용

사업장이 둘 이상인 사업자(사업장이 하나이나 추가로 사업장을 개설하려는 사업자를 포함)가 주된 사업장의 관할 세무서장에게 주사업장 총괄납부를 신청한 경우에는 납부할 세액을 주된 사업장에서 총괄하여 납부할 수 있다.

(2) 주된 사업장

주된 사업장은 법인의 본점(주사무소 포함) 또는 개인의 주사무소로 한다. 다만, 법인의 경우에는 지점(분사무소 포함)을 주된 사업장으로 할 수 있다.

> **사례**
>
> 서울시에 자동차부품 제조업에 대한 본점사업장을 두고 부산과 광주에 각각 제조공장(지점)을 설치하여 사업을 운영하던 ㈜백두가 총괄납부신청을 한 후 예정신고 시 각 사업장별 납부(환급)세액이 본점 7,000,000원, 대전지점은 −5,000,000원, 부산지점은 3,000,000원인 경우 부가가치세 신고방법은?
>
> **해설** --
> 1. ㈜백두는 각 사업장 관할 세무서장에게 부가가치세 예정신고서를 작성하여 제출하여야 함
> 2. 주사업장 관할 세무서장에게 사업장별 부가가치세 과세표준 및 납부세액신고명세서를 제출하고, 납부세액 5,000,000원(= 7,000,000 − 5,000,000 + 3,000,000)을 납부하여야 함

2. 총괄납부의 신청

(1) 계속사업자

주사업장 총괄납부 사업자가 되려는 자는 그 납부하려는 과세기간 개시 20일 전에 주사업장 총괄납부 신청서를 주된 사업장의 관할 세무서장에게 제출(국세정보통신망에 의한 제출 포함)하여야 한다.

→ 해당 신청일이 속하는 다음 과세기간부터 총괄하여 납부함

(2) 신규사업자

신규사업자가 주된 사업장에서 총괄하여 납부하려는 경우에는 주된 사업장의 사업자등록증을 받은 날부터 20일 이내에 주사업장 총괄납부 신청서를 주된 사업장의 관할 세무서장에게 제출(국세정보통신망에 의한 제출 포함)하여야 한다.

→ 해당 신청일이 속하는 과세기간부터 총괄하여 납부함

(3) 추가사업장 개설자

사업장이 하나이나 추가로 사업장을 개설하는 자가 주된 사업장에서 총괄하여 납부하려는 경우에는 추가 사업장의 사업 개시일부터 20일(추가 사업장의 사업 개시일이 속하는 과세기간 이내로 한정함) 이내에 주사업장 총괄납부 신청서를 주된 사업장의 관할 세무서장에게 제출(국세정보통신망에 의한 제출 포함)하여야 한다.

→ 해당 신청일이 속하는 과세기간부터 총괄하여 납부함

3. 총괄납부의 효력 등

(1) 신고 · 납부

주된 사업장에서 납부 또는 환급만 총괄하므로, 사업자등록, 세금계산서 발급, 과세표준의 신고, 합계표 제출 등 「부가가치세법」상 모든 의무는 각 사업장마다 이행하여야 한다.

(2) 판매목적 타사업장 반출재화

사업자가 주사업장 총괄납부의 적용을 받는 과세기간에 자기의 다른 사업장에 반출하는 경우는 재화의 공급으로 보지 아니한다. 다만, 세금계산서를 발급하고 관할 세무서장에게 신고한 경우는 재화의 공급으로 본다.

(3) 총괄납부의 변경

주사업장 총괄납부 사업자는 다음의 사유가 발생한 경우에는 다음의 구분에 따른 관할 세무서장에게 사업자의 인적사항, 변경사유 등이 적힌 주사업장 총괄납부 변경신청서를 제출(국세정보통신망에 의한 제출 포함)하여야 한다. 이 경우 ①과 ③에 따라 신청서를 받은 종된 사업장의 관할 세무서장은 주된 사업장의 관할 세무서장에게 그 신청서를 지체 없이 보내야 한다.

① 종된 사업장을 신설하는 경우: 그 신설하는 종된 사업장 관할 세무서장

② 종된 사업장을 주된 사업장으로 변경하려는 경우: 주된 사업장으로 변경하려는 사업장 관할 세무서장

③ 사업자등록정정사유에 해당하는 경우: 그 정정사유가 발생한 사업장 관할 세무서장(법인 대표자 변경 등의 경우에는 주된 사업장의 관할 세무서장)

④ 일부 종된 사업장을 총괄납부 대상 사업장에서 제외하려는 경우: 주된 사업장의 관할 세무서장

⑤ 기존의 사업장을 총괄납부 대상 사업장에 추가하려는 경우: 주된 사업장의 관할 세무서장

(4) 총괄납부 적용 제외

주사업장 총괄납부 사업자가 다음 중 어느 하나에 해당하는 경우 주된 사업장 관할 세무서장은 주사업장 총괄납부를 적용하지 아니할 수 있다.

① 사업내용의 변경으로 총괄납부가 부적당하다고 인정되는 경우

② 주된 사업장의 이동이 빈번한 경우

③ 그 밖의 사정변경으로 인하여 총괄납부가 적당하지 아니하게 된 경우

(5) 총괄납부 포기

주사업장 총괄납부 사업자가 주사업장 총괄납부를 포기할 때에는 각 사업장에서 납부하려는 과세기간 개시 20일 전에 주사업장 총괄납부 포기신고서를 주된 사업장의 관할 세무서장에게 제출(국세정보통신망에 의한 제출 포함)하여야 한다. → 승인 불필요

(6) 적용 제외 · 포기의 통지

주사업장 총괄납부를 적용하지 아니하게 되거나 포기한 경우에 주된 사업장 관할 세무서장은 지체 없이 그 내용을 해당 사업자와 주된 사업장 외의 사업장 관할 세무서장에게 통지하여야 한다.

(7) 적용 제외 · 포기의 적용시기

주사업장 총괄납부를 적용하지 아니하게 되거나 포기한 경우에는 그 적용을 하지 아니하게 된 날 또는 포기한 날이 속하는 과세기간의 다음 과세기간부터 각 사업장에서 납부하여야 한다.

III 사업자 단위과세제도

1. 의의

사업자 단위과세제도란 둘 이상의 사업장이 있는 사업자가 사업자 단위로 본점 또는 주사무소 관할 세무서장에게 등록한 경우 사업자등록, 세금계산서 발급, 부가가치세 신고 · 납부, 경정 등의 납세의무를 본점 또는 주사무소에서 이행하는 것을 말한다.

📑 취지

사업장 단위로 과세하는 경우 납세협력비용 및 행정관리비용의 증가, 납부 및 환급시기 차이에 따른 자금부담 등과 같은 문제점이 발생한다. 회사의 본점에서 회사 전체 업무를 일괄처리하는 경우 사업장 단위과세는 비효율적이므로 사업자 단위로 과세한다.

> **사례**
>
> 서울시에 본점사업장을 두고 용인, 수원, 대전에 각각 직매장을 설치하여 의류제
> 조업을 운영하던 ㈜대한이 사업자 단위과세 등록신청서를 본점사업장 관할 세
> 무서장에게 제출하여 사업자단위과세를 적용받게 되었다. 이 경우 각 유형별 납
> 세의무 이행 방법은 다음과 같다.
> 1. 정기 신고·납부(예정·확정·조기), 수정신고, 경정청구, 결정·경정: 주사업
>   장의 관할세무서장 소관
> 2. 세금계산서 발급: 본점의 인적사항을 적어 발급하되, 비고란에 종된 사업장의
>   상호와 소재지를 적어 발급

2. 사업자 단위과세사업자의 사업자등록 신청

(1) 사업자 단위 사업자등록

사업장이 둘 이상인 사업자(사업장이 하나이나 추가로 사업장을 개설하
려는 사업자를 포함)는 사업자 단위로 해당 사업자의 본점 또는 주사무
소 관할 세무서장에게 등록을 신청할 수 있다. 이 경우 등록한 사업자를
사업자 단위과세사업자라 한다.

(2) 사업자 단위로 변경

사업장 단위로 등록한 사업자가 사업자 단위과세사업자로 변경하려면
사업자 단위과세사업자로 적용받으려는 과세기간 개시 20일 전까지 사
업자의 본점 또는 주사무소 관할 세무서장에게 변경등록을 신청하여야
한다. 사업자 단위과세사업자가 사업장 단위로 등록을 하려는 경우에도
또한 같다.

(3) 추가사업장 개설

사업장이 하나인 사업자가 추가로 사업장을 개설하면서 추가 사업장의
사업 개시일이 속하는 과세기간부터 사업자 단위과세사업자로 적용받으
려는 경우에는 추가 사업장의 사업 개시일부터 20일 이내(추가 사업장의
사업 개시일이 속하는 과세기간 이내로 한정함)에 사업자의 본점 또는
주사무소 관할 세무서장에게 변경등록을 신청하여야 한다.

(4) 제출서류

사업자등록을 하려는 사업자는 사업장마다 다음의 사항을 적은 사업자
등록 신청서를 관할 세무서장이나 그 밖에 신청인의 편의에 따라 선택한
세무서장에게 제출(국세정보통신망에 의한 제출 포함)해야 한다.
① 사업자의 인적사항
② 사업자등록 신청 사유
③ 사업 개시 연월일 또는 사업장 설치 착수 연월일
④ 그 밖의 참고 사항

3. 사업자 단위과세제도의 효과

(1) 판매목적 타사업장 반출

사업자가 사업자 단위과세사업자로 적용을 받는 과세기간에 자기의 다른 사업장에 반출하는 경우는 재화의 공급으로 보지 아니한다.

(2) 세금계산서 발급·수취

사업자 단위과세사업자가 본점 또는 주사무소의 등록번호 등을 적고 비고란에 실제로 재화 또는 용역을 공급하거나 공급받는 종된 사업장의 소재지 및 상호의 소재지를 기재한다.

(3) 신고와 납부

예정신고, 확정신고, 조기환급신고 등 부가가치세의 모든 신고·납부 업무를 본점 또는 주사무소에서 처리한다.

(4) 사업자 단위과세 포기

① 사업자 단위과세사업자가 각 사업장별로 신고·납부하거나 주사업장 총괄납부를 하려는 경우에는 그 납부하려는 과세기간 개시 20일 전에 사업자 단위과세 포기신고서를 사업자 단위과세 적용 사업장 관할 세무서장에게 제출하여야 한다. → 승인 불필요

② 사업자 단위과세를 포기한 경우에는 그 포기한 날이 속하는 과세기간의 다음 과세기간부터 사업자 단위과세 포기신고서에 적은 내용에 따라 각 사업장별로 신고·납부하거나 주사업장 총괄납부를 하여야 한다.

6 과세 관할

사업자	납세지를 관할하는 세무서장 또는 지방국세청장이 과세한다.
재화를 수입하는 자	「관세법」에 따라 수입을 신고하는 세관의 소재지를 관할하는 세관장이 과세한다.

7 사업자등록

I 의의

사업자등록은 과세당국이 사업자의 인적사항, 업태 등 인적사항을 확보하기 위하여 사업내용을 공부에 등재하는 제도로서 세무행정의 효율적인 운영과 과세자료를 양성하기 위한 것이다.

Ⅱ 신청

1. 사업장 단위 과세사업자

(1) 사업자는 사업장마다 사업 개시일부터 20일 이내에 사업장 관할 세무서장에게 사업자등록을 신청하여야 한다. 다만, 신규로 사업을 시작하려는 자는 사업 개시일 이전이라도 사업자등록을 신청할 수 있다.

(2) 사업자는 사업자등록의 신청을 사업장 관할 세무서장이 아닌 다른 세무서장에게도 할 수 있다. 이 경우 사업장 관할 세무서장에게 사업자등록을 신청한 것으로 본다.

→ 면세사업자는 「부가가치세법」상 사업자등록의무는 없음

2. 사업자 단위 과세사업자

(1) 사업장이 둘 이상인 사업자(사업장이 하나이나 추가로 사업장을 개설하려는 사업자를 포함)는 사업자 단위로 해당 사업자의 본점 또는 주사무소 관할 세무서장에게 등록을 신청할 수 있다. 이 경우 등록한 사업자를 사업자 단위과세사업자라 한다.

(2) 사업장 단위로 등록한 사업자가 사업자 단위과세사업자로 변경하려면 사업자 단위과세사업자로 적용받으려는 과세기간 개시 20일 전까지 사업자의 본점 또는 주사무소 관할 세무서장에게 변경등록을 신청하여야 한다. 사업자 단위과세사업자가 사업장 단위로 등록을 하려는 경우에도 또한 같다.

Ⅲ 발급·등록

1. 발급기간

신청을 받은 사업장 관할 세무서장은 사업자의 인적사항과 그 밖에 필요한 사항을 적은 사업자등록증을 신청일부터 2일 이내(토요일 또는 공휴일 등 제외)에 신청자에게 발급하여야 한다. 다만, 사업장시설이나 사업현황을 확인하기 위하여 국세청장이 필요하다고 인정하는 경우에는 발급기한을 5일 이내에서 연장하고 조사한 사실에 따라 사업자등록증을 발급할 수 있다.

2. 신청서 보정

사업장 관할 세무서장은 사업자등록의 신청 내용을 보정할 필요가 있다고 인정될 때에는 10일 이내의 기간을 정하여 보정을 요구할 수 있다. 이 경우 해당 보정기간은 사업자등록발급기간에 산입하지 아니한다.

3. 등록거부

사업 개시 전에 사업자등록의 신청을 받은 사업장 관할 세무서장은 신청자가 사업을 사실상 시작하지 아니할 것이라고 인정될 때에는 등록을 거부할 수 있다.

4. 직권등록

사업자가 사업자등록을 하지 아니하는 경우에는 사업장 관할 세무서장이 조사하여 등록할 수 있다.

Ⅳ 등록정정

사업자가 다음 중 어느 하나에 해당하는 경우에는 지체 없이 사업자의 인적사항, 사업자등록의 변경 사항 및 그 밖의 필요한 사항을 적은 사업자등록 정정신고서를 관할 세무서장이나 그 밖에 신고인의 편의에 따라 선택한 세무서장에게 제출(국세정보통신망에 따른 제출 포함)해야 한다.

사업자등록 정정사유	처리기한
① 상호를 변경하는 경우 ② 사이버몰에 인적사항 등의 정보를 등록하고 재화 또는 용역을 공급하는 사업을 하는 사업자(통신판매업자)가 사이버몰의 명칭 또는 인터넷 도메인이름을 변경하는 경우	신고일
① 법인 또는 「국세기본법」 제13조 제1항 및 제2항에 따라 법인으로 보는 단체 외의 단체가 대표자를 변경하는 경우 ② 기획재정부령으로 정하는 사업의 종류에 변동이 있는 경우 ③ 사업장(사업자 단위과세사업자의 경우에는 사업자 단위과세 적용 사업장)을 이전하는 경우 ④ 상속으로 사업자의 명의가 변경되는 경우 ⑤ 공동사업자의 구성원 또는 출자지분이 변경되는 경우 ⑥ 임대인, 임대차 목적물 및 그 면적, 보증금, 임차료 또는 임대차 기간이 변경되거나 새로 상가건물을 임차한 경우(상가건물의 임차인이 사업자등록 정정신고를 하려는 경우, 임차인이 확정일자를 신청하려는 경우 및 확정일자를 받은 임차인에게 변경 등이 있는 경우로 한함) ⑦ 사업자 단위과세사업자가 사업자 단위과세 적용 사업장을 변경하는 경우 ⑧ 사업자 단위과세사업자가 종된 사업장을 신설하거나 이전하는 경우 ⑨ 사업자 단위과세사업자가 종된 사업장의 사업을 휴업하거나 폐업하는 경우	신고일부터 2일 이내

Ⅴ 사업자등록 말소

1. 사업장 관할 세무서장은 등록된 사업자가 다음 중 어느 하나에 해당하면 지체 없이 사업자등록을 말소하여야 한다.

(1) 폐업(사실상 폐업한 경우로서 대통령령으로 정하는 경우를 포함한다)한 경우

(2) 사업자등록신청을 하고 사실상 사업을 시작하지 아니하게 되는 경우로서 대통령령으로 정하는 경우

2. 대통령령으로 정하는 경우란 다음 중 어느 하나에 해당하는 경우를 말한다.

(1) 사업자가 사업자등록을 한 후 정당한 사유 없이 6개월 이상 사업을 시작하지 아니하는 경우

(2) 사업자가 부도발생, 고액체납 등으로 도산하여 소재 불명인 경우

(3) 사업자가 인가·허가의 취소 또는 그 밖의 사유로 사업을 수행할 수 없어 사실상 폐업상태에 있거나 사실상 사업을 시작하지 아니하는 경우로 볼 수 있는 경우

(4) 사업자가 정당한 사유 없이 계속하여 둘 이상의 과세기간에 걸쳐 부가가치세를 신고하지 아니하고 사실상 폐업상태에 있는 경우

(5) 그 밖에 사업자가 위의 규정과 유사한 사유로 사실상 폐업상태에 있거나 사실상 사업을 시작하지 아니하는 경우

Ⅵ 미등록 제재

1. 미등록 가산세

사업개시일부터 20일 이내에 사업자등록을 신청하지 않은 경우 사업 개시일부터 등록을 신청한 날의 직전일까지의 공급가액에 1%에 해당하는 금액을 가산세로 한다.

2. 등록 전 매입세액 불공제

사업자등록을 신청하기 전의 매입세액은 공제하지 아니한다. 다만, 공급시기가 속하는 과세기간이 끝난 후 20일 이내에 등록을 신청한 경우 등록신청일부터 공급시기가 속하는 과세기간 기산일까지 역산한 기간 내의 매입세액은 공제한다.

> **사례**
>
> 1. 1. 1. 사업개시 후 7. 20. 사업자등록을 신청한 경우: 1. 1. 이후분부터 매입세액 공제
> 2. 1. 1. 사업개시 후 7. 21. 사업자등록을 신청한 경우: 7. 1. 이후분부터 매입세액 공제

🏛 기출 체크

01 사업장 관할 세무서장이 사업자가 사업 개시일 이전에 사업자등록신청을 하고 사실상 사업을 시작하지 아니하는 것을 알게 된 경우 해당 세무서장은 20일 이내에 사업자등록을 말소하여야 한다. (×)

02 2023년 1월 1일 사업을 시작한 사업자가 2023년 2월 15일 사업자등록을 신청한 경우 등록신청일부터 공급시기가 속하는 과세기간 기산일까지 역산한 기간 내의 매입세액을 공제받을 수 없으며, 미등록가산세도 납부하여야 한다. (×)

02 과세거래

1 과세대상 거래

I 재화의 공급

1. 재화의 범위

(1) 재화

재산 가치가 있는 물건 및 권리를 말한다. 물건과 권리의 범위는 다음과 같다.

물건	① 상품, 제품, 원료, 기계, 건물 등 모든 유체물 ② 전기, 가스, 열 등 관리할 수 있는 자연력
권리	광업권, 특허권, 저작권 등 물건 외에 재산적 가치가 있는 모든 것

(2) 재화에 해당하지 않는 것

구분	사례	재화 여부
화폐 및 화폐대용증권	화폐·수표·어음·상품권·가상자산	×
유가증권	주식·채권(외상매출금, 대여금 등)	×
물품증권	창고증권·선하증권	○

2. 재화의 공급

재화의 공급은 계약상 또는 법률상의 모든 원인에 따라 재화를 인도하거나 양도하는 것으로 한다.

→ 재화를 사용·소비할 수 있도록 실질적 소유권을 이전하는 행위

(1) 계약상 원인

① 매매계약: 현금판매, 외상판매, 할부판매, 장기할부판매, 조건부 및 기한부 판매, 위탁판매와 그 밖의 매매계약에 따라 재화를 인도하거나 양도하는 것

② 가공계약: 자기가 주요자재의 전부 또는 일부를 부담하고 상대방으로부터 인도받은 재화를 가공하여 새로운 재화를 만드는 가공계약에 따라 재화를 인도하는 것

→ 주요자재를 전혀 부담하지 아니하고 가공하는 경우 용역의 공급

③ 교환계약: 재화의 인도 대가로서 다른 재화를 인도받거나 용역을 제공받는 교환계약에 따라 재화를 인도하거나 양도하는 것

④ 현물출자와 그 밖의 계약상 원인에 따라 재화를 인도하거나 양도하는 것

⑤ 국내로부터 보세구역에 있는 창고에 임치된 임치물을 국내로 다시 반입하는 것

(2) 법률상 원인

경매, 수용, 판결 등 법률상 원인에 따라 재화를 인도 또는 양도하는 것
→ 「국세징수법」에 따른 공매와 「민사집행법」에 따른 강제경매, 담보권 실행을 위한 경매, 그 밖의 법률에 따른 경매는 재화의 공급으로 보지 않음

3. 재화의 공급 사례

구분	구체적인 거래형태
소비대차	당사자 일방(대주)이 금전 기타 대체물의 소유권을 상대방(차주)에게 이전할 것을 약정하고 상대방은 그와 같은 종류, 품질 및 수량으로 반환할 것을 약정함으로써 성립하는 계약. 사업자 간에 재화를 차용하여 사용·소비하고 동종 또는 이종의 재화로 반환하는 것
기부채납	① 국가 또는 지방자치단체가 부동산 등의 소유권을 무상으로 받아들이는 것 ② 기부는 「민법」상의 증여와 같고, 채납은 승낙에 해당함 ③ 기부채납의 대가로 일정기간 동안 재산권에 대한 무상사용·수익권을 얻는 경우에는 재화와 용역의 교환거래
증여	당사자 일방이 무상으로 재산을 상대방에게 수여하는 의사를 표시하고 상대방이 이를 승낙함으로써 그 효력이 생기며, 사업자가 사업용 부동산을 타인(예 국가·지방자치단체·공익단체 제외)에게 증여하는 것
부담부 증여	수증자가 증여자의 채무를 인수하는 증여계약으로서 사업자가 자기 사업에 사용하던 건물을 부담부 증여하는 것
현물출자	① 법인 또는 공동사업체에 자본금 또는 출자금을 금전 외의 재산으로 출자하는 것 ② 현물출자를 하게 되면 재화의 공급에 대한 대가로서 주식 또는 출자지분을 취득하게 됨
입회금	① 골프장·테니스장 경영자가 동 장소이용자로부터 받는 입회금 ② 일정기간 거치 후 반환하지 아니하는 입회금은 과세대상이 됨. 다만, 일정기간 거치 후 반환하는 입회금은 그렇지 않음
출자지분 반환	① 출자지분의 현금반환은 과세대상이 아니며, 출자지분의 현물반환은 부가가치세 과세대상 ② 공동사업자 구성원이 각각 독립적으로 사업을 영위하기 위하여 공동사업용 건물의 분할등기(출자지분의 현물반환)로 소유권이 이전되는 건축물은 부가가치세 과세대상

4. 위탁매매

위탁매매 또는 대리인에 의한 매매를 할 때에는 위탁자 또는 본인이 직접 재화를 공급하거나 공급받은 것으로 본다. 다만, 위탁매매 또는 대리인에 의한 매매를 하는 해당 거래 또는 재화의 특성상 또는 보관·관리상 위탁자 또는 본인을 알 수 없는 경우에는 수탁자 또는 대리인에게 재화를 공급하거나 수탁자 또는 대리인으로부터 재화를 공급받은 것으로 본다.

Ⅱ 재화 공급의 특례

1. 재화의 공급으로 보지 않는 거래

(1) 담보제공

질권, 저당권 또는 양도담보의 목적으로 동산, 부동산 및 부동산상의 권리를 제공하는 것은 형식적 소유권 이전이므로 재화의 공급으로 보지 아니한다.

→ 담보제공된 재화가 대물변제하여 소유권이 실제로 이전되는 경우 공급으로 봄

(2) 사업양도

① 사업장별로 그 사업에 관한 모든 권리와 의무를 포괄적으로 승계시키는 것(양수자가 승계받은 사업 외에 새로운 사업의 종류를 추가하거나 사업의 종류를 변경한 경우 포함)은 재화의 공급으로 보지 아니한다. 이 경우 그 사업에 관한 권리와 의무 중 미수금·미지급금에 관한 것 및 해당 사업과 직접 관련이 없는 토지·건물 등에 관한 것을 포함하지 않고 승계시킨 경우에도 그 사업을 포괄적으로 승계시킨 것으로 본다.

② 그 사업을 양수받는 자가 대가를 지급하는 때에 그 대가를 받은 자로부터 부가가치세를 징수하여 납부한 경우는 공급으로 본다.

(3) 조세물납

사업용 자산을 「상속세 및 증여세법」 및 「지방세법」에 따라 물납하는 경우에는 재화의 공급으로 보지 아니한다.

∵ 사업자가 국가로부터 부가가치세를 징수하는 것 어려움

(4) 신탁

신탁재산의 소유권 이전으로서 다음의 어느 하나에 해당하는 것은 재화의 공급으로 보지 아니한다.

① 위탁자로부터 수탁자에게 신탁재산을 이전하는 경우

② 신탁의 종료로 인하여 수탁자로부터 위탁자에게 신탁재산을 이전하는 경우

③ 수탁자가 변경되어 새로운 수탁자에게 신탁재산을 이전하는 경우

📖 취지

사업의 양도는 그 성질상 특정재화의 개별적 공급이 아니고 사업 자체의 전체적인 가액을 정하여 그에 대한 대가를 지급하므로 특정재화를 과세대상으로 하는 부가가치세 과세거래의 본질적 성격에 부합하지 아니할 뿐 아니라 부가가치 생산조직은 그대로 유지·존속하면서 경영주체만 바뀌는 것이므로 공급 전까지의 재화를 부가가치 생산에 그대로 사용·소비한다는 것과 사업양도는 일반적으로 그 거래금액과 그에 관한 부가가치세액이 커서 양수자는 거의 예외 없이 매입세액을 공제받을 것이 예상되어 이와 같은 거래에 대하여도 매출세액을 징수하도록 하는 것은 양수자에게 불필요한 자금압박을 주게 되어 이를 해소하고자 하는 경제정책상의 배려이다.

(5) 창고증권 양도

다음의 창고증권 양도는 부가가치세를 과세하지 아니한다.

① 보세구역에 있는 조달청 창고(조달청장이 개설한 것으로서 「관세법」 제174조에 따라 세관장의 특허를 받은 보세창고)에 보관된 물품에 대하여 조달청장이 발행하는 창고증권의 양도로서 임치물의 반환이 수반되지 아니하는 것(창고증권을 가진 사업자가 보세구역의 다른 사업자에게 인도하기 위하여 조달청 창고에서 임치물을 넘겨받는 경우 포함)

② 보세구역에 있는 기획재정부령으로 정하는 거래소의 지정창고에 보관된 물품에 대하여 같은 거래소의 지정창고가 발행하는 창고증권의 양도로서 임치물의 반환이 수반되지 아니하는 것(창고증권을 가진 사업자가 보세구역의 다른 사업자에게 인도하기 위하여 지정창고에서 임치물을 넘겨받는 경우 포함)

(6) 위탁가공 무환반출

사업자가 위탁가공을 위하여 원자재를 국외의 수탁가공 사업자에게 대가 없이 반출하는 것은 재화의 공급으로 보지 아니한다. 단, 원료를 대가 없이 국외의 수탁가공 사업자에게 반출하여 가공한 재화를 양도하는 경우의 그 원료의 반출은 영세율이 적용되어 과세거래로 본다.

(7) 법에 따른 경매 등

다음의 공매 또는 경매는 재화의 공급으로 보지 아니한다.

∵ 공급자는 파산 등으로 세부담능력이 없어 매출세액을 체납하는 반면, 경락자는 매입세액공제를 받아 국고세수가 감소될 수 있기 때문

① 「국세징수법」에 따른 공매(수의계약에 따라 매각하는 것 포함)에 따라 재화를 인도하거나 양도하는 것

② 「민사집행법」에 따른 경매(같은 법에 따른 강제경매, 담보권 실행을 위한 경매와 「민법」·「상법」 등 그 밖의 법률에 따른 경매를 포함)에 따라 재화를 인도하거나 양도하는 것

(8) 법에 따른 수용

다음의 수용은 재화의 공급으로 보지 아니한다.

① 「도시 및 주거환경정비법」, 「공익사업을 위한 토지 등의 취득 및 보상에 관한 법률」 등에 따른 수용절차에서 수용대상 재화의 소유자가 수용된 재화에 대한 대가를 받는 경우

→ 철거 여부와 관계 없음

② 「도시 및 주거환경정비법」에 따른 사업시행자의 매도청구에 따라 재화를 인도하거나 양도하는 것

∵ 「도시 및 주거환경정비법」 등에 따른 수용과 그 실질이 유사

🏛 **기출 체크**

사업자가 위탁가공을 위하여 원료를 대가 없이 국외의 수탁가공 사업자에게 반출하여 가공한 재화를 양도하는 경우에 그 원료를 반출하는 것은 재화의 공급으로 보지 않는다. (×)

Check	매입세액 불공제 여부에 따른 부가가치세 과세 여부
내용	재화의 공급의 경우 매입 시 매입세액 공제 여부에 관계없이 과세한다. 다만, 간주공급(판매목적 타사업장 반출 재화 제외)의 경우에는 매입세액이 불공제된 재화는 과세하지 아니함
사례	제조업을 영위하는 사업자가 구입 시 매입세액 불공제된 승용차 2대를 사용하다가 1대는 매각하였고, 1대는 거래처에 증정한 경우 ① 매각한 승용차는 실질공급이므로 부가가치세 과세 ② 거래처에 증정한 승용차는 간주공급이므로 부가가치세 과세하지 않음

2. 간주공급

(1) 의의

간주공급은 부당하게 매입세액 공제받은 금액을 환수하는 것이 취지이므로 매입세액 불공제분은 간주공급으로 보지 아니한다. 다만, 판매목적 타사업장 반출은 자금부담 해소를 위한 것이므로 매입세액 불공제분도 과세한다.

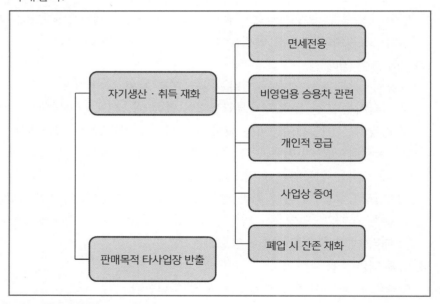

(2) 자기생산 · 취득재화 공급의제

① 자기생산 · 취득재화: 다음 중 어느 하나에 해당하는 재화를 자기생산 · 취득재화로 본다.

㉠ 매입세액이 공제된 재화

㉡ 사업양도로 취득한 재화로서 사업양도자가 매입세액을 공제받은 재화

㉢ 내국수출에 해당하여 영세율을 적용받는 재화

예 내국신용장 또는 구매확인서에 의하여 공급받은 재화

📖 **취지**

부가가치세 매입세액 공제는 과세사업을 위한 매입의 경우 공제되며, 그 매입으로 인하여 매출이 발생하였는지 관계없이 공급받은 날이 속하는 과세기간에 공제한다. 그러나 매입세액 공제받은 재화를 과세사업이 아닌 개인적 용도 또는 거래처에 증정하는 경우 매입세액 공제받은 부가가치세를 도로 환수해야 한다. 이 경우 공제받은 매입세액을 추징하기보다는 개인적 또는 거래처에 증정 시 매출세액으로 과세하는 것이 징수 효율적이므로 이를 공급으로 간주한다.

🏛 **기출 체크**

사업자가 자기의 과세사업과 관련하여 취득한 재화로서 부가가치세법 제38조에 따른 매입세액이 공제된 재화를 자기의 면세사업을 위하여 직접 사용하는 것은 재화의 공급으로 보지 아니한다. (×)

② 면세전용: 사업자가 자기의 과세사업과 관련하여 생산하거나 취득한 재화로서 자기생산·취득재화를 자기의 면세사업 및 부가가치세가 과세되지 아니하는 재화 또는 용역을 공급하는 사업(이하 "면세사업 등")을 위하여 직접 사용하거나 소비하는 것은 재화의 공급으로 본다.

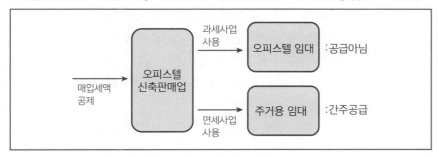

> **사례**
>
> 오피스텔 신축판매업을 영위하는 사업자가 완공한 오피스텔을 임대한 경우로서 임차인이 이를 상시 주거용으로 사용하는 경우

③ 비영업용 소형승용차: 다음 중 어느 하나에 해당하는 자기생산·취득재화의 사용 또는 소비는 재화의 공급으로 본다.

  ㉠ 사업자가 자기생산·취득재화를 매입세액이 매출세액에서 공제되지 아니하는 「개별소비세법」에 따른 자동차(예 정원이 8인 이하 자동차)로 사용 또는 소비하거나 그 자동차의 유지를 위하여 사용 또는 소비하는 것

  ㉡ 운수업, 자동차 판매업, 자동차 임대업, 운전학원업, 무인경비업과 사업을 경영하는 사업자가 자기생산·취득재화 중 「개별소비세법」에 따른 자동차와 그 자동차의 유지를 위한 재화를 해당 업종에 직접 영업으로 사용하지 아니하고 다른 용도로 사용하는 것

> **사례**
>
> 택시회사가 택시업무용으로 구입한 개별소비세 승용차를 매입세액 공제받은 뒤 그 후 승용차를 대표이사 출퇴근 용도로 전용한 경우

④ 개인적 공급: 사업자가 자기생산·취득재화를 사업과 직접적인 관계없이 자기의 개인적인 목적이나 그 밖의 다른 목적을 위하여 사용·소비하거나 그 사용인 또는 그 밖의 자가 사용·소비하는 것으로서 사업자가 그 대가를 받지 아니하거나 시가보다 낮은 대가를 받는 경우는 재화의 공급으로 본다. 다만, 사업자가 실비변상적 또는 복리후생적인 목적으로 그 사용인에게 대가를 받지 아니하거나 시가보다 낮은 대가를

받고 제공하는 다음의 어느 하나에 해당하는 경우에는 재화의 공급으로 보지 아니한다. 이 경우 시가보다 낮은 대가를 받고 제공하는 것은 시가와 받은 대가의 차액에 한정한다.

㉠ 사업을 위해 착용하는 작업복, 작업모 및 작업화를 제공하는 경우
㉡ 직장 연예 및 직장 문화와 관련된 재화를 제공하는 경우
㉢ 다음 중 어느 하나에 해당하는 재화를 제공하는 경우. 이 경우 ⓐ 또는 ⓑ별로 각각 사용인 1명당 연간 10만 원을 한도로 하며, 10만 원을 초과하는 경우 해당 초과액에 대해서는 재화의 공급으로 본다.
　　ⓐ 경조사와 관련된 재화
　　ⓑ 설날·추석, 창립기념일 및 생일 등과 관련된 재화

■ 사례

회사는 매입세액 공제받은 재화를 다음과 같이 사용 또는 제공하였다.

구분	공급가액
① 사업과 관련하여 직원에게 유니폼 제공	-
② 직장체육대회에서 직원에게 도시락 제공	-
③ 종업원 1명에게 창립기념일 선물로 시가 10만 원, 결혼 선물로 시가 30만 원 상품제공	(10만 원 - 10만 원) = 0 (30만 원 - 10만 원) = 20만 원

⑤ 사업상 증여
㉠ 내용: 사업자가 자기생산·취득재화를 자기의 고객이나 불특정다수에게 증여하는 경우(증여하는 재화의 대가가 주된 거래인 재화의 공급에 대한 대가에 포함되는 경우는 제외)는 재화의 공급으로 본다. 다만, 사업자가 사업을 위하여 증여하는 것으로서 다음 중 어느 하나에 해당하는 증여는 재화의 공급으로 보지 않는다.
　　ⓐ 사업을 위하여 대가를 받지 아니하고 다른 사업자에게 인도하거나 양도하는 견본품
　　ⓑ 「재난 및 안전관리 기본법」의 적용을 받아 특별재난지역에 공급하는 물품
　　ⓒ 자기적립 마일리지 등으로만 전부를 결제받고 공급하는 재화
　　ⓓ 광고선전용으로 불특정다수인에게 증여하는 재화(통칙)

■ 사례

사업자가 자기의 고객 중 추첨을 통하여 당첨된 자에게 재화를 경품으로 제공하는 경우에는 과세되는 재화의 공급으로 본다.

　　　ⓒ 판매장려금: 사업자가 자기재화의 판매촉진을 위하여 거래상대자의 판매실적에 따라 일정률의 장려금품을 지급 또는 공급하는 경우 금전으로 지급하는 장려금은 과세표준에서 공제하지 아니하며 재화로 공급하는 것은 사업상 증여에 해당하므로 과세한다. 다만, 해당 재화가 자기생산·취득재화에 해당하지 아니하는 것은 과세하지 아니한다.

　　⑥ 폐업 시 잔존재화: 사업자가 폐업할 때 자기생산·취득재화 중 남아 있는 재화는 자기에게 공급하는 것으로 본다. 사업 개시일 이전에 사업자등록을 신청한 자가 사실상 사업을 시작하지 아니하게 되는 경우에도 또한 같다.

Check **폐업할 때 남아 있는 재화로서 과세하지 아니하는 경우**

다음 예시의 경우에는 폐업할 때 남아 있는 재화로서 과세하지 아니한다.
1. 사업자가 사업의 종류를 변경한 경우 변경 전 사업에 대한 잔존재화
2. 동일사업장 내에서 둘 이상의 사업을 겸영하는 사업자가 그 중 일부 사업을 폐지하는 경우 해당 폐지한 사업과 관련된 재고재화
3. 개인사업자 2인이 공동사업을 영위할 목적으로 한 사업자의 사업장을 다른 사업자의 사업장에 통합하여 공동명의로 사업을 영위하는 경우에 통합으로 인하여 폐지된 사업장의 재고재화
4. 폐업일 현재 수입신고(통관)되지 아니한 미도착재화
　∵ 수입통관 시 부가가치세가 과세될 것이므로
5. 사업자가 직매장을 폐지하고 자기의 다른 사업장으로 이전하는 경우 해당 직매장의 재고재화

집행기준 10-0-1【재화의 자가공급에 해당되지 아니하는 경우】
사업자가 자기의 사업과 관련하여 생산하거나 취득한 재화를 자기의 과세사업을 위하여 다음의 예시와 같이 사용하거나 소비하는 경우에는 재화의 공급으로 보지 아니한다.
① 자기의 다른 사업장에서 원료·자재 등으로 사용하거나 소비하기 위하여 반출하는 경우
② 자기사업상의 기술개발을 위하여 시험용으로 사용하거나 소비하는 경우
③ 수선비 등에 대체하여 사용하거나 소비하는 경우
④ 사후 무료 서비스제공을 위하여 사용하거나 소비하는 경우
⑤ 불량품 교환 또는 광고 선전을 위한 상품진열 등의 목적으로 자기의 다른 사업장으로 반출하는 경우

---

(3) 판매목적 타사업장 반출재화

　　사업장이 둘 이상인 사업자가 자기의 사업과 관련하여 생산 또는 취득한 재화를 판매할 목적으로 자기의 다른 사업장에 반출하는 것은 재화의 공급으로 본다. 다만, 다음의 어느 하나에 해당하는 경우는 재화의 공급으로 보지 아니한다.

📖 취지
사업장이 둘 이상인 사업자가 제조장에서 매입세액을 환급받고 직매장에서 매출세액을 납부하는 경우 그 환급은 상당 기간이 소요되어 자금부담이 있다. 따라서 판매목적 타사업장 반출을 과세거래로 보아 제조장은 매출세액이 발생되고 직매장은 매입세액이 공제되면 한 사업장에서 납부 또는 환급이 발생하므로 납세자의 자금부담이 완화된다.

① 사업자가 사업자 단위과세사업자로 적용을 받는 과세기간에 자기의 다른 사업장에 반출하는 경우
② 사업자가 주사업장 총괄납부의 적용을 받는 과세기간에 자기의 다른 사업장에 반출하는 경우. 다만, 세금계산서를 발급하고 관할 세무서장에게 신고한 경우는 재화의 공급으로 본다.

Ⅲ 용역의 공급

1. 용역의 범위

용역이란 재화 외에 재산 가치가 있는 모든 역무와 그 밖의 행위를 말한다. 용역은 재화 외에 재산 가치가 있는 다음의 사업에 해당하는 모든 역무와 그 밖의 행위로 한다.

(1) 건설업
(2) 숙박 및 음식점업
(3) 운수 및 창고업
(4) 정보통신업(출판업과 영상·오디오 기록물 제작 및 배급업 제외)
(5) 금융 및 보험업
(6) **부동산업. 다만, 다음의 사업은 제외한다.**
　　① 전·답·과수원·목장용지·임야 또는 염전 임대업
　　② 「공익사업을 위한 토지 등의 취득 및 보상에 관한 법률」에 따른 공익사업과 관련해 지역권·지상권(지하 또는 공중에 설정된 권리 포함)을 설정하거나 대여하는 사업
(7) 전문, 과학 및 기술 서비스업과 사업시설 관리, 사업 지원 및 임대서비스업
(8) 공공행정, 국방 및 사회보장 행정
(9) 교육 서비스업
(10) 보건업 및 사회복지 서비스업
(11) 예술, 스포츠 및 여가관련 서비스업
(12) 협회 및 단체, 수리 및 기타 개인서비스업과 제조업 중 산업용 기계 및 장비 수리업
(13) 가구 내 고용활동 및 달리 분류되지 않은 자가소비 생산활동
(14) 국제 및 외국기관의 사업

2. 용역의 공급

용역의 공급은 계약상 또는 법률상의 모든 원인에 따른 것으로서 다음 중 어느 하나에 해당하는 것으로 한다.

(1) 역무(서비스)를 제공하는 것

(2) 시설물, 권리 등 재화를 사용하게 하는 것 예 부동산임대용역

사례

1. 건설업의 경우 건설사업자가 건설자재의 전부 또는 일부를 부담하는 것
2. 자기가 주요자재를 전혀 부담하지 아니하고 상대방으로부터 인도받은 재화를 단순히 가공만 해 주는 것
3. 산업상·상업상 또는 과학상의 지식·경험 또는 숙련에 관한 정보를 제공하는 것
4. 사업자가 농산물·축산물·수산물·임산물 등의 면세재화를 운반·가공하거나 판매대행하는 등의 용역을 제공하고 그 대가를 받는 경우에는 과세대상으로 함

Check 사업의 구분

구분기준	① 재화나 용역을 공급하는 사업의 구분은 「부가가치세법 시행령」에 특별한 규정이 있는 경우를 제외하고는 통계청장이 고시하는 해당 과세기간 개시일 현재의 한국표준산업분류에 따른다. ② 용역을 공급하는 경우 사업과 유사한 사업은 한국표준산업분류에도 불구하고 용역을 공급하는 사업에 포함되는 것으로 본다.
구분의 필요성	① 업종에 따라 공급시기가 달라질 수 있다. ② 재화의 무상공급은 과세하며, 용역의 무상공급은 원칙적으로 과세하지 아니한다. ③ 의제매입세액 공제율이 업종별로 다르다. ④ 영수증 발급업종 대상인지 판단해야 한다.
농어가 부업	「소득세법 시행령」 제9조 제1항에 따라 소득세가 과세되지 아니하는 농가부업은 부가가치세법령상 사업을 구분할 때에 독립된 사업으로 보지 아니한다. 다만, 「소득세법 시행령」 제9조 제1항에 따른 민박, 음식물 판매, 특산물 제조, 전통차 제조 및 그 밖에 이와 유사한 활동은 독립된 사업으로 본다. 축산·양어 | 미가공 축산물·수산물은 면세 농가부업 중 고공품 제조 | 소득세 비과세 → 부가가치세 비과세 소득세 과세 → 부가가치세 과세 민박, 음식물 판매, 특산물·전통차 제조 | 부가가치세 과세(∵ 공정 경쟁 유도)
부동산 매매업· 건설업	건설업과 부동산업 중 다음 중 어느 하나에 해당하는 사업은 재화를 공급하는 사업으로 본다. ① 부동산 매매(주거용 또는 비거주용 건축물 및 그 밖의 건축물을 자영건설하여 분양·판매하는 경우를 포함) 또는 그 중개를 사업목적으로 나타내어 부동산을 판매하는 사업 ② 사업상 목적으로 1과세기간 중에 1회 이상 부동산을 취득하고 2회 이상 판매하는 사업 ※ 위 규정은 재화의 공급으로 볼 수 있는 경우의 예시적 규정이며, 부동산 매매가 전체적으로 사업활동으로 볼 수 있는 정도의 계속·반복성을 갖고 있는 경우 위 규정상 판매횟수에 미달하더라도 사업성을 부정해서는 안 됨

IV 용역 공급의 특례

1. 용역의 자가공급

사업자가 자신의 용역을 자기의 사업을 위하여 대가를 받지 아니하고 공급함으로써 다른 사업자와의 과세형평이 침해되는 경우에는 자기에게 용역을 공급하는 것으로 본다. 이 경우 그 용역의 범위는 현재 시행령에서 정한 것이 없어 실질적으로 용역의 자가공급은 과세하지 아니한다.

> **사례**
>
> 용역의 자가공급에 해당되어 과세되지 않는 경우는 다음과 같다.
> 1. 사업자가 자기의 사업과 관련하여 사업장 내에서 그 사용인에게 음식용역을 무상으로 제공하는 경우
> 2. 사업자가 사용인의 직무상 부상 또는 질병을 무상으로 치료하는 경우
> 3. 사업장이 각각 다른 수개의 사업을 겸영하는 사업자가 그 중 한 사업장의 재화 또는 용역의 공급에 필수적으로 부수되는 용역을 자기의 다른 사업장에서 공급하는 경우

2. 용역의 무상공급

사업자가 대가를 받지 아니하고 타인에게 용역을 공급하는 것은 용역의 공급으로 보지 아니한다. 다만, 사업자가 특수관계인에게 사업용 부동산의 임대용역 등을 공급하는 것은 용역의 공급으로 본다. 그러나 다음에 해당하는 부동산 임대용역은 공급으로 보지 아니한다.

(1) 「산업교육진흥 및 산학연협력촉진에 관한 법률」에 따라 설립된 산학협력단과 대학 간 사업용 부동산의 임대용역

(2) 「공공주택 특별법」에 해당하는 공공주택사업자와 부동산투자회사 간 사업용 부동산의 임대용역

3. 근로의 제공

고용관계에 따라 근로를 제공하는 것은 용역의 공급으로 보지 아니한다.

V 재화의 수입

1. 재화의 수입

재화의 수입은 다음 중 어느 하나에 해당하는 물품을 국내에 반입하는 것(보세구역을 거치는 것은 보세구역에서 반입하는 것)으로 한다.

(1) 외국으로부터 국내에 도착한 물품(외국 선박에 의하여 공해에서 채집되거나 잡힌 수산물 포함)으로서 수입신고가 수리되기 전의 것

(2) 수출신고가 수리된 물품(수출신고가 수리된 물품으로서 선적되지 아니한
물품을 보세구역에서 반입하는 경우는 부가가치세를 과세하지 아니함)
→ 선적시점에 영세율이 적용되므로 선적되지 않은 물품은 영세율을 적
용받지 못하여 국내에 반입해도 과세하지 않음

2. 보세구역 거래

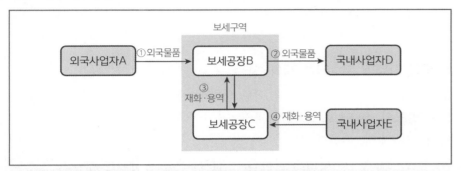

구분	재화의 공급
외국에서 보세구역으로 재화를 반입하는 경우	재화의 수입 ×
보세구역 내에서 보세구역 밖의 국내로 외국물품을 반입함❶	재화의 수입 ○
보세구역 내 공급, 보세구역 밖 국내에서 보세구역으로 공급	재화의 공급 ○

❶
재화의 공급도 동시에 발생할 수 있다.

Ⅵ 부수 재화 및 부수 용역의 공급

1. 개요

주된 재화·용역의 공급에 부수되는 재화·용역은 주된 재화·용역에 따라
과세 또는 면세 여부 등이 달라질 수 있다. 동 규정은 주된 부분과 부수 부분
구분에 따른 비경제성을 피하고 세무행정을 능률화하기 위한 제도이다.

2. 주된 거래에 부수되는 재화·용역

주된 재화 또는 용역의 공급에 부수되어 공급되는 것으로서 다음 중 어느
하나에 해당하는 재화 또는 용역의 공급은 주된 재화 또는 용역의 공급에
포함되는 것으로 본다.

(1) 해당 대가가 주된 재화 또는 용역의 공급에 대한 대가에 통상적으로 포
함되어 공급되는 재화 또는 용역

(2) 거래의 관행으로 보아 통상적으로 주된 재화 또는 용역의 공급에 부수하
여 공급되는 것으로 인정되는 재화 또는 용역

🛢️**기출 체크**
수출신고가 수리된 물품으로서 선적되
지 아니한 물품을 보세구역에서 반입하
는 것은 재화의 수입에 해당한다. (×)

구분	주된 거래	부수 재화·용역	
		원칙	판단
쌀을 판매하면서 배달해주는 운송용역	면세	과세	면세
조경공사용역을 공급하면서 수목 제공	과세	면세	과세
장례식장에서 제공하는 음식용역	면세	과세	면세
TV를 공급하고 A/S용역 제공	과세	과세	과세

3. 주된 사업에 부수되는 재화·용역

주된 사업에 부수되는 다음 중 어느 하나에 해당하는 재화 또는 용역의 공급은 별도의 공급으로 보되, 과세 및 면세 여부 등은 주된 사업의 과세 및 면세 여부 등을 따른다.

(1) 주된 사업과 관련하여 우연히 또는 일시적으로 공급되는 재화 또는 용역
(2) 주된 사업과 관련하여 주된 재화의 생산 과정이나 용역의 제공 과정에서 필연적으로 생기는 재화

■ 사례

구분	주된 사업	부수 재화·용역	
		원칙	판단
은행업에 사용한 건물을 양도한 경우	면세	과세	면세
의류제조업에 사용한 토지를 양도한 경우	과세	면세	면세
복숭아통조림 제조과정에서 발생한 복숭아씨 판매	과세	면세	과세
참치통조림 제조과정에서 발생한 참치 알	과세	면세	과세

2 공급시기와 공급장소

I 공급시기

1. 의의

공급시기는 재화 또는 용역의 공급이 언제 발생하였는지 결정하는 기준을 말한다. 재화의 공급시기는 공급계약내용이 확정적이며, 공급받는 자가 공급받은 재화를 사용·소비할 수 있거나 용역의 경우 공급받은 용역의 효익을 누릴 수 있는 시점이다. 다만, 현실에서 다양한 거래를 획일적 공급시기로 규정하기 어려우므로 현행 부가가치세법령은 구체적 거래형태별 공급시기규정을 마련하고 있다.

📖 **기출 체크**
주된 사업에 부수되는 주된 사업과 관련하여 주된 재화의 생산 과정에서 필연적으로 생기는 재화의 공급은 별도의 공급으로 보지 아니한다. (×)

2. 중요성

(1) 사업자는 과세거래에 대하여 그 공급시기가 속하는 예정신고기간 또는 과세기간의 과세표준으로 계산하여 이를 신고·납부하여야 하며, 공급시기에 부가가치세의 거래징수의무 및 세금계산서의 발급의무를 이행하여야 한다.

(2) 공급시기에 세금계산서를 발급하지 않거나 수취하지 않으면 가산세 또는 매입세액 불공제가 될 수 있으므로 공급시기를 정확히 판단하는 것은 매우 중요하다.

Ⅱ 재화의 공급시기

1. 기본원칙

재화가 공급되는 시기는 다음의 구분에 따른 때로 한다.

구분	공급시기
① 재화의 이동이 필요한 경우	재화가 인도되는 때
② 재화의 이동이 필요하지 아니한 경우	재화가 이용 가능하게 되는 때 (소유권이전등기일 또는 사용수익일)
③ ①과 ②를 적용할 수 없는 경우	재화의 공급이 확정되는 때

2. 구체적인 거래형태

구분	공급시기
현금판매, 외상판매 또는 할부판매	재화가 인도되거나 이용가능하게 되는 때
상품권 등을 현금 또는 외상으로 판매하고 그 후 그 상품권 등이 현물과 교환되는 경우	재화가 실제로 인도되는 때
재화의 공급으로 보는 가공의 경우	가공된 재화를 인도하는 때
재화를 현물출자한 경우	현물출자의 이행이 완료되는 때
금전등록기를 설치한 경우	현금 수입시기를 공급시기로 할 수 있음
반환조건부 판매, 동의조건부 판매, 그 밖의 조건부 판매 및 기한부 판매	그 조건이 성취되거나 기한이 지나 판매가 확정되는 때 예 검수조건부판매는 검수완료일
무인판매기를 이용한 재화의 공급	무인판매기에서 현금을 꺼내는 때

3. 장기할부판매

(1) 요건

장기할부판매란 재화를 공급하고 그 대가를 월부, 연부 또는 그 밖의 할부의 방법에 따라 받는 것 중 다음의 요건을 모두 갖춘 것을 말한다.
① 2회 이상으로 분할하여 대가를 받는 것
② 해당 재화의 인도일의 다음 날부터 최종 할부금 지급기일까지의 기간이 1년 이상인 것

(2) 공급시기

장기할부판매의 경우에는 대가의 각 부분을 받기로 한 때(실지 대금의 수령 여부에 불구하고 약정에 의하여 대가의 각 부분을 받기로 한 날)를 공급시기로 한다. 다만, 위 공급시기 전에 세금계산서 또는 영수증을 발급하는 경우에는 그 발급한 때를 공급시기로 본다.

> **사례**
>
> ×1. 12. 31. 기계(2억 원)를 인도하고 인도일 이후 매년 말 대금을 1억 원씩 받기로 약정하였다. 이 경우 공급시기와 이에 따른 공급가액은?
>
> **해설**
> 1. 원칙: ×2. 12. 31. 1억 원, ×3. 12. 31. 1억 원
> 2. ×1. 12. 31.에 2억 원에 대하여 세금계산서 발급한 경우: ×1. 12. 31. 2억 원

4. 중간지급조건부

(1) 요건

중간지급조건부로 재화를 공급하는 경우란 다음 중 어느 하나에 해당하는 경우를 말한다.
① 계약금을 받기로 한 날의 다음 날부터 재화를 인도하는 날 또는 재화를 이용가능하게 하는 날까지의 기간이 6개월 이상인 경우로서 그 기간 이내에 계약금 외의 대가를 분할하여 받는 경우
②「국고금 관리법」제26조에 따라 경비를 미리 지급받는 경우
③「지방회계법」제35조에 따라 선금급을 지급받는 경우

(2) 공급시기

중간지급조건부에 해당하는 경우에는 대가의 각 부분을 받기로 한 때를 공급시기로 한다. 다만, 재화가 인도되거나 이용가능하게 되는 날 이후에 받기로 한 대가의 부분에 대해서는 재화가 인도되거나 이용가능하게 되는 날을 그 재화의 공급시기로 본다.

사례

×1.4.1. 기계(4억 원)를 다음과 같은 조건으로 공급하기로 계약하였으며, ×1.11.1. 인도하기로 하였다. 이 경우 공급시기와 이에 따른 공급가액은?

날짜	구분	금액
×1. 4. 1.	계약금	1억 원
×1. 6. 1.	1차 중도금	1억 원
×1. 10. 1.	2차 중도금	1억 원
×2. 1. 1.	잔금	1억 원

해설

×1. 4. 1. → 1억 원
×1. 6. 1. → 1억 원
×1. 10. 1. → 1억 원
×1. 11. 1. → 1억 원

5. 완성도기준지급조건부

(1) 요건완성도기준지급조건부

일의 완성도에 따라 대가를 분할하여 지급받는 것으로 기간 요건은 없으므로 그 기간이 6개월 미만인 경우에도 완성도에 따라 대금을 지급받으면 완성도기준지급조건부 공급에 해당한다.

(2) 공급시기

완성도기준지급조건부에 해당하는 경우에는 대가의 각 부분을 받기로 한 때를 공급시기로 한다. 다만, 재화가 인도되거나 이용가능하게 되는 날 이후에 받기로 한 대가의 부분에 대해서는 재화가 인도되거나 이용가능하게 되는 날을 그 재화의 공급시기로 본다.

사례

20×1. 10. 2.에 건물을 신축하는 도급공사계약을 ㈜민국과 체결하였다. 총 계약대금은 200,000,000이며, 공사대금은 아래의 완성도 조건에 따라 지급받기로 하였다. 20×1. 12. 31. 현재 공사진행률은 60%이다. ×1년 공급가액은?

공사진행률	0%(계약 시)	50% 도달 시	70% 도달 시	100% 도달 시
대금회수 약정내용	10% 지급	30% 지급	30% 지급	30% 지급

해설

200,000,000 × (10% + 30%) = 80,000,000

6. 계속적 공급

전력이나 그 밖에 공급단위를 구획할 수 없는 재화(예 전기, 가스 등)를 계속적으로 공급하는 경우 대가의 각 부분을 받기로 한 때를 공급시기로 한다. 단, 공급시기 전에 세금계산서 또는 영수증을 발급하는 경우에는 그 발급하는 때를 공급시기로 본다.

7. 간주공급

구분	공급시기
면세전용·비영업용 소형자동차 전용·개인적 공급	재화를 사용·소비하는 때
판매목적 타사업장 반출	재화를 반출하는 때
사업상 증여	재화를 증여하는 때
폐업 시 잔존재화	폐업일

8. 수출재화

구분	공급시기
내국물품의 외국 반출❶	수출재화의 선(기)적일
중계무역 방식의 수출	
수입신고 수리 전 보세구역 보관 물품의 외국 반출	
원양어업 또는 위탁판매수출	수출재화의 공급가액이 확정되는 때
외국인도수출	외국에서 해당 재화가 인도되는 때
위탁가공무역 방식의 수출	
원료를 국외 수탁가공사업자에게 무환반출 후 가공된 재화를 양도하는 경우	
내국신용장 또는 구매확인서에 의하여 공급하는 재화	재화를 인도하는 때 (국내 공급시기 준용)

9. 위탁매매 등

위탁매매 또는 대리인에 의한 매매는 수탁자 또는 대리인이 재화를 공급할 때를 공급시기로 본다. 단, 위탁자 또는 본인을 알 수 없는 경우 위탁자와 수탁자 또는 본인과 대리인 사이에도 별개의 공급으로 보아 공급시기를 결정한다.

10. 리스거래

납세의무가 있는 사업자가 「여신전문금융업법」에 따라 등록한 시설대여업자로부터 시설 등을 임차하고 그 시설 등을 공급자 또는 세관장으로부터 직접 인도받은 경우에는 그 사업자가 공급자로부터 재화를 직접 공급받거나 외국으로부터 재화를 직접 수입한 것으로 보아 공급시기를 적용한다.

❶
직수출한 경우 거래의 인도조건이나 대금지급조건 등에 관계가 없으므로 장기할부판매 또는 중간지급조건부 수출의 경우에도 선(기)적일을 공급시기로 한다.

11. 폐업 시 특례

사업자가 폐업 전에 공급한 재화의 공급시기가 폐업일 이후에 도래하는 경우에는 그 폐업일을 공급시기로 본다. 폐업 전에 공급한 경우는 폐업 전에 재화가 인도된 것뿐만 아니라 폐업 전 인도의 원인이 되는 행위(예 계약체결)가 발생한 것도 포함한다. 따라서 폐업 전에 공급계약이 체결된 경우 폐업 시 잔존재화로 과세하지 아니한다.

Check 장기할부판매와 중간지급조건부 판매 비교		
구분	장기할부판매	중간지급조건부 판매
요건	재화를 공급하고 그 대가를 할부의 방법에 따라 받는 것 중 다음의 요건을 모두 갖춘 것 ① 2회 이상 분할하여 대가를 받는 것 ② 재화의 인도일의 다음 날부터 최종 할부금 지급기일까지의 기간이 1년 이상	계약금을 받기로 한 날의 다음 날부터 재화를 인도하는 날 또는 재화를 이용가능하게 하는 날까지의 기간이 6개월 이상인 경우로서 그 기간 이내에 계약금 외의 대가를 분할하여 받는 경우
공급시기	대가의 각 부분을 받기로 한 때	
선발급 허용	대금 수령과 관계없이 선발급 허용	대가를 수령하지 않고 선발급하는 것은 허용하지 않음
수출하는 경우	선적일 등 수출의 공급시기를 적용함	

Ⅲ 용역의 공급시기

1. 원칙

용역이 공급되는 시기는 다음 중 어느 하나에 해당하는 때로 한다.

(1) **역무를 제공하는 경우**

역무의 제공이 완료되는 때

(2) **시설물 등 재화를 사용하게 하는 경우**

시설물, 권리 등 재화가 사용되는 때

2. 구체적인 거래형태

구분	공급시기
장기할부조건부	대가의 각 부분을 받기로 한 때
완성도기준지급조건부·중간지급조건부	대가의 각 부분을 받기로 한 때 다만, 역무의 제공이 완료되는 날 이후 받기로 한 대가의 부분에 대해서는 역무제공완료일
역무의 제공이 완료되는 때 또는 대가를 받기로 한 때를 공급시기로 볼 수 없는 경우	역무의 제공이 완료되고 그 공급가액이 확정되는 때
사업자가 부동산 임대용역을 공급하고 전세금 등을 받는 경우로서 해당 기간의 전세금 등에 대하여 간주임대료를 계산하는 경우	예정신고기간 또는 과세기간의 종료일
사업자가 둘 이상의 과세기간에 걸쳐 부동산 임대용역을 공급하고 그 대가를 선불 또는 후불로 받는 경우의 안분계산한 임대료	
다음 중 어느 하나에 해당하는 용역을 둘 이상의 과세기간에 걸쳐 계속적으로 제공하고 그 대가를 선불로 받는 경우 ① 헬스클럽장 등 스포츠센터를 운영하는 사업자가 연회비를 미리 받고 회원들에게 시설을 이용하게 하는 것 ② 사업자가 다른 사업자와 상표권 사용계약을 할 때 사용대가 전액을 일시불로 받고 상표권을 사용하게 하는 것 ③ 유료인 노인복지시설을 설치·운영하는 사업자가 그 시설을 분양받은 자로부터 입주 후 수영장·헬스클럽장 등을 이용하는 대가를 입주 전에 미리 받고 시설 내 수영장·헬스클럽장 등을 이용하게 하는 것	예정신고기간 또는 과세기간의 종료일
사업자가 BOT방식을 준용하여 설치한 시설에 대하여 둘 이상의 과세기간에 걸쳐 계속적으로 시설을 이용하게 하고 그 대가를 받는 경우	예정신고기간 또는 과세기간의 종료일

3. 계속적 용역

공급단위를 구획할 수 없는 용역을 계속적으로 공급하는 경우(예 부동산임대)에는 대가의 각 부분을 받기로 한 때를 공급시기로 본다. 단, 공급시기 전에 세금계산서 또는 영수증을 발급하는 경우에는 그 발급하는 때를 공급시기로 본다.

4. 폐업 시 특례

폐업 전에 공급한 용역의 공급시기가 폐업일 이후에 도래하는 경우에는 폐업일을 공급시기로 본다.

Ⅳ 재화의 수입시기

1. 원칙

재화의 수입시기는 「관세법」에 따른 수입신고가 수리된 때로 한다.

2. 특례

사업자가 보세구역 안에서 보세구역 밖의 국내에 재화를 공급하는 경우가 재화의 수입에 해당할 때에는 수입신고 수리일을 재화의 공급시기로 본다.

Ⅴ 재화 및 용역의 공급시기 특례

1. 대가를 받고 T/I 등을 발급하는 경우

사업자가 재화 또는 용역의 공급시기가 되기 전에 재화 또는 용역에 대한 대가의 전부 또는 일부를 받고, 그 받은 대가에 대하여 세금계산서 또는 영수증을 발급하면 그 세금계산서 등을 발급하는 때를 각각 그 재화 또는 용역의 공급시기로 본다.

→ 대가 지급시기와 세금계산서 발급시기의 과세기간이 다른 경우에도 세금계산서의 발급시기를 공급시기로 봄

📖 취지
대가를 받은 경우 거래의 실제성이 확보된 것으로 보아 그 때를 공급시기로 보는 것이며, 대가지불 없이 매입세액을 공제받는 세금탈루행위를 방지한다.

사례

재화의 인도일	대금수령일	세금계산서 발급일	공급시기
20×1. 9. 1.	20×1. 5. 1.	20×1. 5. 1.	20×1. 5. 1.

2. T/I 발급 후 7일 이내에 대가를 받은 경우

사업자가 재화 또는 용역의 공급시기가 되기 전에 세금계산서를 발급하고 그 세금계산서 발급일부터 7일 이내에 대가를 받으면 해당 세금계산서를 발급한 때를 재화 또는 용역의 공급시기로 본다.

∵ 세금계산서 발급 후 7일 이내 결제되는 상관행 거래를 허용함

사례

재화의 인도일	대금수령일	세금계산서 발급일	공급시기
20×1. 9. 1.	20×1. 5. 20.	20×1. 5. 15.	20×1. 5. 15.

🏛 기출 체크
사업자가 용역의 공급시기가 되기 전에 세금계산서를 발급하고 그 세금계산서 발급일부터 7일 이내에 대가를 받으면 그 대가를 받은 때를 용역의 공급시기로 본다. (×)

3. T/I 발급 후 7일이 지난 후 대가를 받은 경우

다음 중 어느 하나에 해당하는 경우에는 재화 또는 용역을 공급하는 사업자가 그 재화 또는 용역의 공급시기가 되기 전에 세금계산서를 발급하고 그 세금계산서 발급일부터 7일이 지난 후 대가를 받더라도 해당 세금계산서를 발급한 때를 재화 또는 용역의 공급시기로 본다.

(1) 거래 당사자 간의 계약서·약정서 등에 대금 청구시기(세금계산서 발급일)와 지급시기를 따로 적고, 대금 청구시기와 지급시기 사이의 기간이 30일 이내인 경우

(2) 재화 또는 용역의 공급시기가 세금계산서 발급일이 속하는 과세기간 내(공급받는 자가 조기환급을 받은 경우에는 세금계산서 발급일부터 30일 이내)에 도래하는 경우

사례

재화의 인도일	대금수령일	세금계산서 발급일	공급시기
20×1. 9. 1.	20×1. 5. 15.	20×1. 4. 20.	20×1. 4. 20.

4. 장기할부와 계속적 공급

사업자가 다음의 공급시기가 되기 전에 세금계산서 또는 영수증을 발급하는 경우에는 그 발급한 때를 각각 그 재화 또는 용역의 공급시기로 본다.

(1) 장기할부판매로 재화를 공급하거나 장기할부조건부로 용역을 공급하는 경우

(2) 전력이나 그 밖에 공급단위를 구획할 수 없는 재화를 계속적으로 공급하는 경우

(3) 그 공급단위를 구획할 수 없는 용역을 계속적으로 공급하는 경우

∵ 대가를 받기 전 대금을 청구하는 것이 일반적이며, 대금수수와 관계없이 허용

Ⅵ 공급장소

1. 의의

공급장소란 소비지국과세원칙에 따라 재화 또는 용역의 공급이 국내에서 이루어진 것인지 국외에서 이루어진 것인지를 구분하는 기준으로 보고 우리나라의 과세권이 미치는 과세거래인지를 판단하는 기준이다.

2. 재화의 공급장소

재화가 공급되는 장소는 다음의 구분에 따른 곳으로 한다.

(1) **재화의 이동이 필요한 경우**

재화의 이동이 시작되는 장소

(2) **재화의 이동이 필요하지 아니한 경우**

재화가 공급되는 시기에 재화가 있는 장소

3. 용역의 공급장소

용역이 공급되는 장소는 다음 중 어느 하나에 해당하는 곳으로 한다.

(1) 역무가 제공되거나 시설물, 권리 등 재화가 사용되는 장소

(2) 국내 및 국외에 걸쳐 용역이 제공되는 국제운송의 경우 사업자가 비거주자 또는 외국법인이면 여객이 탑승하거나 화물이 적재되는 장소

(3) 전자적 용역의 경우 용역을 공급받는 자의 사업장 소재지, 주소지 또는 거소지

03 영세율과 면세

1 영세율

Ⅰ 영세율의 의의

1. 영세율은 일정한 재화 또는 용역의 공급에 대하여 0% 세율을 적용하여 부가가치세액이 '0'이 되게 하는 제도이다.

2. 영세율을 적용하면 그 거래의 전 단계에서 창출한 부가가치도 면제되므로 완전면세제도라고 한다.

3. 영세율 사업자는 세율이 '0'인 것을 제외하고는 「부가가치세법」상의 납세의무자이므로 원칙적으로 일반 과세사업자의 「부가가치세법」상 제반의무를 이행하여야 한다.

사례

구분	과세사업자	과세사업자	영세율사업자
매출세액	10	20	0
매입세액	–	(10)	(20)
납부세액	10	10	(20)

Ⅱ 영세율 적용대상 사업자

1. 거주자와 내국법인은 영세율 적용대상 거래 시 영세율이 적용되며, 비거주자와 외국법인은 상호주의에 따라 영세율을 적용한다.

2. 상호주의

사업자가 비거주자 또는 외국법인이면 그 해당 국가에서 대한민국의 거주자 또는 내국법인에 대하여 동일하게 면세하는 경우에만 영세율을 적용한다. 동일하게 면세하는 경우는 해당 외국의 조세로서 우리나라의 부가가치세 또는 이와 유사한 성질의 조세를 면세하는 경우와 그 외국에 우리나라의 부가가치세 또는 이와 유사한 성질의 조세가 없는 경우로 한다.

Ⅲ 영세율 적용대상 거래

1. 재화의 수출

재화의 공급이 수출에 해당하면 그 재화의 공급에 대하여는 영세율을 적용한다. 수출에 해당하는 재화는 다음과 같다.

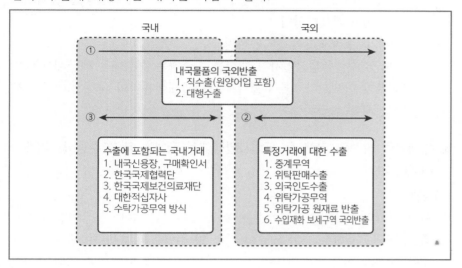

	국내	국외
①	**내국물품의 국외반출** 1. 직수출(원양어업 포함) 2. 대행수출	
③	**수출에 포함되는 국내거래** 1. 내국신용장, 구매확인서 2. 한국국제협력단 3. 한국국제보건의료재단 4. 대한적십자사 5. 수탁가공무역 방식	② **특정거래에 대한 수출** 1. 중계무역 2. 위탁판매수출 3. 외국인도수출 4. 위탁가공무역 5. 위탁가공 원재료 반출 6. 수입재화 보세구역 국외반출

2. 내국물품의 국외반출

(1) 의의

① 내국물품(대한민국 선박에 의하여 채집되거나 잡힌 수산물 포함)을 외국으로 반출하는 것은 영세율을 적용한다.

② 사업자가 재화를 국외로 무상으로 반출하는 경우(공급가액은 수출재화의 시가)에도 영세율을 적용한다. 다만, 자기사업을 위하여 대가를 받지 아니하고 국외의 사업자에게 견본품을 반출하는 경우에는 재화의 공급으로 보지 아니한다.

(2) 직수출

① 수출업자가 물품을 자기명의·자기계산으로 내국물품을 외국으로 반출하는 것이다.

② 공급시기: 수출재화의 선(기)적일이다. 중간지급조건부, 장기할부판매 및 검수조건부 수출의 경우에도 선(기)적일이다.

③ T/I 발급: 공급받는 자가 국내사업장이 없는 비거주자 또는 외국법인이므로 세금계산서 발급의무가 없다.

(3) 대행수출

① 수출품 생산업자가 수출업자와 다음과 같이 수출대행계약을 체결하여 수출업자의 명의로 수출하는 경우에 수출품 생산업자가 외국으로 반출하는 재화는 영세율을 적용한다.

      ⊙ 수출품 생산업자가 직접 수출신용장을 받아 수출업자에게 양도하고 수출대행계약을 체결한 경우

      ⓒ 수출업자가 수출신용장을 받고 수출품 생산업자와 수출대행계약을 체결한 경우

      → 수출업자가 받는 수출대행수수료는 국내에서 제공하는 용역이므로 10% 과세대상임

  ② 공급시기: 수출재화의 선(기)적일

  ③ T/I 발급: 수출품생산업자가 재화를 수출하는 경우에는 세금계산서 발급의무가 면제된다. 단, 수출업자는 수출대행용역의 대가에 대하여 세금계산서를 발급하여야 한다.

3. 중계무역 방식의 거래 등 국내사업장에서 계약과 대가 수령 등 거래가 이루어지는 것

(1) 의의
중계무역방식수출, 위탁판매수출, 외국인도수출, 위탁가공무역방식의 수출, 위탁가공무역을 위한 원료의 반출 및 수입물품 보세구역 국외반출은 모두 재화의 이동이 시작되는 장소(공급장소)가 국외이므로 본래 부가가치세 과세거래에 해당하지 않는다. 단, 중계무역 등과 관련하여 국내에서 발생하는 매입세액을 공제하기 위하여 국내사업장에서 거래가 이루어지는 경우에는 수출에 포함하여 영세율을 적용한다.

(2) 중계무역방식
  ① 수출할 것을 목적으로 물품 등을 수입하여 보세구역 및 보세구역 외 장치의 허가를 받은 장소 또는 자유무역지역 외의 국내에 반입하지 아니하는 방식의 수출이다.

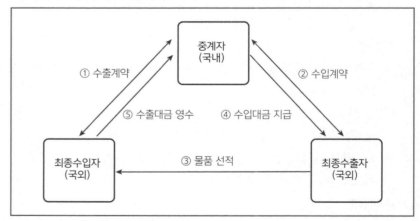

  ② 공급시기: 수출재화의 선(기)적일

  ③ T/I 발급: 공급받는 자가 국내사업장이 없는 비거주자 또는 외국법인이므로 세금계산서 발급의무가 없다.

(3) 위탁판매수출

① 물품 등을 무환(無換)으로 수출하여 해당 물품이 판매된 범위에서 대금을 결제하는 계약에 의한 수출이다.

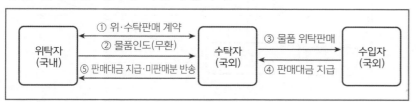

② 공급시기: 수출재화의 공급가액이 확정되는 때

③ T/I 발급: 공급받는 자가 국내사업장이 없는 비거주자 또는 외국법인이므로 세금계산서 발급의무가 없다.

(4) 외국인도수출

① 수출대금은 국내에서 영수(領收)하지만 국내에서 통관되지 아니한 수출물품 등을 외국으로 인도하거나 제공하는 수출이다.

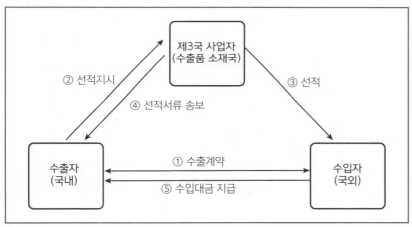

② 공급시기: 외국에서 해당 재화가 인도되는 때

③ T/I 발급: 공급받는 자가 국내사업장이 없는 비거주자 또는 외국법인이므로 세금계산서 발급의무가 없다.

(5) 위탁가공무역방식 수출

① 가공임(加工賃)을 지급하는 조건으로 외국에서 가공(제조, 조립, 재성, 개조를 포함)할 원료의 전부 또는 일부를 거래 상대방에게 수출하거나 외국에서 조달하여 가공한 후 가공물품 등을 외국으로 인도하는 방식의 수출이다.

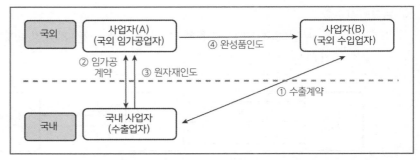

② 공급시기: 외국에서 해당 재화가 인도되는 때이며, 공급가액은 완성된 제품의 인도가액으로 한다.

　예 원료반출재화 대가 80원 + 국외임가공대가 20원 = 인도가액 100원

③ T/I 발급: 공급받는 자가 국내사업장이 없는 비거주자 또는 외국법인 이므로 세금계산서 발급의무가 없다.

(6) 위탁가공원료반출

① 원료를 대가 없이 국외의 수탁가공 사업자에게 반출하여 가공한 재화를 양도하는 경우에 그 원료의 반출이다.

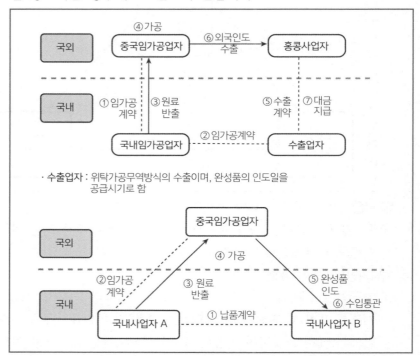

② 공급시기: 국외에서 해당 재화가 인도되는 때이며, 공급가액은 원재료 반출가액이다.

③ T/I 발급: 공급받는 자가 국내사업자이므로 영세율 적용되는 원료의 반출가액은 영세율 세금계산서를 발급하여야 한다.

　→ 국외임가공대가는 계산서 발급

(7) 수입신고 수리 전 보세구역 물품 반출

① 「관세법」에 따른 수입신고 수리 전의 물품으로서 보세구역에 보관하는 물품의 외국으로의 반출이다.

② 공급시기: 수출재화의 선(기)적일

③ T/I 발급: 공급받는 자가 국내사업장이 없는 비거주자 또는 외국법인이므로 세금계산서 발급의무가 없다. 다만, 공급받는 자가 거주자 또는 내국법인인 경우에는 세금계산서를 발급할 의무가 있다.

4. 국내거래 중 수출로 보는 것

(1) 내국신용장 또는 구매확인서에 의한 재화의 공급

① 의의: 내국신용장 또는 구매확인서에 의하여 재화(금지금은 제외)를 공급하는 것은 영세율을 적용한다. 이는 수출업자가 국내에서 원자재를 구매하는 경우 자금부담을 줄여주기 위함이다.

내국신용장	사업자가 국내에서 수출용 원자재 또는 수출재화임가공용역을 공급받으려는 경우에 해당 사업자의 신청에 따라 외국환은행의 장이 재화나 용역의 공급시기가 속하는 과세기간이 끝난 후 25일 이내(그 날이 공휴일 또는 토요일인 경우 그 바로 다음 영업일)에 개설하는 신용장
구매확인서	외국환은행의 장이나 내국신용장에 준하여 재화나 용역의 공급시기가 속하는 과세기간이 끝난 후 25일 이내에 발급하는 확인서

② 공급시기: 국내공급이므로 재화를 인도하는 때를 공급시기로 한다. 단, 중간지급조건부 및 완성도기준지급조건부, 장기할부판매의 경우 대가의 각 부분을 받기로 한 때, 검수조건부 공급인 경우 검수완료일을 공급시기로 한다.

③ 세금계산서: 국내사업자와의 거래이므로 영세율 세금계산서를 발급하여야 한다. 단, 공급시기에는 내국신용장이 개설되지 않아 10% 세율로 세금계산서를 발급하였으나, 공급시기가 속한 과세기간이 끝난 후 25일 이내에 내국신용장이 개설되거나 구매확인서가 발급된 경우 당초 작성연월일을 작성연월일로 하여 수정세금계산서를 발급한다.

(2) 사업자가 한국국제협력단 등에 공급하는 재화

① 의의: 사업자가 한국국제협력단, 한국국제보건의료재단 및 대한적십자사에 공급하는 재화(해당 단체가 사업을 위하여 외국에 무상으로 반출하는 재화로 한정함)는 영세율을 적용한다. 이는 해외무상원조를 지원하기 위함이다.

② 공급시기: 재화의 인도일을 공급시기로 하는 것이 원칙이다.

③ 세금계산서: 국내사업자 간의 거래이므로 세금계산서를 발급하여야한다.

> **사례**
>
> ㈜한국은 한국국제협력단(KOICA)에 시가 10,000,000원의 제품을 공급하였다. 한국국제협력단은 이 제품 중 90%를 해외구호를 위해 무상으로 반출하고 10%는 국내에서 사용하였다. 이 경우 9,000,000원은 영세율, 1,000,000원은 10% 세율을 적용한다.

(3) 비거주자 등이 지정하는 국내사업자에게 인도하는 재화

① 다음의 요건을 모두 갖추어 공급하는 재화는 영세율을 적용한다.

　　㉠ 국외의 비거주자 또는 외국법인과 직접 계약에 따라 공급할 것

　　㉡ 대금을 외국환은행에서 원화로 받을 것

　　㉢ 비거주자 등이 지정하는 국내의 다른 사업자에게 인도할 것

　　㉣ 국내의 다른 사업자가 비거주자 등과 계약에 따라 인도받은 재화를 그대로 반출하거나 제조·가공한 후 반출할 것

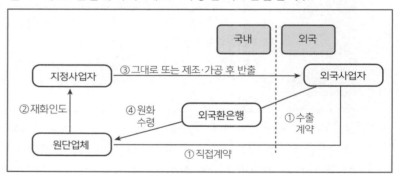

비거주자 또는 외국법인은 국내에서 구입한 원재료에 대해 국내사업장이 없어 매입세액 공제를 받을 수 없어 누적효과가 발생하므로 영세율을 적용하도록 한다.

② 공급시기: 국내에서 비거주자 등이 지정하는 국내 다른 사업자에게 가공된 재화를 인도하는 때

③ 세금계산서: 공급받는 자가 국내사업장이 없는 비거주자 또는 외국법인이므로 세금계산서 발급의무는 없다.

5. 용역의 국외공급

(1) 국외에서 공급하는 용역에 대하여는 영세율을 적용한다. 외국은 우리나라의 과세권이 미치지 아니하므로, 용역이 사용되는 장소가 국외인 경우 부가가치세는 과세되지 아니한다. 그러나, 해당 용역을 제공하는 사업의 사업장이 국내인 사업자가 국외에서 제공하는 용역을 과세거래로 보되,

영세율을 적용하는 것이다. 이는, 사업자가 국외에서 제공하는 용역에 사용하기 위하여 국내에서 재화 등을 생산 또는 취득하는 경우 그 재화 등의 구입 시 부담한 매입세액을 환급하여 주고, 용역의 공급장소가 속하는 상대국에서 부가가치세가 과세되므로 이중과세를 방지하기 위해서도 영세율을 적용한다고 볼 수 있다.

(2) 세금계산서

국외제공용역을 공급받는 자가 국내사업장이 없는 비거주자 또는 외국법인인 경우 세금계산서 발급의무는 없으나, 공급받는 자가 거주자 또는 내국법인 또는 국내사업장이 있는 비거주자 또는 외국법인인 경우에는 세금계산서를 발급하여야 한다.

6. 외국항행용역의 공급

(1) 선박 또는 항공기에 의하여 여객이나 화물을 국내에서 국외로, 국외에서 국내로 또는 국외에서 국외로 수송하는 외국항행용역은 대금결제수단에 관계없이 영세율을 적용한다. 외국항행사업자가 자기의 사업에 부수하여 공급하는 재화 또는 용역으로서 다음의 규정하는 것도 영세율을 적용한다.
  ① 다른 외국항행사업자가 운용하는 선박 또는 항공기의 탑승권을 판매하거나 화물 운송계약을 체결하는 것
  ② 외국을 항행하는 선박 또는 항공기 내에서 승객에게 공급하는 것
  ③ 자기의 승객만이 전용하는 버스를 탑승하게 하는 것
  ④ 자기의 승객만이 전용하는 호텔에 투숙하게 하는 것

(2) 외국항행용역에는 운송주선업자가 국제복합운송계약에 의하여 화주로부터 화물을 인수하고 자기 책임과 계산으로 타인의 선박 또는 항공기 등의 운송수단을 이용하여 화물을 운송하고 화주로부터 운임을 받는 국제운송용역과 「항공사업법」에 따른 상업서류 송달용역을 포함한다.

7. 외화 획득 재화 또는 용역의 공급 등

(1) 국내에서 국내사업장이 없는 비거주자 등에게 공급하는 재화·용역
  ① 의의: 국내에서 국내사업장이 없는 비거주자❶ 또는 외국법인에 공급되는 다음 중 어느 하나에 해당하는 재화 또는 사업에 해당하는 용역으로서 그 대금을 외국환은행에서 원화로 받거나 기획재정부령으로 정하는 방법으로 받는 것은 영세율을 적용한다.

❶
비거주자에는 국내에 거소를 둔 개인, 외교공관 등의 소속 직원, 우리나라에 상주하는 국제연합군 또는 미합중국군대의 군인 또는 군무원은 제외한다.

🏛 기출 체크
항공기에 의하여 여객을 국내에서 국외로 수송하는 것에 대해서는 영세율이 적용되지 않는다. (×)

재화	비거주자 또는 외국법인이 지정하는 국내사업자에게 인도되는 재화로서 해당 사업자의 과세사업에 사용되는 재화 → 면세사업에 사용하는 경우 10% 과세
용역	㉠ 전문, 과학 및 기술 서비스업(수의업, 제조업 회사본부 및 기타 산업 회사본부 제외) 　　→ 해당 국가에서 우리나라의 거주자 또는 내국법인에 대하여 동일하게 면세하는 경우(우리나라의 부가가치세 또는 이와 유사한 성질의 조세가 없거나 면세하는 경우)에 한정함 ㉡ 사업지원 및 임대서비스업 중 무형재산권 임대업 ㉢ 통신업 ㉣ 컨테이너수리업, 보세구역 내의 보관 및 창고업, 「해운법」에 따른 해운대리점업, 해운중개업 및 선박관리업 ㉤ 정보통신업 중 뉴스 제공업, 영상·오디오 기록물 제작 및 배급업(영화관 운영업과 비디오물 감상실 운영업 제외), 소프트웨어 개발업, 컴퓨터 프로그래밍, 시스템 통합관리업, 자료처리, 호스팅, 포털 및 기타 인터넷 정보매개서비스업, 기타 정보 서비스업 ㉥ 상품 중개업 및 전자상거래 소매 중개업 ㉦ 사업시설관리 및 사업지원 서비스업(조경 관리 및 유지 서비스업, 여행사 및 기타 여행보조 서비스업 제외) 　　→ 해당 국가에서 우리나라의 거주자 또는 내국법인에 대하여 동일하게 면세하는 경우(우리나라의 부가가치세 또는 이와 유사한 성질의 조세가 없거나 면세하는 경우)에 한정함 ㉧ 「자본시장과 금융투자업에 관한 법률」에 따른 투자자문업 ㉨ 교육 서비스업(교육지원 서비스업으로 한정함) ㉩ 보건업(임상시험용역을 공급하는 경우로 한정함)

② 공급시기: 일반적인 공급시기규정을 준용한다.

③ 세금계산서: 공급받는 자가 국내사업장이 없는 비거주자 또는 외국법인인 경우에는 세금계산서 발급의무는 없다.

(2) **비거주자 등이 국내사업장이 있는 경우 국외의 비거주자 등과 직접 계약에 의해 공급하는 재화·용역**

비거주자 또는 외국법인의 국내사업장이 있는 경우에 국내에서 국외의 비거주자 또는 외국법인과 직접 계약하여 공급하는 재화 또는 용역 중 (1)의 어느 하나에 해당하는 재화 또는 사업에 해당하는 용역은 영세율을 적용한다. 다만, 그 대금을 해당 국외 비거주자 또는 외국법인으로부터 외국환은행에서 원화로 받거나 기획재정부령으로 정하는 방법으로 받는 경우로 한정한다.

(3) **수출재화 임가공용역**

① 다음 중 어느 하나에 해당하는 경우 대금수령방법과 관계없이 영세율을 적용한다.

㉠ 수출업자와 직접 도급계약에 의하여 수출재화를 임가공하는 수출재화임가공용역(수출재화염색임가공 포함). 다만, 사업자가 부가가치세를 별도로 적은 세금계산서를 발급한 경우는 제외한다.

→ 영세율 또는 10% 세율 선택 적용

㉡ 내국신용장 또는 구매확인서에 의하여 공급하는 수출재화임가공용역

② 세금계산서: 국내거래이므로 영세율 세금계산서를 발급하여야 한다. 다만, 수출업자와 직접 도급계약에 의한 수출재화 임가공용역에 대해 사업자가 10% 세율 세금계산서를 발급한 경우에는 10% 세율 적용대상으로 한다.

(4) 외국항행선박 및 항공기에 공급하는 재화·용역

① 사업자가 외국을 항행하는 선박 및 항공기 또는 원양어선에 공급하는 재화 또는 용역은 영세율을 적용한다. 다만, 사업자가 부가가치세를 별도로 적은 세금계산서를 발급한 경우는 제외한다.

∵ 사업자가 공급 시 내항선인지 외항선인지 여부를 파악하기 곤란함

② 세금계산서: 공급받는 자가 국내사업장이 없는 비거주자 또는 외국법인인 경우에는 세금계산서 발급의무가 없으나, 그 외의 경우에는 세금계산서를 발급하여야 한다.

(5) 우리나라에 상주하는 국제연합군 등에 공급하는 재화·용역

① 다음 중 어느 하나에 해당하는 것은 영세율을 적용한다.

㉠ 우리나라에 상주하는 국제연합군 또는 미합중국군대에 공급하는 재화 또는 용역

㉡ 우리나라에 상주하는 외교공관, 영사기관(명예영사관원을 장으로 하는 영사기관 제외), 국제연합과 이에 준하는 국제기구(우리나라가 당사국인 조약과 그 밖의 국내법령에 따라 특권과 면제를 부여받을 수 있는 경우만 해당) 등에 재화 또는 용역을 공급하는 경우

② 세금계산서: 세금계산서 발급의무를 면제한다.

(6) 국내에서 외국인 관광객에게 공급하는 관광알선용역

① 「관광진흥법 시행령」에 따른 종합여행업자가 외국인 관광객에게 공급하는 관광알선용역은 그 대가를 다음 중 어느 하나의 방법으로 받는 경우로 한정하여 영세율을 적용한다.

㉠ 외국환은행에서 원화로 받는 것

㉡ 외화 현금으로 받은 것 중 국세청장이 정하는 관광알선수수료명세표와 외화매입증명서에 의하여 외국인 관광객과의 거래임이 확인되는 것

② 세금계산서: 원칙적으로 세금계산서 발급의무는 면제되나, 공급받는 자가 사업자등록증을 제시하고 세금계산서 발급을 요구하는 경우에는 세금계산서를 발급하여야 한다.

(7) 외국인전용 판매장 및 유흥음식점

① 다음 중 어느 하나에 해당하는 사업자가 국내에서 공급하는 재화 또는 용역은 그 대가를 외화로 받고 그 외화를 외국환은행에서 원화로 환전하는 경우에 한하여 영세율을 적용한다.

ㄱ 「개별소비세법」 제17조 제1항에 따른 지정을 받아 외국인전용판매장을 경영하는 자

ㄴ 「조세특례제한법」 제115조에 따른 주한외국군인 및 외국인선원 전용 유흥음식점업을 경영하는 자

② 세금계산서: 공급받는 자가 국내사업장이 없는 비거주자 또는 외국법인인 경우에는 세금계산서 발급의무가 없다.

(8) 외교관 등에게 공급하는 재화·용역

① 외교관면세점으로 지정받은 사업장에서 외교공관 등의 소속 직원으로서 해당 국가로부터 공무원 신분을 부여받은 자 또는 외교부장관으로부터 이에 준하는 신분임을 확인받은 자 중 내국인이 아닌 자에게 외교관 면세카드를 제시받아 다음 중 어느 하나에 해당하는 재화 또는 용역을 공급하는 경우로서 외교관 등의 성명, 국적, 외교관 면세카드 번호, 품명, 수량, 공급가액 등이 적힌 외교관면세 판매기록표에 의하여 외교관등에게 공급한 것이 확인되는 경우 영세율을 적용한다. 이 경우 해당 외국에서 대한민국의 외교공관 및 영사기관 등의 직원에게 공급하는 재화 또는 용역에 대하여 동일하게 면세하는 경우에만 영세율을 적용한다.

ㄱ 음식·숙박 용역

ㄴ 「개별소비세법 시행령」 제24조 제1항 및 제27조에 따른 물품

ㄷ 「교통·에너지·환경세법 시행령」 제20조 제1항에 따른 석유류

ㄹ 「주세법」에 따른 주류

ㅁ 전력

ㅂ 외교부장관의 승인을 받아 구입하는 자동차

② 세금계산서: 외교관 등에게 과세재화·용역을 공급하는 경우 세금계산서 또는 영수증을 발급할 의무가 있다. 단, 발급의무 면제업종에 대하여는 발급의무가 없다.

🏛 기출 체크

외교공관 등의 소속 직원으로서 해당 국가로부터 공무원 신분을 부여받은 자 중 내국인에게 대통령령으로 정하는 방법에 따라 재화 또는 용역을 공급하는 경우에는 영세율을 적용한다. (×)

2 면세

I 개요

1. 의의

면세란 특정재화 또는 용역에 공급에 대하여 부가가치세를 면제하는 제도이며, 면세사업이란 부가가치세가 면제되는 재화 또는 용역을 공급하는 사업을 말한다. 사업자에게 면세를 적용하면 그 단계에서 창출한 부가가치는 면제되나, 전 단계에서 창출한 부가가치는 면제되지 않는다. 면세제도는 주로 역진성을 완화하기 위하여 적용된다.

2. 면세의 범위

면세되는 재화 또는 용역의 공급에 통상적으로 부수되는 재화 또는 용역의 공급은 그 면세되는 재화 또는 용역의 공급에 포함되는 것으로 본다.

기초생활 필수품과 용역	① 미가공식료품(국산·외국산 불문) ② 국내생산 비식용 미가공 농·축·수·임산물 ③ 수돗물·연탄과 무연탄 ④ 대중교통 여객운송용역 ⑤ 주택임대용역
국민복리후생	① 의료보건용역과 혈액 ② 교육용역 ③ 우표(수집용 우표 제외)·인지·증지·복권·공중전화
사회문화 관련	① 도서·신문·잡지·관보·뉴스통신(광고는 과세함) ② 예술창작품·예술행사·문화행사·아마추어 운동경기 ③ 도서관·과학관·박물관에의 입장
부가가치 생산요소	① 토지의 공급 ② 법 소정 인적 용역(근로의 제공과 유사) ③ 금융보험용역
공익을 위한 목적	① 종교단체 등 공익목적단체가 공급하는 법 소정 재화·용역 ② 국가 등이 공급하는 재화·용역 ③ 국가 등에 무상으로 공급하는 재화·용역 ④ 비영리출판물과 관련되는 용역(공동주택 어린이집 임대용역 포함)

Ⅱ 재화 또는 용역의 공급에 대한 면세

1. 미가공식료품

(1) 범위

미가공식료품은 식용으로 제공되는 농산물, 축산물, 수산물과 임산물과 소금(천일염 및 재제소금을 말함)으로서 가공되지 아니하거나 탈곡·정미·정맥·제분·정육·건조·냉동·염장·포장이나 그 밖에 원생산물 본래의 성질이 변하지 아니하는 정도의 1차 가공을 거쳐 식용으로 제공하는 것을 말한다.

※ 정제소금, 가공소금과 공업용 소금·맛소금은 과세함

(2) 미가공식료품으로 보는 것

미가공식료품에는 다음의 것을 포함한다.

① 데친 채소류·김치·단무지·장아찌·젓갈류·게장·두부·메주·간장·된장·고추장. 단, 제조시설을 갖추고 판매목적으로 독립된 거래단위로 관입·병입 또는 이와 유사한 형태로 포장하여 2024년 1월 1일부터 공급하는 것은 미가공식품에서 제외하며, 단순하게 운반편의를 위하여 일시적으로 관입·병입 등의 포장을 하는 경우는 미가공식료품으로 본다.

② 원생산물 본래의 성질이 변하지 아니하는 정도로 1차 가공을 하는 과정에서 필수적으로 발생하는 부산물(예 쌀겨, 밀기울 등)

③ 미가공식료품을 단순히 혼합한 것

④ 쌀에 인삼추출물·아미노산 등 식품첨가물을 첨가·코팅하거나 버섯균 등을 배양시킨 것으로서 쌀의 원형을 유지하고 있어야 하고(쌀을 분쇄한 후 식품첨가물을 혼합하여 다시 알곡모양을 낸 것은 제외), 쌀의 함량이 90% 이상인 것

2. 국내생산 비식용 농산물, 축산물, 수산물과 임산물

우리나라에서 생산되어 식용으로 제공되지 아니하는 농산물, 축산물, 수산물과 임산물로서 다음의 것은 부가가치세를 면제한다.

(1) 원생산물

(2) 원생산물 본래의 성상이 변하지 아니하는 정도의 원시가공을 거친 것

(3) 원시가공을 하는 과정에서 필수적으로 발생하는 부산물

| Check | 미가공 농·축·수·임산물의 면세 여부 |

구분	국내산	수입산
식용	면세	면세
비식용	면세	과세

3. 수돗물과 연탄과 무연탄 등

(1) 범위

다음의 해당하는 것은 기초생활필수품으로서 부가가치세를 면제한다.

① 수돗물

② 연탄과 무연탄

③ 여성용 생리 처리 위생용품

(2) 비교 정리

① 생수, 먹는 샘물은 과세한다.

② 유연탄, 갈탄 및 착화탄은 과세한다.

4. 여객운송용역

여객운송용역은 부가가치세를 면제한다. 다만, 항공기, 우등고속버스, 전세버스, 택시, 특수자동차, 특종선박 또는 고속철도 또는 삭도, 유람선에 의한 다음의 여객운송용역은 부가가치세를 과세한다.

항공기	「항공사업법」에 따른 항공기에 의한 여객운송용역
자동차	「여객자동차 운수사업법」에 따른 여객자동차 운수사업 중 다음의 여객자동차 운수사업에 제공되는 자동차에 의한 여객운송용역 ① 시외우등고속버스를 사용하는 시외버스운송사업 ② 전세버스운송사업 ③ 일반택시운송사업 및 개인택시운송사업 ④ 자동차대여사업
선박	다음의 선박에 의한 여객운송용역. 다만, 기획재정부령으로 정하는 차도선형여객선에 의한 여객운송용역은 제외한다. ① 수중익선 ② 에어쿠션선 ③ 자동차운송 겸용 여객선 ④ 항해시속 20노트 이상의 여객선
고속철도	「철도의 건설 및 철도시설 유지관리에 관한 법률」에 따른 고속철도에 의한 여객운송용역

관광·유흥	삭도, 유람선 등 관광 또는 유흥 목적의 운송수단에 의한 여객운송용역의 경우에는 다음 중 어느 하나에 해당하는 것 ① 「궤도운송법」에 따른 삭도에 의한 여객운송용역 ② 「관광진흥법 시행령」 제2조에 따른 관광유람선업, 관광순환버스업 또는 관광궤도업에 제공되는 운송수단에 의한 여객운송용역 ③ 관광 사업을 목적으로 운영하는 「철도의 건설 및 철도시설 유지관리에 관한 법률」에 따른 일반철도에 의한 여객운송용역(「철도사업법」 제9조에 따라 철도사업자가 국토교통부장관에게 신고한 여객운임·요금을 초과해 용역의 대가를 받는 경우로 한정함)

5. 주택임대용역

(1) 범위

주택과 이에 부수되는 토지의 임대용역은 부가가치세를 면세한다. 이는 세입자의 주거비 부담을 경감하고 소규모 임대사업자의 납세의무 부담을 완화시키기 위함이다.

(2) 주택

주택과 이에 부수되는 토지의 임대는 상시주거용(사업을 위한 주거용의 경우 제외)으로 사용하는 건물과 이에 부수되는 토지로서 다음의 면적 중 넓은 면적을 초과하지 아니하는 토지의 임대로 하며, 이를 초과하는 부분은 토지의 임대로 본다.

① 주택의 연면적(지하층의 면적, 지상층의 주차용으로 사용되는 면적 및 「주택건설기준 등에 관한 규정」 제2조 제3호에 따른 주민공동시설의 면적 제외)

② 건물이 정착된 면적에 5배(도시지역 밖의 토지의 경우 10배)를 곱하여 산정한 면적

(3) 겸용주택

임대주택에 부가가치세가 과세되는 사업용 건물이 함께 설치되어 있는 경우에는 주택과 이에 부수되는 토지의 임대의 범위는 다음에 따른다. 부동산을 2인 이상에게 임대한 경우에는 임차인별로 적용한다.

구분	면세건물	주택부수토지
주택면적 > 사업용 건물면적	주택면적 + 사업용 건물면적	Min(①, ②) ① 부수토지 총면적 ② Max[건물연면적, 건물정착면적 × 5배(도시지역 외 10배)]
주택면적 ≤ 사업용 건물면적	주택면적	Min(①, ②) ① 총토지면적 × 주택연면적/건물연면적 ② Max[주택연면적, 건물정착면적 × 5배(도시지역 외 10배)]

① 주택면적이 사업용 건물면적보다 큰 경우 사업용 건물면적도 주택정착면적으로 본다.

② 주택면적이 사업용 건물면적보다 크지 않은 경우 주택정착면적은 다음과 같이 계산한다.

$$\text{건물 전체 정착면적} \times \frac{\text{주택부분 연면적}}{\text{건물 전체 연면적}}$$

6. 의료보건용역과 혈액

(1) 의료보건용역

다음의 의료보건용역과 혈액은 부가가치세를 면제한다. 면세대상인 의료보건 용역은 다음의 용역(「의료법」 또는 「수의사법」에 따라 의료기관 또는 동물병원을 개설한 자가 제공하는 것 포함)으로 한다.

① 「의료법」에 따른 의사, 치과의사, 한의사, 조산사 또는 간호사가 제공하는 용역: 「국민건강보험법」 제41조 제4항에 따라 요양급여의 대상에서 제외되는 다음의 진료용역은 부가가치세를 과세한다.

　ㄱ 쌍꺼풀수술, 코성형수술, 유방확대·축소술(유방암 수술에 따른 유방 재건술 제외), 지방흡인술, 주름살제거술, 안면윤곽술, 치아성형(치아미백, 라미네이트와 잇몸성형술) 등 성형수술(성형수술로 인한 후유증 치료, 선천성 기형의 재건수술과 종양 제거에 따른 재건수술은 제외)과 악안면 교정술(치아교정치료가 선행되는 악안면 교정술 제외)

　ㄴ 색소모반·주근깨·흑색점·기미 치료술, 여드름 치료술, 제모술, 탈모치료술, 모발이식술, 문신술 및 문신제거술, 피어싱, 지방융해술, 피부재생술, 피부미백술, 항노화치료술 및 모공축소술

> 집행기준 26-35-2【면세 대상인 의료보건용역에 해당하지 아니하는 사례】
> ① 「의료법」에 따른 면허나 자격이 없는 자가 제공하거나 「의료법」상 업무범위를 벗어나서 제공하는 의료용역
> ② 피부과의원에 부설된 피부관리실에서 제공하는 피부관리용역
> ③ 의료보건용역을 제공하는 사업자가 입원환자에게 직접 제공하는 음식용역은 면세대상이나, 외래환자, 환자의 보호자 및 일반인 등에게 제공하는 음식용역은 과세대상이다.
> ④ 의사가 아닌 자가 의사면허가 있는 자와 병원을 공동사업으로 운영하는 경우 해당 의료용역에 대하여는 부가가치세가 면제되지 아니한다.

② 「의료법」에 따른 접골사, 침사, 구사 또는 안마사가 제공하는 용역

③ 의료기사 등에 관한 법률에 따른 임상병리사, 방사선사, 물리치료사, 작업치료사, 치과기공사 또는 치과위생사가 제공하는 용역

④「약사법」에 따른 약사가 제공하는 의약품의 조제용역. 다만, 약사가 조제하지 않고 의약품을 판매하는 것은 부가가치세 과세대상이다.

⑤「수의사법」에 따른 수의사가 제공하는 동물의 진료용역은 다음의 어느 하나에 해당하는 것만 부가가치세를 면제한다.

→ 열거된 것 외 동물의 진료용역은 과세

㉠「축산물 위생관리법」에 따른 가축에 대한 진료용역

㉡「수산생물질병 관리법」에 따른 수산동물에 대한 진료용역

㉢「장애인복지법」에 따른 장애인 보조견표지를 발급받은 장애인 보조견에 대한 진료용역

㉣「국민기초생활 보장법」제2조 제2호에 따른 수급자가 기르는 동물의 진료용역

㉤ ㉠부터 ㉣까지의 규정에 따른 진료용역 외에 질병 예방을 목적으로 하는 동물의 진료용역으로서 농림축산식품부장관 또는 해양수산부장관이 기획재정부장관과 협의하여 고시하는 용역

(2) 장의용역

장의업자가 제공하는 장의용역은 면세대상이다. 다만, 장의업자가 장례식장에서 조문객에게 제공하는 음식용역도 거래의 관행으로 보아 통상적으로 부수되는 공급되는 것으로 보아 부가가치세를 면세한다(대법원 2013두932, 2013. 6. 28.).

(3) 묘지 관련용역

① 「장사 등에 관한 법률」의 규정에 따라 사설묘지, 사설화장시설, 사설봉안시설 또는 사설자연장지를 설치·관리 또는 조성하는 자가 제공하는 묘지분양, 화장, 유골 안치, 자연장지분양 및 관리업 관련 용역

② 지방자치단체로부터 「장사 등에 관한 법률」 제13조 제1항에 따른 공설묘지, 공설화장시설, 공설봉안시설 또는 공설자연장지의 관리를 위탁받은 자가 제공하는 묘지분양, 화장, 유골 안치, 자연장지분양 및 관리업 관련 용역

(4) 응급환자이송용역

「응급의료에 관한 법률」 제2조 제8호에 따른 응급환자이송업자가 제공하는 응급환자이송용역

(5) 가축분뇨사업자

「하수도법」 제45조에 따른 분뇨수집·운반업의 허가를 받은 사업자와 「가축분뇨의 관리 및 이용에 관한 법률」 제28조에 따른 가축분뇨수집·운반업 또는 가축분뇨처리업의 허가를 받은 사업자가 공급하는 용역

(6) 소독용역

「감염병의 예방 및 관리에 관한 법률」 제52조에 따라 소독업의 신고를 한 사업자가 공급하는 소독용역

(7) 폐기물처리용역

「폐기물관리법」 제25조에 따라 생활폐기물 또는 의료폐기물의 폐기물처리업 허가를 받은 사업자가 공급하는 생활폐기물 또는 의료폐기물의 수집·운반 및 처리용역과 같은 법 제29조에 따라 폐기물처리시설의 설치 승인을 받거나 그 설치의 신고를 한 사업자가 공급하는 생활폐기물의 재활용용역

(8) 보건관리용역

「산업안전보건법」 제21조에 따라 보건관리전문기관으로 지정된 자가 공급하는 보건관리용역 및 같은 법 제126조에 따른 작업환경측정기관이 공급하는 작업환경측정용역

(9) 간병 등 용역

「노인장기요양보험법」 제2조 제4호에 따른 장기요양기관이 같은 법에 따라 장기요양인정을 받은 자에게 제공하는 신체활동·가사활동의 지원 또는 간병 등의 용역

(10) 사회복지서비스

「사회복지사업법」 제5조의2 제2항에 따라 보호대상자에게 지급되는 사회복지서비스 이용권을 대가로 국가 및 지방자치단체 외의 자가 공급하는 용역

(11) 산후조리원 등

① 「모자보건법」에 따른 산후조리원에서 분만 직후의 임산부나 영유아에게 제공하는 급식·요양 등의 용역

∵ 출산장려정책

② 「사회적기업 육성법」에 따라 인증받은 사회적기업 또는 「협동조합기본법」 제85조 제1항에 따라 설립인가를 받은 사회적협동조합이 직접 제공하는 간병·산후조리·보육 용역

(12) 정신건강증진사업

「정신건강증진 및 정신질환자 복지서비스 지원에 관한 법률」 제15조 제6항에 따라 국가 및 지방자치단체로부터 같은 법 제3조 제3호에 따른 정신건강증진사업 등을 위탁받은 자가 제공하는 정신건강증진사업 등의 용역

7. 교육용역

(1) 면세대상

면세대상 교육용역은 다음의 어느 하나에 해당하는 시설 등에서 학생, 수강생, 훈련생, 교습생 또는 청강생에게 지식, 기술 등을 가르치는 것으로 한다.

① 주무관청의 허가 또는 인가를 받거나 주무관청에 등록되거나 신고된 학교, 학원, 강습소, 훈련원, 교습소 또는 그 밖의 비영리단체
② 「청소년활동진흥법」 제10조 제1호에 따른 청소년수련시설
③ 「산업교육진흥 및 산학연협력촉진에 관한 법률」 제25조에 따른 산학협력단
④ 「사회적기업 육성법」 제7조에 따라 인증받은 사회적기업
⑤ 「과학관의 설립·운영 및 육성에 관한 법률」 제6조에 따라 등록한 과학관
⑥ 「박물관 및 미술관 진흥법」 제16조에 따라 등록한 박물관 및 미술관
⑦ 「협동조합기본법」 제85조 제1항에 따라 설립인가를 받은 사회적 협동조합

(2) 과세대상

다음 중 어느 하나에 해당하는 학원에서 가르치는 것은 부가가치세를 과세한다.

① 「체육시설의 설치·이용에 관한 법률」 제10조 제1항 제2호의 무도학원
② 「도로교통법」 제2조 제32호의 자동차운전학원

8. 우표(수집용 우표 제외), 인지, 증지, 복권 및 공중전화 및 담배

(1) 우표 등

우표(수집용 우표 제외), 인지, 증지, 복권 및 공중전화는 부가가치세를 면제한다. 다만, 복권판매대행계약을 하고 수수료를 받는 경우 과세대상이다.

(2) 담배

「담배사업법」 제2조에 따른 담배로서 다음 중 어느 하나에 해당하는 것은 면세한다.

① 「담배사업법」에 따른 판매가격이 200원(20개비를 기준으로 함) 이하인 것
② 「담배사업법」 제19조에 따른 특수용 담배로서 영세율이 적용되는 것을 제외한 것

9. 도서, 신문, 잡지, 관보, 뉴스통신 및 방송(광고 제외)

도서(도서대여 및 실내 도서열람 용역 포함), 신문, 잡지, 관보(官報), 「뉴스통신 진흥에 관한 법률」에 따른 뉴스통신 및 방송으로서 대통령령으로 정하는 것은 면세한다. 다만, 광고는 제외한다.

(1) 도서

도서에는 도서에 부수하여 그 도서의 내용을 담은 음반, 녹음테이프 또는 비디오테이프를 첨부하여 통상 하나의 공급단위로 하는 것과 전자출판물을 포함한다. 전자출판물이란 도서나 간행물의 형태로 출간된 내용 또는 출간될 수 있는 내용이 음향이나 영상과 함께 전자적 매체에 수록되어 컴퓨터 등 전자장치를 이용하여 그 내용을 보고 듣고 읽을 수 있는 것으로서 문화체육관광부장관이 정하는 기준에 맞는 전자출판물을 말한다. 다만, 「음악산업진흥에 관한 법률」, 「영화 및 비디오물의 진흥에 관한 법률」 및 「게임산업진흥에 관한 법률」의 적용을 받는 것은 제외한다.

(2) 신문, 잡지

「신문 등의 진흥에 관한 법률」 제2조 제1호 및 제2호에 따른 신문 및 인터넷 신문과 「잡지 등 정기간행물의 진흥에 관한 법률」에 따른 정기간행물로 한다.

(3) 관보

「관보규정」의 적용을 받는 것으로 한다.

(4) 뉴스통신

「뉴스통신 진흥에 관한 법률」에 따른 뉴스통신(뉴스통신사업을 경영하는 법인이 특정회원을 대상으로 하는 금융정보 등 특정한 정보를 제공하는 경우 제외)과 외국의 뉴스통신사가 제공하는 뉴스통신용역으로서 「뉴스통신 진흥에 관한 법률」에 따른 뉴스통신과 유사한 것을 포함한다.

10. 예술창작품, 예술행사, 문화행사 또는 아마추어 운동경기

예술창작품, 예술행사, 문화행사 또는 아마추어 운동경기는 다음의 것으로 한다.

(1) 예술창작품

미술, 음악, 사진, 연극 또는 무용에 속하는 창작품. 다만, 골동품은 제외한다.

(2) 예술행사

영리를 목적으로 하지 아니하는 발표회, 연구회, 경연대회 또는 그 밖에 이와 유사한 행사

(3) 문화행사

영리를 목적으로 하지 아니하는 전시회, 박람회, 공공행사 또는 그 밖에 이와 유사한 행사

(4) 아마추어 운동경기

대한체육회 및 그 산하 단체와 「태권도 진흥 및 태권도공원 조성 등에 관한 법률」에 따른 국기원이 주최, 주관 또는 후원하는 운동경기나 승단·승급·승품 심사로서 영리를 목적으로 하지 아니하는 것

11. 도서관 등에의 입장

(1) 면세범위

도서관, 과학관, 박물관, 미술관, 동물원, 식물원, 민속문화자원을 소개하는 장소, 「전쟁기념사업회법」에 따른 전쟁기념관 곳에 입장하게 하는 것은 부가가치세를 면세한다.

(2) 관련통칙

동물원·식물원에는 지식의 보급 및 연구에 그 목적이 있는 해양수족관 등을 포함하나, 오락 및 유흥시설과 함께 있는 동물원·식물원 및 해양수족관을 포함하지 아니한다.

12. 토지의 공급

토지의 공급(토지의 양도)은 면세대상이다. 이는 부가가치세를 창출하는 요소이며, 이론적으로 다른 재화와 같이 소모되지 않기 때문에 소비세로서의 부가가치세가 과세되지 않는다. 다만, 토지의 임대(전·답·임야·과수원·염전 등 제외)는 과세대상이다.

13. 법 소정 인적 용역

저술가·작곡가나 그 밖의 자가 직업상 제공하는 인적 용역으로서 다음에 해당하는 용역은 부가가치세를 면세한다.

(1) 개인이 물적 시설 없이 근로자를 고용하지 아니하고 독립된 자격으로 용역을 공급하고 대가를 받는 다음의 인적 용역

① 저술·서화·도안·조각·작곡·음악·무용·만화·삽화·만담·배우·성우·가수 또는 이와 유사한 용역

② 연예에 관한 감독·각색·연출·촬영·녹음·장치·조명 또는 이와 유사한 용역

③ 건축감독·학술용역 또는 이와 유사한 용역

④ 음악·재단·무용(사교무용 포함)·요리·바둑의 교수 또는 이와 유사한 용역

⑤ 직업운동가·역사·기수·운동지도가(심판 포함) 또는 이와 유사한 용역

⑥ 접대부·댄서 또는 이와 유사한 용역

⑦ 보험가입자의 모집, 저축의 장려 또는 집금 등을 하고 실적에 따라 보험회사 또는 금융기관으로부터 모집수당·장려수당·집금수당 또는 이와 유사한 성질의 대가를 받는 용역과 서적·음반 등의 외판원이 판매실적에 따라 대가를 받는 용역

⑧ 저작자가 저작권에 의하여 사용료를 받는 용역

⑨ 교정·번역·고증·속기·필경·타자·음반취입 또는 이와 유사한 용역

⑩ 고용관계 없는 사람이 다수인에게 강연을 하고 강연료·강사료 등의 대가를 받는 용역

⑪ 라디오·텔레비전 방송 등을 통하여 해설·계몽 또는 연기를 하거나 심사를 하고 사례금 또는 이와 유사한 성질의 대가를 받는 용역

⑫ 작명·관상·점술 또는 이와 유사한 용역

⑬ 개인이 일의 성과에 따라 수당이나 이와 유사한 성질의 대가를 받는 용역

(2) 개인·법인 또는 법인격 없는 사단 등 단체가 독립된 자격으로 공급하는 인적 용역

① 「형사소송법」 및 「군사법원법」 등에 따른 국선변호인의 국선변호, 「국세기본법」에 따른 국선대리인의 국선대리 및 기획재정부령으로 정하는 법률구조

② 기획재정부령으로 정하는 학술연구용역과 기술연구용역

③ 직업소개소가 제공하는 용역 및 상담소 등을 경영하는 자가 공급하는 용역으로서 기획재정부령으로 정하는 용역

④ 「장애인복지법」 제40조에 따른 장애인보조견 훈련용역

⑤ 외국 공공기관 또는 「국제금융기구에의 가입조치에 관한 법률」 제2조에 따른 국제금융기구로부터 받은 차관자금으로 국가 또는 지방자치단체가 시행하는 국내사업을 위하여 공급하는 용역(국내사업장이 없는 외국법인 또는 비거주자가 공급하는 용역 포함)

⑥ 「민법」에 따른 후견인과 후견감독인이 제공하는 후견사무용역

⑦ 「가사근로자의 고용개선 등에 관한 법률」에 따른 가사서비스 제공기관이 가사서비스 이용자에게 제공하는 가사서비스

14. 금융·보험용역

(1) 면세대상

금융·보험용역으로서 은행업·증권업·보험업 등의 사업을 경영하는 사업자가 공급하는 경우 부가가치세를 면제한다.

(2) 과세대상

다음 중 어느 하나에 해당하는 용역은 면세대상 금융·보험용역으로 보지 아니한다.

① 복권, 입장권, 상품권, 지금형주화 또는 금지금에 관한 대행용역. 다만, 수익증권 등 금융업자의 금융상품 판매대행용역, 유가증권의 명의개서 대행용역, 수납·지급 대행용역 및 국가·지방자치단체의 금고대행용역은 제외한다.

② 기업합병 또는 기업매수의 중개·주선·대리, 신용정보서비스 및 은행업에 관련된 전산시스템과 소프트웨어의 판매·대여용역

③ 부동산 임대용역

④ 감가상각자산의 대여용역(「여신전문금융업법」에 따른 시설대여업자가 제공하는 시설대여용역은 면세하며, 그 시설대여업자가 「자동차관리법」 제3조에 따른 자동차를 대여하고 정비용역을 함께 제공하는 경우는 과세함)을 말한다.

15. 기타면세

(1) 공익단체 공급

종교, 자선, 학술, 구호, 그 밖의 공익을 목적으로 하는 단체가 공급하는 다음의 재화 또는 용역으로서 고유목적사업을 위하여 공급하거나 실비 또는 무상으로 공급하는 경우에 부가가치세를 면제한다.

① 주무관청의 허가 또는 인가를 받거나 주무관청에 등록된 단체(종교단체의 경우에는 그 소속단체를 포함)로서 「상속세 및 증여세법 시행령」 제12조 각 호의 어느 하나에 따른 사업 또는 기획재정부령으로 정하는 사업을 하는 단체가 그 고유의 사업목적을 위하여 일시적으로 공급하거나 실비 또는 무상으로 공급하는 재화 또는 용역

② 학술 등 연구단체가 그 연구와 관련하여 실비 또는 무상으로 공급하는 재화 또는 용역

③ 「문화재보호법」에 따른 지정문화재(지방문화재 포함, 무형문화재 제외)를 소유하거나 관리하고 있는 종교단체(주무관청에 등록된 종교단체로 한정하되, 그 소속단체 포함)의 경내지 및 경내지 안의 건물과 공작물의 임대용역

④ 공익을 목적으로 기획재정부령으로 정하는 기숙사를 운영하는 자가 학생이나 근로자를 위하여 실비 또는 무상으로 공급하는 음식 및 숙박용역

⑤ 「저작권법」 제105조 제1항에 따라 문화체육관광부장관의 허가를 받아 설립된 저작권위탁관리업자로서 기획재정부령으로 정하는 사업자가 저작권자를 위하여 실비 또는 무상으로 공급하는 신탁관리용역

⑥「저작권법」에 따라 문화체육관광부장관이 지정한 보상금수령단체로서 기획재정부령으로 정하는 단체인 사업자가 저작권자를 위하여 실비 또는 무상으로 공급하는 보상금 수령 관련 용역

⑦「법인세법」에 따른 비영리 교육재단이 「초·중등교육법」에 따른 외국인학교의 설립·경영 사업을 하는 자에게 제공하는 학교시설 이용 등 교육환경 개선과 관련된 용역

(2) 국가조직의 공급

국가, 지방자치단체 또는 지방자치단체조합이 공급하는 재화 또는 용역은 부가가치세를 면제한다. 단, 다음의 재화 또는 용역은 부가가치세를 과세한다. 이는 민간업체와 경쟁관계에 있기 때문에 민간업체와의 공정경쟁을 위하여 과세하는 것이다.

① 「우정사업 운영에 관한 특례법」에 따른 우정사업조직이 제공하는 다음의 용역

  ㉠ 「우편법」 제1조의2 제3호의 소포우편물을 방문접수하여 배달하는 용역

  ㉡ 「우편법」 제15조 제1항에 따른 선택적 우편역무 중 기획재정부령으로 정하는 우편주문판매를 대행하는 용역

② 「철도의 건설 및 철도시설 유지관리에 관한 법률」에 따른 고속철도에 의한 여객운송용역

③ 부동산임대업, 도매 및 소매업, 음식점업·숙박업, 골프장 및 스키장 운영업, 기타 스포츠시설 운영업. 다만, 다음의 어느 하나에 해당하는 경우는 제외한다.

  ㉠ 국방부 또는 「국군조직법」에 따른 국군이 「군인사법」 제2조에 따른 군인, 「군무원인사법」 제3조 제1항에 따른 일반군무원, 그 밖에 이들의 직계존속·비속 등 기획재정부령으로 정하는 사람에게 제공하는 소매업, 음식점업·숙박업, 기타 스포츠시설 운영업(골프연습장 운영업 제외) 관련 재화 또는 용역

  ㉡ 국가, 지방자치단체 또는 지방자치단체조합이 그 소속 직원의 복리후생을 위하여 구내에서 식당을 직접 경영하여 음식을 공급하는 용역

  ㉢ 국가 또는 지방자치단체가 「사회기반시설에 대한 민간투자법」에 따른 사업시행자로부터 같은 법 제4조 제1호 및 제2호의 방식에 따라 사회기반시설 또는 사회기반시설의 건설용역을 기부채납받고 그 대가로 부여하는 시설관리운영권

④ 부가가치세 과세대상인 성형수술 등 의료보건용역과 수의사가 제공하는 과세되는 동물의 진료용역

📖 **기출 체크**

국가나 지방자치단체에 유상 또는 무상으로 공급하는 용역에 대하여는 부가가치세를 면제한다. (×)

(3) 국가 등에 무상공급

국가, 지방자치단체, 지방자치단체조합 또는 대통령령으로 정하는 공익단체에 무상으로 공급하는 재화 또는 용역은 부가가치세를 면제한다.

→ 국가 등에 유상으로 공급하는 경우 부가가치세 과세

(4) 공동주택 어린이집 임대용역

「공동주택관리법」에 따른 관리규약에 따라 관리주체 또는 입주자대표회의가 제공하는 「주택법」 제2조 제14호에 따른 복리시설인 공동주택 어린이집의 임대용역은 부가가치세를 면제한다.

(5) 비영리출판물용역

영리 아닌 사업을 목적으로 하는 법인이나 그 밖의 단체가 발행하는 기관지 또는 이와 유사한 출판물과 관련되는 용역은 부가가치세를 면제한다. 기관지 또는 출판물이란 불특정인에게 판매할 목적이 아니라 그 단체의 목적이나 정신을 널리 알리기 위하여 발행하는 것을 말한다. 다만, 그 기관의 명칭이나 별칭이 해당 출판물의 명칭에 포함되어 있는 것으로 한정한다.

Ⅲ 재화의 수입에 대한 면세

1. 개요

재화를 수입하는 경우 본래 부가가치세를 과세하나, 다음의 재화의 수입에 대하여는 부가가치세를 면세한다.

2. 면세 범위

(1) 가공되지 아니한 식료품(식용으로 제공되는 농산물, 축산물, 수산물 및 임산물 포함)으로서 국내 공급 시 면세대상인 미가공식료품 범위를 준용한다. 다만, 관세가 감면되지 아니하는 수입 미가공식료품(2023년 12월 31일까지 수입하는 물품 제외)으로서 다음의 것은 부가가치세를 과세한다.

0901	관세율표 제0901호에 해당하는 물품 중 커피 및 커피의 껍데기·껍질과 웨이스트(waste)
1801	코코아두(원래 모양이나 부순 것으로서 볶은 것 포함)
1802	코코아의 껍데기와 껍질과 코코아 웨이스트(waste)

(2) 도서, 신문 및 잡지로서 대통령령으로 정하는 것

(3) 학술연구단체, 교육기관, 「한국교육방송공사법」에 따른 한국교육방송공사 또는 문화단체가 과학용·교육용·문화용으로 수입하는 재화로서 대통령령으로 정하는 것

(4) 종교의식, 자선, 구호, 그 밖의 공익을 목적으로 외국으로부터 종교단체·자선단체 또는 구호단체에 기증되는 재화로서 대통령령으로 정하는 것

(5) 외국으로부터 국가, 지방자치단체 또는 지방자치단체조합에 기증되는 재화

(6) 거주자가 받는 소액물품으로서 관세가 면제되는 재화

(7) 이사, 이민 또는 상속으로 인하여 수입하는 재화로서 관세가 면제되거나 「관세법」 제81조 제1항에 따른 간이세율이 적용되는 재화

(8) 여행자의 휴대품, 별송(別送) 물품 및 우송(郵送) 물품으로서 관세가 면제되거나 「관세법」 제81조 제1항에 따른 간이세율이 적용되는 재화

(9) 수입하는 상품의 견본과 광고용 물품으로서 관세가 면제되는 재화

(10) 국내에서 열리는 박람회, 전시회, 품평회, 영화제 또는 이와 유사한 행사에 출품하기 위하여 무상으로 수입하는 물품으로서 관세가 면제되는 재화

(11) 조약·국제법규 또는 국제관습에 따라 관세가 면제되는 재화로서 대통령령으로 정하는 것

(12) 수출된 후 다시 수입하는 재화로서 관세가 감면되는 것 중 대통령령으로 정하는 것. 다만, 관세가 경감(輕減)되는 경우에는 경감되는 비율만큼만 면제한다.

(13) 다시 수출하는 조건으로 일시 수입하는 재화로서 관세가 감면되는 것 중 대통령령으로 정하는 것. 다만, 관세가 경감되는 경우에는 경감되는 비율만큼만 면제한다.

(14) 법 소정의 담배

(15) 재화 외에 관세가 무세(無稅)이거나 감면되는 재화로서 대통령령으로 정하는 것. 다만, 관세가 경감되는 경우에는 경감되는 비율만큼만 면제한다.

Ⅳ 면세의 포기

1. 의의

사업자는 부가가치세가 면제되는 재화 또는 용역의 공급으로서 다음에 해당하는 것에 대하여는 면세의 포기를 신고하여 부가가치세의 면제를 받지 아니할 수 있다.

(1) 영세율의 적용 대상이 되는 것

(2) 학술 등 연구단체가 그 연구와 관련하여 실비 또는 무상으로 공급하는 재화 또는 용역

∵ 면세대상 중 일부에 한정하여 이를 면세포기 대상으로 규정한 것은 면세사업자의 일방적인 면세포기로 인하여 소비자의 세부담이 증가되는 것을 방지하기 위함

2. 면세포기 범위

면세되는 둘 이상의 사업 또는 종목을 영위하는 사업자는 면세포기대상이 되는 재화 또는 용역의 공급 중에서 면세포기하고자 하는 재화 또는 용역의 공급만을 구분하여 면세포기할 수 있다.

3. 면세포기 신고

부가가치세의 면제를 받지 아니하려는 사업자는 다음의 사항을 적은 면세포기신고서를 관할 세무서장에게 제출(국세정보통신망에 의한 제출 포함)하고 지체 없이 사업자등록을 하여야 한다.

(1) 사업자의 인적사항

(2) 면세를 포기하려는 재화 또는 용역

(3) 그 밖의 참고 사항

4. 면세포기 효력

(1) 면세의 포기를 신고한 사업자는 신고한 날부터 3년간 부가가치세를 면제받지 못한다.

    ∵ 면세포기를 악용하여 매입세액만을 공제받으려 하는 경우를 제한하기 위함

(2) 면세의 포기를 신고한 사업자가 3년이 지난 뒤 부가가치세를 면제받으려면 면세적용신고서를 제출하여야 하며, 면세적용신고서를 제출하지 아니하면 계속하여 면세를 포기한 것으로 본다.

(3) 면세포기신고를 한 사업자가 사업을 양도하는 경우에 면세포기의 효력은 사업을 양수한 사업자에게 승계된다.

5. 면세포기 효과

면세포기 사업자는 과세사업자이므로 사업과 관련한 매입세액공제를 받을 수 있으나, 의제매입세액공제는 허용하지 아니한다. 영세율 적용의 대상이 되는 것만을 면세포기한 사업자가 면세되는 재화 또는 용역을 국내에 공급하는 때에는 면세포기의 효력이 없다.

04 과세표준

1 재화 또는 용역에 대한 과세표준

I 개요

1. 재화 또는 용역의 공급에 대한 부가가치세의 과세표준은 해당 과세기간
에 공급한 재화 또는 용역의 공급가액을 합한 금액으로 한다.

∵ 과세표준의 계산 및 세액의 납부는 과세기간별로 하고 있기 때문

2. 공급가액

(1) 공급가액은 대금, 요금, 수수료, 그 밖에 어떤 명목이든 상관없이 재화 또
는 용역을 공급받는 자로부터 받는 금전적 가치 있는 모든 것을 포함하
되, 부가가치세는 포함하지 아니한다.

(2) 사업자가 재화 또는 용역을 공급하고 그 대가로 받은 금액에 부가가치세
가 포함되어 있는지가 분명하지 아니한 경우에는 그 대가로 받은 금액에
110분의 100을 곱한 금액을 공급가액으로 한다.

3. 용어의 정리

구분	내용	과세표준
공급가액	각 거래별 공급하는 개별 재화 또는 용역의 가액으로서 부가가치세를 제외한 금액	일반과세자 과세표준
공급대가	각 공급시마다의 공급하는 개별 재화 또는 용역의 가액으로서 부가가치세를 포함한 금액	간이과세자 과세표준

II 금전으로 대가를 받는 경우

1. 재화 또는 용역을 공급하고 금전으로 대가를 받은 경우 그 대가를 공급가
액으로 한다. 예를 들어 특수관계인이 아닌 자에게 시가 100만 원의 재화
를 80만 원에 공급한 경우 공급가액은 80만 원이다.

🗑 **기출 체크**

사업자가 재화 또는 용역을 공급하고 그 대가로 받은 금액에 부가가치세가 포함되어 있는지가 분명하지 아니한 경우에는 그 대가로 받은 금액을 공급가액으로 한다. (×)

2. 공급가액에 포함되는 것

할부판매 이자	장기할부판매 또는 할부판매 경우의 이자상당액(현재가치할인차금)은 공급가액에 포함한다. 이는 확정된 대가이기 때문이다. ㉸ 상품을 장기할부판매하면서 할부이자 20만 원을 포함하여 200만 원에 판매한 뒤 대금은 매월 말 10만 원씩 받기로 약정한 경우
포장비 등	대가의 일부로 받는 운송보험료·산재보험료·운송비·포장비·하역비 등은 공급가액에 포함한다.
개별소비세 등 간접세	개별소비세와 교통·에너지·환경세 및 주세가 과세되는 재화 또는 용역에 대하여는 해당 개별소비세와 교통·에너지·환경세 및 주세와 그 교육세 및 농어촌특별세 상당액은 공급가액에 포함한다.

3. 공급가액에 포함하지 않는 것

매출에누리	재화나 용역을 공급할 때 그 품질이나 수량, 인도조건 또는 공급대가의 결제방법이나 그 밖의 공급조건에 따라 통상의 대가에서 일정액을 직접 깎아 주는 금액을 말한다. 에누리는 실제로 받은 금액이 아니므로 공급가액에 포함하지 아니한다.
매출할인	매출할인은 공급에 대한 대가를 약정기일 전에 받았다는 이유로 사업자가 당초의 공급가액에서 할인해 준 금액을 말하며, 공급가액에 포함하지 아니한다. → (-)수정세금계산서 발급사유(작성연월일: 매출할인이 발생한 날) ㉸ 1. 5. 재화를 인도하고 5. 5.에 100만 원을 받기로 하였으나 3. 5. 조기변제함에 따라 2개월분 이자 5만 원을 할인해 준 경우
매출환입	매출환입은 불량, 계약취소 등 사유로 재화가 반품된 것을 말하며, 공급가액에 포함하지 아니한다. → (-)수정세금계산서 발급사유(작성연월일: 재화가 환입된 날)
도달 전 멸실재화	공급받는 자에게 도달하기 전에 파손되거나 훼손되거나 멸실한 재화의 가액은 공급시기가 도래하지 않아 실질적으로 공급이 이루어진 것으로 볼 수 없으므로 공급가액에 포함하지 아니한다. 단, 인도 후 파손·훼손·멸실되었다면 공급가액에 포함한다.
국고보조금 공공보조금	재화 또는 용역의 공급과 직접 관련되지 아니하는 국고보조금과 공공보조금은 공급가액에 포함하지 아니한다. 단, 재화 또는 용역의 공급과 직접 관련되는 국고보조금 등은 공급가액에 포함한다.
연체이자	공급에 대한 대가의 지급이 지체되었음을 이유로 받는 연체이자는 공급가액에 포함하지 아니한다. ∵ 연체이자는 확정된 대가의 지급지연이므로 공급가액과 관련이 없는 금액이기 때문
용기대금 포장비용	반환조건의 용기대금과 포장비용을 공제한 금액으로 공급하는 경우 그 용기대금과 포장비용과 사업자가 용기 또는 포장의 회수를 보장하기 위하여 받는 보증금은 공급가액에 포함하지 아니한다. 단, 반환조건으로 공급한 용기 및 포장을 회수할 수 없어 그 용기대금과 포장비용을 변상금 형식으로 변제받을 때에는 공급가액에 포함한다.

🏛 **기출 체크**

사업자가 부가가치세법 시행규칙 제17조에 따른 장기할부판매의 경우로서 기업회계기준에 따라 이자상당액 500,000원을 현재가치할인차금, 10,000,000원을 장기매출채권, 9,500,000원을 매출로 회계처리하였다면, 부가가치세 과세표준에 포함되는 공급가액은 9,500,000원이다. (×)

봉사료	사업자가 음식·숙박용역이나 개인서비스용역을 공급하고 그 대가와 함께 받는 종업원(자유직업소득자를 포함)의 봉사료를 세금계산서, 영수증 또는 신용카드매출전표 등에 그 대가와 구분하여 적은 경우로서 봉사료를 해당 종업원에게 지급한 사실이 확인되는 경우에는 그 봉사료는 공급가액에 포함하지 아니한다. 다만, 사업자가 그 봉사료를 자기의 수입금액에 계상하는 경우에는 그러하지 아니하다.
회비	협회 등 단체가 재화의 공급 또는 용역의 제공에 따른 대가관계없이 회원으로부터 받는 협회비·찬조비 및 특별회비 등은 과세대상이 아니다. → 통칙 4-0-2【특별회비 등】
공공요금 대행징수	사업자가 부가가치세가 과세되는 부동산임대료와 해당 부동산을 관리해 주는 대가로 받는 관리비 등을 구분하지 아니하고 영수하는 때에는 전체 금액에 대하여 과세하는 것이나, 임차인이 부담하여야 할 보험료·수도료 및 공공요금 등을 별도로 구분징수하여 납입을 대행하는 경우 해당 금액은 부동산임대관리에 따른 대가에 포함하지 아니한다. → 통칙 29-61-3【부동산임대 시 월세와 함께 받는 공공요금】

4. 과세표준에서 공제하지 않는 금액

다음의 금액은 모두 공급시기에 있어서 그 공급가액의 결정과 무관한 금액이므로 과세표준에서 공제하지 아니한다.

판매장려금	거래수량 또는 거래금액에 따라 상대방에게 지급하는 판매장려금은 과세표준에서 공제하지 아니한다. 단, 현물로 지급하는 경우 사업상 증여이므로 시가를 과세표준에 포함한다. 예 거래처에 매출 50,000,000원에 대한 판매장려금 5,000,000원과 판매장려품(시가 1,000,000원, 원가 800,000원)을 지급한 경우 과세표준은? 50,000,000원 + 1,000,000원(시가) = 51,000,000원
대손금	대손금은 재화나 용역을 공급한 후에 그 대가를 받을 수 없다고 판단한 채권을 말한다. 재화 또는 용역을 공급한 후의 그 공급가액에 대한 대손금은 과세표준에서 공제하지 아니한다. → 회수불능채권에 대손세액은 대손세액공제로 매출세액에서 차감
하자보증금	사업자가 완성도기준지급 또는 중간지급조건부로 재화 또는 용역을 공급하고 계약에 따라 대가의 각 부분을 받을 때 일정금액을 하자보증을 위하여 공급받는 자에게 보관시키는 하자보증금은 공급가액에서 공제하지 아니한다.
관세환급금	수출대가의 일부로 받는 관세환급금은 과세표준에서 공제하지 아니한다.

🏛 **기출 체크**

사업자가 재화를 공급받는 자에게 지급하는 장려금은 과세표준에서 공제한다. (×)

5. 외화의 환산

재화 또는 용역을 공급하고 대가를 외국통화나 그 밖의 외국환으로 받은 경우에는 다음의 구분에 따른 금액을 공급가액으로 한다.

(1) 공급시기가 되기 전에 원화로 환가한 경우

   환가한 금액

(2) 공급시기 이후에 외국통화나 그 밖의 외국환 상태로 보유하거나 지급받는 경우

   공급시기의 「외국환거래법」에 따른 기준환율 또는 재정환율에 따라 계산한 금액

> **통칙 29 - 59 - 1 【외환차액의 공급가액 계산】**
> 재화 또는 용역의 공급시기 이후에 그 대가를 외국통화 또는 외국환으로 지급받는 경우 공급가액은 위 내용에 따라 계산한 금액이므로 공급시기 이후에 환율변동으로 인하여 증감되는 금액은 해당 공급가액에 영향이 없다.

■ 사례

직수출로 5월 1일에 제품을 선적하고 받은 대가는 다음과 같다. $12,000 중 $10,000는 즉시 환가하였고, $2,000는 과세기간 말 현재 보유하고 있으며, $5,000는 대가수령 즉시 환가하였다. 이 경우 공급가액은?

일자	받은 대가	기준환율
4. 20.	$12,000	1,000원/1$
5. 1.	–	1,100원/1$
6. 25.	$5,000	1,050원/1$
6. 30.	–	1,150원/1$

해설

$10,000 × 1,000원 + ($2,000 + $5,000) × 1,100원 = 17,700,000원

Ⅲ 금전 외의 대가를 받는 경우

재화 또는 용역을 공급하고 금전 외의 대가를 받은 경우에는 자기가 공급한 재화 또는 용역의 시가를 공급가액으로 한다. 시가는 부당행위계산 부인규정에서 서술한 시가의 적용기준을 준용한다.

■ 사례

A법인이 차량(시가 1,500,000원, 장부가액 1,000,000원)을 주고 B법인으로부터 비품(시가 1,400,000원)을 받은 경우 A법인의 부가가치세 공급가액은 1,500,000원이다.

▥ 기출 체크
재화 또는 용역의 공급과 관련하여 금전 외의 대가를 받는 경우에는 해당 대가의 시가를 공급가액으로 한다. (×)

Ⅳ 부당행위계산의 부인

1. 내용

특수관계인에 대한 재화 또는 용역(수탁자가 위탁자의 특수관계인에게 공급하는 신탁재산과 관련된 재화 또는 용역 포함)의 공급이 다음 중 어느 하나에 해당하는 경우로서 조세의 부담을 부당하게 감소시킬 것으로 인정되는 경우에는 공급한 재화 또는 용역의 시가를 공급가액으로 본다.

(1) 재화의 공급에 대하여 부당하게 낮은 대가를 받거나 아무런 대가를 받지 아니한 경우

(2) 용역의 공급에 대하여 부당하게 낮은 대가를 받는 경우

(3) 용역의 공급에 대하여 대가를 받지 아니하는 경우로서 사업용 부동산임대용역을 제공하는 경우

→ 일반적인 용역의 무상공급은 과세하지 않음

2. 시가의 적용

시가는 다음의 가격으로 한다.

(1) 사업자가 특수관계인이 아닌 자와 해당 거래와 유사한 상황에서 계속적으로 거래한 가격 또는 제3자 간에 일반적으로 거래된 가격

(2) (1)의 가격이 없는 경우에는 사업자가 그 대가로 받은 재화 또는 용역의 가격(공급받은 사업자가 특수관계인이 아닌 자와 해당 거래와 유사한 상황에서 계속적으로 거래한 해당 재화 및 용역의 가격 또는 제3자 간에 일반적으로 거래된 가격)

(3) 위 (1)이나 (2)에 따른 가격이 없거나 시가가 불분명한 경우에는 「소득세법 시행령」 또는 「법인세법 시행령」에 따른 다음의 가격

자산매매	감정평가법인의 감정가액 → 「상속세 및 증여세법」상 보충적 평가액
자산임대차	(자산시가 × 50% - 전세금 등) × 정기예금이자율
용역제공	용역원가(직접비 + 간접비) + 용역원가 × 유사용역의 원가기준 이익률

(집행기준 29-0-2)

도매업 및 서비스업을 겸영하는 사업자 "갑"이 거래처 "을"에게 다음과 같이 재화 또는 용역을 공급한 경우 공급가액 계산방법

과세대상	시가	거래금액	"을"과의 관계	과세표준
재화 1	10,000,000	5,000,000	특수관계인	10,000,000
재화 2	10,000,000	5,000,000	특수 외	5,000,000
재화 3	10,000,000	15,000,000	특수관계인	15,000,000
재화 4	10,000,000	15,000,000	특수 외	15,000,000
재화 5	10,000,000	무상공급	특수관계인	10,000,000
재화 6	10,000,000	무상공급	특수 외	10,000,000
용역 1	10,000,000	5,000,000	특수관계인	10,000,000
용역 2	10,000,000	5,000,000	특수 외	5,000,000
용역 3	10,000,000	15,000,000	특수관계인	15,000,000
용역 4	10,000,000	15,000,000	특수 외	15,000,000
용역 5	10,000,000	무상공급	특수관계인	0
용역 6	10,000,000	무상공급	특수 외	0
부동산임대	10,000,000	무상공급	특수관계인	10,000,000
부동산임대	10,000,000	무상공급	특수 외	0

사업자가 특수관계인이 아닌 자에게 시가보다 낮은 가액으로 재화 또는 용역을 공급한 경우 실제 거래가액을 공급가액으로 하며, 무상으로 공급한 경우 재화는 간주공급(사업상 증여 또는 개인적 공급)인 경우에만 과세하고, 용역은 과세하지 아니한다.

Ⅴ 구체적인 거래형태별 과세표준

1. 외상판매 및 할부판매

공급한 재화의 총가액

2. 장기할부판매

계약에 따라 받기로 한 대가의 각 부분

3. 완성도기준지급조건부 또는 중간지급조건부로 재화나 용역을 공급하는 경우

계약에 따라 받기로 한 대가의 각 부분

4. 계속적으로 재화나 용역을 공급하는 경우

계약에 따라 받기로 한 대가의 각 부분

5. 기부채납

해당 기부채납의 근거가 되는 법률에 따라 기부채납된 가액. 다만, 기부채납된 가액에 부가가치세가 포함된 경우 그 부가가치세는 제외한다.

6. 둘 이상의 과세기간에 걸쳐 부동산임대용역을 제공하고 그 대가를 선불로 받는 경우

해당 금액을 계약기간의 개월 수로 나눈 금액의 각 과세대상기간의 합계액. 이 경우 개월 수의 계산에 관하여는 해당 계약기간의 개시일이 속하는 달이 1개월 미만이면 1개월로 하고, 해당 계약기간의 종료일이 속하는 달이 1개월 미만이면 산입하지 아니한다.

7. 둘 이상의 과세기간에 걸쳐 용역을 제공하는 경우

그 용역을 제공하는 기간 동안 지급받는 대가와 그 시설의 설치가액을 그 용역 제공기간의 개월 수로 나눈 금액의 각 과세대상기간의 합계액. 이 경우 개월 수의 계산에 관하여는 해당 용역 제공기간의 개시일이 속하는 달이 1개월 미만이면 1개월로 하고, 해당 용역 제공기간의 종료일이 속하는 달이 1개월 미만이면 산입하지 아니한다.

8. 「공유수면 관리 및 매립에 관한 법률」에 따라 매립용역을 제공하는 경우

「공유수면 관리 및 매립에 관한 법률」에 따라 산정한 해당 매립공사에 든 총사업비

9. 위탁가공무역 방식으로 수출하는 경우

완성된 제품의 인도가액

Ⅵ 마일리지

1. 마일리지 구별

(1) 자기적립 마일리지

당초 재화 또는 용역을 공급하고 마일리지 등을 적립하여 준 사업자에게 사용한 마일리지 등을 말한다. 여러 사업자가 적립하여 줄 수 있거나 여러 사업자를 대상으로 사용할 수 있는 마일리지 등의 경우 다음의 요건을 모두 충족하면 자기적립마일리지로 본다.
① 고객별·사업자별로 마일리지 등의 적립 및 사용 실적을 구분하여 관리하는 등의 방법으로 당초 공급자와 이후 공급자가 같다는 사실이 확인될 것

② 사업자가 마일리지 등으로 결제받은 부분에 대하여 재화 또는 용역을 공급받는 자 외의 자로부터 보전받지 아니할 것

(2) 제3자 적립 마일리지

자기적립마일리지 외 마일리지(마일리지 등을 적립해준 사업자와 결제받은 사업자가 다른 경우)

2. 공급가액 계산

(1) 적립단계

마일리지 적립액은 공급가액에서 차감하지 아니하므로 공급가액에 영향을 미치지 아니한다.

(2) 결제단계

마일리지 등으로 대금의 전부 또는 일부를 결제받은 경우에는 다음의 금액을 합한 금액을 공급가액으로 본다.

① 마일리지 등 외의 수단으로 결제받은 금액

② 제3자 적립 마일리지 등으로 결제받은 부분에 대하여 재화 또는 용역을 공급받는 자 외의 자로부터 보전받았거나 보전받을 금액

→ 자기적립마일리지로 결제받은 금액은 매출에누리로 보아 공급가액에 포함하지 않음

3. 제3자 적립 마일리지 특례

제3자 적립 마일리지 등으로 대금의 전부 또는 일부를 결제받은 경우로서 다음 중 어느 하나에 해당하는 경우 공급한 재화 또는 용역의 시가를 공급가액으로 한다.

(1) 사업상 증여

제3자 적립 마일리지 등으로 결제받은 금액을 보전받지 아니하고 자기생산·취득재화를 공급한 경우

(2) 부당행위계산부인

제3자 적립 마일리지 등과 관련하여 특수관계인으로부터 부당하게 낮은 금액을 보전받거나 아무런 금액을 받지 아니하여 조세의 부담을 부당하게 감소시킬 것으로 인정되는 경우

사례

1. 자기적립마일리지

   ① 사업자가 최초 거래 시 고객에게 상품 10만 원에 판매하고 자기적립마일리지 2만 원을 적립함
      → 공급가액: 100,000

   ② 사업자가 2차 거래 시 고객에게 상품 10만 원을 판매하고 현금 8만 원과 자기적립마일리지 2만 원으로 결제함
      → 공급가액: 80,000

   ③ 상품 10만 원을 자기적립마일리지로만 전부 결제함
      → 공급가액: 0

2. 제3자 마일리지: 사업자가 상품을 시가 10만 원에 판매하고 다음과 같이 대가를 받았음

구분	받은 대가	공급가액
Case 1	① 카드사가 적립해준 마일리지: 4만 원(특수관계 없는 카드사가 2만 원을 보전함) ② 현금결제: 6만 원	8만 원 (6만 원 + 2만 원)
Case 2	① 카드사가 적립해준 마일리지: 4만 원(아무런 보전받지 않음) ② 현금결제: 6만 원	10만 원
Case 3	① 특수관계인이 적립해준 마일리지: 4만 원(특수관계인으로부터 1만 원 보전받음) ② 현금결제: 6만 원	10만 원

2 ｜ 간주공급의 공급가액

I ｜ 자기생산 취득재화 공급의제

면세전용, 비영업용 승용차 전용, 개인적 공급, 사업상 증여, 폐업 시 잔존재화의 공급가액은 다음과 같다.

구분		공급가액
감가상각자산이 아닌 경우		시가
감가상각자산	건물·구축물	취득가액 × (1 − 5% × 경과된 과세기간 수)
	그 밖의 감가상각자산	취득가액 × (1 − 25% × 경과된 과세기간 수)

1. 취득가액

매입세액을 공제받은 해당 재화의 가액으로 한다. 따라서 취득세나 건설자금이자는 포함하지 아니하며, 현재가치할인차금은 취득가액에 포함한다.

2. 경과된 과세기간의 수

과세기간 단위로 계산하되, 건물 또는 구축물의 경과된 과세기간의 수가 20을 초과할 때에는 20으로, 그 밖의 감가상각자산의 경과된 과세기간의 수가 4를 초과할 때에는 4로 한다. 경과된 과세기간의 수를 계산할 때 과세기간의 개시일 후에 감가상각자산을 취득하거나 해당 재화가 공급된 것으로 보게 되는 경우에는 그 과세기간의 개시일에 해당 재화를 취득하거나 해당 재화가 공급된 것으로 본다.

> **사례**
>
> 음식점업자가 20×1. 12. 26. 음식 조리용으로 사용할 비품을 취득하였으나 개업 준비관계로 20×2. 1. 20.부터 사용하였다. 그 후 사업부진으로 20×3. 4. 20. 음식점업을 폐업하였다. 간주공급에 따른 공급가액 계산 시 경과된 과세기간은?
>
>
>
> 2(×2년 제1기, 제2기)

3. 취득일

'취득한 날'이란 재화가 실제로 사업에 사용된 날을 말한다. 단, 재화의 공급으로 보지 아니하는 포괄적 사업양도로 취득한 감가상각자산의 경우에는 양도자가 당초 취득한 날을 기준으로 경과된 과세기간의 수를 계산하는 것이다.

Ⅱ 면세 일부전용

과세사업에 제공한 감가상각자산을 면세사업에 일부 사용하는 경우에는 다음의 계산식에 따라 계산한 금액을 공급가액으로 하되, 그 면세사업에 의한 면세공급가액이 총공급가액의 5% 미만인 경우에는 공급가액이 없는 것으로 본다.

1. 건물·구축물

$$\text{취득가액} \times (1 - 5\% \times N) \times \text{면세전용 과세기간의} \ \frac{\text{면세공급가액}}{\text{총공급가액}}$$

2. 그 밖의 감가상각자산

$$\text{취득가액} \times (1 - 25\% \times N) \times \text{면세전용 과세기간의} \ \frac{\text{면세공급가액}}{\text{총공급가액}}$$

Ⅲ 판매목적 타사업장 반출

구분	공급가액
일반적인 경우	「소득세법」 또는 「법인세법 시행령」에 따른 취득가액
취득가액에 일정액을 더하여 공급하는 경우	그 취득가액에 일정액을 더한 금액
개별소비세 등이 부과되는 재화	개별소비세, 주세 및 교통·에너지·환경세의 과세표준에 해당 개별소비세, 주세, 교육세, 농어촌특별세 및 교통·에너지·환경세 상당액을 합계한 금액

→ 매입세액 공제 여부와 관계없이 취득가액 등을 공급가액으로 함

3 | 재화의 수입에 대한 과세표준

I | 내용

재화의 수입에 대한 부가가치세의 과세표준은 그 재화에 대한 관세의 과세가격과 관세, 개별소비세, 주세, 교육세, 농어촌특별세 및 교통·에너지·환경세를 합한 금액으로 한다.

II | 보세구역 외 국내에 재화를 공급하는 경우

사업자가 보세구역 내에 보관된 재화를 다른 사업자에게 공급하고, 그 재화를 공급받은 자가 그 재화를 보세구역으로부터 반입하는 경우 공급가액은 다음과 같이 계산한다.

∵ 세관장과 사업자의 이중과세 방지

그 재화의 공급가액 –
세관장이 부가가치세를 징수하고 발급한 수입세금계산서에 적힌 공급가액

사례

㈜대한은 외국에서 반입한 원재료를 가공하여 생산한 제품을 국내에 공급하는 보세구역 내의 사업자이다. ㈜대한은 보세구역 밖에 있는 국내사업자 갑과 을에게 다음과 같이 제품을 공급하였다.

1. 제품 A를 사업자 갑에게 10,000,000원에 공급하였다. 이에 대한 관세의 과세가격은 5,000,000원, 관세는 500,000원, 개별소비세는 1,500,000원이다.
   → 공급가액: 10,000,000 – 7,000,000 = 3,000,000

㈜대한은 외국에서 반입한 원재료를 가공하여 생산한 제품을 국내에 공급하는 보세구역 내의 사업자이다. ㈜대한은 보세구역 밖에 있는 국내사업자 갑과 을에게 다음과 같이 제품을 공급하였다.

1. 제품 A를 사업자 갑에게 10,000,000원에 공급하였다. 이에 대한 관세의 과세가격은 5,000,000원, 관세는 500,000원, 개별소비세는 1,500,000원이다.
   → 공급가액: 10,000,000 – 7,000,000 = 3,000,000

2. 제품 B를 사업자 을에게 20,000,000원에 공급하였다. 이에 대하여 세관장이 징수한 부가가치세는 1,700,000원이다.
   → 공급가액: 20,000,000 – 17,000,000 = 3,000,000

Ⅲ 수입재화에 대한 선하증권

세관장이 부가가치세를 징수하기 전에 같은 재화에 대한 선하증권이 양도되는 경우에는 선하증권의 양수인으로부터 받은 대가를 공급가액으로 할 수 있다.

4 부동산 일괄공급

Ⅰ 의의

사업자가 부동산을 공급하는 경우 토지는 면세하고, 건물은 과세한다. 따라서 건물과 토지를 함께 공급하는 경우 토지의 가액과 건물 등의 가액을 구분하는 것은 매우 중요하다.

Ⅱ 원칙

사업자가 토지와 그 토지에 정착된 건물 또는 구축물 등을 함께 공급하는 경우에는 건물 또는 구축물 등의 실지거래가액을 공급가액으로 한다. 실지거래가액이란 매매계약서 등 증명서류에 당사자의 의사에 따라 토지와 건물을 구분하여 기재한 금액을 말한다.

Ⅲ 예외

다음 중 어느 하나에 해당하는 경우에는 법령이 정하는 바에 따라 안분계산한 금액을 공급가액으로 한다.
1. 실지거래가액 중 토지의 가액과 건물 등의 가액의 구분이 불분명한 경우
2. 사업자가 실지거래가액으로 구분한 토지와 건물 등의 가액이 법령이 정하는 바에 따라 안분계산한 금액과 30% 이상 차이가 있는 경우
   ∵ 자산별 공급가액을 자의적으로 구분하여 조세회피하는 것 방지
   단, 다른 법령에서 정하는 바에 따라 토지와 건물 등의 가액을 구분한 경우나 토지와 건물 등을 함께 공급받은 후 건물 등을 철거하고 토지만 사용하는 경우에는 건물 등의 실지거래가액을 공급가액으로 한다.

Ⅳ 안분계산방법

구분		내용
감정가액이 모두 있는 경우		감정평가업자가 평가한 감정가액에 비례하여 안분계산한다. 감정가액은 공급시기(중간지급조건부 또는 장기할부판매의 경우 최초 공급시기)가 속하는 과세기간의 직전 과세기간 개시일부터 공급시기가 속하는 과세기간의 종료일까지의 감정평가가액을 말한다. 예 ×3. 1. 10.공급 → × 2. 7. 1.~×3. 6. 30.의 감정가액
감정가액이 없는 경우	기준시가가 모두 있는 경우	공급계약일 현재 기준시가에 비례하여 안분계산한다.
	기준시가가 일부 있는 경우	먼저 세무상 장부가액(장부가액이 없는 경우 취득가액)에 비례하여 안분계산한 후, 기준시가가 있는 자산에 대하여는 그 합계액을 다시 기준시가에 비례하여 안분계산한다.

사례

1. 기준시가가 일부 있는 경우: 과세사업자가 토지, 건물 및 기계장치를 100억 원(부가가치세 제외)에 일괄 양도하였다. 공급계약일 현재 관련된 자료가 다음과 같다.

구분	취득가액	장부가액	기준시가	감정가액
토지	50억 원	50억 원	45억 원	80억 원
건물	40억 원	30억 원	15억 원	20억 원
기계장치	30억 원	20억 원	–	–

[해설]

(1단계) 장부가액으로 1차 안분
  ① 토지: 100억 원 × 50억 원/100억 원 = 50억 원
  ② 건물: 100억 원 × 30억 원/100억 원 = 30억 원
  ③ 기계장치: 100억 원 × 20억 원/100억 원 = 20억 원
(2단계) 토지와 건물의 합계액(① + ②)을 기준시가에 의한 2차 안분계산
  ① 토지: 80억 원 × 45억 원/60억 원 = 60억 원
  ② 건물: 80억 원 × 15억 원/60억 원 = 20억 원

2. 일괄 양도 금액에 부가가치세 포함된 경우: 토지와 건물의 일괄양도금액이 106억 원(VAT 포함)인 경우로서 감정가액이 토지 40억 원, 건물이 60억 원인 경우 건물의 과세표준은?

[해설]

건물 등의 공급가액 = 106억 원 × $\dfrac{60억\ 원}{40억\ 원 + 60억\ 원 × 1.1}$ = 60억 원

※ 양도금액에 부가가치세가 포함된 경우 공급가액 계산

$$건물\ 공급가액 = 총공급가액 × \dfrac{건물가액}{토지가액 + 건물가액 × 110/100}$$

3. 실지거래가액과 법령에 따라 안분계산한 금액이 30% 이상 차이나는 경우: 과세사업자인 ㈜대한은 토지와 건물을 500,000,000원에 다음과 같이 함께 양도하고 그 대금을 모두 수령하였다. 토지와 건물에 대한 감정가액은 없다.

해설

구분	실지거래가액	공급계약일 현재	
		장부가액	기준시가
토지	300,000,000원	200,000,000원	160,000,000원
건물	200,000,000원	200,000,000원	240,000,000원

구분	실지거래가액	기준시가로 안분계산한 금액	30% 이상 차이
토지	3억 원	5억 원 × 160/400 = 2억 원	(3억 원 − 2억 원)/2억 원 ≥ 30%
건물	2억 원	5억 원 × 240/400 = 3억 원	(2억 원 − 3억 원)/3억 원 ≥ 30%

5 부동산임대용역의 공급가액

I 일반적인 경우

1. 임대료(T/I O)

임대료는 해당 과세기간에 대가를 받기로 한 부분을 과세표준으로 한다. 다만, 사업자가 둘 이상의 과세기간에 걸쳐 부동산 임대용역을 공급하고 그 대가를 선불이나 후불로 받는 경우에는 다음의 금액을 공급가액으로 한다.

$$\text{선불 또는 후불로 받는 임대료} \times \frac{\text{각 과세대상기간의 합계액}}{\text{계약기간의 개월 수 합계액}}$$

※ 개월 수의 계산에 관하여는 해당 계약기간의 개시일이 속하는 달이 1개월 미만이면 1개월로 하고, 해당 계약기간의 종료일이 속하는 달이 1개월 미만이면 산입하지 않음(초월산입 · 말월불산입)

2. 관리비(T/I O)

사업자가 부가가치세가 과세되는 부동산임대료와 해당 부동산을 관리해 주는 대가로 받는 관리비 등을 구분하지 아니하고 영수하는 때에는 전체 금액에 대하여 과세하는 것이나, 임차인이 부담하여야 할 보험료 · 수도료 및 공공요금 등을 별도로 구분징수하여 납입을 대행하는 경우 해당 금액은 부동산임대관리에 따른 대가에 포함하지 아니한다.

3. 간주임대료(T/I ×)

전세금이나 임대보증금을 받는 경우에는 금전 외의 대가를 받는 것으로 보아 다음 계산식에 따라 계산한 금액을 공급가액으로 한다.

$$\text{보증금 등} \times \text{과세대상기간 일수} \times \frac{\text{계약기간 1년의 정기예금 이자율}}{365(\text{윤년 } 366)}$$

(1) 보증금 등

부동산임대용역을 공급하고 받은 임대보증금 또는 전세금을 말한다. 사업자가 계약에 따라 임대보증금 등을 임대료에 충당하였을 때에는 그 금액을 제외한 가액을 전세금 또는 임대보증금으로 한다. 보증금 등은 임대차계약서상의 금액이므로 실제로 지급받았는지 여부에 관계없이 공급시기에 받았거나 받기로 한 금액이 보증금 등에 해당한다. 따라서 보증금 등에 대한 간주임대료는 임차인이 해당 부동산을 사용하거나 사용하기로 한 때를 기준으로 하여 계산한다.

(2) 과세대상기간 일수

기산일은 계약금 등의 수취 여부에 관계없이 부동산임대용역이 개시되거나 개시될 날부터이며, 종료일은 보증금 또는 전세금의 반환 여부에 관계없이 부동산임대용역 제공이 완료되거나 완료될 날이다.

(3) 정기예금이자율

해당 예정신고기간 또는 과세기간 종료일 현재 계약기간 1년의 정기예금 이자율(현행 2.9%)

(4) 부동산을 전대한 경우

사업자가 부동산을 임차하여 다시 임대용역을 제공하는 경우에는 "해당 기간의 전세금 또는 임대보증금 − 임차 시 지급한 전세금 또는 임차보증금"에 대하여 간주임대료를 계산한다. 이 경우 임차한 부동산 중 직접 자기의 사업에 사용하는 부분이 있는 경우 임차 시 지급한 전세금 또는 임차보증금은 다음 계산식에 따른 금액을 제외한 금액으로 한다.

$$\text{임차 시 지급한 전세금 또는 임차보증금} \times \frac{\text{직접 자기의 사업에 사용하는 면적}}{\text{임차한 부동산의 총면적}}$$

Ⅱ 겸용주택을 임대한 경우

1. 개요

주택과 이에 부수되는 토지의 임대는 면세하고, 그 외 부동산의 임대는 과세한다. 과세되는 부동산 임대용역과 면세되는 주택 임대용역을 함께 공급하는 경우로서 그 임대구분과 임대료 등의 구분이 불분명한 경우 부가가치세 과세표준에 포함될 공급가액은 일정한 방법에 따라 구분할 필요가 있다.

2. 공급가액 계산

과세되는 부동산 임대용역과 면세되는 주택 임대용역을 함께 공급하여 그 임대구분과 임대료 등의 구분이 불분명한 경우 다음과 같이 공급가액을 계산한다.

면적구분	겸용주택에 대한 면세규정에 따라 면세면적과 과세면적 구분
총 임대료	임대료(관리비 포함) + 간주임대료의 계산
공급가액 계산	① 토지 임대료 $$총\ 임대료 \times \frac{토지기준시가}{토지기준시가 + 건물기준시가}$$ ② 건물 임대료 $$총\ 임대료 \times \frac{건물기준시가}{토지기준시가 + 건물기준시가}$$ 토지가액 또는 건물가액은 예정신고기간 또는 과세기간이 끝난 날 현재의 「소득세법」에 따른 기준시가에 따른다. → 감정가액 아님
과세 공급가액 계산	① 토지 임대료 × 과세토지면적비율 ② 건물 임대료 × 과세건물면적비율

6 과세사업과 면세사업 등에 공통으로 사용된 재화의 공급가액 계산

I 개요

과세사업과 면세사업 등에 공통으로 사용하던 재화를 공급한 경우 과세사업 분만 과세하고, 면세사업분은 면세한다. 이 경우 공급시점에 공급가액을 안분 계산하여 과세사업분에 해당하는 공급가액은 세금계산서를 발급하여야 한다.

II 원칙 – 공급가액 안분계산

과세표준에 포함되는 공급가액은 다음 계산식에 따라 계산한다. 이 경우 휴 업 등으로 인하여 직전 과세기간의 공급가액이 없을 때에는 그 재화를 공급 한 날에 가장 가까운 과세기간의 공급가액으로 계산한다.

$$\text{해당 재화의 공급가액} \times \frac{\text{재화공급일이 속하는 과세기간의 직전 과세기간의 과세공급가액}}{\text{재화공급일이 속하는 과세기간의 직전 과세기간의 총공급가액}}$$

III 예외 – 면적비율 안분계산

사용면적을 기준으로 공통매입세액을 안분계산한 재화 또는 사용면적비율 에 따라 재계산한 재화로서 과세사업과 면세사업 등에 공통으로 사용되는 재화를 공급하는 경우에 과세표준에 포함되는 공급가액은 다음 계산식에 따 라 계산한다. 이 경우 휴업 등으로 인하여 직전 과세기간의 사용면적비율이 없을 때에는 그 재화를 공급한 날에 가장 가까운 과세기간의 사용면적비율 에 의하여 계산한다.

$$\text{해당 재화의 공급가액} \times \frac{\text{재화공급일이 속하는 과세기간의 직전 과세기간의 과세사용면적}}{\text{재화공급일이 속하는 과세기간의 직전 과세기간의 사용면적}}$$

IV 안분계산 생략

다음 중 어느 하나에 해당하는 경우에는 경제적 실익이 없거나 안분이 불가 능하므로 해당 재화의 공급가액 전부를 과세표준으로 한다.
1. 재화를 공급하는 날이 속하는 과세기간의 직전 과세기간의 총공급가액 중 면세공급가액이 5% 미만인 경우. 다만, 해당 재화의 공급가액이 5천만 원 이상인 경우에는 안분계산하여야 한다.
2. 재화의 공급가액이 50만 원 미만인 경우

3. 재화를 공급하는 날이 속하는 과세기간에 신규로 사업을 시작하여 직전 과세기간이 없는 경우

▮ 사례

㈜대한은 과세사업과 면세사업에 공통으로 사용하던 재화를 다음과 같이 매각하였다.

구분	취득일	취득가액	매각일	공급가액
차량	20×1. 3. 1.	40,000,000원	20×2. 4. 1.	20,000,000원
비품	20×1. 8. 1.	1,000,000원	20×2. 5. 1.	400,000원

과세사업과 면세사업의 공급가액비율은 다음과 같다.

구분	20×1년 제2기	20×2년 제1기
과세사업	50%	60%
면세사업	50%	40%

→ 과세표준: 10,000,000(= 20,000,000 × 50%) + 400,000 = 10,400,000

7 대손세액의 공제특례

Ⅰ 의의

사업자는 부가가치세가 과세되는 재화 또는 용역을 공급하고 외상매출금이나 그 밖의 매출채권(부가가치세 포함)의 전부 또는 일부가 공급을 받은 자의 파산·강제집행이나 그 밖에 법령으로 정하는 대손사유로 대손되어 회수할 수 없는 경우에는 대손세액을 그 대손이 확정된 날이 속하는 과세기간의 매출세액에서 뺄 수 있다.

대손세액 = 대손금액(부가가치세 포함) × 10/110

Ⅱ 공제요건

1. 대손세액공제의 대상이 되는 채권은 부가가치세가 과세되는 재화 또는 용역에 대한 채권이어야 한다. → 대여금은 공제대상 아님

2. 대손세액 공제의 범위는 사업자가 부가가치세가 과세되는 재화 또는 용역을 공급한 후 그 공급일부터 10년이 지난 날이 속하는 과세기간에 대한 확정신고 기한까지 대손사유로 확정되는 대손세액(결정 또는 경정으로 증가된 과세표준에 대하여 부가가치세액을 납부한 경우 해당 대손세액 포함)으로 한다.

📖 **취지**

공급자가 외상으로 판매한 경우에도 세금계산서를 발급하고, 공급자는 스스로 부가가치세를 부담하며, 공급받은 자는 대금지급 없이 수취한 세금계산서에 의해 매입세액을 공제받는다. 그 후 공급받은 자의 파산 등으로 대손된 경우 공급자는 경제적 손실을 입고, 공급받은 자는 부담하지도 않은 매입세액을 공제받는 불합리점이 발생한다. 이러한 불합리점을 보완하는 제도가 대손세액공제이다.

예 공급일 2013. 1. 1. → 2023. 7. 25.까지 대손이 확정되어야 함

3. 대손세액공제를 적용받고자 하는 사업자는 확정신고와 함께 대손금액이 발생한 사실을 증명하는 서류를 첨부하여 관할 세무서장에게 제출하여야 한다.

Ⅲ 대손사유

1. 「소득세법 시행령」 제55조 제2항 및 「법인세법 시행령」 제19조의2 제1항에 따라 대손금으로 인정되는 경우

2. 「채무자 회생 및 파산에 관한 법률」에 따른 법원의 회생계획인가 결정에 따라 채무를 출자전환하는 경우. 이 경우 대손되어 회수할 수 없는 금액은 출자전환하는 시점의 출자전환된 매출채권 장부가액과 출자전환으로 취득한 주식 또는 출자지분의 시가와의 차액으로 한다.

사례

매출채권 ₩110,000,000을 회수하지 못하던 중 거래처에 대하여 「채무자 회생 및 파산에 관한 법률」에 근거한 법원의 회생계획인가결정으로 보통주 10,000주로 출자전환되었으며, 동시에 80%를 무상감자하여 2,000주를 보유하고 있다. 주식의 액면가액과 시가는 각각 ₩11,000,000과 ₩33,000,000이다. 대손세액공제는?

해설

$(110,000,000 - 33,000,000) \times 10/110 = 7,000,000$

Ⅳ 공제시기

1. 대손세액공제는 대손이 확정된 날이 속하는 과세기간의 확정신고 시 공제한다. 따라서 예정신고 시에는 공제하지 않는다.

2. 대손세액은 대손이 확정된 날이 속하는 과세기간에만 적용하므로 확정된 과세기간에 신고하지 못한 경우 경정청구를 통해 공제받을 수 있다.

사례

회사의 대손금액(부가가치세 포함)에 대한 대손처리내역은 다음과 같다.

공급시점	대손금액	대손사유 확정시기	공제 여부	공제시기
2012. 6. 28.	11,000,000원	2023. 6. 1.	×	–
2014. 1. 3.	22,000,000원	2023. 7. 25.	○	2023 – 2기
2018. 1. 4.	33,000,000원	2023. 4. 25.	○	2023 – 1기

Ⅴ 대손세액 처리방법

1. 대손확정

공급자	대손세액을 그 대손이 확정된 날이 속하는 과세기간의 매출세액에서 뺄 수 있다.
공급받은 자	재화 또는 용역을 공급받은 사업자가 대손세액에 해당하는 금액의 전부 또는 일부를 매입세액으로 공제받은 경우로서 그 사업자가 폐업하기 전에 재화 또는 용역을 공급하는 자가 대손세액공제를 받은 경우에는 그 재화 또는 용역을 공급받은 사업자는 관련 대손세액에 해당하는 금액을 대손이 확정된 날이 속하는 과세기간에 자신의 매입세액에서 뺀다. 이 경우 공급자가 대손세액을 매출세액에서 차감한 경우 공급자의 관할 세무서장은 대손세액 공제사실을 공급받는 자의 관할 세무서장에게 통지하여야 하며, 공급받은 자가 관련 대손세액에 해당하는 금액을 매입세액에서 차감하여 신고하지 아니한 경우 결정하거나 경정하여야 한다. → 과소신고가산세와 납부지연가산세는 부과하지 않음

2. 회수(변제)

공급자	그 사업자가 대손금액의 전부 또는 일부를 회수한 경우에는 회수한 대손금액에 관련된 대손세액을 회수한 날이 속하는 과세기간의 매출세액에 더한다.
공급받은 자	매입세액에서 대손세액에 해당하는 금액을 뺀(관할 세무서장이 결정 또는 경정한 경우 포함) 해당 사업자가 대손금액의 전부 또는 일부를 변제한 경우에는 변제한 대손금액에 관련된 대손세액에 해당하는 금액을 변제한 날이 속하는 과세기간의 매입세액에 더한다. 이 경우 사업자는 부가가치세 확정신고서에 대손세액 변제신고서와 변제사실을 증명하는 서류를 첨부하여 관할 세무서장에게 제출(국세정보통신망에 의한 제출 포함)하여야 한다.

집행기준 45 – 87 – 3【대손세액 공제에 따른 가산세 적용】
① 대손세액 공제는 대손사유별로 그 대손이 확정되는 날이 속하는 과세기간에 대한 확정신고를 하는 때에 적용되므로 예정신고 시 대손세액 공제를 한 경우에는 과소신고가산세 또는 초과환급신고가산세가 적용된다.
② 관할 세무서장이 공급받은 자에 대하여 대손세액상당액을 대손확정일이 속하는 과세기간의 매입세액에서 차감하는 경정을 하는 경우 과소(초과환급)신고가산세 또는 납부지연가산세를 적용하지 아니한다.

Check 대손세액공제

구분	공급자	공급받는 자
대손이 확정된 경우	매출세액에서 뺀다.	매입세액에서 뺀다. (대손처분받은 세액)
회수 또는 변제한 경우	매출세액에 더한다.	매입세액에 더한다. (변제대손세액)

05 거래징수와 세금계산서

1 거래징수

I 내용

사업자가 재화 또는 용역을 공급하는 경우에는 공급가액에 10% 세율을 적용하여 계산한 부가가치세를 재화 또는 용역을 공급받는 자로부터 징수하여야 한다. 한편 재화의 수입에 대해서는 세관장이 관세징수의 예에 따라 부가가치세를 징수하도록 하고 있다.

II 성격

거래징수는 사업자로부터 징수하는 부가가치세액을 공급받는 자로부터 차례로 전가시키겠다는 취지를 선언한 것이므로 사업자가 거래징수규정을 근거로 공급을 받는 자로부터 부가가치세를 직접 징수할 사법상의 권리는 없다(대법원 96다40677).

Check 사업자 구분에 따른 증명서류			
구분		업종	증명서류
과세사업자	일반과세자	일반적인 경우	세금계산서
		최종소비자 대상 업종	영수증 또는 신용카드매출전표 등
	간이과세자	4,800만 원 이상 8,000만 원 미만	세금계산서
		4,800만 원 미만	영수증
면세사업자		일반적인 경우	계산서
		최종소비자 대상 업종	영수증

2 세금계산서

I 의의

세금계산서란 거래징수의무자인 사업자가 재화 또는 용역을 공급하는 때에 그에 대한 부가가치세를 거래상대방으로부터 징수한 사실을 증명하기 위하여 발급하는 것이며 재화의 수입 시 세관장이 수입자로부터 부가가치세를 징수하고 발급하는 수입세금계산서를 포함한다.

II 기재사항

사업자가 재화 또는 용역을 공급(부가가치세가 면제되는 재화·용역의 공급 제외)하는 경우에는 다음의 사항을 적은 세금계산서를 그 공급을 받는 자에게 발급하여야 한다.

구분	내용	부실기재 시
필요적 기재사항	거래파악에 필요한 필수요소 ① 공급하는 사업자의 등록번호와 성명 또는 명칭 ② 공급받는 자의 등록번호(단, 공급받는 자가 사업자가 아니거나 등록한 사업자가 아닌 경우 고유번호 또는 공급받는 자의 주민등록번호) ③ 공급가액과 부가가치세액 ④ 작성 연월일(공급시기)	공급자: 가산세(1%)❶ 매입자: 매입세액 불공제❶
임의적 기재사항	① 공급하는 자의 주소 ② 공급받는 자의 상호·성명·주소 ③ 공급하는 자와 공급받는 자의 업태와 종목 ④ 공급품목 ⑤ 단가와 수량 ⑥ 공급 연월일 ⑦ 거래의 종류 ⑧ 사업자 단위과세사업자의 경우 실제로 재화 또는 용역을 공급하거나 공급받는 종된 사업장의 소재지 및 상호	없음

❶ 필요적 기재사항 중 일부가 착오나 사실과 다르게 적혔더라도 나머지 사항으로 보아 거래사실이 확인된 경우에는 적법한 세금계산서로 본다.

Ⅲ 발급방법

사업자가 세금계산서를 발급하는 경우 해당 재화나 용역을 공급하는 사업장에서 총 2매(공급자 보관용 1매와 공급받는 자 보관용 1매)를 작성하여 그 중 공급받는 자 보관용 1매를 거래상대방에게 발급하여야 한다. 단, 사업자들의 편의를 위해 세금계산서를 제출하지 않고 세금계산서를 근거로 작성한 세금계산서합계표를 제출하여야 한다.

구분	세금계산서	신고 시 제출서류
공급자	매출세금계산서	매출처별 세금계산서합계표 제출
공급받는 자	매입세금계산서	매입처별 세금계산서합계표 제출

📖 취지
종이세금계산서의 경우 그 작성, 발급 및 보관에 많은 시간과 비용이 발생하고 과세관청은 가짜 세금계산서 색출에 막대한 행정력이 투입되는 등 과도한 납세협력 및 행정비용이 발생하는 문제점이 있었다. 이에 사업자의 납세협력비용을 줄이고 사업자 간 거래의 투명성을 제고하기 위해 전자세금계산서를 도입하였다.

3 전자세금계산서

Ⅰ 전자세금계산서 발급의무자

1. 법인사업자

규모에 관계없이 모든 법인

2. 개인사업자

직전 연도의 사업장별 재화 및 용역의 공급가액(면세공급가액 포함)의 합계액이 8천만 원 이상인 개인사업자(그 이후 직전 연도의 사업장별 재화 및 용역의 공급가액이 8천만 원 미만이 된 개인사업자 포함)는 세금계산서를 발급하려면 전자세금계산서를 발급하여야 한다.

3. 전자계산서를 발급하여야 하는 사업자가 아닌 사업자

전자세금계산서를 발급하여야 하는 사업자가 아닌 사업자도 전자세금계산서를 발급하고 전자세금계산서 발급명세를 전송할 수 있다.

Ⅱ 개인사업자 의무발급기간

1. 의무발급기간

전자세금계산서 의무발급 개인사업자는 사업장별 재화 및 용역의 공급가액의 합계액이 8천만 원 이상인 해의 다음 해 제2기 과세기간이 시작하는 날부터 전자세금계산서를 발급해야 한다. 다만, 사업장별 재화와 용역의 공급가액의 합계액이 수정신고 등으로 8천만 원 이상이 된 경우에는 수정신고 등을 한 날이 속하는 과세기간의 다음 과세기간이 시작하는 날부터 전자세금계산서를 발급해야 한다.

예 2023년 사업장별 공급가액 합계액이 8천만 원 이상인 경우 2024년 7월 1일부터 전자세금계산서 발급

2. 통지의무

(1) 관할 세무서장은 개인사업자가 전자세금계산서 의무발급 개인사업자에 해당하는 경우에는 전자세금계산서를 발급해야 하는 날이 시작되기 1개월 전까지 그 사실을 해당 개인사업자에게 통지하여야 한다.

(2) 만일 1개월 전까지 통지를 받지 못한 경우 통지서를 수령한 날이 속하는 달의 다음 다음 달 1일부터 전자세금계산서를 발급하여야 한다.

Ⅲ 발급명세 전송

1. 전자세금계산서를 발급하였을 때에는 전자세금계산서 발급일의 다음 날까지 전자세금계산서 발급명세를 국세청장에게 전송하여야 한다.

2. 만일 전송기한 지난 후 발급명세를 전송하는 경우에는 다음의 가산세가 적용된다.

구분	사유	가산세
지연전송	공급시기가 속하는 과세기간에 대한 확정신고기한까지 전송하는 경우	공급가액의 0.3%
미전송	공급시기가 속하는 과세기간에 대한 확정신고기한까지 전송하지 않은 경우	공급가액의 0.5%

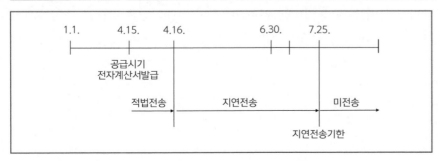

Ⅳ 발급명세 전송 시 혜택

1. 세금계산서합계표 제출 면제

사업자는 세금계산서를 발급하였거나 발급받은 경우에는 매출·매입처별 세금계산서합계표를 해당 예정신고 또는 확정신고를 할 때 함께 제출하여야 하나, 전자세금계산서 발급명세를 해당 재화 또는 용역의 공급시기가 속하는 과세기간(예정신고의 경우 예정신고기간) 마지막 날의 다음 달 11일까지 국세청장에게 전송한 경우에는 매출·매입처별 세금계산서합계표를 제출하지 아니할 수 있다.

2. 세금계산서 보관 면제

사업자는 발급하거나 발급받은 세금계산서 또는 영수증을 그 거래사실이 속하는 과세기간에 대한 확정신고 기한 후 5년간 보존하여야 하나, 전자세금계산서를 발급한 사업자가 국세청장에게 전자세금계산서 발급명세를 전송한 경우에는 세금계산서 보관의무가 면제된다.

4 세금계산서 발급의 특례

Ⅰ 위탁판매

1. 위탁자 등을 알 수 있는 경우

위탁판매 또는 대리인에 의한 판매의 경우 수탁자 또는 대리인이 재화를 인도할 때에는 수탁자 또는 대리인이 위탁자 또는 본인의 명의로 세금계산서를 발급하며, 위탁자 또는 본인이 직접 재화를 인도하는 때에는 위탁자 또는 본인이 세금계산서를 발급할 수 있다. 이 경우 수탁자 또는 대리인의 등록번호를 덧붙여 적어야 한다.

2. 위탁자 등을 알 수 없는 경우

위탁자(본인)는 수탁자(대리인)에게, 수탁자(대리인)는 거래상대방에게 공급한 것으로 보아 세금계산서를 발급한다.

Ⅱ 위탁매입

1. 위탁자 등을 알 수 있는 경우

위탁매입 또는 대리인에 의한 매입의 경우에는 공급자가 위탁자 또는 본인을 공급받는 자로 하여 세금계산서를 발급한다. 이 경우 수탁자 또는 대리인의 등록번호를 덧붙여 적어야 한다.

2. 위탁자 등을 알 수 없는 경우

수탁자가 공급자로부터 세금계산서를 발급받고, 위탁자는 수탁자로부터 세금계산서를 발급받는다.

Ⅲ 수용

수용으로 인하여 재화가 공급되는 경우에는 해당 사업시행자가 세금계산서를 발급할 수 있다.

Ⅳ 용역공급에 대한 주선·중개

용역의 공급에 대한 주선·중개의 경우에는 위탁판매 및 위탁매입을 준용한다.

Ⅴ 리스거래

납세의무가 있는 사업자가 「여신전문금융업법」에 따라 등록한 시설대여업자로부터 시설 등을 임차하고, 그 시설 등을 공급자 또는 세관장으로부터 직접 인도받는 경우에는 공급자 또는 세관장이 그 사업자에게 직접 세금계산서를 발급할 수 있다.

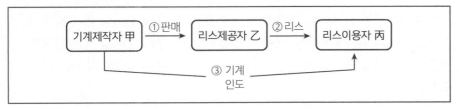

Ⅵ 합병

합병에 따라 소멸하는 법인이 합병계약서에 기재된 합병을 할 날부터 합병등기일까지의 기간에 재화 또는 용역을 공급하거나 공급받는 경우 합병 이후 존속하는 법인 또는 합병으로 신설되는 법인이 세금계산서를 발급하거나 발급받을 수 있다.

📖 기출 체크

수탁자가 직접 재화를 인도하는 위탁판매(위탁자를 알 수 없는 경우에 해당하지 않음)의 경우 수탁자가 자신의 명의로 세금계산서를 발급해야 하며 이 경우 위탁자의 등록번호를 덧붙여 적어야 한다. (×)

5 | 수정세금계산서

Ⅰ | 의의

세금계산서 또는 전자세금계산서의 기재사항을 착오로 잘못 적거나 세금계산서 또는 전자세금계산서를 발급한 후 그 기재사항에 관하여 일정한 사유가 발생하면 수정세금계산서 또는 수정전자세금계산서를 발급할 수 있다.
→ 당초 적법한 세금계산서를 발급한 경우 수정세금계산서 발급 가능

Ⅱ | 재화의 환입

처음 공급한 재화가 환입된 경우에는 재화가 환입된 날을 작성일로 적고 비고란에 처음 세금계산서 작성일을 덧붙여 적은 후 붉은색 글씨로 쓰거나 음(陰)의 표시를 하여 발급한다.

예 2022. 12. 1. 재화를 1,000,000원에 공급하였으나, 2023. 1. 27. 100,000원이 반품된 경우 작성연월일은 2023. 1. 27.이고 공급가액은 (-)100,000, (-)세액은 10,000이다.

Ⅲ | 계약의 해제

계약의 해제로 재화 또는 용역이 공급되지 아니한 경우에는 계약이 해제된 때에 그 작성일은 계약해제일로 적고 비고란에 처음 세금계산서 작성일을 덧붙여 적은 후 붉은색 글씨로 쓰거나 음(陰)의 표시를 하여 발급한다.

Ⅳ | 계약의 해지

계약의 해지 등에 따라 공급가액에 추가되거나 차감되는 금액이 발생한 경우에는 증감 사유가 발생한 날을 작성일로 적고 추가되는 금액은 검은색 글씨로 쓰고, 차감되는 금액은 붉은색 글씨로 쓰거나 음(陰)의 표시를 하여 발급한다.

V 내국신용장 사후개설

재화 또는 용역을 공급한 후 공급시기가 속하는 과세기간 종료 후 25일(과세기간 종료 후 25일이 되는 날이 「국세기본법」 제5조 제1항 각 호에 해당하는 날인 경우에는 바로 다음 영업일) 이내에 내국신용장이 개설되었거나 구매확인서가 발급된 경우에는 내국신용장 등이 개설된 때에 그 작성일은 처음 세금계산서 작성일을 적고 비고란에 내국신용장 개설일 등을 덧붙여 적어 영세율 적용분은 검은색 글씨로 세금계산서를 작성하여 발급하고, 추가하여 처음에 발급한 세금계산서의 내용대로 세금계산서를 붉은색 글씨로 또는 음(陰)의 표시를 하여 작성하고 발급한다.

VI 필요적 기재사항의 착오

필요적 기재사항 등이 착오로 잘못 적힌 경우에는 처음에 발급한 세금계산서의 내용대로 세금계산서를 붉은색 글씨로 쓰거나 음(陰)의 표시를 하여 발급하고, 수정하여 발급하는 세금계산서는 검은색 글씨로 작성하여 발급한다.
→ 세무조사의 통지를 받은 경우, 세무공무원이 과세자료의 수입 등을 처리하기 위하여 현지출장이나 확인업무에 착수한 경우, 세무서장으로부터 과세자료 해명안내 통지를 받은 경우에 해당하는 경우로서 과세표준 또는 세액을 경정할 것을 미리 알고 있는 경우는 제외함

VII 필요적 기재사항의 착오 외

필요적 기재사항 등이 착오 외의 사유로 잘못 적힌 경우에는 재화나 용역의 공급일이 속하는 과세기간에 대한 확정신고기한 다음 날부터 1년 이내에 세금계산서를 작성하되, 처음에 발급한 세금계산서의 내용대로 세금계산서를 붉은색 글씨로 쓰거나 음(陰)의 표시를 하여 발급하고, 수정하여 발급하는 세금계산서는 검은색 글씨로 작성하여 발급한다.
→ 세무조사의 통지를 받은 경우, 세무공무원이 과세자료의 수입 등을 처리하기 위하여 현지출장이나 확인업무에 착수한 경우, 세무서장으로부터 과세자료 해명안내 통지를 받은 경우에 해당하는 경우로서 과세표준 또는 세액을 경정할 것을 미리 알고 있는 경우는 제외함

VIII 전자세금계산서 이중발급

착오로 전자세금계산서를 이중으로 발급한 경우에는 처음에 발급한 세금계산서의 내용대로 음(陰)의 표시를 하여 발급한다.

IX 면세 등 발급대상이 아닌 거래 발급

면세 등 발급대상이 아닌 거래 등에 대하여 발급한 경우에는 처음에 발급한 세금계산서의 내용대로 붉은색 글씨로 쓰거나 음(陰)의 표시를 하여 발급한다.

X 세율 잘못 적용

세율을 잘못 적용하여 발급한 경우에는 처음에 발급한 세금계산서의 내용대로 세금계산서를 붉은색 글씨로 쓰거나 음(陰)의 표시를 하여 발급하고, 수정하여 발급하는 세금계산서는 검은색 글씨로 작성하여 발급한다.

→ 세무조사의 통지를 받은 경우, 세무공무원이 과세자료의 수입 등을 처리하기 위하여 현지출장이나 확인업무에 착수한 경우, 세무서장으로부터 과세자료 해명안내 통지를 받은 경우에 해당하는 경우로서 과세표준 또는 세액을 경정할 것을 미리 알고 있는 경우는 제외함

XI 과세유형 전환 후

1. 일반과세자에서 간이과세자로 과세유형이 전환된 후 과세유형전환 전에 공급한 재화 또는 용역에 수정세금계산서 사유가 발생한 경우에는 처음에 발급한 세금계산서 작성일을 수정세금계산서 또는 수정전자세금계산서의 작성일로 적고, 비고란에 사유 발생일을 덧붙여 적은 후 추가되는 금액은 검은색 글씨로 쓰고 차감되는 금액은 붉은색 글씨로 쓰거나 음(陰)의 표시를 하여 수정세금계산서나 수정전자세금계산서를 발급할 수 있다.

2. 간이과세자에서 일반과세자로 과세유형이 전환된 후 과세유형전환 전에 공급한 재화 또는 용역에 수정세금계산서 사유가 발생하여 수정세금계산서나 수정전자세금계산서를 발급하는 경우에는 처음에 발급한 세금계산서 작성일을 수정세금계산서 또는 수정전자세금계산서의 작성일로 적고, 비고란에 사유 발생일을 덧붙여 적은 후 추가되는 금액은 검은색 글씨로 쓰고 차감되는 금액은 붉은색 글씨로 쓰거나 음(陰)의 표시를 해야 한다.

6 수입세금계산서

Ⅰ 발급

세관장은 수입되는 재화에 대하여 부가가치세를 징수할 때(부가가치세의 납부가 유예되는 때 포함)에는 수입세금계산서를 수입하는 자에게 발급하여야 한다.

Ⅱ 수정수입세금계산서

세관장은 다음 중 어느 하나에 해당하는 경우에는 수입하는 자에게 수정수입세금계산서를 발급하여야 한다.

1. 「관세법」에 따라 세관장이 과세표준 또는 세액을 결정 또는 경정하기 전에 수입하는 자가 대통령령으로 정하는 바에 따라 수정신고 등을 하는 경우(3.에 따라 수정신고하는 경우 제외)

2. 「관세법」에 따라 세관장이 과세표준 또는 세액을 결정 또는 경정하는 경우(수입하는 자가 해당 재화의 수입과 관련하여 다음 중 어느 하나에 해당하지 아니하는 경우로 한정함)

(1) 「관세법」을 위반하여 고발되거나 통고처분을 받은 경우

(2) 「관세법」에 따른 부정한 행위 또는 「자유무역협정의 이행을 위한 관세법의 특례에 관한 법률」 제36조 제1항 제1호 단서에 따른 부정한 행위로 관세의 과세표준 또는 세액을 과소신고한 경우

(3) 수입자가 과세표준 또는 세액을 신고하면서 관세조사 등을 통하여 이미 통지받은 오류를 다음 신고 시에도 반복하는 등 대통령령으로 정하는 중대한 잘못이 있는 경우

3. 수입하는 자가 세관공무원의 관세조사 등 대통령령으로 정하는 행위가 발생하여 과세표준 또는 세액이 결정 또는 경정될 것을 미리 알고 그 결정·경정 전에 「관세법」에 따라 수정신고하는 경우(해당 재화의 수입과 관련하여 2.의 어느 하나에 해당하지 아니하는 경우로 한정함)

7 세금계산서 발급의무 면제

Ⅰ 의의

세금계산서(전자세금계산서를 포함)를 발급하기 어렵거나 세금계산서의 발급이 불필요한 경우에는 세금계산서를 발급하지 아니할 수 있다.

Ⅱ 최종소비자 대상업종

1. 택시운송 사업자, 노점 또는 행상을 하는 사람
2. 무인자동판매기를 이용하여 재화나 용역을 공급하는 자
3. 소매업(다만, 공급받는 자가 세금계산서 발급을 요구하지 아니하는 경우로 한정함)
4. 미용, 욕탕 및 유사 서비스업을 경영하는 자가 공급하는 재화 또는 용역

Ⅲ 공급의제

1. 면세전용
2. 비영업용 승용차에의 전용
3. 개인적 공급
4. 사업상 증여
5. 폐업 시 잔존재화

→ 판매목적 타사업장 반출재화의 경우에는 세금계산서 발급해야 함

Ⅳ 영세율거래

발급의무 면제	발급대상
① 재화의 수출 ② 중계무역방식 거래 등 수출 ③ 용역의 국외공급 ④ 외화획득 재화 또는 용역	① 내국신용장·구매확인서에 의한 재화의 공급 ② 한국국제협력단, 한국국제보건의료재단, 대한적십자사에 공급 ③ 국외 원재료 반출 후 외국인도 ④ 수출재화 임가공용역

Ⅴ 간주임대료

부동산 임대용역 중 전세금 또는 임대보증금에 대한 간주임대료는 임대인 또는 임차인 중 누가 부담하는지에 관계없이 발급할 수 없다.
→ 단, 간주임대료에 대한 부가가치세는 부담한 자의 손금(필요경비)

Ⅵ 공인인증서

전자서명인증사업자가 공인인증서를 발급하는 용역. 다만, 공급받는 자가 사업자로서 세금계산서 발급을 요구하는 경우는 제외한다.

Ⅶ 전자적 용역

간편사업자등록을 한 사업자가 국내에 공급하는 전자적 용역

Ⅷ 국내사업장이 없는 비거주자 등

국내사업장이 없는 비거주자 또는 외국법인에 공급하는 재화 또는 용역. 다만, 다음 중 어느 하나에 해당하는 경우는 제외한다.
1. 국내사업장이 없는 비거주자 또는 외국법인이 해당 외국의 개인사업자 또는 법인사업자임을 증명하는 서류를 제시하고 세금계산서 발급을 요구하는 경우
2. 「법인세법」에 따른 외국법인연락사무소에 재화 또는 용역을 공급하는 경우

Ⅸ 부당행위계산부인

재화 또는 용역의 공급에 대하여 부당하게 낮은 대가를 받아 시가를 과세표준으로 하는 경우 시가와 거래가액 차액은 세금계산서 발급의무가 면제된다.

Ⅹ 이중공제 방지

사업자가 신용카드매출전표 등을 발급한 경우에는 세금계산서를 발급하지 아니한다.

8 세금계산서 발급시기

I 원칙

세금계산서는 사업자가 재화 또는 용역의 공급시기에 재화 또는 용역을 공급받는 자에게 발급하여야 한다.

II 선발급 특례

사업자는 재화 또는 용역의 공급시기가 되기 전 세금계산서를 발급할 수 있다.

III 후발급 특례

다음 중 어느 하나에 해당하는 경우에는 재화 또는 용역의 공급일이 속하는 달의 다음 달 10일(그 날이 공휴일 또는 토요일인 경우에는 바로 다음 영업일)까지 세금계산서를 발급할 수 있다.

∵ 사업자가 고정거래처와 계속적인 거래 시 공급시기마다 세금계산서를 발급하는 것이 번거롭기 때문

구분	사유
1역월 단위 발급	거래처별로 달의 1일부터 말일까지의 공급가액을 합하여 해당 달의 말일을 작성 연월일로 하여 세금계산서를 발급하는 경우 예 1. 1. ~ 1. 31. 공급가액을 1. 31. 작성연월일로 2. 10.까지 발급 가능
1역월 내에 임의기간 단위 발급	거래처별로 달의 1일부터 말일까지의 기간 이내에서 사업자가 임의로 정한 기간의 공급가액을 합하여 그 기간의 종료일을 작성 연월일로 하여 세금계산서를 발급하는 경우 예 1. 1 ~ 1. 15. 공급가액을 1. 15. 작성연월일로 2. 10.까지 발급 가능
특정거래일자 발급	관계 증명서류 등에 따라 실제거래사실이 확인되는 경우로서 해당 거래일을 작성 연월일로 하여 세금계산서를 발급하는 경우 예 1. 20. 재화를 공급하고 1. 20. 작성연월일로 하여 2. 10.까지 발급 가능

9 매입자발행세금계산서

Ⅰ 의의

납세의무자로 등록한 사업자로서 세금계산서 발급의무가 있는 사업자가 재화 또는 용역을 공급하고 세금계산서 발급 시기에 세금계산서를 발급하지 아니한 경우(사업자의 부도·폐업, 공급 계약의 해제·변경 또는 그 밖에 법령으로 정하는 사유가 발생한 경우로서 사업자가 수정세금계산서 또는 수정전자세금계산서를 발급하지 아니한 경우 포함) 그 재화 또는 용역을 공급받은 자는 관할 세무서장의 확인을 받아 세금계산서를 발행할 수 있다.

🖹 취지
매입자보다 경제적으로 우월한 지위에 있는 재화·용역의 매출자가 과세표준 노출 등을 이유로 세금계산서의 발급을 거부하는 사례를 방지하기 위함이다.

Ⅱ 발행요건

1. 공급자

납세의무자로 등록한 사업자로서 세금계산서 발급의무가 있는 사업자(영수증 발급대상 사업자 중 거래상대방의 요구 시 세금계산서 발급의무가 있는 사업자 포함)이어야 한다. 따라서 미등록사업자·면세사업자·영수증발급간이과세자는 발행할 수 없다.

2. 매입자

재화 또는 용역을 공급받은 모든 사업자로서 일반과세자·간이과세자, 면제사업자를 포함한다.

3. 발행대상

거래사실의 확인신청 대상이 되는 거래는 거래건당 공급대가가 5만 원 이상인 경우로 한다.

Ⅲ 발행절차

1. 거래사실확인신청

매입자발행세금계산서를 발행하려는 자는 해당 재화 또는 용역의 공급시기가 속하는 과세기간의 종료일부터 6개월 이내에 거래사실확인신청서에 거래사실을 객관적으로 입증할 수 있는 서류를 첨부하여 신청인 관할 세무서장에게 거래사실의 확인을 신청하여야 한다.

2. 보정요구

신청을 받은 관할 세무서장은 신청서에 공급자의 인적사항이 부정확하거나 신청서 기재방식에 흠이 있는 경우에는 신청일부터 7일 이내에 일정한 기간을 정하여 보정요구를 할 수 있다.

3. 거부결정

신청인이 보정요구에 응하지 아니하거나 신청기간을 넘긴 것이 명백한 경우 등에 해당하는 경우 신청인 관할 세무서장은 거래사실의 확인을 거부하는 결정을 하여야 한다.

4. 거래사실확인

신청인 관할 세무서장은 확인을 거부하는 결정을 하지 아니한 신청에 대해서는 거래사실확인신청서가 제출된 날(보정을 요구하였을 때에는 보정이 된 날)부터 7일 이내에 신청서와 제출된 증빙서류를 공급자 관할 세무서장에게 송부하여야 한다. 신청서를 송부받은 공급자 관할 세무서장은 신청인의 신청내용, 제출된 증빙자료를 검토하여 거래사실여부를 확인하여야 한다. 이 경우 거래사실의 존재 및 그 내용에 대한 입증책임은 신청인에게 있다.

5. 발행

신청인 관할 세무서장으로부터 거래사실 확인 통지를 받은 신청인은 공급자 관할 세무서장이 확인한 거래일자를 작성일자로 하여 매입자발행세금계산서를 발행하여 공급자에게 교부하여야 한다.

Ⅳ 효과

매입자발행세금계산서를 공급자에게 교부하였거나 교부한 것으로 보는 경우 신청인은 「부가가치세법」에 따른 예정신고, 확정신고 또는 「국세기본법」에 따른 경정청구를 할 때 매입자발행세금계산서합계표를 제출한 경우에는 매입자발행세금계산서에 기재된 매입세액을 해당 재화 또는 용역의 공급시기에 해당하는 과세기간의 매출세액 또는 납부세액에서 매입세액으로 공제받을 수 있다.

→ 기업업무추진비 적용 시 적격증명서류를 수취한 것으로 인정됨

10 영수증

I 의의

영수증은 세금계산서의 필요적 기재사항 중 공급받는 자와 부가가치세액을 따로 기재하지 않은 약식 증명서류를 말한다. 영수증은 과세사업자의 경우와 같이 일일이 세금계산서를 발급하기 곤란하거나 또한 최종소비자이기 때문에 매입세액공제의 필요성이 없는 거래에 대하여 공급받는 자와 세액을 기재하지 아니하는 간편한 방법에 의하여 계산서를 발급하는 서류이다.

II 영수증 갈음서류

공급자의 등록번호·상호(법인은 법인명) 또는 성명(법인은 대표자 성명)·공급대가 및 작성연월일이 적혀 있는 다음의 계산서 등은 영수증으로 본다.
1. 여객운송사업자가 발급하는 승차권·승선권·항공권
2. 공연장·유기장의 사업자가 발급하는 입장권·관람권. 다만, 「개별소비세법」이 적용되는 것은 그 법에서 정하는 바에 따른다.
3. 금전등록기계산서와 신용카드가맹사업자가 발급하는 계산서
4. 「전기사업법」에 따른 전기사업자가 발급하는 비산업용 전력사용료에 대한 영수증

III 영수증 발급대상자

다음 중 어느 하나에 해당하는 자가 재화 또는 용역을 공급(부가가치세가 면제되는 재화 또는 용역의 공급 제외)하는 경우에는 재화 또는 용역의 공급시기에 그 공급을 받은 자에게 세금계산서를 발급하는 대신 영수증을 발급하여야 한다.

1. 주로 사업자가 아닌 자에게 재화 또는 용역을 공급하는 사업자

영수증 발급대상 사업		세금계산서 발급요구 시
① 소매업 ② 음식점업(다과점업 포함) ③ 숙박업		발급
④ 미용, 욕탕 및 유사 서비스업		불가❶
⑤ 여객운송업	전세버스운송사업	발급
	위 외 여객운송업	불가❶
⑥ 입장권을 발행하여 경영하는 사업		불가❶
⑦ 변호사업, 심판변론인업, 변리사업, 법무사업, 공인회계사업, 세무사업, 경영지도사업, 기술지도사업, 감정평가사업, 손해사정인업, 통관업, 기술사업, 건축사업, 도선사업, 측량사업, 공인노무사업, 의사업, 한의사업, 약사업, 한약사업, 수의사업 및 행정사업(부가가치세 납세의무자나 사업소득이 있는 사업자에게 공급하는 것 제외)		발급
⑧ 「우정사업 운영에 관한 특례법」에 따른 우정사업조직이 「우편법」 제15조 제1항에 따른 선택적 우편업무 중 소포우편물을 방문접수하여 배달하는 용역을 공급하는 사업		발급
⑨ 의료보건용역 중 미용목적 성형수술 등 과세되는 진료용역 ⑩ 질병예방목적이 아닌 수의사가 제공하는 동물의 진료용역 ⑪ 무도학원 및 자동차운전학원		불가❶
⑫ 공인인증서를 발급하는 사업		발급
⑬ 간편사업자등록을 한 사업자가 국내에 전자적 용역을 공급하는 사업		불가❶
⑭ 주로 사업자가 아닌 소비자에게 재화 또는 용역을 공급하는 사업으로서 기획재정부령으로 정하는 사업		발급

2. 간이과세자 중 다음 중 어느 하나에 해당하는 자

(1) 직전 연도의 공급대가의 합계액(직전 과세기간에 신규로 사업을 시작한 개인사업자의 경우 12개월로 환산한 금액)이 4천 800만 원 미만인 자

(2) 신규로 사업을 시작하는 개인사업자로서 간이과세자로 하는 최초의 과세기간 중에 있는 자

   → 공급받은 자가 세금계산서 요구해도 발급 불가능

❶
사업을 하는 사업자가 감가상각자산을 공급하거나 영수증 발급 역무 외의 역무를 공급하는 경우로서 그 재화 또는 용역을 공급받는 사업자가 사업자등록증을 제시하고 세금계산서의 발급을 요구하는 경우에는 세금계산서를 발급해야 한다.

Ⅳ 간이과세자의 영수증 발급 적용기간

1. 영수증 발급에 관한 규정이 적용되거나 적용되지 아니하게 되는 기간은 해의 1월 1일부터 12월 31일까지의 공급대가의 합계액(신규로 사업을 시작한 개인사업자의 경우 12개월로 환산한 금액)이 4천 800만 원에 미달하거나 그 이상이 되는 해의 다음 해의 7월 1일부터 그 다음 해의 6월 30일까지로 한다.

2. 신규로 사업을 시작하는 개인사업자로서 간이과세자로 하는 최초의 과세기간 중에 영수증 발급에 관한 규정이 적용되는 기간은 사업 개시일부터 사업을 시작한 해의 다음 해의 6월 30일까지로 한다.

Check	증빙에 따른 매입세액공제		
공급자	업종 등	증명서류	매입세액공제 여부
일반과세자	최종소비자 대상 업종	영수증	×
		신용카드매출전표 등	○
	위 외 업종	세금계산서	○
간이과세자	최종소비자 대상 업종	영수증	×
	4,800만 원 미만	영수증	×
	위 외 업종	세금계산서	○
면세사업자	최종소비자 대상 업종	영수증	×
	위 외 업종	세금계산서	×

11 세금계산서합계표의 제출

Ⅰ 의의

세금계산서는 재화·용역의 거래사실을 증명하는 서류로서 과세되는 재화·용역을 공급하는 경우에는 공급자는 2매를 작성하여 1매는 공급자가 보관하고 1매는 공급받는 자에게 발급한다. 따라서 「부가가치세법」에서는 과세권자가 세금계산서의 상호검증기능을 이용하여 세금계산서가 진실한 증빙인지를 확인하기 위해 예정신고 또는 확정신고 시 매출·매입처별 세금계산서합계표를 제출하도록 하고 있다.

Ⅱ 제출시기

1. 사업자는 세금계산서 또는 수입세금계산서를 발급하였거나 발급받은 경우에는 매출·매입처별 세금계산서합계표를 해당 예정신고 또는 확정신고(예정고지납부대상자의 경우 해당 과세기간의 확정신고)를 할 때 함께 제출하여야 한다.

2. 예정신고를 하는 사업자가 각 예정신고와 함께 매출·매입처별 세금계산서합계표를 제출하지 못하는 경우에는 해당 예정신고기간이 속하는 과세기간의 확정신고를 할 때 함께 제출할 수 있다.

Ⅲ 제출면제

전자세금계산서를 발급하거나 발급받고 전자세금계산서 발급명세를 해당 재화 또는 용역의 공급시기가 속하는 과세기간(예정신고의 경우 예정신고기간) 마지막 날의 다음 달 11일까지 국세청장에게 전송한 경우에는 해당 예정신고 또는 확정신고(예정고지납부대상자의 경우 해당 과세기간의 확정신고) 시 매출·매입처별 세금계산서합계표를 제출하지 아니할 수 있다.

Ⅳ 세금계산서합계표 제출 협력의무자

1. 수입세금계산서를 발급한 세관장은 매출처별 세금계산서합계표를 해당 세관 소재지를 관할하는 세무서장에게 제출하여야 한다.

2. 세금계산서를 발급받은 다음에 해당하는 자는 매입처별 세금계산서합계표를 해당 과세기간이 끝난 후 25일 이내에 납세지 관할 세무서장에게 제출하여야 한다.

(1) 국가, 지방자치단체, 지방자치단체조합
(2) 면세사업자 중 소득세 또는 법인세의 납세의무가 있는 자
(3) 「민법」 제32조에 따라 설립된 법인
(4) 특별법에 따라 설립된 법인
(5) 각급학교 기성회, 후원회 또는 이와 유사한 단체
(6) 「법인세법」에 따른 외국법인연락사무소

06 납부세액 등

Check 납부세액 등의 계산

매출세액	과세표준에 세율을 적용하여 계산한 금액(대손세액을 뺀 금액)
(-) 매입세액	
납부세액	매출세액을 초과하는 부분의 매입세액은 환급세액임
(-) 공제세액	
(+) 가산세	
차가감납부세액	

Check 신고서상 매입세액 계산구조

매입세액	세금계산서 수취분	일반매입	(10)			
		수출기업 수입분 납부유예	(10-1)			
		고정자산 매입	(11)			
	예정 신고 누락분		(12)			
	매입자발행 세금계산서		(13)			
	그 밖의 공제매입세액		(14)			
	합계 (10)-(10-1)+(11)+(12)+(13)+(14)		(15)			
	공제받지 못할 매입세액		(16)			
	차감계 (15)-(16)		(17)	㉯		

		구분		금액	세율	세액
(14) 그 밖의 공제 매입세액 명세	신용카드매출전표 등 수령명세서 제출분	일반매입	(41)			
		고정자산매입	(42)			
	의제매입세액		(43)		뒤쪽 참조	
	재활용폐자원등 매입세액		(44)		뒤쪽 참조	
	과세사업전환 매입세액		(45)			
	재고매입세액		(46)			
	변제대손세액		(47)			
	외국인 관광객에 대한 환급세액		(48)			
	합계		(49)			

(16) 공제받지 못할 매입세액 명세	구분		금액	세율	세액
	공제받지 못할 매입세액	(50)			
	공통매입세액 중 면세사업등 해당 세액	(51)			
	대손처분받은 세액	(52)			
	합계	(53)			

1 공제하는 매입세액

I 공제요건과 공제시기

매출세액에서 공제하는 매입세액은 다음의 금액을 말한다.

공제요건	공제시기
사업자가 자기의 사업을 위하여 사용하였거나 사용할 목적으로 공급받은 재화 또는 용역에 대한 부가가치세액(사업양수인이 사업양도 시 대리납부한 부가가치세액 포함) → '사용할'의 의미: 공제받은 과세기간의 사용하지 않고 재고로 보유하고 있는 기말재고도 공제 가능	재화·용역을 공급받는 시기가 속하는 과세기간
사업자가 자기의 사업을 위하여 사용하였거나 사용할 목적으로 수입하는 재화의 수입에 대한 부가가치세액	재화의 수입시기가 속하는 과세기간

II 공제요건

공제요건	불공제 매입세액
자기의 과세사업을 위한 사용	① 면세사업 등에 관련된 매입세액 ② 토지에 관련된 매입세액
사업과 관련성	① 사업과 직접 관련 없는 지출에 대한 매입세액 ② 비영업용 소형자동차의 구입과 임차 및 유지에 관한 매입세액 ③ 기업업무 추진비 등의 지출에 관련된 매입세액
세금계산서 등을 수취 후 합계표 제출	① 세금계산서 미수취 등 ② 매입처별 세금계산서합계표 미제출 등 ③ 등록 전 매입세액

2 신용카드매출전표 등에 의한 매입세액공제

I 의의

사업자가 과세사업자(영수증 발급 간이과세자 제외)로부터 재화·용역을 공급받고 부가가치세가 별도로 구분되는 신용카드매출전표 등을 수령한 경우 그 매입세액은 공제할 수 있다.

∵ 세금계산서 유사한 기능을 하는 증빙으로서 거래가 투명하게 노출됨

II 신용카드매출전표 등

1. 「여신전문금융업법」에 따른 직불카드영수증
2. 「여신전문금융업법」에 따른 결제대행업체를 통한 신용카드매출전표
3. 「여신전문금융업법」에 따른 선불카드영수증(실지명의가 확인되는 것에 한함)
4. 「조세특례제한법」에 따른 현금영수증(부가통신사업자가 통신판매업자를 대신하여 발급하는 현금영수증 포함)
5. **「전자금융거래법」에 따른 다음에 해당하는 것**

(1) 직불전자지급수단 영수증
(2) 선불전자지급수단 영수증(실제 명의가 확인되는 것으로 한정함)
(3) 전자지급결제대행에 관한 업무를 하는 금융회사 또는 전자금융업자를 통한 신용카드매출전표

III 공제 요건

다음의 요건을 모두 충족한 경우 매입세액 공제를 받을 수 있다.
1. 공급자는 세금계산서 발급의무가 있는 사업자이어야 한다. 따라서 다음에 해당하는 세금계산서 발급금지업종 사업자로부터 신용카드매출전표 등을 수령한 경우 관련 매입세액은 공제하지 않는다.

(1) 목욕·이발·미용업
(2) 여객운송업(전세버스운송사업은 제외)
(3) 입장권을 발행하여 경영하는 사업
(4) 부가가치세 과세대상 의료보건용역을 공급하는 사업
(5) 수의사가 제공하는 부가가치세 과세대상 동물의 진료용역
(6) 무도학원과 자동차운전학원

2. 부가가치세액이 별도로 구분가능한 신용카드매출전표 등을 발급받아야한다.

3. 매입세액 불공제 대상이 아니어야 한다(囫 접대목적 관련).

4. 신용카드매출전표 등 수령명세서를 제출하고, 신용카드매출전표 등을 거래사실이 속하는 과세기간에 대한 확정신고기한 후 5년간 보존하여야한다.

5. 간이과세자가 영수증을 발급하여야 하는 기간에 발급한 신용카드매출전표 등이 아니어야 한다.

사례

구분	증빙서류	매입세액공제 여부
업무출장 항공기 결제금액	신용카드매출전표	불공제
간이과세자(신규사업자)	현금영수증	불공제
트럭 유류대	현금영수증	공제

3 공제하지 아니하는 매입세액

Ⅰ 매입처별 세금계산서합계표 미제출 또는 부실기재 관련 매입세액

1. 불공제매입세액

매입처별 세금계산서합계표를 제출하지 않은 경우의 매입세액 또는 제출한 매입처별 세금계산서합계표의 기재사항 중 거래처별 등록번호 또는 공급가액의 전부 또는 일부가 적히지 아니하였거나 사실과 다르게 적힌 경우 그 기재사항이 적히지 아니한 부분 또는 사실과 다르게 적힌 부분의 매입세액은 공제하지 않는다.

2. 공제매입세액

다음의 매입세액은 공제할 수 있다.

(1) 발급받은 세금계산서에 대한 매입처별 세금계산서합계표 또는 신용카드매출전표 등 수령명세서를 수정신고에 따라 과세표준수정신고서와 함께 제출하는 경우

(2) 발급받은 세금계산서에 대한 매입처별 세금계산서합계표 또는 신용카드매출전표 등 수령명세서를 경정청구서와 함께 제출하여 경정기관이 경정하는 경우

(3) 발급받은 세금계산서에 대한 매입처별 세금계산서합계표 또는 신용카드 매출전표 등 수령명세서를 기한후과세표준신고서와 함께 제출하여 관할 세무서장이 결정하는 경우

(4) 발급받은 세금계산서에 대한 매입처별 세금계산서합계표의 거래처별 등록번호 또는 공급가액이 착오로 사실과 다르게 적힌 경우로서 발급받은 세금계산서에 의하여 거래사실이 확인되는 경우

(5) 「부가가치세법」에 따라 경정을 하는 경우 사업자가 발급받은 세금계산서 또는 발급받은 신용카드매출전표 등을 경정기관의 확인을 거쳐 해당 경정기관에 제출하는 경우

→ 공급가액의 0.5% 가산세 부과

Ⅱ 세금계산서 미수취 또는 부실기재 관련 매입세액

1. 불공제매입세액

세금계산서 또는 수입세금계산서를 발급받지 아니한 경우 또는 발급받은 세금계산서 또는 수입세금계산서에 필요적 기재사항의 전부 또는 일부가 적히지 아니하였거나 사실과 다르게 적힌 경우의 매입세액(공급가액이 사실과 다르게 적힌 경우에는 실제 공급가액과 사실과 다르게 적힌 금액의 차액에 해당하는 세액)은 공제하지 않는다.

2. 공제매입세액

다음의 매입세액은 공제할 수 있다.

(1) 사업자등록을 신청한 사업자가 사업자등록증 발급일까지의 거래에 대하여 해당 사업자 또는 대표자의 주민등록번호를 적어 발급받은 경우

(2) 발급받은 세금계산서의 필요적 기재사항 중 일부가 착오로 사실과 다르게 적혔으나 그 세금계산서에 적힌 나머지 필요적 기재사항 또는 임의적 기재사항으로 보아 거래사실이 확인되는 경우

(3) 재화 또는 용역의 공급시기 이후에 발급받은 세금계산서로서 해당 공급시기가 속하는 과세기간에 대한 확정신고기한까지 발급받은 경우

→ 공급받는 자는 공급가액의 0.5% 가산세 부과

(4) 발급받은 전자세금계산서로서 국세청장에게 전송되지 아니하였으나 발급한 사실이 확인되는 경우

(5) 전자세금계산서 외의 세금계산서로서 재화 또는 용역의 공급시기가 속하는 과세기간에 대한 확정신고기한까지 발급받았고, 그 거래사실도 확인되는 경우

(6) 실제로 재화 또는 용역을 공급하거나 공급받은 사업장이 아닌 사업장을 적은 세금계산서를 발급받았더라도 그 사업장이 주사업장 총괄하여 납부 또는 사업자 단위과세사업자에 해당하는 사업장인 경우로서 그 재화 또는 용역을 실제로 공급한 사업자가 납세지 관할 세무서장에게 해당 과세기간에 대한 납부세액을 신고하고 납부한 경우

(7) 재화 또는 용역의 공급시기가 속하는 과세기간에 대한 확정신고기한이 지난 후 세금계산서를 발급받았더라도 그 세금계산서의 발급일이 확정신고기한 다음 날부터 1년 이내이고 다음 중 어느 하나에 해당하는 경우

  → 공급받는 자는 공급가액의 0.5% 가산세 부과

  ① 과세표준수정신고서와 경정 청구서를 세금계산서와 함께 제출하는 경우
  ② 해당 거래사실이 확인되어 납세지 관할 세무서장 등이 결정 또는 경정하는 경우

(8) 재화 또는 용역의 공급시기 전에 세금계산서를 발급받았더라도 재화 또는 용역의 공급시기가 그 세금계산서의 발급일부터 6개월 이내에 도래하고 해당 거래사실이 확인되어 납세지 관할 세무서장등이 결정 또는 경정하는 경우

  → 공급받는 자는 공급가액의 0.5% 가산세 부과

(9) 다음 중 어느 하나에 해당하는 경우로서 그 거래사실이 확인되고 거래 당사자가 납세지 관할 세무서장에게 해당 납부세액을 신고하고 납부한 경우

  ① 거래의 실질이 위탁매매 또는 대리인에 의한 매매에 해당함에도 불구하고 거래 당사자 간 계약에 따라 위탁매매 또는 대리인에 의한 매매가 아닌 거래로 하여 세금계산서를 발급받은 경우
  ② 거래의 실질이 위탁매매 또는 대리인에 의한 매매에 해당하지 않음에도 불구하고 거래 당사자 간 계약에 따라 위탁매매 또는 대리인에 의한 매매로 하여 세금계산서를 발급받은 경우
  ③ 거래의 실질이 용역의 공급에 대한 주선·중개에 해당함에도 불구하고 거래 당사자 간 계약에 따라 용역의 공급에 대한 주선·중개가 아닌 거래로 하여 세금계산서를 발급받은 경우
  ④ 거래의 실질이 용역의 공급에 대한 주선·중개에 해당하지 않음에도 불구하고 거래 당사자 간 계약에 따라 용역의 공급에 대한 주선·중개로 하여 세금계산서를 발급받은 경우

(10) 다른 사업자로부터 사업(용역을 공급하는 사업으로 한정함)을 위탁받아 수행하는 사업자가 위탁받은 사업의 수행에 필요한 비용을 사업을 위탁한 사업자로부터 지급받아 지출한 경우로서 해당 비용을 공급가액에 포함해야 함에도 불구하고 거래 당사자 간 계약에 따라 이를 공급가액에서 제외하여 세금계산서를 발급받은 경우

(11) 다른 사업자로부터 사업을 위탁받아 수행하는 사업자가 위탁받은 사업의 수행에 필요한 비용을 사업을 위탁한 사업자로부터 지급받아 지출한 경우로서 해당 비용을 공급가액에서 제외해야 함에도 불구하고 거래 당사자 간 계약에 따라 이를 공급가액에 포함하여 세금계산서를 발급받은 경우

(12) 에누리 금액을 공급가액에 포함하지 않아야 함에도 불구하고 거래 당사자 간 계약에 따라 해당 금액을 장려금이나 이와 유사한 금액으로 보고 이를 공급가액에 포함하여 세금계산서를 발급받은 경우

(13) 부가가치세를 납부해야 하는 수탁자가 위탁자를 재화 또는 용역을 공급받는 자로 하여 발급된 세금계산서의 부가가치세액을 매출세액에서 공제받으려는 경우로서 그 거래사실이 확인되고 재화 또는 용역을 공급한 자가 납세지 관할 세무서장에게 해당 납부세액을 신고하고 납부한 경우

(14) 부가가치세를 납부해야 하는 위탁자가 수탁자를 재화 또는 용역을 공급받는 자로 하여 발급된 세금계산서의 부가가치세액을 매출세액에서 공제받으려는 경우로서 그 거래사실이 확인되고 재화 또는 용역을 공급한 자가 납세지 관할 세무서장에게 해당 납부세액을 신고하고 납부한 경우

사례

공급시기	작성연월일	세금계산서 발급일	매입세액
4. 1.	4. 1.	5. 10.	공제
4. 1.	4. 1.	7. 25.	공제(가산세 0.5%)
4. 1.	4. 1.	7. 26.	불공제(단, 사후적 공제 가능)

Ⅲ 사업과 직접 관련 없는 지출에 대한 매입세액

다음의 매입세액은 공제하지 아니한다.

1. 「소득세법 시행령」 제78조 또는 「법인세법 시행령」 제48조, 제49조 제3항 및 제50조에 따른 업무무관비용

2. 「법인세법 시행령」 제48조에 따른 공동경비의 손금불산입

Ⅳ 비영업용 소형자동차의 구입과 임차 및 유지에 관한 매입세액

1. 불공제

「개별소비세법」 제1조 제2항 제3호에 따른 자동차[운수업, 자동차판매업, 자동차 임대업, 운전학원업, 기계경비업무를 하는 경비업(출동차량에 한정함)에 직접 영업으로 사용되는 것 제외]의 구입과 임차 및 유지에 관한 매입세액은 공제하지 아니한다.

2. 개별소비세 자동차

(1) 캠핑용 자동차

(2) 승용자동차(정원 8명 이하의 자동차로 한정하되, 배기량이 1,000cc 이하인 것으로서 대통령령으로 정하는 규격의 것 제외)와 이륜자동차

(3) 전기승용자동차

Ⅴ 기업업무추진비 등의 지출에 관련된 매입세액

「소득세법」 제35조 및 「법인세법」 제25조에 따른 기업업무추진비 및 이와 유사한 비용의 지출은 공제하지 아니한다.

VI 면세사업 등에 관련된 매입세액

면세사업 등에 관련된 매입세액(면세사업 등을 위한 투자에 관련된 매입세액 포함)은 공제하지 아니한다.

▌ 사례

1. 카지노 도박사업과 관련한 매입세액은 공제하지 아니한다. ∵ 비과세사업

2. 전·답·과수원·목장용지·임야·염전임대업에 관련된 매입세액은 공제하지 아니한다. ∵ 비과세사업

3. 국민주택규모 이하의 주택 및 동 주택의 건설용역 사업에 관련된 매입세액은 공제하지 아니한다.

4. 판매업자가 자기의 과세사업과 관련하여 매입한 상품을 국가에 무상으로 제공하는 경우 당해 상품매입과 관련된 매입세액은 공제한다.

   ∵ 상품을 국가에 무상제공하는 것이 면세더라도 당해 행위를 사업으로 하고 있는 경우가 아니면 면세사업 등에 해당하지 않기 때문

   예 의류제조업자가 재화를 국가에 기증한 경우
   • 제조업과 관련한 의류 기증: 매입세액 공제
   • 매입한 TV 기증: 매입세액 불공제

VII 토지에 관련된 매입세액

토지의 조성 등을 위한 자본적 지출에 관련된 매입세액으로서 다음 중 어느 하나에 해당하는 것은 공제하지 아니한다.

∵ 토지의 공급은 면세거래로서 매출세액을 발생시키지 못하므로 이에 대응한 토지 조성 등을 위한 자본적 지출 관련 매입세액도 공제하지 않음

1. 토지의 취득 및 형질변경, 공장부지 및 택지의 조성 등에 관련된 매입세액

2. 건축물이 있는 토지를 취득하여 그 건축물을 철거하고 토지만 사용하는 경우에는 철거한 건축물의 취득 및 철거 비용과 관련된 매입세액

3. 토지의 가치를 현실적으로 증가시켜 토지의 취득원가를 구성하는 비용에 관련된 매입세액

Check 구건물 관련 매입세액		
구분	처리방법	매입세액
토지만 사용하기 위해 구입한 구건물의 취득가액과 철거비용	토지의 취득가액	불공제
기존에 사용하던 건물의 철거비용	당기비용	공제

🏛 기출 체크

01 건축물이 있는 토지를 취득하여 그 건축물을 철거하고 토지만 사용하는 경우 철거한 건축물의 취득 및 철거비용과 관련된 매입세액은 공제한다. (×)

02 부가가치세법 제8조에 따른 사업자등록을 신청하기 전의 매입세액은 그 공급시기가 속하는 과세기간이 끝난 후 30일 이내에 등록을 신청한 경우에는 해당 세액을 매출세액에서 공제할 수 있다. (×)

Ⅷ 사업자등록을 신청하기 전의 매입세액

1. 불공제

사업자등록을 신청하기 전의 매입세액은 공제하지 아니한다.

2. 공제

공급시기가 속하는 과세기간이 끝난 후 20일 이내에 등록을 신청한 경우 등록신청일부터 공급시기가 속하는 과세기간 기산일(1월 1일 또는 7월 1일)까지 역산한 기간 내의 것은 제외한다.

4 면세농산물 등 의제매입세액 공제특례

Ⅰ 개요

1. 의의

과세사업자가 면세농산물 등을 원재료로 하여 제조·가공한 재화 또는 창출한 용역의 공급에 대하여 부가가치세가 과세되는 경우(면세를 포기하고 영세율을 적용받는 경우 제외)에는 면세농산물 등을 공급받거나 수입할 때 매입세액이 있는 것으로 보아 매입가액에 일정한 율을 곱하여 계산한 금액을 매입세액으로 공제할 수 있다.

∵ 환수효과와 누적효과 발생하여 소비자가격이 인상되므로 이를 완화하기 위한 장치

2. 환수효과와 누적효과

| 사례 |

구분	과세사업자	면세사업자	과세사업자
매출	100	140	160
매입	–	110	140
매출세액	10	–	16
매입세액	–	–	–
부가가치세	10	–	16

해설

1. 환수효과: $30 \times 10\% = 3$ ∵ 면세사업자가 창출한 부가가치
2. 누적효과: $(100 + 10) \times 10\% = 11$

3. 공제대상자

(1) 의제매입세액 공제를 받는 사업자는 사업자등록을 한 부가가치세 일반 과세자이어야 한다.

→ 미등록사업자 · 간이과세자 · 면세사업자는 공제 불가

(2) 면세포기하여 영세율을 적용받는 경우 의제매입세액 공제를 받을 수 없다.

∵ 면세농산물의 성질이 변화되어 과세재화로 전환된 것이 아니므로 환수효과와 누적효과가 발생하지 않을뿐더러 실제 부담하지도 않은 부가가치세액을 환급하게 되는 결과가 초래되기 때문

4. 공제요건

면세 농산물 등	공제할 수 있는 면세농산물 등은 부가가치세를 면제받은 농산물, 축산물, 수산물 또는 임산물(1차 가공을 거친 것, 단순가공식료품 및 소금 포함)을 국내에서 구입하거나 국외에서 수입하여야 한다.
제조 · 가공	면세농산물 등을 원재료로 제조 · 가공한 재화 또는 창출한 용역의 공급에 대하여 부가가치세가 과세되어야 한다. → 면세로 그대로 증여하거나 직원들 식사로 제공하는 경우 의제매입세액공제대상 아님
증명서류 제출	매입세액을 공제받으려는 사업자는 의제매입세액 공제신고서와 매입처별 계산서합계표, 신용카드매출전표 등 수령명세서 및 매입자발행계산서를 관할 세무서장에게 제출(국세정보통신망에 의한 제출 포함)하여야 한다. 다만, 제조업을 경영하는 사업자가 농어민❶으로부터 면세농산물 등을 직접 공급받는 경우에는 의제매입세액 공제신고서만 제출한다.

❶
농어민은 통계청장이 고시하는 한국표준산업분류상의 농업 중 작물 재배업, 축산업, 작물재배 및 축산 복합농업에 종사하거나 임업, 어업 및 소금 채취업에 종사하는 개인을 말한다.

5. 공제시기

(1) 면세농산물 등을 공급받거나 수입할 때가 속하는 예정신고 또는 확정신고 시 공제한다. 따라서 기말재고로 남은 것도 공제 가능하나, 그 이후 다른 용도로 전용하면 전용한 과세기간에 당초 공제받은 의제매입세액을 재계산한다.

(2) 사업자가 예정신고 시에 공제 관련 서류를 제출하지 못하여 공제받지 못한 의제매입세액은 확정신고 시에 제출하여 공제받을 수 있으며, 예정 또는 확정신고 시에 공제받지 못한 의제매입세액은 해당 서류를 다음과 같이 제출하는 경우에는 의제매입세액을 공제받을 수 있다.

① 과세표준수정신고서와 함께 제출하는 경우

② 경정청구서와 함께 제출하여 경정기관이 경정하는 경우

③ 기한 후 과세표준신고서와 함께 제출하여 관할 세무서장이 결정하는 경우

④ 경정에 있어서 발급받은 계산서 또는 신용카드매출전표 등 수령명세서를 경정기관의 확인을 거쳐 정부에 제출하는 경우

Ⅱ 의제매입세액 계산

1. 계산식

의제매입세액은 다음 계산식에 따라 계산한다. 다만, 부당한 과다공제를 방지하기 위하여 공제 한도를 두고 있으며, 공제 한도는 예정신고 시에는 적용하지 아니하고 확정신고 시에만 적용한다.

> 의제매입세액 = 면세농산물 등의 매입가액 × 공제율

Check 예정신고와 확정신고 시 의제매입세액 계산

예정신고	예정신고기간 중 면세농산물 등의 매입가액 × 공제율
확정신고	Min(①, ②) × 공제율 - 예정신고 · 조기환급 시 이미 공제받은 세액 ① 해당 과세기간 중 면세농산물 등의 매입가액 ② 해당 과세기간에 면세농산물 등 관련 공급한 과세표준 × 한도율

사례

제조업을 영위하는 ㈜대한(중소기업 아님)의 20×1년 제1기 과세기간 예정신고 및 확정신고 시 의제매입세액 공제액을 계산하시오.

해설

구분	20×1. 1. 1. ~ 3. 31.	20×1. 4. 1. ~ 6. 30.
면세농산물 매입가액	102,000,000	132,600,000
면세농산물 관련 과세표준	500,000,000	400,000,000

1. 예정신고: 102,000,000 × 2/102 = 2,000,000
2. 확정신고: Min(234,600,000, 9억 원 × 50%) × 2/102 - 2,000,000 = 2,600,000

2. 면세농산물 등의 매입가액

(1) 국내구입분

운임 등의 부수비용(∵ 세금계산서 등을 발급받아 매입세액 공제되기 때문)을 제외한 매입원가로 한다. 다만, 면세농산물업자가 농산물가격에 운임을 포함하여 받은 경우 운임을 면세농산물가격에 포함한다.

(2) 수입분

관세의 과세가격(관세는 포함하지 않음)

(3) 자가생산분

「소득세법」과 「법인세법」의 취득가액

(4) 과세·면세 겸영사업자

과세사업과 면세사업 등을 겸영하는 경우로서 면세농산물 등 가액 중 실지귀속이 불분명한 것은 공통매입세액 안분계산규정을 준용하여 다음과 같이 공제대상 원재료를 계산한다.

$$\text{공통매입 면세농산물 등의 가액} \times \frac{\text{해당 과세기간 과세공급가액}}{\text{해당 과세기간 총공급가액}}$$

3. 공제율

구분		율
①음식점업	㉠과세유흥장소의 경영자	2/102
	㉡㉠ 외의 음식점업자 중 개인사업자	8/108 (과세표준 2억 원 이하: 9/109)
	㉢㉠ 및 ㉡ 외의 사업자	6/106
②제조업	㉠과자점업, 도정업, 제분업 및 떡류 제조업 중 떡방앗간을 경영하는 개인사업자	6/106
	㉡제조업을 경영하는 사업자 중 중소기업 및 개인사업자	4/104
	㉢㉠ 및 ㉡ 외의 사업자	2/102
③① 및 ② 외의 사업		2/102

4. 공제한도

확정신고 시 해당 과세기간에 해당 사업자가 면세농산물 등과 관련하여 공급한 과세표준에 다음의 한도율을 곱한 금액을 한도로 한다.

구분		해당 과세기간의 과세표준	한도율
개인 사업자	음식점업	1억 원 이하	75%
		1억 원 초과 2억 원 이하인 경우	70%
		2억 원 초과인 경우	60%
	기타업종	2억 원 이하	65%
		2억 원 초과	55%
법인사업자			50%

5. 겸업자의 의제매입세액

(1) 과세사업과 면세사업을 겸업하는 사업자가 면세원재료를 매입한 경우 그 과세기간종료일까지 해당 원재료의 실지귀속에 따라 의제매입세액공제대상 원재료 여부를 구분한다. 차기이월원재료는 그 용도가 불분명하므로 공통매입세액 안분규정을 준용하여 다음과 같이 계산한 원재료 매입가액으로 의제매입세액을 계산한다.

$$\text{매입가액} = \text{공통매입 면세농산물등의 가액} \times \frac{\text{해당 과세기간 과세공급가액}}{\text{해당 과세기간 총공급가액}}$$

(2) 의제매입세액의 안분계산은 예정신고 시에는 우선 예정신고기간의 공급가액을 기준으로 의제매입세액을 계산 및 공제하고 확정신고 시에는 당해 과세기간 전체의 공급가액을 기준으로 다시 정산하여야 한다.

사례

㈜대한은 정육점과 음식점을 겸영하고 있다. 20×1년 제2기 과세기간 동안 축산물 2,000kg를 24,400,000원(㈜대한이 지급한 운임 400,000원 포함)을 구입한 경우 확정신고 시 의제매입세액 공제액을 계산하시오.

해설 ....

1. 축산물 사용내역

정육점업	600kg
음식점업	1,000kg
기말재고(기초재고 없음)	400kg

2. 20×1년 제2기 과세기간 공급가액 명세

정육점업	10,000,000원
음식점업	40,000,000원

3. 의제매입세액
   Min(①, ②) × 2/102 = 310,588
   ① 24,000,000 × 1,000kg/2,000kg + 24,000,000 × 400kg/2,000kg × 40,000,000/50,000,000
   ② 40,000,000 × 50%

Ⅲ 면세농산물 등의 매입시기가 하나의 과세기간에 집중되는 제조업의 의제매입세액공제

1. 의의

의제매입세액 공제 한도를 과세기간(6개월) 단위로 적용하면 1역년 중 특정과세기간에 면세농산물 등 매입이 집중된 제조업자는 특정과세기간의 한도초과액이 과다해지는 불합리한 측면이 있어 이를 보완하고자 제2기 과세기간에 1역년을 기준으로 한도액을 계산하여 정산하여 공제할 수 있는 제도이다.

2. 요건

다음의 요건을 모두 충족하는 사업자는 제2기 과세기간에 대한 납부세액을 확정신고할 때, 1역년을 기준으로 의제매입세액을 공제할 수 있다.

(1) 제1기 과세기간에 공급받은 면세농산물 등의 가액을 1역년에 공급받은 면세농산물 등의 가액으로 나누어 계산한 비율이 75% 이상이거나 25% 미만일 것

(2) 해당 과세기간이 속하는 1역년 동안 계속하여 제조업을 영위하였을 것

3. 계산

제2기 확정신고 시 의제매입세액 공제액
= Min(①, ②) × 공제율 - (제1기 과세기간과 제2기 예정신고 시 공제받은 세액)
  ① 연간 공급받은 면세농산물 등의 가액
  ② 1역년의 면세농산물 등 관련 과세표준 합계액 × 한도율❶

❶
한도율은 다음과 같다.

구분	해당 1역년 과세표준	한도율
개인사업자	4억 원 이하	65%
	4억 원 초과	55%
법인사업자		50%

사례

봄에만 나오는 면세농산물로 제조·가공하여 과세재화를 판매하는 ㈜대한(중소기업)의 과세자료이다. 제1기와 제2기의 의제매입세액 공제액을 구하시오.

해설

구분	1기	2기
면세농산물 매입가액	156,000,000	-
면세농산물 관련 과세표준	260,000,000	156,000,000

1. 제1기: Min(156,000,000, 260,000,000 × 50%) × 4/104 = 5,000,000
2. 제2기: Min(156,000,000, 416,000,000 × 50%) × 4/104 - 5,000,000 = 1,000,000

Ⅳ 의제매입세액 재계산

1. 의의

의제매입세액으로서 공제한 면세농산물 등을 그대로 양도 또는 인도하거나 부가가치세가 면세사업, 그 밖의 목적(개인적 공급 또는 사업상 증여)에 사용하거나 소비할 때에는 그 공제한 금액을 납부세액에 가산하거나 환급세액에서 공제하여야 한다.

2. 재계산 시기

그대로 양도 또는 인도하거나 면세사업, 기타의 목적을 위하여 사용 또는 소비하는 때가 속하는 과세기간의 예정신고 또는 확정신고 시 재계산을 하여야 한다.

5 신용카드 등의 사용에 따른 발급 세액공제

I 의의

사업자가 부가가치세가 과세되는 재화 또는 용역을 공급하고 세금계산서의 발급시기에 신용카드매출전표 등을 발급하거나 전자적 결제수단에 의하여 대금을 결제받는 경우에는 발급금액 또는 결제금액의 일정액을 납부세액에서 공제한다.

∵ 신용카드의 사용을 유도하여 과세표준 양성화를 함과 동시에 자영사업자의 세부담을 경감해줌

II 공제대상자

1. 주로 사업자가 아닌 자에게 재화 또는 용역을 공급하는 사업으로서 영수증발급대상 사업을 하는 사업자(법인사업자와 직전 연도의 재화 또는 용역의 공급가액의 합계액이 사업장을 기준으로 10억 원을 초과하는 개인사업자 제외)
2. 영수증을 발급하는 간이과세자

III 공제대상 영수증

1. 「여신전문금융업법」에 따른 신용카드매출전표, 직불카드영수증, 결제대행업체를 통한 신용카드매출전표, 선불카드영수증(실제 명의가 확인되는 것으로 한정함)
2. 「조세특례제한법」에 따른 현금영수증(부가통신사업자가 통신판매업자를 대신하여 발급하는 현금영수증 포함)
3. 「전자금융거래법」에 따른 직불전자지급수단 영수증, 선불전자지급수단 영수증(실제 명의가 확인되는 것으로 한정함), 전자지급결제대행에 관한 업무를 하는 금융회사 또는 전자금융업자를 통한 신용카드매출전표

IV 전자적 결제수단

다음의 요건을 모두 갖춘 것을 말한다.

1. 전자화폐

카드 또는 컴퓨터 등 전자적인 매체에 화폐가치를 저장했다가 재화 또는 용역을 구매할 때 지급하는 결제 수단일 것

2. 전자화폐를 발행하는 사업자가 결제 명세를 가맹 사업자별로 구분하여 관리할 것

V 발행 공제금액

Min(①, ②)
① 발행금액·결제금액(부가가치세 포함) × 1.3%
② 연 1,000만 원 → 제2기 한도: 연 1,000만 원 – 이미 공제받은 금액

VI 공제방법

공제받는 금액이 그 금액을 차감하기 전의 납부할 세액(예정미환급세액과 예정고지세액은 빼지 않고 가산세는 포함하지 않은 금액)을 초과하면 그 초과하는 부분은 없는 것으로 본다.

사례

매출세액	20,000,000	
(–) 매입세액	19,000,000	
납부세액	1,000,000	
(–) 신용카드발행세액공제	1,000,000	Min(1,100,000, 1,000,000)
(–) 예정고지세액	300,000	
(+) 가산세	100,000	
환급세액	△200,000	

07 겸영사업자의 부가가치세 특례

1 공통매입세액의 안분

I 공제요건

1. 의의

(1) 사업자가 과세사업과 면세사업 등을 겸영하는 경우에 과세사업과 면세사업 등에 관련된 매입세액의 계산은 실지귀속에 따라 하되, 실지귀속을 구분할 수 없는 공통매입세액은 공통매입세액 안분기준을 적용하여 법령이 정하는 바에 따라 안분하여 계산한다.

(2) 사업자가 과세사업과 면세사업을 겸영하면서 발생된 매입세액이더라도 발생된 모든 매입세액이 안분계산대상이 되는 것이 아니며, 발생 건별·금액으로 세분하여 과세사업에 실지귀속되면 매출세액에서 전액 공제하고, 면세사업에 실지귀속되면 면세사업 관련 매입세액으로 전액 불공제한다.

2. 안분요건

공통매입세액의 안분계산규정을 적용하여야 할 사업자는 다음의 요건을 모두 충족하여야 한다.

(1) 과세사업과 면세사업(비과세 포함)을 겸영하는 사업자일 것
(2) 과세사업과 면세사업에 공통으로 사용되거나 사용될 것
(3) 실지귀속이 불분명한 매입세액일 것
(4) 불공제대상 매입세액이 아닐 것(예 기업업무추진비 관련 매입세액)

II 공통매입세액 안분계산

1. 원칙 – 공급가액이 있는 경우

과세사업과 면세사업 등을 겸영하는 경우로서 공통매입세액이 있는 경우 면세사업 등에 관련된 매입세액은 다음 계산식에 따라 안분하여 계산한다. 다만, 예정신고를 할 때에는 예정신고기간에 있어서 총공급가액에 대한 면세공급가액의 비율에 따라 안분하여 계산하고, 확정신고를 할 때에 정산한다.

$$면세사업 \ 등 \ 관련 \ 매입세액(불공제 \ 매입세액) = 공통매입세액 \times \frac{해당 \ 과세기간 \ 면세공급가액}{해당 \ 과세기간 \ 총 \ 공급가액}$$

(1) 과세공급가액

재화·용역의 공급에 대한 공급가액 합계액(영세율 공급가액 포함)을 말한다.

(2) 면세공급가액

면세 공급가액 합계액(비과세 포함)을 말하며, 사업자가 해당 면세사업 등과 관련하여 받았으나 과세표준에 포함되지 아니하는 국고보조금과 공공보조금을 포함한다.

(3) 총공급가액

과세공급가액과 면세공급가액의 합계액을 말하며, 공통매입세액과 관련 없는 고정자산의 매각액은 공급가액에 포함하지 아니한다.

(4) 수종의 사업을 겸영하는 경우

사업자가 겸영하는 수종의 사업 중 특정과세사업과 면세사업 등에만 관련된 공통매입세액은 특정 관련된 사업부분의 해당 과세기간의 총공급가액에 대한 면세공급가액의 비율에 의하여 안분계산하여야 한다.

(5) 해당 과세기간에 구입한 재화를 그 과세기간에 공급한 경우

과세사업과 면세사업 등에 공통으로 사용되는 재화를 공급받은 과세기간 중에 그 재화를 공급하여 공급가액을 계산한 경우 그 재화에 대한 매입세액의 안분계산은 직전 과세기간 비율로 계산한다.

→ 공급 시 안분계산 생략한 경우 공통매입세액 안분도 생략함

2. 안분 생략

다음 중 어느 하나에 해당하는 경우에는 해당 재화 또는 용역의 매입세액은 전액 공제되는 매입세액으로 한다.

∵ 경제적 실익이 없거나 안분 불가

(1) 해당 과세기간의 총공급가액 중 면세공급가액이 5% 미만인 경우의 공통매입세액. 다만, 공통매입세액이 5백만 원 이상인 경우는 안분계산을 해야 한다.

(2) 해당 과세기간 중의 공통매입세액이 5만 원 미만인 경우의 매입세액

(3) 해당 과세기간에 신규사업자가 해당 과세기간에 공통사용재화를 공급하여 공급가액 안분계산을 생략한 공통사용재화의 매입세액

3. 예외 - 공급가액이 없는 경우

해당 과세기간 중 과세사업과 면세사업 등의 공급가액이 없거나 그 어느 한 사업의 공급가액이 없는 경우에 해당 과세기간에 대한 안분 계산은 다음의 순서에 따른다.

(1) 총매입가액(공통매입가액 제외)에 대한 면세사업 등에 관련된 매입가액의 비율

(2) 총예정공급가액에 대한 면세사업 등에 관련된 예정공급가액의 비율
→ 예정공급가액: 합리적으로 추정한 금액

(3) 총예정사용면적에 대한 면세사업 등에 관련된 예정사용면적의 비율
→ 건물 또는 구축물을 신축하거나 취득하여 과세사업과 면세사업 등에 제공할 예정면적을 구분할 수 있는 경우에는 (3)을 (1) 및 (2)에 우선하여 적용함. 건물 또는 구축물에 대하여 예정사용면적비율에 따라 공통매입세액 안분계산을 하였을 때에는 그 후 과세사업과 면세사업 등의 공급가액이 모두 있게 되어 공통매입세액을 계산할 수 있는 경우에도 과세사업과 면세사업 등의 사용면적이 확정되기 전의 과세기간까지는 예정사용면적비율을 적용하고, 과세사업과 면세사업 등의 사용면적이 확정되는 과세기간에 실제사용면적비율에 따라 공통매입세액을 정산함

사례

1. 확정신고 시 정산하는 경우

구분	1. 1. ~ 3. 31.	4. 1. ~ 6. 30.
과세사업 공급가액	100,000,000	400,000,000
면세사업 공급가액	200,000,000	300,000,000
공통매입세액	3,000,000	9,000,000

① 예정신고 불공제액: 3,000,000 × 2억 원/3억 원 = 2,000,000

② 확정신고 불공제액: (3,000,000 + 9,000,000) × 5억 원/10억 원 - 2,000,000 = 4,000,000

2. 수종의 사업을 겸영하는 경우

① 출판업과 부동산임대업의 공급가액

구분	출판업		부동산임대업 (과세)
	광고(과세)	도서출판업(면세)	
1기 공급가액	5억 원	3억 원	2억 원

② 세금계산서 수취분 매입세액
  ㉠ 본사 관련 공통매입세액: 10,000,000
  ㉡ 출판업 관련 공통매입세액: 20,000,000

③ 매입세액 공제분
  ㉠ 본사 매입세액 공제분: 10,000,000 × 7억 원/10억 원 = 7,000,000
  ㉡ 출판업 매입세액 공제분: 20,000,000 × 5억 원/8억 원 = 12,500,000

Ⅲ 공통매입세액의 정산[1]

❶ 감가율을 반영하지 않는다.

사업자가 해당 과세기간의 공급가액이 없어 임시비율로 공통매입세액을 안 분하여 계산한 경우에는 해당 재화의 취득으로 과세사업과 면세사업 등의 공급가액 또는 과세사업과 면세사업 등의 사용면적이 확정되는 과세기간에 대한 납부세액을 확정신고할 때에 다음의 계산식에 따라 정산한다. 다만, 예 정신고를 할 때에는 예정신고기간에 있어서 총공급가액에 대한 면세공급가 액의 비율, 총사용면적에 대한 면세 또는 비과세 사용면적의 비율에 따라 안 분하여 계산하고, 확정신고를 할 때에 정산한다.

1. 매입가액 또는 예정공급가액비율로 매입세액을 안분하여 계산한 경우 가산 or 공제되는 세액

$$\text{총공통매입세액} \times \left(1 - \frac{\text{과세사업과 면세사업 등의 공급가액이 확정되는 과세기간의 면세공급가액}}{\text{과세사업과 면세사업 등의 공급가액이 확정되는 과세기간의 총공급가액}}\right) - \text{기공제세액}$$

2. 예정사용면적비율로 매입세액을 안분하여 계산한 경우 가산 or 공제되는 세액

$$\text{총공통매입세액} \times \left(1 - \frac{\text{과세사업과 면세사업 등의 사용면적이 확정되는 과세기간의 면세사용면적}}{\text{과세사업과 면세사업 등의 사용면적이 확정되는 과세기간의 총사용면적}}\right) - \text{기공제세액}$$

취지

금액이 크고 사용기간이 상대적으로 긴 감가상각자산을 취득 당시 비율로 공통매입세액을 안분하여 계산한 경우 그 후 과세기간에 면세비율이 증감하여 차이가 발생한다면 최초 안분하여 계산한 매입세액공제액이 과대 또는 과소해지므로 이러한 차이를 해소하고자 하기 위함이다.

2 공통매입세액 재계산

Ⅰ 의의

감가상각자산에 대하여 공통매입세액의 안분계산에 따라 매입세액이 공제된 후 공통매입세액 안분기준에 따른 비율과 감가상각자산의 취득일이 속하는 과세기간(그 후의 과세기간에 재계산한 때는 그 재계산한 과세기간)에 적용되었던 공통매입세액 안분기준에 따른 비율이 5% 이상 차이가 나면 납부세액 또는 환급세액을 다시 계산하여 해당 과세기간의 확정신고(예정신고 X)와 함께 관할 세무서장에게 신고·납부하여야 한다.

Ⅱ 요건

납부세액 또는 환급세액을 재계산하여야 하는 대상은 다음의 요건에 모두 해당되어야 한다.

1. 공통매입세액을 안분계산한 경우일 것

2. 면세공급가액 또는 면세사용면적의 비율이 감가상각자산의 취득일이 속하는 과세기간(그 후의 과세기간에 재계산하였을 때에는 그 재계산한 기간)에 적용하였던 비율 간의 차이가 5% 이상일 것

사례

구분	20×1년 1기 (구입)	20×1년 2기 (공통사용)	20×2년 1기 (공통사용)	20×2년 2기 (공통사용)
면세비율	50%	53%	57%	52%
재계산	공통매입세액	×(5% 차이 ×)	O(57% − 50%)	O(52% − 57%)
납부세액	−	−	증가	감소

3. 감가상각자산일 것 → 비상각자산은 하지 않음

Ⅲ 재계산방법

납부세액 또는 환급세액의 재계산에 따라 납부세액에 가산 또는 공제하거나 환급세액에 가산 또는 공제하는 세액은 다음의 계산식에 따라 계산한 금액으로 한다.

> 공통매입세액 × (1 − 상각률 − 경과된 과세기간의 수) × 증감된 면세비율

1. 상각률

건물 또는 구축물 5%, 그 밖의 감가상각자산 25%

2. 경과된 과세기간의 수

과세기간 단위(6개월)로 계산하며, 과세기간의 개시일 후에 감가상각자산을 취득하거나 해당 재화가 재계산 대상이 된 경우에는 그 과세기간의 개시일에 해당 재화를 취득하거나 해당 재화가 재계산에 해당하게 된 것으로 본다.

3. 증감된 면세비율

해당 취득일이 속하는 과세기간의 총공급가액에 대한 면세공급가액의 비율로 안분하여 계산한 경우에는 증감된 면세공급가액의 비율에 따라 재계산하고, 해당 취득일이 속하는 과세기간의 총사용면적에 대한 면세사용면적의 비율로 안분하여 계산한 경우에는 증감된 면세사용면적의 비율에 따라 재계산한다.

Ⅳ 재계산 배제

1. 과세사업에 사용하던 감가상각자산이 자가공급·개인적 공급·사업상 증여 또는 폐업 시 잔존재화로 공급의제되면 재계산을 하지 않는다.

∵ 이미 공제받은 매입세액을 간주시가로 회수하므로

2. 공통사용재화를 공급하는 경우에 해당 재화를 공급하는 날이 속하는 과세기간에는 그 재화에 대한 납부세액 또는 환급세액의 재계산을 하지 않는다.

∵ 그 공급일이 속하는 과세기간의 직전 과세기간 공급가액의 비율에 따라 안분하여 계산된 매출세액은 해당 감가상각자산 취득으로 인해 공제받은 매입세액과 서로 대응함

사례

겸영사업자가 과세사업과 면세사업에 공통으로 사용하기 위해 기계장치를 11,000,000원(부가가치세 포함)에 구입하였다.

구분	면세비율	대상	계산
20×1년 1기	50%	공통매입세액	1,000,000 × 50% = 500,000 (불공제)
20×1년 2기	60%	재계산 ○	1,000,000 × (1 − 25% × 1) × (60% − 50%) = 75,000(납부)
20×2년 1기	57%	재계산 ×	5% 이상 차이나지 않음
20×2년 2기	54%	재계산 ○	1,000,000 × (1 − 25% × 3) × (54% − 60%) = 15,000(환급)

3 | 면세사업 등을 위한 감가상각자산의 과세사업 전환 시 매입세액공제 특례

I | 원칙 – 공급가액이 있는 경우

1. 의의

사업자는 매입세액이 공제되지 아니한 면세사업 등을 위한 감가상각자산을 과세사업에 사용하거나 소비하는 경우 법정 산식에 따라 계산한 금액을 그 과세사업에 사용하거나 소비하는 날이 속하는 과세기간의 매입세액으로 공제할 수 있다.

∵ 면세사업에 사용하는 경우 간주공급으로 과세하는 것과 형평성 제고하기 위함

2. 공제요건

면세사업용 감가상각자산을 과세사업용으로 전환함에 따른 매입세액을 공제받기 위해서는 다음의 요건을 모두 충족하여야 한다.

(1) 면세사업 등에 사용하기 위한 자산에 해당하여 면세사업 등 관련 매입세액으로 불공제된 감가상각자산일 것

→ 비상각자산은 배제

(2) 해당 감가상각자산의 취득일이 속하는 과세기간 이후에 과세사업에 전용하거나 과세사업과 면세사업 등에 겸용으로 사용 또는 소비할 것

(3) 과세사업에 전환한 과세기간에 대한 확정신고 시 공제할 것

→ 예정신고 시 공제되지 않음

3. 공제시기

사업자가 매입세액이 공제되지 아니한 감가상각자산을 과세사업에 사용하거나 소비할 때에는 그 과세사업에 사용하거나 소비하는 날이 속하는 과세기간에 대한 확정신고와 함께 과세사업전환 감가상각자산 신고서를 작성하여 각 납세지 관할 세무서장에게 신고하여야 한다.

4. 완전전용 계산방법

사업자가 매입세액이 공제되지 않은 감가상각자산을 과세사업에 사용하거나 소비하는 경우 공제되는 세액은 다음의 계산식에 따라 계산한 금액으로 한다.

> 해당 재화의 불공제 매입세액 × (1 − 상각률 × 경과된 과세기간의 수)

(1) 상각률

건물과 구축물 5%, 그 밖의 감가상각자산 25%

(2) 경과된 과세기간의 수

과세기간 단위로 계산한다. 경과된 과세기간의 수를 계산할 때 과세기간 개시일 후에 감가상각자산을 취득하는 경우에는 그 과세기간 개시일에 그 재화를 취득한 것으로 본다.

5. 일부전용 계산방법

사업자가 매입세액이 공제되지 않은 감가상각자산을 과세사업과 면세사업 등에 공통으로 사용하거나 소비하는 경우에 공제되는 매입세액은 다음의 계산식에 따라 계산한 금액으로 한다. 다만, 그 과세사업에 의한 과세공급가액이 총공급가액 중 5% 미만일 때에는 공제세액이 없는 것으로 본다.

$$\text{해당 재화의 불공제 매입세액} \times (1 - \text{상각률} \times \text{경과된 과세기간의 수}) \times \frac{\text{과세사업에 사용·소비한 날이 속하는 과세기간의 과세공급가액}}{\text{과세사업에 사용·소비한 날이 속하는 과세기간의 총공급가액}}$$

▌사례

면세사업을 하는 ㈜대한은 면세사업에만 사용하던 재화를 20×3년 제1기부터 과세사업에 공통으로 사용하였다.

1. 과세사업으로 전용한 재화

구분	취득일	공급가액	매입세액 불공제
원재료	20×2. 11. 15.	10,000,000	1,000,000
기계장치	20×2. 7. 15.	20,000,000	2,000,000
건물	20×2. 1. 19.	30,000,000	3,000,000

2. 공급가액

구분	20×2 – 1기	20×2 – 2기	20×3 – 1기
면세사업	100%	50%	60%
과세사업	–	50%	40%

3. 과세전환에 따른 매입세액 공제
   ① 원재료: 0
   ② 기계장치: $2,000,000 \times (1 - 25\% \times 1) \times 40\% = 600,000$
   ③ 건물: $3,000,000 \times (1 - 5\% \times 2) \times 40\% = 1,080,000$

Ⅱ 예외 – 공급가액이 없는 경우

1. 안분계산

해당 과세기간 중 과세사업과 면세사업 등의 공급가액이 없거나 그 어느 한 사업의 공급가액이 없는 경우에 그 과세기간에 대한 안분 계산은 다음의 순서에 따른다. 다만, 취득 시 면세사업 등과 관련하여 매입세액이 공제되지 아니한 건물에 대하여 과세사업과 면세사업 등에 제공할 예정면적을 구분할 수 있는 경우에는 (3)을 (1) 및 (2)에 우선하여 적용한다.

(1) 총매입가액에 대한 과세사업에 관련된 매입가액의 비율
(2) 총예정공급가액에 대한 과세사업에 관련된 예정공급가액의 비율
(3) 총예정사용면적에 대한 과세사업에 관련된 예정사용면적의 비율

2. 정산

1.에 따라 안분하여 계산한 매입세액을 공제한 경우에는 면세사업용 감가상각자산의 과세사업용 사용 또는 소비로 과세사업과 면세사업 등의 공급가액 또는 과세사업과 면세사업의 사용면적이 확정되는 과세기간에 대한 납부세액을 확정신고할 때에 다음의 계산식에 따라 정산한다.

(1) **매입가액 또는 예정공급가액비율에 따라 계산한 경우**

$$
\text{해당 재화의 불공제 매입세액} \times (1 - \text{상각률} \times \text{경과된 과세기간의 수}) \times \frac{\text{공급가액이 확정되는 과세기간의 과세공급가액}}{\text{공급가액이 확정되는 과세기간의 총공급가액}} - \text{기공제 매입세액}
$$

(2) **예정사용면적비율에 따라 계산한 경우**

$$
\text{해당 재화의 불공제 매입세액} \times (1 - \text{상각률} \times \text{경과된 과세기간의 수}) \times \frac{\text{사용면적이 확정되는 과세기간의 과세사용면적}}{\text{사용면적이 확정되는 과세기간의 총사용면적}} - \text{기공제 매입세액}
$$

3. 재계산

2.의 정산규정에 따라 매입세액이 공제된 후 총공급가액에 대한 면세공급가액의 비율 또는 총사용면적에 대한 면세사용면적의 비율과 해당 감가상각자산의 취득일이 속하는 과세기간(그 후의 과세기간에 재계산하였을 때에는 그 재계산한 기간)에 적용되었던 비율 간의 차이가 5% 이상인 경우에는 납부세액 재계산규정을 준용하여 매입세액을 재계산한다.

사례

과세사업과 면세사업을 함께 영위하는 ㈜대한은 기계장치를 20×2. 12. 1. 22,000,000원(부가가치세 포함)에 취득하여 면세사업에만 사용하다가 20×3년 제1기부터 과세사업에 공통으로 사용하게 되었다.

1. 20×3년 제1기

구분	면세사업	과세사업	계
예정공급가액	40억 원	10억 원	50억 원
매입가액	15억 원	5억 원	20억 원
예정사용면적	700㎡	300㎡	1,000㎡

2. 20×3년 제2기

구분	면세사업	과세사업	계
확정공급가액	30억 원	20억 원	50억 원

① 20×3년 제1기 과세전환 매입세액 공제액: 2,000,000 × (1 − 25% × 1) × 5억 원/20억 원 = 375,000

② 20×3년 제2기 정산: 2,000,000 × (1 − 25% × 1) × 20억 원/50억 원 − 375,000 = 225,000(추가공제)

08 신고와 납부

1 신고와 납부

Ⅰ 예정신고와 납부

1. 개요

사업자는 각 과세기간 중 예정신고기간이 끝난 후 25일 이내에 각 예정신고기간에 대한 과세표준과 납부세액 또는 환급세액을 납세지 관할 세무서장에게 신고·납부하여야 한다. 다만, 신규로 사업을 시작하거나 시작하려는 자에 대한 최초의 예정신고기간은 사업 개시일(사업 개시일 이전에 사업자등록을 신청한 경우에는 그 신청일)부터 그 날이 속하는 예정신고기간의 종료일까지로 한다.

구분	예정신고기간
제1기	1월 1일부터 3월 31일까지
제2기	7월 1일부터 9월 30일까지

2. 예정신고납부기한

구분	예정신고기간
제1기 예정신고·납부	4. 1. ~ 4. 25.
제2기 예정신고·납부	10. 1. ~ 10. 25.

3. 예정고지대상자

납세지 관할 세무서장은 개인사업자와 직전 과세기간 공급가액의 합계액이 1억 5천만 원 미만인 법인사업자(∵ 영세한 사업자의 신고부담 완화)에 대하여는 각 예정신고기간마다 직전 과세기간에 대한 납부세액의 50%(1천 원 미만인 단수가 있을 때에는 그 단수금액은 버림)로 결정하여 해당 예정신고기간이 끝난 후 25일까지 징수한다. 다만, 다음 중 어느 하나에 해당하는 경우에는 징수하지 아니한다.

(1) 징수하여야 할 금액이 50만 원 미만인 경우

(2) 간이과세자에서 해당 과세기간 개시일 현재 일반과세자로 변경된 경우

(3) 「국세징수법」 재난 등으로 인한 납부기한 등 연장사유로 관할 세무서장이 징수하여야 할 금액을 사업자가 납부할 수 없다고 인정되는 경우

4. 예정고지서 발부

관할 세무서장은 부가가치세액에 대하여 다음 표의 구분에 따른 기간 이내에 납부고지서를 발부해야 한다.

구분	고지서 발부기간
제1기분 예정신고기간	4월 1일부터 4월 10일까지
제2기분 예정신고기간	10월 1일부터 10월 10일까지

5. 예정고지대상자 중 선택적 신고납부

다음 중 어느 하나에 해당하는 사업자는 예정신고를 하고 예정신고기간의 납부세액을 납부할 수 있다. 이 경우 예정고지 결정은 없었던 것으로 본다.

(1) **사업부진자**

휴업 또는 사업부진 등으로 인하여 각 예정신고기간의 공급가액 또는 납부세액이 직전 과세기간의 공급가액 또는 납부세액의 1/3에 미달하는 자

(2) 각 예정신고기간분에 대하여 조기환급을 받으려는 자

Ⅱ 확정신고와 납부

1. 확정신고

사업자는 각 과세기간에 대한 과세표준과 납부세액 또는 환급세액을 그 과세기간이 끝난 후 25일(폐업하는 경우 폐업일이 속한 달의 다음 달 25일) 이내에 납세지 관할 세무서장에게 신고하여야 한다. 다만, 예정신고를 한 사업자 또는 조기에 환급을 받기 위하여 신고한 사업자는 이미 신고한 과세표준과 납부한 납부세액 또는 환급받은 환급세액은 신고하지 아니한다.

2. 확정신고 세액납부

사업자는 확정신고를 할 때 납부세액에서 예정신고(또는 조기환급) 미환급세액과 예정고지세액을 빼고 부가가치세 확정신고서와 함께 각 납세지 관할 세무서장(총괄납부의 경우에는 주된 사업장 소재지의 관할 세무서장)에게 납부하거나 「국세징수법」에 따른 납부서를 작성하여 한국은행 등에 납부하여야 한다.

Ⅲ 재화의 수입에 대한 신고·납부

1. 원칙

납세의무자가 재화의 수입에 대하여 「관세법」에 따라 관세를 세관장에게 신고하고 납부하는 경우에는 재화의 수입에 대한 부가가치세를 함께 신고하고 납부하여야 한다.

2. 재화의 수입에 대한 부가가치세 납부유예

(1) 의의

세관장은 일정한 요건을 갖춘 중소·중견사업자가 물품을 자기의 과세사업에 사용하기 위한 재화(매입세액이 불공제되는 재화는 제외)의 수입에 대하여 부가가치세의 납부유예를 미리 신청하는 경우에는 해당 재화를 수입할 때 부가가치세의 납부를 유예할 수 있다.

∵ 수입 시 부가가치세를 납부한 후 환급받을 때까지 사업자의 자금유동성이 저하되므로 수출기업의 재화 수입 시 자금부담 완화

(2) 납부유예대상자

다음의 요건을 모두 충족하는 중소·중견사업자를 말한다.

① 직전 사업연도에 중소기업 또는 중견기업에 해당하는 법인(제조업을 주된 사업으로 경영하는 기업에 한정함)일 것

② 직전 사업연도에 수출액이 다음에 해당할 것

ㄱ 직전 사업연도에 중소기업인 경우: 직전 사업연도에 공급한 재화 또는 용역의 공급가액의 합계액에서 수출액이 차지하는 비율이 30% 이상이거나 수출액이 50억 원 이상일 것

ㄴ 직전 사업연도에 중견기업인 경우: 직전 사업연도에 공급한 재화 또는 용역의 공급가액의 합계액에서 수출액이 차지하는 비율이 30% 이상일 것

③ 확인 요청일 현재 다음의 요건에 모두 해당할 것

ㄱ 최근 3년간 계속하여 사업을 경영하였을 것

ㄴ 최근 2년간 국세(관세를 포함)를 체납(납부고지서에 따른 납부기한의 다음 날부터 15일 이내에 체납된 국세를 모두 납부한 경우 제외)한 사실이 없을 것

ㄷ 최근 3년간 「조세범 처벌법」 또는 「관세법」 위반으로 처벌받은 사실이 없을 것

ㄹ 최근 2년간 납부유예가 취소된 사실이 없을 것

(3) 납부유예 확인요청

① 중소·중견사업자는 관할 세무서장에게 납부유예 요건 충족 여부의 확인을 요청할 수 있다.

② 관할 세무서장은 중소·중견사업자가 확인을 요청한 경우에는 요청일부터 1개월 이내에 확인서를 해당 중소·중견사업자에게 발급하여야 한다.

(4) 납부유예 신청 및 승인

① 부가가치세의 납부를 유예받으려는 중소·중견사업자는 발급받은 확인서를 첨부하여 부가가치세 납부유예 적용 신청서를 관할 세관장에게 제출하여야 한다.

② 신청을 받은 관할 세관장은 신청일부터 1개월 이내에 납부유예의 승인 여부를 결정하여 해당 중소·중견사업자에게 통지하여야 한다. 납부유예를 승인하는 경우 그 유예기간은 1년으로 한다.

(5) 납부유예 세액정산

중소·중견사업자는 납세지 관할 세무서장에게 예정신고 또는 확정신고를 할 때 해당 재화에 대하여 공제하는 매입세액과 납부가 유예된 세액을 정산하여 납부하여야 한다. 이 경우 납세지 관할 세무서장에게 납부한 세액은 세관장에게 납부한 것으로 본다.

> **Check 신고서 양식**
>
> | 구분 | | | 금액 |
> |---|---|---|---|
> | 세금계산서 수취분 | 일반매입❶ | (10) | 2,000,000 |
> | | 수출기업 수입분 납부유예 | (10-1) | 1,000,000 |
> | 합계 | (10)-(10-1) | (15) | 1,000,000 |

❶ 일반매입: 국내매입 1,000,000원, 수입 1,000,000원이며, 수입분은 납부유예 적용한다.

(6) 납부유예 취소

세관장은 부가가치세의 납부가 유예된 중소·중견사업자가 국세를 체납하는 등 다음 중 어느 하나에 해당하게 된 경우 그 납부의 유예를 취소할 수 있다. 이 경우 세관장은 해당 중소·중견사업자에게 그 취소 사실을 통지하여야 한다.

① 해당 중소·중견사업자가 국세를 체납한 경우

② 해당 중소·중견사업자가 「조세범 처벌법」 또는 「관세법」 위반으로 국세청장·지방국세청장·세무서장 또는 관세청장·세관장으로부터 고발된 경우

③ 납부유예요건을 충족하지 아니한 중소·중견사업자에게 납부유예를 승인한 사실을 관할 세관장이 알게 된 경우

(7) 기타규정

① 납부유예 취소는 중소·중견사업자가 부가가치세 납부를 유예받고 수입한 재화에 대해서는 영향을 미치지 아니한다.

② 납부가 유예된 후 세액을 정정하기 위한 수정신고 등에 관하여는 「관세법」에서 정하는 바에 따른다.

1. 국외사업자로부터 용역 등을 공급받는 경우의 대리납부

(1) 의의

국내사업장이 없는 비거주자 또는 외국법인과 국내사업장이 있는 비거주자 또는 외국법인(국내사업장과 관련 없는 용역을 제공하는 경우에 한함)으로부터 용역 또는 권리를 공급받는 경우 해당 용역 등을 공급받은 자는 그 대가를 지급하는 때에 그 대가를 받은 자로부터 부가가치세를 징수하여야 한다.

(2) 적용요건

① 공급자: 용역 등의 제공자가 국내사업장이 없는 비거주자 또는 외국법인이거나, 국내사업장이 있더라도 국내사업장과 관련 없는 용역 등을 공급하는 비거주자 또는 외국법인이어야 한다.

② 용역 등: 해당 용역 등이 부가가치세가 과세대상이어야 한다.

③ 공급장소: 해당 용역 등이 국내에서 사용 또는 소비되어야 한다.

④ 공급받는 자: 공급받은 그 용역 등을 과세사업에 제공하는 경우는 대리납부의무가 없다(∵ 과세실익이 없고 업무부담만 생기기 때문). 다만, 매입세액이 공제되지 아니하는 용역 등을 공급받는 경우는 대리납부의무가 있다.

Check 대리납부의무자 정리		
용역을 제공받는 자		대리납부의무
과세사업자	용역 등에 매입세액 공제받는 경우	×
	용역 등에 매입세액 공제받지 못하는 경우	○
면세사업자·비사업자		○

(3) 징수시기

대리납부할 부가가치세액은 제공받는 용역 등의 공급시기에 관계없이 그 대가를 지급하는 때에 징수한다.

(4) 대리납부 세액계산

① 원칙: 용역 또는 권리의 공급가액 × 10%

② 외화로 지급하는 경우: 대가를 외화로 지급하는 경우에는 다음의 구분에 따른 금액을 그 대가로 한다.

원화로 외화를 매입하여 지급하는 경우	지급일 현재의 대고객외국환매도율에 따라 계산한 금액
보유 중인 외화로 지급하는 경우	지급일 현재의 「외국환거래법」에 따른 기준환율 또는 재정환율에 따라 계산한 금액

취지

국외사업자로부터 용역을 제공받는 경우 세관을 거치지 않으므로 세관장이 부가가치세를 거래징수할 수 없다. 국외사업자의 용역에 부가가치세를 과세하지 않으면 국내사업자의 용역보다 가격이 저렴해서 조세중립성과 조세형평성이 저해된다. 국외사업자는 과세권이 미치지 않으므로 공급받는 자가 국외사업자를 대리하여 부가가치세를 징수·납부하여야 한다.

③ 과세·면세사업에 공통으로 사용된 용역: 비거주자 또는 외국법인으로부터 공급받은 용역 등이 과세사업과 면세사업 등에 공통으로 사용되어 그 실지귀속을 구분할 수 없는 경우 그 면세사업 등에 사용된 용역 등의 과세표준은 다음 계산식에 따라 계산한 금액으로 한다. 다만, 과세기간 중 과세사업과 면세사업 등의 공급가액이 없거나 그 어느 한 사업에 공급가액이 없으면 그 과세기간에 대한 안분 계산은 공통매입세액 안분계산 및 정산규정을 준용한다.

$$과세표준 = 해당 용역 등의 총공급가액 \times \frac{대가의 지급일이 속하는 과세기간의 면세공급가액}{대가의 지급일이 속하는 과세기간의 총공급가액}$$

(5) 대리납부 신고납부

① 대리납부규정에 따라 부가가치세를 징수한 자는 부가가치세 대리납부신고서를 제출하고, 예정신고 또는 확정신고규정을 준용하여 부가가치세를 납부하여야 한다.

② 부가가치세 대리납부 시 과다하게 납부한 대리납부세액에 대하여 사업자가 「국세기본법」에 따른 환급청구나 경정청구를 한 경우 관할 세무서장은 이를 확인하여 과다납부한 세액을 환급하여야 한다.

(6) 불이행 시 가산세

대리납부의무자가 부가가치세를 법정납부기한까지 납부하지 않거나 과소납부한 경우에는 납부하지 아니한 세액 또는 과소납부분 세액의 50%(법정납부기한의 다음 날부터 납부고지일까지의 기간에 해당하는 금액을 합한 금액은 10%)에 상당하는 금액을 한도로 하여 다음의 금액을 합한 금액을 가산세로 한다.

① 미납세액 또는 과소납부세액의 3%에 상당하는 금액

② 미납세액 또는 과소납부세액 × 법정납부기한의 다음 날부터 납부일까지의 기간(납부고지일부터 납부고지서에 따른 납부기한까지의 기간 제외) × 0.022%

2. 사업의 양도에 따른 대리납부

(1) 내용

사업의 포괄양도의 경우 재화의 공급으로 보지 않는다는 규정에도 불구하고 그 사업을 양수받는 자가 그 대가를 지급하는 때에, 그 대가를 받은 자로부터 부가가치세를 징수하여 그 대가를 지급하는 날이 속하는 달의 다음 달 25일까지 사업장 관할 세무서장에게 납부할 수 있다.

∵ 사업양도자가 신고·납부한 경우 양수인이 매입세액공제를 허용하던 모순 해소

취지
국외에 있는 사업자(⑩ 해외 App개발자)로부터 부가가치세를 징수하기 곤란하므로 위탁매매인 등에게 납세의무를 부여하여 국외사업자의 용역의 위탁판매에 대한 부가가치세 신고납부를 원활히 하기 위함이다.

취지
국내개발자가 해외오픈마켓(⑩ Google, Apple 등)을 통하여 전자적 용역을 국내에 제공하는 경우 부가가치세를 과세하는 것과 달리 국내사업장이 없는 해외개발자가 해외오픈마켓을 통해 전자적 용역을 공급하는 경우 부가가치세를 부담하지 않아 과세형평을 저해하는 문제가 발생하였고 이를 보완하고자 만든 규정이다.

(2) 대리납부방법

사업을 양수받는 자가 그 대가를 받은 자로부터 징수한 부가가치세는 부가가치세 대리납부신고서와 함께 사업장 관할 세무서장에게 납부하거나 「국세징수법」에 따른 납부서를 작성하여 한국은행 또는 체신관서에 납부하여야 한다.

V 국외사업자의 용역 등 공급에 관한 특례

1. 의의

국외사업자가 사업자등록의 대상으로서 다음 중 어느 하나에 해당하는 자를 통하여 국내에서 용역 등을 공급하는 경우에는 해당 위탁매매인 등이 해당 용역 등을 공급한 것으로 본다.

(1) 위탁매매인

(2) 준위탁매매인

(3) 대리인

(4) 중개인(구매자로부터 거래대금을 수취하여 판매자에게 지급하는 경우에 한정함)

2. 공급장소 특례

국외사업자로부터 권리를 공급받는 경우에는 공급받는 자의 국내에 있는 사업장의 소재지 또는 주소지를 해당 권리가 공급되는 장소로 본다.

∵ 권리의 공급장소는 재화의 이동이 시작되는 장소이며, 공급장소가 국외면 과세할 수 없는 문제가 발생함

3. 세금계산서 발급

국외사업자가 위탁매매인 등을 통하여 국내에서 권리를 공급하는 경우 위탁매매인 등이 권리를 공급받는 자에게 국내사업장이 없는 비거주자 등의 상호 및 주소를 부기하여 세금계산서를 교부하여야 한다.

VI 전자적 용역을 공급하는 국외사업자의 사업자등록 및 납부 등에 관한 특례

1. 의의

(1) 국내사업장이 없는 비거주자 또는 외국법인이 국내에 전자적 용역을 제공하는 경우 간편사업자등록을 하여 「부가가치세법」에 따른 신고·납부하여야 한다.

(2) 국내소비자가 해외오픈마켓 등에서 구매하는 전자적 용역에 대하여 해외 오픈마켓 사업자 등이 간편사업자등록을 하고 부가가치세를 신고·납부하여야 한다.

2. 전자적 용역

(1) 게임·음성·동영상 파일 또는 소프트웨어 등 용역

(2) 광고를 게재하는 용역

(3) 클라우드컴퓨팅서비스

(4) 재화 또는 용역을 중개하는 용역으로서 대통령령으로 정하는 용역

(5) 그 밖에 (1)~(4)까지와 유사한 용역

3. 유형

(1) **국외사업자가 국내에 직접 전자적 용역을 공급하는 경우**

국외사업자가 정보통신망을 통하여 이동통신단말장치 또는 컴퓨터 등으로 공급하는 용역으로서 전자적 용역을 국내에 제공하는 경우(등록사업자의 과세사업 또는 면세사업에 대하여 용역을 공급하는 경우 제외)에는 사업의 개시일부터 20일 이내에 간편사업자등록을 하여야 한다.

(2) **국외사업자가 제3자(해외오픈마켓사업자)를 통해 전자적 용역을 공급하는 경우**

국외사업자가 다음 중 어느 하나에 해당하는 제3자를 통하여 국내에 전자적 용역을 공급하는 경우(등록사업자의 과세사업 또는 면세사업에 대하여 용역을 공급하는 경우나 국외사업자의 용역 등 공급 특례가 적용되는 경우 제외)에는 그 제3자가 해당 전자적 용역을 공급한 것으로 보며, 그 제3자는 사업의 개시일부터 20일 이내에 간편사업자등록을 하여야 한다.

① 정보통신망 등을 이용하여 전자적 용역의 거래가 가능하도록 오픈마켓이나 그와 유사한 것을 운영하고 관련 서비스를 제공하는 자

② 전자적 용역의 거래에서 중개에 관한 행위 등을 하는 자로서 구매자로부터 거래대금을 수취하여 판매자에게 지급하는 자

4. 공급장소 특례

국외사업자의 전자적 용역의 경우 용역을 공급받는 자의 사업장 소재지, 주소지 또는 거소지를 공급장소로 한다.

5. 공급시기 특례

국내로 공급되는 전자적 용역의 공급시기는 다음의 시기 중 빠른 때로 한다.

🏛 **기출 체크**

국외사업자가 부가가치세법에 따른 사업자등록의 대상으로서 위탁매매인을 통하여 국내에서 용역을 공급하는 경우에는 국외사업자가 해당 용역을 공급한 것으로 본다. (×)

(1) 구매자가 공급하는 자로부터 전자적 용역을 제공받은 때

(2) 구매자가 전자적 용역을 구매하기 위하여 대금의 결제를 완료한 때

6. 과세표준 특례

간편사업자등록자가 국내에 공급한 전자적 용역의 대가를 외국통화나 그 밖의 외국환으로 받은 경우에는 과세기간 종료일(예정신고 및 납부는 예정신고기간 종료일)의 기준환율을 적용하여 환가한 금액을 과세표준으로 할 수 있다. 이 경우 국세청장은 정보통신망을 이용하여 통지하거나 국세정보통신망에 고시하는 방법 등으로 사업자(납세관리인이 있는 경우 납세관리인 포함)에게 기준환율을 알려야 한다.

7. 세금계산서 발급면제

간편사업자등록을 한 사업자가 국내에 공급하는 전자적 용역에 대하여는 세금계산서 및 영수증의 발급의무를 면제한다.

∵ 주로 소비자를 상대로 소액결제 대상용역을 제공하는 점

8. 납부세액 특례

간편사업자등록을 한 자는 해당 전자적 용역의 공급과 관련하여 공제되는 매입세액 외에는 매출세액 또는 납부세액에서 공제하지 아니한다.

9. 신고 · 납부

간편사업자등록을 한 자는 예정신고 및 확정신고를 하여야 한다. 해당 신고에 따른 부가가치세 납부는 국세청장이 정하는 바에 따라 외국환은행의 계좌에 납입하는 방식으로 한다.

→ 신고 또는 납부하지 아니한 경우 가산세 적용

10. 납세지

간편사업자등록을 한 사업자의 납세지는 사업자의 신고 · 납부의 효율과 편의를 고려하여 국세청장이 지정한다.

11. 간편사업자등록 말소

국세청장은 간편사업자등록을 한 자가 국내에서 폐업한 경우(사실상 폐업한 경우로서 다음의 경우 포함) 간편사업자등록을 말소할 수 있다.

(1) 간편사업자등록자가 부도발생, 고액체납 등으로 도산하여 소재 불명인 경우

(2) 간편사업자등록자가 사업의 영위에 필요한 인허가 등이 취소되는 등의 사유로 대한민국 또는 등록국가에서 사업을 수행할 수 없는 경우

(3) 간편사업자등록자가 전자적 용역을 공급하기 위한 인터넷 홈페이지[이 동통신단말장치에서 사용되는 애플리케이션(Application), 그 밖에 이와 비슷한 응용프로그램을 통하여 가상의 공간에 개설한 장소 포함]를 폐쇄한 경우

(4) 간편사업자등록자가 정당한 사유 없이 계속하여 둘 이상의 과세기간에 걸쳐 부가가치세를 신고하지 않은 경우

(5) 그 밖에 (1) ~ (4)의 경우와 유사한 경우로서 국세청장이 간편사업자등록 자가 사실상 폐업상태에 있다고 인정하는 경우

2 결정·경정·징수와 환급 및 가산세

I 결정과 경정

1. 의의

(1) **결정·경정기관**

① 부가가치세의 과세표준과 납부세액 또는 환급세액의 결정·경정은 각 납세지 관할 세무서장이 한다. 다만, 국세청장이 특히 중요하다고 인 정하는 경우에는 납세지 관할 지방국세청장 또는 국세청장이 결정하 거나 경정할 수 있다.

② 주사업장 총괄납부를 하는 경우 각 납세지 관할 세무서장, 납세지 관할 지방국세청장 또는 국세청장이 과세표준과 납부세액 또는 환급세액을 결정하거나 경정하였을 때에는 지체 없이 납세지 관할 세무서장 또는 총괄납부를 하는 주된 사업장의 관할 세무서장에게 통지하여야 한다.

(2) **결정·경정사유**

납세지 관할 세무서장, 납세지 관할 지방국세청장 또는 국세청장은 사업 자가 다음 중 어느 하나에 해당하는 경우에만 해당 예정신고기간 및 과 세기간에 대한 부가가치세의 과세표준과 납부세액 또는 환급세액을 조 사하여 결정 또는 경정한다.

① 예정신고 또는 확정신고를 하지 아니한 경우

② 예정신고 또는 확정신고를 한 내용에 오류가 있거나 내용이 누락된 경우

③ 확정신고를 할 때 매출처별 세금계산서합계표 또는 매입처별 세금계 산서합계표를 제출하지 아니하거나 제출한 매출처별 세금계산서합계 표 또는 매입처별 세금계산서합계표에 기재사항의 전부 또는 일부가 적혀 있지 아니하거나 사실과 다르게 적혀 있는 경우

④ 다음 중 어느 하나에 해당하는 경우로서 부가가치세를 포탈할 우려가 있는 경우
　㉠ 사업장의 이동이 빈번한 경우
　㉡ 사업장의 이동이 빈번하다고 인정되는 지역에 사업장이 있을 경우
　㉢ 휴업 또는 폐업 상태에 있을 경우
　㉣ 신용카드가맹점 또는 현금영수증가맹점 가입대상자로 지정받은 사업자가 정당한 사유 없이 신용카드가맹점 또는 현금영수증가맹점으로 가입하지 아니한 경우로서 사업 규모나 영업 상황으로 보아 신고내용이 불성실하다고 판단되는 경우
　㉤ 조기환급 신고의 내용에 오류가 있거나 내용이 누락된 경우

(3) 경정의 제한

소매업 등 영수증 발급사업 중 국세청장이 정하는 업종을 경영하는 사업자로서 같은 장소에서 계속하여 5년 이상 사업을 경영한 자에 대해서는 객관적인 증명자료로 보아 과소하게 신고한 것이 분명한 경우에만 경정할 수 있다.

∵ 같은 장소에서 장기간 사업을 계속하는 경우 거래실적이 노출되어 상대적으로 세금을 많이 부담하여 세제상 혜택을 주기 위한 것

2. 결정ㆍ경정방법

(1) 원칙 – 실지조사

납세지 관할 세무서장등은 각 예정신고기간 및 과세기간에 대한 과세표준과 납부세액 또는 환급세액을 조사하여 결정 또는 경정하는 경우에는 세금계산서, 수입세금계산서, 장부 또는 그 밖의 증명 자료를 근거로 하여야 한다.

(2) 예외 – 추계조사

다음 중 어느 하나에 해당하면 추계할 수 있다.
① 과세표준을 계산할 때 필요한 세금계산서, 수입세금계산서, 장부 또는 그 밖의 증명 자료가 없거나 그 중요한 부분이 갖추어지지 아니한 경우
② 세금계산서, 수입세금계산서, 장부 또는 그 밖의 증명 자료의 내용이 시설규모, 종업원 수와 원자재ㆍ상품ㆍ제품 또는 각종 요금의 시가에 비추어 거짓임이 명백한 경우
③ 세금계산서, 수입세금계산서, 장부 또는 그 밖의 증명 자료의 내용이 원자재 사용량, 동력(動力) 사용량이나 그 밖의 조업 상황에 비추어 거짓임이 명백한 경우

(3) 추계결정·경정 방법

추계는 다음의 방법에 따른다.

① 장부의 기록이 정당하다고 인정되고 신고가 성실하여 부가가치세 경정을 받지 아니한 같은 업종과 같은 현황의 다른 사업자와 권형에 따라 계산하는 방법

② 국세청장이 업종별로 투입원재료에 대하여 조사한 생산수율이 있을 때에는 생산수율을 적용하여 계산한 생산량에 그 과세기간 중에 공급한 수량의 시가를 적용하여 계산하는 방법

③ 국세청장이 사업의 종류·지역 등을 고려하여 사업과 관련된 종업원, 객실, 사업장, 차량, 수도, 전기 등 인적·물적 시설의 수량 또는 가액과 매출액의 관계를 정한 영업효율이 있을 때에는 영업효율을 적용하여 계산하는 방법

④ 국세청장이 사업의 종류별·지역별로 정한 다음 중 어느 하나에 해당하는 기준에 따라 계산하는 방법

　　㉠ 생산에 투입되는 원재료, 부재료 중에서 일부 또는 전체의 수량과 생산량의 관계를 정한 원단위 투입량

　　㉡ 인건비, 임차료, 재료비, 수도광열비, 그 밖의 영업비용 중에서 일부 또는 전체의 비용과 매출액의 관계를 정한 비용관계비율

　　㉢ 일정기간 동안의 평균재고금액과 매출액 또는 매출원가의 관계를 정한 상품회전율

　　㉣ 일정기간 동안의 매출액과 매출총이익의 비율을 정한 매매총이익률

　　㉤ 일정기간 동안의 매출액과 부가가치액의 비율을 정한 부가가치율

⑤ 추계경정·결정 대상 사업자에 대하여 ②, ③, ④까지의 비율을 계산할 수 있는 경우에는 그 비율을 적용하여 계산하는 방법

⑥ 주로 최종소비자를 대상으로 거래하는 음식 및 숙박업과 서비스업에 대해서는 국세청장이 정하는 입회조사기준에 따라 계산하는 방법

(4) 추계경정 시 매입세액 공제

추계경정의 방법에 의하여 납부세액을 계산할 때 공제하는 매입세액은 발급받은 세금계산서를 관할 세무서장에게 제출하고 그 기재내용이 분명한 부분으로 한정한다. 다만, 재해 또는 그 밖의 불가항력으로 인하여 발급받은 세금계산서가 소멸되어 세금계산서를 제출하지 못하게 되었을 때에는 해당 사업자에게 공급한 거래상대방이 제출한 세금계산서에 의하여 확인되는 것을 납부세액에서 공제하는 매입세액으로 한다.

(5) 재경정

납세지 관할 세무서장 등은 결정하거나 경정한 과세표준과 납부세액 또는 환급세액에 오류가 있거나 누락된 내용이 발견되면 즉시 다시 경정한다.

Ⅱ 환급

1. 일반환급

(1) 개요
예정신고기간 또는 과세기간의 매입세액이 매출세액을 초과하면 환급세액이 발생하게 된다. 환급세액이 발생하는 사례는 주로 다음과 같다.
① 영세율이 적용되는 경우
② 고정자산 등의 투자를 하는 경우
③ 계절적 상품의 취득 또는 원료를 비축하는 경우
④ 구입금액보다 더 싼값으로 판매하는 경우 등

(2) 일반과세자 환급
납세지 관할 세무서장은 각 과세기간별로 그 과세기간에 대한 환급세액을 확정신고한 사업자에게 그 확정신고기한이 지난 후 30일 이내(조기환급 대상 아님)에 환급하여야 한다.
→ 예정신고기간의 환급세액을 확정시키는 효력이 없으므로 환급하지 않고 확정신고 예정신고 미환급세액란에서 차감함

(3) 간이과세자 환급
간이과세자의 경우 공제세액의 합계액이 각 과세기간의 납부세액을 초과하는 경우에는 그 초과하는 부분은 없는 것으로 보므로 초과하여 환급받을 수 없다. 다만, 예정고지세액 과다에 따른 환급세액은 환급이 가능하다.

2. 조기환급

(1) 조기환급대상
납세지 관할 세무서장은 다음 중 어느 하나에 해당하여 환급을 신고한 사업자에게 환급세액을 조기에 환급할 수 있다.
① 사업자가 영세율을 적용받는 경우
② 사업자가 사업 설비(감가상각자산을 말함)를 신설·취득·확장 또는 증축하는 경우
   예 부동산매매업자의 매매목적용 건물(재고자산)은 조기환급대상 아님
③ 사업자가 조기환급기간, 예정신고기간 또는 과세기간의 종료일 현재 재무구조개선계획승인권자가 승인한 재무구조개선계획을 이행 중인 경우

(2) 조기환급세액 계산
조기환급세액은 영세율이 적용되는 공급분에 관련된 매입세액·시설투자에 관련된 매입세액 또는 국내 공급분에 대한 매입세액을 구분하지 아니하고 사업장별로 해당 매출세액에서 매입세액을 공제하여 계산한다.

사례

구분	국내공급	시설투자	합계
매출세액	10억 원		10억 원
매입세액	5억 원	10억 원	15억 원
납부세액	5억 원	△10억 원	△5억 원

→ 조기환급세액 5억 원(∵ 사업장별 매입세액을 구분하지 않고 합하여 계산)

(3) 조기환급 유형

구분	내용
예정신고에 대한 조기환급 확정신고에 대한 조기환급	관할 세무서장은 환급세액을 각 예정신고기간 또는 과세기간별로 그 예정·확정신고기한이 지난 후 15일 이내에 예정신고한 사업자에게 환급하여야 한다.
조기환급기간에 대한 조기환급	사업자가 예정신고기간 중 또는 과세기간 최종 3개월 중 매월 또는 매2월(조기환급기간)에 조기환급기간이 끝난 날부터 25일 이내 조기환급기간에 대한 과세표준과 환급세액을 관할 세무서장에게 신고하는 경우에는 조기환급기간에 대한 환급세액을 각 조기환급기간별로 해당 조기환급신고기한이 지난 후 15일 이내에 사업자에게 환급하여야 한다.

※ 조기환급기간은 예정신고기간 중 또는 과세기간 최종 3개월 중 매월 또는 매 2월로 함. 따라서 매월을 조기환급기간으로 하는 경우 1월, 2월, 4월, 5월, 7월, 8월, 10월 및 11월이 조기환급기간이며, 매 2월을 조기환급기간으로 하는 경우 1월~2월, 4월~5월, 7월~8월 및 10월~11월이 조기환급기간임. 예를 들어 3월, 6월은 조기환급기간이 될 수 없음

(4) 조기환급 신고방법

조기환급을 신고할 때에는 영세율 등 조기환급신고서에 해당 과세표준에 대한 영세율 첨부서류와 매출·매입처별 세금계산서합계표를 첨부하여 제출하여야 한다. 다만, 사업설비투자에 해당하는 경우 감가상각자산취득명세서를, 재무구조개선계획 이행 중인 경우 재무구조개선계획서를 그 신고서에 첨부하여야 한다.

3. 결정·경정에 따른 환급

관할 세무서장은 결정·경정에 의하여 추가로 발생한 환급세액이 있는 경우에는 지체 없이 사업자에게 환급하여야 한다.

Ⅲ 가산세

1. 의의

가산세란 「국세기본법」 및 세법에서 규정하는 의무의 성실한 이행을 확보하기 위하여 그 세법에 따라 산출한 세액에 가산하여 징수하는 금액이다. 사업자가 가산세 부과사유에 해당하면 해당 가산세를 납부세액에 더하거나 환급세액에서 뺀다.

2. 종류

사업자가 수정신고하거나 관할세무서장이 결정·경정하는 경우 가산세를 부과하며, 「부가가치세법」은 효율적 운영을 위하여 다음과 같은 가산세를 두고 있다.

「부가가치세법」상 가산세	① 사업자등록 불성실가산세 ② 세금계산서 불성실가산세 ③ 세금계산서 합계표 불성실가산세 ④ 사업자가 아닌 자의 허위세금계산서에 대한 가산세
「국세기본법」상 가산세	① 무신고·과소신고·초과환급가산세 ② 납부지연가산세

3. 사업자등록 불성실가산세

(1) 미등록가산세

사업자등록기한까지 등록을 신청하지 아니한 경우에는 사업 개시일부터 등록을 신청한 날의 직전 일까지의 공급가액 합계액의 1%

> **사례**
>
> 사업자 갑은 20×5. 2. 4. 도매업을 개시한 후 20×5. 4. 1. 사업자등록을 신청한 경우 미등록가산세 계산방법
>
> | 기간 | 과세표준 | 매입금액 |
> |---|---|---|
> | 20×5. 2. 4. ~ 3. 31. | 100,000,000원 | – |
> | 20×5. 4. 1. ~ 6. 30. | 400,000,000원 | 300,000,000원 |
>
> 미등록가산세: 100,000,000원 × 1% = 1,000,000원

(2) 허위등록가산세

① 타인의 명의로 사업자등록을 하거나 그 타인 명의의 사업자등록을 이용하여 사업을 하는 것으로 확인되는 경우 그 타인 명의의 사업 개시일부터 실제 사업을 하는 것으로 확인되는 날의 직전일까지의 공급가액 합계액의 1%

② 다음 중 어느 하나에 해당하는 경우 타인에서 제외한다.
  ㉠ 사업자의 배우자
  ㉡ 상속으로 인하여 피상속인이 경영하던 사업이 승계되는 경우 그 피상속인(상속세 과세표준 신고기한까지의 기간 동안 상속인이 피상속인 명의의 사업자등록을 활용하여 사업을 하는 경우로 한정함)

사례

사업자 甲은 20×4. 1. 1. 도매업을 개시하면서 사업자등록을 乙로 하여 아래와 같이 부가가치세 신고·납부의무를 이행하여 오다가 20×5. 7. 1. 관할 세무서장의 세무조사 시 실사업자가 甲으로 확인되어 부가가치세를 경정하는 경우 타인명의등록가산세 계산방법

기간	과세표준	매입금액
20×4년 제1기	100,000,000원	40,000,000원
20×4년 제2기	200,000,000원	100,000,000원
20×5년 제1기	400,000,000원	200,000,000원

가산세: (100,000,000 + 200,000,000 + 400,000,000) × 1% = 7,000,000
→ 매입자는 선의의 거래당사자로 보는 경우 매입세액공제가 가능함

4. 세금계산서 불성실가산세

(1) 공급자
① 세금계산서 지연발급: 세금계산서의 발급시기가 지난 후 해당 재화 또는 용역의 공급시기가 속하는 과세기간에 대한 확정신고 기한까지 세금계산서를 발급하는 경우 그 공급가액의 1%
② 세금계산서 미발급: 세금계산서의 발급시기가 지난 후 해당 재화 또는 용역의 공급시기가 속하는 과세기간에 대한 확정신고 기한까지 세금계산서를 발급하지 아니한 경우 그 공급가액의 2%. 단, 다음의 경우는 미발급 가산세가 적용되지 아니한다.
  ㉠ 영수증 발급대상인 경우
  ㉡ 세금계산서 발급의무가 면제되는 경우
  ㉢ 부가가치세가 면세거래 경우
③ 전자 외 발급: 전자세금계산서를 발급하여야 할 의무가 있는 자가 전자세금계산서를 발급하지 않고 세금계산서의 발급시기에 전자세금계산서 외의 세금계산서(종이세금계산서)를 발급한 경우 그 공급가액의 1%
④ 다른 사업장 명의 발급: 둘 이상의 사업장을 가진 사업자가 재화 또는 용역을 공급한 사업장 명의로 세금계산서를 발급하지 않고 세금계산서의 발급시기에 자신의 다른 사업장 명의로 세금계산서를 발급한 경우 그 공급가액의 1%

⑤ 전자세금계산서 전송
  ㉠ 지연전송: 전자세금계산서 발급명세의 전송기한이 지난 후 재화 또는 용역의 공급시기가 속하는 과세기간에 대한 확정신고기한까지 국세청장에게 전자세금계산서 발급명세를 전송하는 경우 그 공급가액의 0.3%
  ㉡ 미전송: 전자세금계산서 발급명세의 전송기한이 지난 후 재화 또는 용역의 공급시기가 속하는 과세기간에 대한 확정신고기한까지 국세청장에게 전자세금계산서 발급명세를 전송하지 아니한 경우 그 공급가액의 0.5%
⑥ 세금계산서 기재불성실: 세금계산서의 필요적 기재사항의 전부 또는 일부가 착오 또는 과실로 적혀 있지 아니하거나 사실과 다른 경우 그 공급가액의 1%. 다만, 해당 세금계산서에 적힌 나머지 필요적 기재사항 또는 임의적 기재사항으로 보아 거래사실이 확인되는 경우에는 사실과 다른 세금계산서로 보지 아니한다.
⑦ 위장발급: 재화 또는 용역을 공급하고 실제로 재화 또는 용역을 공급하는 자가 아닌 자 또는 실제로 재화 또는 용역을 공급받는 자가 아닌 자의 명의로 세금계산서 등을 발급한 경우 그 공급가액의 2%
⑧ 공급가액 과다기재: 재화 또는 용역을 공급하고 세금계산서 등의 공급가액을 과다하게 기재한 경우 실제보다 과다하게 기재한 부분에 대한 공급가액의 2%
⑨ 가공발급: 재화 또는 용역을 공급하지 아니하고 세금계산서 등을 발급한 경우 그 세금계산서 등에 적힌 공급가액의 3%

(2) **공급받는 자**
① 위장수취: 재화 또는 용역을 공급받고 실제로 재화 또는 용역을 공급하는 자가 아닌 자의 명의로 세금계산서 등을 발급받은 경우 그 공급가액의 2%
② 공급가액 과다기재: 재화 또는 용역을 공급받고 공급가액을 과다하게 기재한 세금계산서 등을 발급받은 경우 실제보다 과다하게 기재된 부분에 대한 공급가액의 2%
③ 가공수취: 재화 또는 용역을 공급받지 아니하고 세금계산서 등을 발급받은 경우 그 세금계산서 등에 적힌 공급가액의 3%

구분	공급자	매입자
세금계산서 발급시기가 지난 후 공급시기가 속하는 과세기간에 대한 확정신고기한까지 세금계산서 발급 시	공급가액 × 1%	매입세액공제 (공급가액 × 0.5%)
공급시기가 속하는 과세기간에 대한 확정신고기한의 다음 날부터 1년 이내 세금계산서 발급 시	공급가액 × 2%	경정청구 등 매입세액공제 (공급가액 × 0.5%)
공급시기가 속하는 과세기간에 대한 확정신고기한의 다음 날부터 1년 이내 세금계산서를 발급하지 않은 경우	공급가액 × 2%	매입세액 불공제

Check | 지연발급(지연수취)과 미발급(미수취)가산세

(3) 사업자가 아닌 자 – 허위세금계산서

사업자가 아닌 자가 재화 또는 용역을 공급하지 아니하고 세금계산서를 발급하거나 재화 또는 용역을 공급받지 아니하고 세금계산서를 발급받으면 사업자로 보고 그 세금계산서에 적힌 공급가액의 3%를 그 세금계산서를 발급하거나 발급받은 자에게 사업자등록증을 발급한 세무서장이 가산세로 징수한다. 이 경우 납부세액은 '0'으로 본다.

│ 사례

사업자가 실물거래 없이 다른 사업자에게 10,000,000원에 세금계산서를 발급한 경우
1. 공급자: 10,000,000 × 3% = 3,000,000
2. 매입자: 10,000,000 × 3% = 3,000,000(매입세액도 불공제됨)

5. 신용카드매출전표 등 불성실가산세

(1) 미제출

발급받은 신용카드매출전표 등을 예정신고 또는 확정신고를 할 때 제출하여 매입세액을 공제받지 않고 경정을 하는 경우로서 발급받는 신용카드매출전표 등을 경정기관의 확인을 거쳐 해당 경정기관에 제출함으로써 매입세액을 공제받은 경우 그 공급가액의 0.5%

(2) 공급가액 과다기재

매입세액을 공제받기 위하여 제출한 신용카드매출전표 등 수령명세서에 공급가액을 과다하게 적은 경우 실제보다 과다하게 적은 공급가액(착오로 기재된 경우로서 신용카드매출전표 등에 따라 거래사실이 확인되는 부분의 공급가액 제외)의 0.5%

6. 매출처별 세금계산서합계표 불성실가산세

(1) 미제출

매출처별 세금계산서합계표를 제출하지 아니한 경우에는 매출처별 세금계산서합계표를 제출하지 아니한 부분에 대한 공급가액의 0.5%

(2) 합계표기재불성실

① 제출한 매출처별 세금계산서합계표의 기재사항 중 거래처별 등록번호 또는 공급가액의 전부 또는 일부가 적혀 있지 아니하거나 사실과 다르게 적혀 있는 경우에는 매출처별 세금계산서합계표의 기재사항이 적혀 있지 아니하거나 사실과 다르게 적혀 있는 부분에 대한 공급가액의 0.5%.

② 단, 제출한 매출처별 세금계산서합계표의 기재사항이 착오로 적힌 경우로서 사업자가 발급한 세금계산서에 따라 거래사실이 확인되는 부분의 공급가액에 대하여는 그러하지 아니하다.

(3) 지연제출

예정신고를 할 때 제출하지 못하여 해당 예정신고기간이 속하는 과세기간에 확정신고를 할 때 매출처별 세금계산서합계표를 제출하는 경우에는 그 공급가액의 0.3%

7. 매입처별 세금계산서합계표 불성실가산세

(1) 세금계산서 지연조기수취

다음의 경우에는 매입처별 세금계산서합계표에 따르지 아니하고 세금계산서 또는 수입세금계산서에 따라 공제받은 매입세액에 해당하는 공급가액의 0.5%

① 공급시기 이후에 발급받은 세금계산서로서 해당 공급시기가 속하는 과세기간에 대한 확정신고기한까지 발급받은 경우

② 재화 또는 용역의 공급시기가 속하는 과세기간에 대한 확정신고기한이 지난 후 세금계산서를 발급받았더라도 그 세금계산서의 발급일이 확정신고기한 다음 날부터 1년 이내이고 수정신고·경정청구·결정·경정하는 경우

③ 재화 또는 용역의 공급시기 전에 세금계산서를 발급받았더라도 재화 또는 용역의 공급시기가 그 세금계산서의 발급일부터 6개월 이내에 도래하고 해당 거래사실이 확인되어 관할 세무서장 등이 결정 또는 경정하는 경우

(2) 미제출 · 기재불성실

매입처별 세금계산서합계표를 제출하지 아니한 경우 또는 제출한 매입처별 세금계산서합계표의 기재사항 중 거래처별 등록번호 또는 공급가액의 전부 또는 일부가 적혀 있지 아니하거나 사실과 다르게 적혀 있는 경우에는 매입처별 세금계산서합계표에 따르지 아니하고 세금계산서 또는 수입세금계산서에 따라 공제받은 매입세액에 해당하는 공급가액의 0.5%

(3) 과다기재

제출한 매입처별 세금계산서합계표의 기재사항 중 공급가액을 사실과 다르게 과다하게 적어 신고한 경우에는 제출한 매입처별 세금계산서합계표의 기재사항 중 사실과 다르게 과다하게 적어 신고한 공급가액의 0.5%

8. 현금매출명세서 및 부동산임대공급가액 명세서 미제출

사업자가 현금매출명세서 또는 부동산임대공급가액 명세서를 제출하지 아니하거나 제출한 수입금액(현금매출명세서의 경우에는 현금매출)이 사실과 다르게 적혀 있으면 제출하지 아니한 부분의 수입금액 또는 제출한 수입금액과 실제 수입금액과의 차액의 1%를 납부세액에 더하거나 환급세액에서 뺀다.

9. 가산세 중복적용 배제

우선 적용되는 가산세	적용배제 가산세

사업자 등록 불성실가산세 적용	㉠ 세금계산서 지연발급·불분명(1%)
	㉡ 전자세금계산서 지연전송·미전송
	  (0.3%·0.5%)
	㉢ 신용카드매출전표 경정기관 확인 매
	  입세액공제
	㉣ 매출처별 세금계산서합계표 지연제
	  출 등(0.3%·0.5%)

① 세금계산서 미발급(1%·2%)
② 세금계산서 가공발급·수취(3%)
③ 세금계산서 허위발급·수취(3%)
④ 세금계산서 과다기재발급·수취(2%)
	㉠ 사업자등록 불성실(1%)
	㉡ 매출처별 세금계산서합계표 지연제
	  출 등(0.3%·0.5%)
	㉢ 세금계산서 지연수취 등 과다기재
	  (0.5%)
	㉣ 경정기관 확인에 따른 세금계산서
	  매입세액공제(0.5%)

① 세금계산서 지연발급(1%) ② 전자세금계산서 전송(0.3%·0.5%) ③ 세금계산서 부실기재(1%)	매출처별 세금계산서합계표 지연제출 등(0.3%·0.5%)
세금계산서 허위발급(2%)	세금계산서 미발급·지연발급(1%·2%)
공급가액 과다기재(2%)	세금계산서 불분명(1%)
세금계산서 지연·미발급(1%·2%)	㉠ 전자세금계산서 지연전송·미전송 (0.3%·0.5%) ㉡ 세금계산서 불분명(1%)
세금계산서 부실기재(1%)	전자세금계산서 지연전송·미전송 (0.3%·0.5%)

「법인세법」 등에 따라 현금영수증 미발
급 가산세 부과되는 부분
	㉠ 세금계산서 미발급·지연발급
	  (1%·2%)
	㉡ 매출처별 세금계산서합계표 불분명
	  (0.5%)

09 간이과세

1 간이과세자

I 간이과세자의 범위

1. 의의

영세한 사업자의 경우 세법지식, 기장능력이 떨어지고, 매입 시 세금계산서를 받아 세액을 계산하기 어렵다. 또한 이들은 대부분 최종소비자에게 바로 재화나 용역을 공급하므로 부가가치세를 최종소비자가 부담하도록 하는 데에 많은 지장을 초래하지 않으므로 간편한 방법으로 납세의무를 이행하는 간이과세제도를 두고 있다.

2. 간이과세 적용범위

직전 연도의 공급대가의 합계액이 1억 4백만 원에 미달하는 개인사업자는 간이과세규정을 적용받는다. 다만, 다음 중 어느 하나에 해당하는 사업자는 간이과세자로 보지 아니한다.

(1) 부동산임대업 또는 과세유흥장소를 경영하는 사업자로서 해당 업종의 직전 연도의 공급대가의 합계액이 4,800만 원 이상인 사업자

(2) 둘 이상의 사업장이 있는 사업자로서 그 둘 이상의 사업장의 직전 연도의 공급대가의 합계액이 1억 4백만 원 이상인 사업자. 다만, 부동산임대업 또는 과세유흥장소에 해당하는 사업장을 둘 이상 경영하고 있는 사업자의 경우 그 둘 이상의 사업장의 직전 연도의 공급대가(하나의 사업장에서 둘 이상의 사업을 겸영하는 사업자의 경우 부동산임대업 또는 과세유흥장소의 공급대가만을 말함)의 합계액이 4,800만 원 이상인 사업자로 한다.

3. 직전연도 신규사업자

직전 과세기간에 신규로 사업을 시작한 개인사업자에 대하여는 그 사업 개시일부터 그 과세기간 종료일까지의 공급대가를 합한 금액을 12개월로 환산한 금액을 기준으로 간이과세 적용 여부를 판단한다. 이 경우 1개월 미만의 끝수가 있으면 1개월로 한다.

예 직전 연도 4. 20.에 사업을 개시하고 공급대가가 66,000,000원인 경우
    ① 직전연도 공급대가: $66,000,000 \times 12/9 = 88,000,000$
    ② 과세유형: 간이과세자

4. 신규사업자의 최초과세기간

(1) 신규로 사업을 시작하는 개인사업자는 사업을 시작한 날이 속하는 연도의 공급대가의 합계액이 1억 4백만 원(부동산임대업과 과세유흥장소는 4,800만 원)에 미달될 것으로 예상되면 사업자 등록을 신청할 때 간이과세 적용신고서를 납세지 관할 세무서장에게 제출(국세정보통신망에 의한 제출 포함)하여야 한다.

(2) (1)의 신고를 한 개인사업자는 최초의 과세기간에는 간이과세자로 한다. 다만, 간이과세 배제업종인 경우는 그러하지 아니하다.

5. 미등록사업자의 최초과세기간

사업자등록을 하지 아니한 개인사업자로서 사업을 시작한 날이 속하는 연도의 공급대가의 합계액이 1억 4백만 원(부동산임대업과 과세유흥장소는 4,800만 원)에 미달하면 최초의 과세기간에는 간이과세자로 한다. 다만, 간이과세 배제업종사업자는 그러하지 아니하다.

Ⅱ 간이과세 배제업종

1. 세무능력

간이과세가 적용되지 아니하는 다른 사업장을 보유하고 있는 사업자

2. 주로 사업자와 거래

업종, 규모, 지역 등을 고려하여 다음 중 어느 하나에 해당하는 사업을 경영하는 자

(1) 광업

(2) 제조업. 다만, 주로 최종소비자에게 직접 재화를 공급하는 사업으로서 다음 중 어느 하나에 해당하는 사업은 간이과세가 가능하다.
　① 과자점업
　② 도정업, 제분업 및 떡류 제조업 중 떡방앗간
　③ 양복점업, 양장점업, 양화점업

(3) 도매업(소매업을 겸영하는 경우를 포함하되, 재생용 재료수집 및 판매업 제외) 및 상품중개업

(4) 전기·가스·증기 및 수도 사업

(5) 건설업. 다만, 주로 최종소비자에게 직접 재화 또는 용역을 공급하는 사업으로서 다음 중 어느 하나에 해당하는 경우 간이과세가 가능하다.
　① 도배, 실내 장식 및 내장 목공사업
　② 배관 및 냉·난방 공사업

(6) 전문 · 과학 · 기술서비스업, 사업시설 관리 · 사업지원 및 임대 서비스업. 다만, 주로 최종소비자에게 직접 용역을 공급하는 사업으로서 다음 중 어느 하나에 해당하는 경우 간이과세가 가능하다.
    ① 개인 및 가정용품 임대업
    ② 인물사진 및 행사용 영상 촬영업
    ③ 복사업

3. 부동산투기규제

(1) 부동산매매업
(2) 부동산임대업으로서 특별시, 광역시, 특별자치시, 행정시 및 시 지역에 소재하는 부동산임대사업장을 경영하는 사업으로서 국세청장이 정하여 고시하는 규모 이상의 사업

4. 과세표준 양성화

(1) 과세유흥장소를 경영하는 사업으로서 기획재정부령으로 정하는 것
(2) 변호사업, 심판변론인업, 변리사업, 법무사업, 공인회계사업, 세무사업, 경영지도사업, 기술지도사업, 감정평가사업, 손해사정인업, 통관업, 기술사업, 건축사업, 도선사업, 측량사업, 공인노무사업, 의사업, 한의사업, 약사업, 한약사업, 수의사업
(3) 일반과세자로부터 양수한 사업. 다만, 간이과세 배제업종에 해당하지 않은 경우로서 사업을 양수한 이후 공급대가의 합계액이 1억 4백만 원(부동산임대업과 과세유흥장소는 4,800만 원)에 미달하는 경우 간이과세 적용이 가능하다.
(4) 전전년도 기준 복식부기의무자가 경영하는 사업

2 과세유형의 전환

I 유형

1. 계속사업자

간이과세자에 관한 규정이 적용되거나 적용되지 아니하게 되는 기간은 1역년의 공급대가의 합계액이 1억 4백만 원(부동산임대업과 과세유흥장소는 4,800만 원)에 미달하거나 그 이상이 되는 해의 다음 해의 7월 1일부터 그 다음 해의 6월 30일까지로 한다.

🏛 **기출 체크**
부동산매매업을 경영하는 개인사업자로서 직전 연도의 공급대가의 합계액이 4천800만 원에 미달하는 자는 간이과세자에 관한 규정을 적용받을 수 있다. (×)

2. 신규사업자

신규로 사업을 개시한 사업자의 경우 간이과세자에 관한 규정이 적용되거나 적용되지 아니하게 되는 기간은 최초로 사업을 개시한 해의 다음 해의 7월 1일부터 그 다음 해의 6월 30일까지로 한다.

3. 배제업종 신규겸영

(1) 간이과세자가 간이과세배제사업을 신규로 겸영하는 경우에는 해당 사업의 개시일이 속하는 과세기간의 다음 과세기간부터 간이과세자에 관한 규정을 적용하지 아니한다.

(2) 일반과세자로 전환된 사업자로서 해당 연도 공급대가의 합계액이 1억 4백만 원(부동산임대업과 과세유흥장소는 4,800만 원) 미만인 사업자가 간이과세배제사업을 폐지하는 경우에는 해당 사업의 폐지일이 속하는 연도의 다음 연도 7월 1일부터 간이과세자에 관한 규정을 적용한다.

4. 간이과세 포기신고

간이과세자가 간이과세의 포기신고를 하는 경우에는 일반과세자에 관한 규정을 적용받으려는 달이 속하는 과세기간의 다음 과세기간부터 해당 사업장 외의 사업장에 간이과세자에 관한 규정을 적용하지 아니한다.

5. 일반과세 사업장신설

간이과세자가 일반과세자에 관한 규정을 적용받는 사업장을 신규로 개설하는 경우에는 해당 사업개시일이 속하는 과세기간의 다음 과세기간부터 간이과세자에 관한 규정을 적용하지 아니한다.

6. 결정·경정에 따라 기준금액 이상 시

(1) 결정 또는 경정한 공급대가의 합계액이 1억 4백만 원(부동산임대업과 과세유흥장소는 4,800만 원) 이상인 개인사업자는 그 결정 또는 경정한 날이 속하는 과세기간까지 간이과세자로 본다. 즉, 경정일이 속하는 과세기간의 그 다음 과세기간부터 과세유형이 전환된다.

(2) 결정 또는 경정하거나 「국세기본법」에 따라 수정신고한 간이과세자의 해당 연도의 공급대가의 합계액이 1억 4백만 원(부동산임대업·과세유흥장소 4,800만 원) 이상인 경우 결정·경정 또는 수정신고한 과세기간의 납부세액은 일반과세자의 납부세액 계산방식을 준용하여 계산한 금액으로 한다. 이 경우 공급가액은 공급대가에 110분의 100을 곱한 금액으로 하고, 매입세액을 계산할 때에는 세금계산서 등을 받은 부분에 대하여 공제받은 세액은 매입세액으로 공제하지 아니한다.

Ⅱ 과세유형의 전환통지

1. 전환통지

해당 사업자의 관할 세무서장은 간이과세자에 관한 규정이 적용되거나 적용 되지 아니하게 되는 과세기간 개시 20일 전까지 그 사실을 통지하여야 하며, 사업자등록증을 정정하여 과세기간 개시 당일까지 발급하여야 한다.

2. 전환통지 효력

(1) 일반과세자가 간이과세자로 전환

간이과세자에 관한 규정이 적용되는 사업자에게는 통지와 관계없이 간 이과세자에 관한 규정을 적용한다. 다만, 부동산임대업을 경영하는 사업 자의 경우에는 통지를 받은 날이 속하는 과세기간까지는 일반과세자에 관한 규정을 적용받고 그 다음 과세기간부터 간이과세자로 전환된다.

∵ 재고납부세액 부담이 큼

→ 유리한 전환은 통지와 관계없이 간이과세(부동산임대업 제외)로 전환

(2) 간이과세자가 일반과세자로 전환

과세유형전환 통지를 받은 날이 속하는 과세기간까지는 간이과세자에 관한 규정을 적용하며, 그 다음 과세기간부터 일반과세자로 전환된다.

→ 불리한 전환은 반드시 통지를 하여야 함

3 간이과세의 포기

Ⅰ 의의

일부 간이과세자는 간이과세의 적용이 불리하여 원하지 않을 수 있으며 이 러한 사업자는 본인의 의사에 따라 간이과세 적용을 포기하고 일반과세자로 서 「부가가치세법」의 적용을 받을 수 있다.

Ⅱ 포기사유

1. 공급대가가 4,800만 원 미만인 간이과세자는 세금계산서도 발급할 수 없 어 공급받는 자가 사업자인 경우 거래를 회피하는 경우

2. 간이과세자가 수출하여 영세율이 적용되는 경우 등 거액의 매입세액을 환급받는 경우

3. 일반과세자가 간이과세자로(예 부동산임대업) 전환되어 거액의 재고납부세 액이 부담되는 경우

Ⅲ 포기신고

1. 계속사업자

간이과세자 또는 간이과세자에 관한 규정을 적용받게 되는 일반과세자가 간이과세자에 관한 규정의 적용을 포기하고 일반과세자에 관한 규정을 적용받으려는 경우에는 적용받으려는 달의 전달의 마지막 날까지 납세지 관할 세무서장에게 신고하여야 한다.

2. 신규사업자

신규로 사업을 시작하는 개인사업자가 사업자등록을 신청할 때 납세지 관할 세무서장에게 간이과세자에 관한 규정의 적용을 포기하고 일반과세자에 관한 규정을 적용받으려고 신고한 경우에는 일반과세자를 적용받을 수 있다.
→ 신규 사업자는 납세자가 일반 또는 간이 선택 가능

Ⅳ 재적용 제한

간이과세 포기신고한 개인사업자는 다음의 구분에 따른 날부터 3년이 되는 날이 속하는 과세기간까지는 간이과세자에 관한 규정을 적용받지 못한다. 단, 간이과세 포기신고한 개인사업자 중 직전 연도 공급대가의 합계액이 4천 8백만 원 이상 1억 4백만 원 미만인 개인사업자 등 개인사업자는 3년이 되는 날이 속하는 과세기간 이전이라도 간이과세자에 관한 규정을 적용받을 수 있다.

1. 계속사업자의 포기신고

일반과세자에 관한 규정을 적용받으려는 달의 1일

2. 신규사업자의 포기신고

사업 개시일이 속하는 달의 1일

Ⅴ 간이과세 재적용신고

간이과세 포기신고서를 제출한 개인사업자가 3년이 지난 후 간이과세를 적용받으려면 그 적용받으려는 과세기간 개시 10일 전까지 간이과세적용신고서를 관할 세무서장에게 제출하여야 한다. 이 경우 그 적용을 받을 수 있는 자는 해당 과세기간 직전 1역년의 재화 또는 용역의 공급대가의 합계액이 개인사업자로 한정한다.

	Check 간이과세포기와 면세포기	
구분	간이과세포기	면세포기
대상자	모든 간이과세자	면세사업자
사유	–	① 영세율 적용대상 ② 학술연구단체 등이 그 연구와 관련하여 실비 또는 무상으로 공급하는 경우
신고기한	적용받으려는 달의 전달 마지막 날	언제든지 가능
재적용 제한	일반과세자에 관한 규정을 적용받으려는 달의 1일(또는 사업 개시일이 속하는 달의 1일) 부터 3년이 되는 날	신고일부터 3년이 되는 날
재적용 신고	과세기간 개시 10일 전	언제든지 가능

4 간이과세자의 과세표준과 세액

Check 간이과세자의 세액 계산구조

납부세액	과세표준 × 업종별 부가가치율 × 10%
(+) 재고납부세액	
(−) 공제세액	매입세금계산서 등 수취세액공제, 전자신고세액공제, 전자고지세액공제, 전자세금계산서 발급 전송에 대한 세액공제, 신용카드 등의 사용에 따른 세액공제 등❶ → 의제매입세액공제 및 대손세액공제 불가
(−) 예정고지(신고)세액	예정부과기간의 고지납부세액 또는 신고납부세액
(+) 가산세	
차가감납부세액	

❶
공제세액이 각 과세기간의 납부세액(재고납부세액 포함)을 초과하는 경우 그 초과하는 부분은 없는 것으로 보므로 공제세액에 대한 환급은 발생하지 않는다.

I 납부세액

1. 과세표준

간이과세자의 과세표준은 해당 과세기간(신고하고 납부하는 경우에는 예정부과기간을 말함)의 공급대가의 합계액으로 한다. 간이과세자에 대한 과세표준의 계산은 일반과세자의 과세표준계산규정을 준용(예 간주공급, 공통사용재화 공급)하되, 공급가액은 공급대가로 한다.

2. 해당 업종의 부가가치세율

소매업, 재생용 재료수집 및 판매업, 음식점업	15%
제조업, 농업·임업 및 어업, 소화물 전문 운송업	20%
숙박업	25%
건설업, 운수 및 창고업(소화물 전문 운송업은 제외), 정보통신업	30%
금융 및 보험 관련 서비스업, 전문·과학 및 기술서비스업(인물사진 및 행사용 영상 촬영업 제외), 사업시설관리·사업지원 및 임대서비스업, 부동산 관련 서비스업, 부동산임대업	40%
그 밖의 서비스업	30%

3. 둘 이상 업종 관련 공통사용재화 공급

(1) 둘 이상의 업종을 겸영하는 간이과세자의 경우에는 각각의 업종별로 계산한 금액의 합계액을 납부세액으로 한다.

(2) 간이과세자가 둘 이상의 업종에 공통으로 사용하던 재화를 공급하여 업종별 실지귀속을 구분할 수 없는 경우에 적용할 부가가치율은 다음 계산식에 따라 계산한 율의 합계로 한다. 이 경우 휴업 등으로 인하여 해당 과세기간의 공급대가가 없을 때에는 그 재화를 공급한 날에 가장 가까운 과세기간의 공급대가에 따라 계산한다.

$$\text{해당 재화와 관련된 각 업종별 부가가치율} \times \frac{\text{해당 재화의 공급일이 속하는 과세기간의 해당 재화와 관련된 각 업종의 공급대가}}{\text{해당 재화의 공급일이 속하는 과세기간의 해당 재화와 관련된 각 업종의 총공급대가}}$$

사례

구분	부가가치율	공급대가	납부세액
소매업	15%	20,000,000	300,000
부동산임대업	40%	30,000,000	1,200,000
공통사용재화	30%	10,000,000	300,000

→ 가중평균업종별부가가치율: 15% × 20/50 + 40% × 30/50

4. 과세·면세 공통사용재화 공급

과세표준에 포함되는 공급대가는 다음과 같이 계산한다.

$$\text{해당 재화의 공급대가} \times \frac{\text{재화를 공급한 날이 속하는 과세기간의 직전 과세기간의 과세된 공급대가}}{\text{재화를 공급한 날이 속하는 과세기간의 직전 과세기간의 총공급대가}}$$

사례

1. ×1. 10. 1. 과세·면세 공통사용재화 10,000,000원(VAT 포함)에 공급하였다.
2. 각 과세기간별 공급대가

구분	20×1년 – 1기	20×1년 – 2기
과세 공급대가	60%	70%
면세 공급대가	40%	30%

→ 공통사용재화 공급대가: 10,000,000 × 60% = 6,000,000

Ⅱ 공제세액

1. 매입세금계산서 등 수취세액공제

간이과세자가 다른 사업자로부터 세금계산서 등을 발급받아 매입처별 세금계산서합계표 또는 신용카드매출전표 등 수령명세서를 납세지 관할 세무서장에게 제출하는 경우에는 다음에 따라 계산한 금액을 과세기간에 대한 납부세액에서 공제한다. 다만, 기업업무추진비 등 공제되지 아니하는 매입세액은 공제받을 수 없다.

(1) 일반적인 경우(부가가치율이 다른 업종을 겸영하는 경우 포함)

> 해당 과세기간에 세금계산서 등을 발급받은 재화·용역의 공급대가 × 0.5%

(2) 과세사업과 면세사업 등을 겸영하는 경우

간이과세자가 과세사업과 면세사업 등을 겸영하는 경우에는 과세사업과 면세사업 등의 실지귀속에 따르되, 과세사업과 면세사업 등의 실지귀속을 구분할 수 없는 부분은 다음 계산식에 따라 계산한다.

$$\text{해당 과세기간에 세금계산서 등을 발급받은 재화와 용역의 공급대가 합계액} \times \frac{\text{해당 과세기간의 과세공급대가}}{\text{해당 과세기간의 총공급대가}} \times 0.5\%$$

1. 업종별 부가가치율이 다른 경우

구분	부가가치율	매입가액(VAT 제외)	세액공제
소매업	15%	20,000,000	110,000
부동산임대업	40%	30,000,000	165,000
공통사용재화	–	10,000,000	55,000

2. 과세·면세 겸영 사례

① ×1. 10. 1. 과세·면세 공통사용재화에 대해 3,300,000(부가가치세 포함)에 구입하면서 세금계산서를 발급받았다.

② 각 과세기간별 공급대가

구분	20×1년 – 1기	20×1년 – 2기
과세 공급대가	60%	70%
면세 공급대가	40%	30%

→ 수취세액공제: $3,300,000 \times 70\% \times 0.5\% = 11,550$

2. 전자신고세액공제

간이과세자가 직접 전자신고의 방법으로 부가가치세 확정신고를 하는 경우에는 해당 납부세액에서 1만 원을 공제하거나 환급세액에 가산한다.

3. 전자고지세액공제

납세자가 전자송달의 방법으로 납부고지서의 송달을 신청한 경우 신청한 달의 다음다음 달 이후 송달하는 분부터 예정고지·예정부과에 따라 결정징수하는 부가가치세의 납부세액에서 1만 원을 한도로 납부고지서 1건당 1,000원을 공제한다.

4. 전자세금계산서 발급 전송세액공제

전자세금계산서를 발급(전자세금계산서 발급명세를 전자세금계산서 발급일의 다음 날까지 국세청장에게 전송한 경우로 한정함)하는 경우에는 전자세금계산서 발급 건수당 200원을 곱하여 계산한 금액을 해당 과세기간의 부가가치세 납부세액에서 공제할 수 있다. 이 경우 공제한도는 연간 100만 원으로 한다.

5. 신용카드 등의 사용에 따른 세액공제 등

공제대상자	① 영수증발급대상사업자 ② 주로 사업자가 아닌 자에게 공급하는 간이과세자
세액공제액	간이과세자에 대한 신용카드매출전표 등(직불카드영수증, 선불카드영수증, 현금영수증 포함)을 발행하거나 전자적 결제수단에 의해 그 대금을 결제받은 경우 다음의 금액을 공제한다. Min(①, ②) ① 발행금액·결제금액(부가가치세 포함) × 1.3% ② 연 1,000만 원

Ⅲ 간이과세자에 대한 가산세

1. 미등록가산세

(1) 사업자등록신청기한 내 사업자등록을 하지 않은 경우

Max[공급대가 × 0.5%, 5만 원]

(2) 고정물적설비를 설치하지 않고 공부에 등록된 사업장이 없는 경우
부과하지 않는다.

2. 세금계산서 발급

공급자의 세금계산서 가산세 중 지연발급, 부실기재, 미발급, 지연전송, 미전송, 가공발급, 허위발급, 과다기재에 해당하는 가산세는 일반과세자의 가산세를 준용한다.

3. 세금계산서 미수취

세금계산서를 발급하여야 하는 사업자로부터 재화 또는 용역을 공급받고 세금계산서를 발급받지 아니한 경우(영수증 발급대상 간이과세자가 세금계산서를 발급받지 아니한 경우 제외): 그 공급대가의 0.5%

4. 경정기관 확인 거친 세금계산서

세금계산서 등을 발급받고 공제받지 아니한 경우로서 「부가가치세법」 제57조 제1항에 따른 해당 결정 또는 경정 기관의 확인을 거쳐 납부세액을 계산할 때 매입세액으로 공제받는 경우: 그 공급가액의 0.5%

5. 매출처별 세금계산서 미제출

매출처별 세금계산서합계표를 제출하지 아니한 경우: 매출처별 세금계산서합계표를 제출하지 아니한 부분에 대한 공급가액의 0.5%

6. 매출처별 세금계산서 불성실

제출한 매출처별 세금계산서합계표의 기재사항 중 거래처별 등록번호 또는 공급가액의 전부 또는 일부가 적혀 있지 아니하거나 사실과 다르게 적혀 있는 경우: 매출처별 세금계산서합계표의 기재사항이 적혀 있지 아니하거나 사실과 다르게 적혀 있는 부분에 대한 공급가액의 0.5%

7. 매출처별 세금계산서 지연제출

예정신고를 할 때 제출하지 못하여 해당 예정부과기간이 속하는 과세기간에 확정신고를 할 때 매출처별 세금계산서합계표를 제출하는 경우: 그 공급가액의 0.3%

5 납부의무 면제

I 일반적인 경우

간이과세자의 해당 과세기간에 대한 공급대가의 합계액이 4천 800만 원 미만이면 납부의무를 면제한다. 다만, 재고납부세액은 면제하지 아니한다. 이 경우 원칙적으로 가산세를 적용하지 아니하나, 미등록가산세는 적용한다.

II 신규사업자 등

다음의 경우에는 공급대가의 합계액을 12개월로 환산한 금액을 기준으로 한다. 이 경우 1개월 미만의 끝수가 있으면 1개월로 한다.

1. 해당 과세기간에 신규로 사업을 시작한 간이과세자는 그 사업 개시일부터 그 과세기간 종료일까지의 공급대가의 합계액
2. 휴업자·폐업자 및 과세기간 중 과세유형을 전환한 간이과세자는 그 과세기간 개시일부터 휴업일·폐업일 및 과세유형 전환일까지의 공급대가의 합계액
3. 과세유형이 전환되어 간이과세과세기간(7. 1. ~ 12. 31. 또는 1. 1. ~ 6. 30.)의 적용을 받는 간이과세자는 해당 과세기간의 공급대가의 합계액

III 자진납부 시 환급

납부의무가 면제되는 사업자가 자진납부한 사실이 확인되면 납세지 관할 세무서장은 납부한 금액을 환급하여야 한다.

6 재고납부세액과 재고매입세액

I 재고납부세액

1. 의의

일반과세자는 재화 등을 공급받을 때 거래징수당한 매입세액은 전액 공제받지만 간이과세자는 세금계산서 등을 발급받은 재화 등의 공급대가에 0.5%를 곱한 금액을 공제받는다. 따라서 일반과세자가 간이과세자로 변경되면 변경 당시의 재고품 등은 간이과세자로서 사용할 것이므로 기존에 공제받은 매입세액을 정산할 필요가 있다.

2. 대상 자산

일반과세자가 간이과세자로 변경되면 변경 당시의 재고품, 건설 중인 자산 및 감가상각자산(매입세액공제받은 경우만 해당하되, 사업양도에 의하여 사업양수자가 양수한 자산으로서 사업양도자가 매입세액을 공제받은 재화 포함)

→ 매입세액 공제받지 못한 것은 대상 아님

재고품	상품, 제품(반제품 및 재공품 포함), 원재료(부재료 포함)
건설 중인 자산	–
감가상각자산	① 건물·구축물(취득, 건설·신축 후 10년 이내의 것) ② 그 밖의 감가상각자산(취득·제작 후 2년 이내의 것)

3. 계산방법

재고품	재고금액❶ × 10% × (1 - 5.5%)
건설 중인 자산	해당 건설 중인 자산과 관련된 공제대상 매입세액
감가상각자산❸	① 건물 또는 구축물: 취득가액❶ × 10% × (1 - 5% × 경과된 과세기간의 수)❷ × (1 - 5.5%) ② 그 밖의 감가상각자산: 취득가액 × 10% × (1 - 25% × 경과된 과세기간의 수) × (1 - 5.5%)

4. 재고품 등의 신고

변경되는 날 현재 재고품 등을 그 변경되는 날의 직전 과세기간에 대한 확정신고와 함께 간이과세 전환 시의 재고품 등 신고서를 작성하여 각 납세지 관할 세무서장에게 신고(국세정보통신망에 의한 신고를 포함)하여야 한다.

❶
재고품 등의 금액은 장부 또는 세금계산서에 의하여 확인되는 해당 재고품 등의 취득가액으로 한다. 다만, 장부 또는 세금계산서가 없거나 장부에 기록이 누락된 경우 해당 재고품 등의 가액은 시가에 따른다.

❷
경과된 과세기간의 수 과세기간 단위(6개월)로 계산하되, 건물 또는 구축물의 경과된 과세기간의 수가 20을 초과할 때에는 20으로, 그 밖의 감가상각자산의 경과된 과세기간의 수가 4를 초과할 때에는 4로 한다.

❸
사업자가 직접 제작·건설 또는 신축한 감가상각자산인 경우에는 세금계산서에 의하여 공제받은 매입세액을 기준으로 재고납부세액을 계산한다.

5. 조사 · 승인 통지 및 경정

(1) 신고를 받은 관할 세무서장은 재고금액을 조사 · 승인하고 간이과세자로 변경된 날부터 90일 이내에 해당 사업자에게 재고납부세액을 통지하여야 한다. 이 경우 그 기한 이내에 통지하지 아니할 때에는 해당 사업자가 신고한 재고금액을 승인한 것으로 본다.

(2) 해당 사업자가 재고품 등의 신고를 하지 않거나 과소하게 신고한 경우에는 관할 세무서장이 재고금액을 조사하여 해당 재고납부세액을 결정하고 통지하여야 한다.

6. 납부방법

결정된 재고납부세액은 간이과세자로 변경된 날이 속하는 과세기간에 대한 확정신고를 할 때 납부할 세액에 더하여 납부한다.

Ⅱ 재고매입세액

1. 의의

간이과세자가 일반과세자로 변경되면 그 변경 당시의 재고품, 건설 중인 자산 및 감가상각자산에 대하여 법정 산식에 따라 계산한 금액을 매입세액으로 공제할 수 있다. 간이과세자는 공급대가의 0.5%(2021. 7. 1. 전 매입은 매입세액 × 부가가치율)만 공제받았으므로, 일반과세자로 공제받을 매입세액과의 차액을 추가로 공제하는 제도이다.

2. 대상자산

간이과세자가 일반과세자로 변경되는 경우에는 그 변경되는 날 현재에 있는 다음의 재고품, 건설 중인 자산 및 감가상각자산(매입세액 공제대상인 것만 한정함)

→ 토지(면세재화), 개별소비세 과세대상 자동차(매입세액 불공제), 세금계산서 등을 수취하지 않은 재화는 대상 아님

재고품	상품, 제품(반제품 및 재공품 포함), 원재료(부재료 포함)
건설 중인 자산	–
감가상각자산	① 건물 · 구축물(취득, 건설 · 신축 후 10년 이내의 것) ② 그 밖의 감가상각자산(취득 · 제작 후 2년 이내의 것)

3. 계산방법(2021.7.1. 전)

재고품	재고금액 × 10/110 × (1 – 부가가치율❶)
건설 중인 자산	해당 건설 중인 자산과 관련된 공제대상 매입세액 × (1 – 부가가치율❶)
감가상각자산	① 건물 또는 구축물: 취득가액 × 10/110 × (1 – 10% × 경과된 과세기간의 수) × (1 – 부가가치율❶) ② 그 밖의 감가상각자산: 취득가액 × 10/110 × (1 – 50% × 경과된 과세기간의 수) × (1 – 부가가치율❶)

❶
부가가치율은 일반과세자로 변경되기 직전일(감가상각자산인 경우에는 해당 감가상각자산의 취득일)이 속하는 과세기간에 적용되는 공제율이다.

4. 계산방법(2021.7.1. 이후)

재고품	재고금액 × 10/110 × (1 – 5.5%)
건설 중인 자산	해당 건설 중인 자산과 관련된 공제대상 매입세액 × (1 – 5.5%)
감가상각자산	① 건물 또는 구축물: 취득가액 × 10/110 × (1 – 10% × 경과된 과세기간의 수) × (1 – 5.5%) ② 그 밖의 감가상각자산: 취득가액 × 10/110 × (1 – 50% × 경과된 과세기간의 수) × (1 – 5.5%)

(1) 재고품 등의 금액

장부 또는 세금계산서에 의하여 확인되는 해당 재고품 등의 취득가액(부가가치세 포함)

→ 따라서 장부 또는 세금계산서가 없거나 기장이 누락된 경우 공제불가

(2) 상각률

간이과세자의 과세기간은 1년이므로 상각률은 2배이다.

(3) 경과된 과세기간의 수

「부가가치세법」 과세기간 단위로 계산한다. 따라서 원칙적으로 1과세기간은 1. 1. ~ 12.31.까지로 하되, ×1. 7. 1.부터 일반과세자로 변경되는 경우 ×1. 1. 1. ~ 6. 30.도 1과세기간이다.

5. 재고매입세액 적용배제

일반과세자가 간이과세자로 변경된 후에 다시 일반과세자로 변경되는 경우에는 간이과세자로 변경된 때에 재고납부세액규정을 적용받지 않는 재고품 등에 대해서는 재고매입세액 공제규정을 적용하지 않는다.

6. 신고, 조사 · 승인, 통지

(1) 일반과세자로 변경된 경우 그 변경되는 날의 직전 과세기간에 대한 확정신고와 함께 각 납세지 관할 세무서장에게 신고(국세정보통신망에 의한 신고 포함)하여야 한다.

(2) 신고를 받은 관할 세무서장은 재고매입세액으로서 공제할 수 있는 재고금액을 조사하여 승인하고 신고기한이 지난 후 1개월 이내에 해당 사업자에게 공제될 재고매입세액을 통지하여야 한다. 이 경우 그 기한 이내에 통지하지 아니하면 해당 사업자가 신고한 재고금액을 승인한 것으로 본다.

7. 공제시기

결정된 재고매입세액은 그 승인을 받은 날이 속하는 예정신고기간 또는 과세기간의 매출세액에서 공제한다.
→ 공제받지 못한 경우 환급 가능

7 간이과세자의 신고와 납부

Ⅰ 예정부과기간의 부과·신고 및 납부

1. 예정신고의무

예정부과기간에 세금계산서를 발급한 간이과세자(직전연도 공급대가 합계액이 4,800만 원 이상부터 1억 4백만 원 미만)는 예정부과기간의 과세표준과 납부세액을 예정부과기한까지 사업장 관할 세무서장에게 신고하여야 한다.

2. 예정신고 시 기타규정

(1) 예정부과결정이 있는 경우에도 간이과세자가 예정신고를 한 경우에는 그 결정이 없었던 것으로 본다.
(2) 예정신고하는 간이과세자는 매출·매입처별 세금계산서합계표를 예정신고를 할 때 제출하여야 한다. 다만, 매출·매입처별 세금계산서합계표를 예정신고를 할 때 제출하지 못하는 경우에는 확정신고를 할 때 이를 제출할 수 있다.

3. 예정부과기간 납부

간이과세자는 예정부과기간의 납부세액(신용카드 등 사용에 따른 세액공제, 세금계산서 등 수취세액공제, 전자세금계산서 발급세액공제를 차감, 가산세를 가산한 금액)을 간이과세자 부가가치세 신고서와 함께 관할 세무서장에게 납부하거나 「국세징수법」에 따른 납부서를 작성하여 한국은행 또는 체신관서에 납부해야 한다.

4. 예정부과 · 징수

사업장 관할 세무서장은 간이과세자에 대하여 직전 과세기간에 대한 납부세액의 50%(직전 과세기간이 7. 1. ~ 12. 31.인 경우에는 직전 과세기간에 대한 납부세액의 전액을 말하며, 1천 원 미만의 단수가 있을 때에는 그 단수금액은 버림)를 예정부과기간(1. 1. ~ 6. 30.)까지의 납부세액으로 결정하여 예정부과기한(예정부과기간이 끝난 후 25일 이내)까지 징수한다. 다만, 다음 중 어느 하나에 해당하는 경우에는 징수하지 아니한다.

(1) 징수하여야 할 금액이 50만 원 미만인 경우
(2) 일반과세자에서 해당 과세기간 개시일 현재 간이과세자로 변경된 경우
(3) 「국세징수법」 재난 등으로 인한 납부기한 등의 연장사유로 관할 세무서장이 징수하여야 할 금액을 간이과세자가 납부할 수 없다고 인정되는 경우

　　※ 관할 세무서장은 부가가치세액에 대하여 7월 1일부터 7월 10일까지 납부고지서를 발부해야 함

5. 예정신고 선택

휴업 또는 사업 부진 등으로 인하여 예정부과기간의 공급대가의 합계액 또는 납부세액이 직전 과세기간의 공급대가의 합계액 또는 납부세액의 3분의 1에 미달하는 간이과세자는 예정부과기간의 과세표준과 납부세액을 예정부과기한까지 사업장 관할 세무서장에게 신고할 수 있다.

6. 예정신고의무

예정부과기간에 세금계산서를 발급한 간이과세자(직전연도 공급대가 합계액이 4,800만 원 이상부터 1억 4백만 원 미만)는 예정부과기간의 과세표준과 납부세액을 예정부과기한까지 사업장 관할 세무서장에게 신고하여야 한다.

7. 예정신고 시 기타규정

(1) 예정부과결정이 있는 경우에도 간이과세자가 예정신고를 한 경우에는 그 결정이 없었던 것으로 본다.
(2) 예정신고하는 간이과세자는 매출 · 매입처별 세금계산서합계표를 예정신고를 할 때 제출하여야 한다. 다만, 매출 · 매입처별 세금계산서합계표를 예정신고를 할 때 제출하지 못하는 경우에는 확정신고를 할 때 이를 제출할 수 있다.

8. 예정부과기간 납부

간이과세자는 예정부과기간의 납부세액(신용카드 등 사용에 따른 세액공제, 세금계산서 등 수취세액공제, 전자세금계산서 발급세액공제를 차감, 가산세를 가산한 금액)을 간이과세자 부가가치세 신고서와 함께 관할 세무서장에게 납부하거나 「국세징수법」에 따른 납부서를 작성하여 한국은행 또는 체신관서에 납부해야 한다.

Ⅱ 확정신고와 납부

1. 신고·납부

간이과세자는 과세기간의 과세표준과 납부세액을 그 과세기간이 끝난 후 25일(폐업하는 경우 폐업일이 속한 달의 다음 달 25일) 이내에 납세지 관할 세무서장에게 확정신고를 하고 납세지 관할 세무서장 또는 한국은행 등에 납부하여야 한다.
→ 이 경우 예정부과기간에 납부한 세액은 공제함

2. 신고 시 제출서류

간이과세자는 간이과세자 부가가치세신고서와 함께 매출·매입처별 세금계산서합계표를 확정신고를 할 때 함께 제출하여야 한다.

Check 일반과세자와 간이과세자 비교		
구분	일반과세자	간이과세자
대상자	간이과세자 외 사업자	직전 연도 공급대가가 1억 4백만 원(부동산임대업·과세유흥장소 4,800만 원) 미만인 개인사업자
배제업종	–	배제업종 있음
과세기간	1기: 1. 1. ~ 6. 30. 2기: 7. 1. ~ 12. 31.	1. 1. ~ 12. 31.
과세표준	Σ공급가액	Σ공급대가
세금계산서	영수증 발급대상 업종 외 사업자는 원칙적으로 발급	영수증 발급대상 업종 외 발급(단, 직전연도 공급대가가 4,800만 원 미만인 사업자와 신규사업자는 영수증 발급)
영세율 적용	가능	가능
대손세액공제	공제 가능	공제 불가
매입세액공제	공급가액 × 10%(환급 가능)	공급대가 × 0.5%(환급 불가)
의제매입세액	공제 가능(한도 有)	공제 불가
신용카드발급세액공제	발행금액 등 × 1.3%(연 1,000만 원 한도)	

PART 5 기출문제

01 부가가치세법상 납세의무자에 관한 설명으로 옳지 않은 것은?

2018년 국가직 9급 변형

① 부가가치세 납세의무자인 사업자란 사업상 독립적으로 재화 또는 용역을 공급하는 자로서 그 사업 목적은 영리인 경우에 한한다.

② 신탁재산과 관련된 재화 또는 용역을 위탁자 명의로 공급하는 경우에는 위탁자가 부가가치세를 납부할 의무가 있다.

③ 재화를 수입하는 자는 사업자가 아니어도 부가가치세의 납세의무자가 될 수 있다.

④ 위탁자를 알 수 있는 위탁매매의 경우에는 위탁자가 직접 재화를 공급하거나 공급받은 것으로 본다.

정답 및 해설

사업자란 사업 목적이 영리이든 비영리이든 관계없이 사업상 독립적으로 재화 또는 용역을 공급하는 자를 말한다.

참고 부가가치세가 간접세로서 부가가치세 부담은 최종소비자가 지기 때문에 영리성 여부는 중요하지 않음

답 ①

02 부가가치세법상 사업장에 대한 설명으로 옳지 않은 것은?

2016년 국가직 9급

① 무인자동판매기를 통하여 재화·용역을 공급하는 사업은 무인자동판매기가 설치된 장소를 사업장으로 한다.

② 사업장을 설치하지 아니하고 사업자등록도 하지 아니하는 경우에는 과세표준 및 세액을 결정하거나 경정할 당시의 사업자의 주소 또는 거소를 사업장으로 한다.

③ 사업자가 자기의 사업과 관련하여 생산한 재화를 직접 판매하기 위하여 특별히 판매시설을 갖춘 장소는 사업장으로 본다.

④ 재화를 보관하고 관리할 수 있는 시설만 갖춘 장소로서 법령이 정하는 바에 따라 하치장으로 신고된 장소는 사업장으로 보지 아니한다.

정답 및 해설

무인자동판매기를 통하여 재화·용역을 공급하는 사업은 사업에 관한 업무를 총괄하는 장소를 사업장으로 한다. 또한 무인자동판매기를 통하여 재화·용역을 공급하는 사업의 경우에는 추가로 사업장을 등록할 수 없다.

답 ①

03 부가가치세법령상 납세지 및 사업자등록에 대한 설명으로 옳은 것만을 모두 고르면?

ㄱ. 국가, 지방자치단체 또는 지방자치단체조합이 공급하는 부동산 임대용역에 있어서 사업장은 그 부동산의 등기부상 소재지이다.
ㄴ. 신규로 사업을 시작하는 자가 주된 사업장에서 총괄하여 납부하려는 경우에는 주된 사업장의 사업자등록증을 받은 날부터 20일까지 주사업장 총괄납부 신청서를 주된 사업장의 관할 세무서장에게 제출하여야 한다.
ㄷ. 무인자동판매기를 통하여 재화 또는 용역을 공급하는 사업에 있어서 사업장은 그 사업에 관한 업무를 총괄하는 장소이다. 다만, 그 이외의 장소도 사업자의 신청에 의하여 추가로 사업장으로 등록할 수 있다.
ㄹ. 법인이 주사업장 총괄납부의 신청을 하는 경우 주된 사업장은 본점 또는 주사무소를 말하며, 지점 또는 분사무소는 주된 사업장으로 할 수 없다.

① ㄴ
② ㄱ, ㄴ
③ ㄱ, ㄷ
④ ㄷ, ㄹ

정답 및 해설

옳은 것은 ㄴ이다.

선지분석

ㄱ. 국가, 지방자치단체 또는 지방자치단체조합이 공급하는 부동산 임대용역에 있어서 사업장은 그 사업에 관한 업무를 총괄하는 장소이다.
ㄷ. 사업장 외의 장소도 사업자의 신청에 따라 추가로 사업장으로 등록할 수 있다. 다만, 무인자동판매기를 통하여 재화·용역을 공급하는 사업의 경우에는 그러하지 아니하다.
ㄹ. 주된 사업장은 법인의 본점(주사무소를 포함) 또는 개인의 주사무소로 한다. 다만, 법인의 경우에는 지점(분사무소를 포함)을 주된 사업장으로 할 수 있다.

답 ①

04 부가가치세법상 사업자단위과세제도에 대한 설명으로 옳은 것은? 2009년 국가직 9급

① 사업자단위과세를 적용받는 경우에는 부가가치세 신고·납부업무를 수행하는 사업자단위 적용사업장을 본점(주사무소 포함) 또는 지점(분사무소 포함) 중에서 선택하여 지정할 수 있다.

② 사업자단위과세제도를 적용하는 경우에도 사업자등록은 각 사업장별로 하고 각 사업장별 등록번호로 세금계산서를 발행하여야 한다.

③ 이미 사업자등록을 마친 사업자가 사업자단위로 등록하려면 사업자단위과세사업자로 적용받으려는 과세기간 개시 20일 전까지 등록하여야 한다.

④ 사업자단위과세의 포기는 사업자단위 과세사업자로 등록한 날로부터 3년이 되는 날이 속하는 과세기간의 다음 과세기간부터 할 수 있다.

정답 및 해설

(선지분석)

① 사업자단위과세를 적용받는 경우에는 부가가치세 신고·납부업무를 수행하는 사업자단위적용사업장을 법인인 경우 본점(주사무소), 개인인 경우 주사무소로 지정해야 한다. 법인 개인 모두 지점(분사무소), 분사무소 선택은 불가하다.

 주사업장 총괄납부제도의 주사업장은 선택 가능함
   ⓐ 법인: 본점(주사무소) 또는 지점(분사무소)
   ⓑ 개인: 주사무소

② 사업자단위과세제도를 적용하는 경우에는 사업자단위과세사업자로 사업자등록을 신청하고, 주사업장 등록번호로 세금계산서를 발행하여야 한다.

④ 사업자단위과세의 포기는 그 납부하려는 과세기간 개시 20일 전에 사업자단위과세포기신고서를 사업자단위 과세의 적용사업장 관할 세무서장에게 제출하여야 한다.

답 ③

---

05 부가가치세법상 부가가치세의 과세대상이 되는 재화의 공급으로만 묶인 것은? 2010년 국가직 9급

> ㄱ. 질권의 목적으로 동산을 제공하는 것
> ㄴ. 사업자가 사업을 폐업하는 경우 남아 있는 재화(매입세액이 공제되지 아니한 재화 제외)
> ㄷ. 장기할부판매계약에 의하여 재화를 양도하는 것
> ㄹ. 사업을 위하여 대가를 받지 아니하고 다른 사업자에게 인도 또는 양도하는 견본품
> ㅁ. 현물출자에 의하여 재화를 양도하는 것

① ㄱ, ㄴ, ㄹ   ② ㄱ, ㄷ, ㅁ
③ ㄴ, ㄷ, ㅁ   ④ ㄷ, ㄹ, ㅁ

정답 및 해설

ㄴ. 간주공급에 해당(매입세액을 공제받은 재화로서 폐업시잔존재화)한다.
ㄷ, ㅁ. 재화의 공급에 해당한다.

(선지분석)

ㄱ. 재화의 공급으로 보지 않는다.
ㄹ. 재화의 공급으로 보지 않는다(부가가치 창출의 투입요소).

답 ③

06 부가가치세법상 과세거래인 재화의 공급으로 보지 않는 것은?

① 사업자가 위탁가공을 위하여 원자재를 국외의 수탁가공사업자에게 대가 없이 반출하는 것
② 자기가 주요자재의 전부 또는 일부를 부담하고 상대방으로부터 인도받은 재화에 공작을 가하여 새로운 재화를 만드는 가공계약에 의하여 재화를 인도하는 것
③ 재화의 인도대가로서 다른 재화를 인도받거나 용역을 제공받는 교환계약에 의하여 재화를 인도 또는 양도하는 것
④ 기한부판매 계약에 의하여 재화를 인도하는 것

정답 및 해설

사업자가 위탁가공을 위하여 원자재를 국외의 수탁가공사업자에게 대가 없이 반출하는 것은 재화의 공급으로 보지 아니한다. 다만, 원료를 대가 없이 국외의 수탁가공사업자에게 반출하여 가공한 재화를 양도하는 경우에는 재화의 공급으로 보되 영세율을 적용한다.

답 ①

07 부가가치세법상 재화의 공급에 대한 설명으로 옳지 않은 것은?

① 질권, 저당권 또는 양도담보의 목적으로 동산, 부동산 및 부동산상의 권리를 제공하는 것은 재화의 공급으로 보지 않는다.
② 사업용 자산을 상속세 및 증여세법 제73조, 지방세법 제117조에 따라 물납하는 것은 재화의 공급으로 보지 않는다.
③ 사업장별로 그 사업에 관한 모든 권리와 의무를 포괄적으로 승계하고, 그 사업을 양수받는 자가 그 대가를 지급하는 때에 그 대가를 받은 자로부터 부가가치세를 징수하여 납부한 경우에는 재화의 공급으로 본다.
④ 사업자가 위탁가공을 위하여 원료를 대가 없이 국외의 수탁가공 사업자에게 반출하여 가공한 재화를 양도하는 경우에 그 원료를 반출하는 것은 재화의 공급으로 보지 않는다.

정답 및 해설

사업자가 위탁가공을 위하여 원자재를 국외의 수탁가공사업자에게 대가 없이 반출하는 것은 재화의 공급으로 보지 아니한다. 다만, 원료를 대가 없이 국외의 수탁가공사업자에게 반출하여 가공한 재화를 양도하는 경우에는 재화의 공급으로 보되 영세율을 적용한다.

답 ④

08 부가가치세법상 재화의 수입에 대한 설명으로 옳지 않은 것은?

2022년 국가직 9급

① 재화의 수입시기는 관세법에 따른 수입신고가 수리된 때로 한다.
② 외국으로부터 국가, 지방자치단체에 기증되는 재화의 수입에 대하여는 부가가치세를 면제한다.
③ 재화의 수입에 대한 부가가치세의 과세표준은 그 재화에 대한 관세의 과세가격과 관세, 개별소비세, 주세, 교육세, 농어촌특별세 및 교통·에너지·환경세를 합한 금액으로 한다.
④ 재화를 수입하는 자의 부가가치세 납세지는 수입자의 주소지로 한다.

정답 및 해설

재화를 수입하는 자의 부가가치세 납세지는 관세법에 따라 수입을 신고하는 세관의 소재지로 한다.

답 ④

09 부가가치세법령상 재화 또는 용역의 공급에 대한 설명으로 옳지 않은 것은?

2019년 국가직 7급

① 재화의 공급은 계약상 또는 법률상의 모든 원인에 따라 재화를 인도하거나 양도하는 것으로 한다.
② 사업자가 자기의 과세사업과 관련하여 취득한 재화로서 부가가치세법 제38조에 따른 매입세액이 공제된 재화를 자기의 면세사업을 위하여 직접 사용하는 것은 재화의 공급으로 보지 아니한다.
③ 산업상·상업상 또는 과학상의 지식·경험 또는 숙련에 관한 정보를 제공하는 것은 용역의 공급으로 본다.
④ 사업용 자산을 상속세 및 증여세법 제73조 및 지방세법 제117조에 따라 물납하는 것은 재화의 공급으로 보지 아니한다.

정답 및 해설

사업자가 자기의 과세사업과 관련하여 취득한 재화로서 부가가치세법 제38조에 따른 매입세액이 공제된 재화를 자기의 면세사업을 위하여 직접 사용하는 것은 재화의 공급으로 본다. ∵ 면세전용

답 ②

10 부가가치세법상 재화의 간주공급에 해당하지 않는 것은?

① 사업자가 자기의 사업과 관련하여 생산한 재화를 실비변상적이거나 복리후생적인 목적이 아닌 직원의 개인적인 목적으로 무상 사용·소비하는 경우(단, 매입 시 매입세액이 공제되지 아니한 재화는 제외함)

② 사업자가 자기의 사업과 관련하여 생산하거나 취득한 재화를 면세사업을 위하여 사용·소비한 경우(단, 매입 시 매입세액이 공제되지 아니한 경우는 제외함)

③ 운수업을 영위하는 사업자가 운수사업용으로 법령에서 정한 소형승용자동차를 구입하여 매입세액을 공제받은 후 이를 임직원의 업무용으로 사용하는 경우(단, 당초 구입 시 매입세액이 공제되지 아니한 경우는 제외함)

④ 사업자가 자기의 사업과 관련하여 생산하거나 취득한 재화를 사업을 위하여 대가를 받지 아니하고 다른 사업자에게 인도 또는 양도하는 견본품

정답 및 해설

사업자가 자기의 사업과 관련하여 생산하거나 취득한 재화를 사업을 위하여 대가를 받지 아니하고 다른 사업자에게 인도 또는 양도하는 견본품은 재화의 공급으로 보지 않는다.

선지분석

① 매입세액공제받은 재화를 개인적 사용·소비하는 경우에 해당한다.
② 매입세액공제받은 재화를 면세사업 사용·소비하는 경우에 해당한다.
③ 매입세액공제받은 승용차를 영업 외 용도로 사용·소비하는 경우에 해당한다.

답 ④

11 부가가치세법령상 재화공급의 특례에 대한 설명으로 옳지 않은 것은?

① 사업자가 자기의 과세사업과 관련하여 생산하거나 취득한 재화로서 매입세액이 공제된 재화를 자기의 면세사업을 위하여 직접 사용하거나 소비하는 것은 재화의 공급으로 본다.

② 사업자가 자기의 과세사업과 관련하여 생산하거나 취득한 재화로서 매입세액이 공제된 재화를 사업을 위하여 증여하는 것 중 재난 및 안전관리 기본법의 적용을 받아 특별재난지역에 공급하는 물품을 증여하는 것은 재화의 공급으로 보지 아니한다.

③ 사업자가 폐업할 때 자기의 과세사업과 관련하여 생산하거나 취득한 재화로서 매입세액이 공제된 재화 중 남아있는 재화는 자기에게 공급하는 것으로 본다.

④ 저당권의 목적으로 부동산을 제공하는 것은 재화의 공급으로 본다.

정답 및 해설

질권, 저당권 또는 양도담보의 목적으로 동산, 부동산 및 부동산상의 권리를 제공하는 것은 재화의 공급으로 보지 않는다.

참고 형식적인 소유권 이전에 불과함

답 ④

12 부가가치세법상 부수재화 및 부수용역의 공급과 관련된 설명으로 옳지 않은 것은? 2020년 국가직 7급

① 주된 재화 또는 용역의 공급에 부수되어 공급되는 것으로서 거래의 관행으로 보아 통상적으로 주된 재화 또는 용역의 공급에 부수하여 공급되는 것으로 인정되는 재화 또는 용역의 공급은 주된 재화 또는 용역의 공급에 포함되는 것으로 본다.

② 주된 재화 또는 용역의 공급에 부수되어 공급되는 것으로서 해당 대가가 주된 재화 또는 용역의 공급에 대한 대가에 통상적으로 포함되어 공급되는 재화 또는 용역의 공급은 주된 재화 또는 용역의 공급에 포함되는 것으로 본다.

③ 면세되는 재화 또는 용역의 공급에 통상적으로 부수되는 재화 또는 용역의 공급은 그 면세되는 재화 또는 용역의 공급에 포함되는 것으로 본다.

④ 주된 사업에 부수되는 주된 사업과 관련하여 주된 재화의 생산 과정에서 필연적으로 생기는 재화의 공급은 별도의 공급으로 보지 아니한다.

정답 및 해설

주된 사업에 부수되는 주된 사업과 관련하여 주된 재화의 생산 과정이나 용역의 제공 과정에서 필연적으로 생기는 재화의 공급은 별도의 공급으로 보되, 과세 및 면세 여부 등은 주된 사업의 과세 및 면세 여부 등을 따른다.

답 ④

---

13 부가가치세법상 재화의 공급시기(폐업 전에 공급한 재화의 공급시기가 폐업일 이후에 도래하는 경우에는 제외)로 옳지 않은 것은? 2014년 국가직 9급

① 현금판매, 외상판매 또는 할부판매의 경우에는 재화가 인도되거나 이용 가능하게 되는 때

② 전력이나 그 밖에 공급단위를 구획할 수 없는 재화를 계속적으로 공급하는 경우에는 대가의 각 부분을 받기로 한 때

③ 재화의 공급으로 보는 가공의 경우에는 재화의 가공이 완료된 때

④ 무인판매기를 이용하여 재화를 공급하는 경우에는 해당 사업자가 무인판매기에서 현금을 꺼내는 때

정답 및 해설

재화의 공급으로 보는 가공의 경우에는 <u>가공된 재화를 인도하는</u> 때를 공급시기로 한다. 용역의 공급으로 보는 가공의 경우에는 재화의 가공이 완료되는 때를 공급시기로 한다.

선지분석

① 지문에서 할부판매로만 주어진다면 단기할부판매를 의미한다.

답 ③

14 부가가치세법령상 용역의 공급시기에 대한 설명으로 옳은 것은? (단, 폐업은 고려하지 않음)

① 역무의 제공이 완료되는 때 또는 대가를 받기로 한 때를 공급시기로 볼 수 없는 경우에는 예정신고기간 또는 과세기간의 종료일을 공급시기로 본다.

② 사업자가 용역의 공급시기가 되기 전에 세금계산서를 발급하고 그 세금계산서 발급일부터 7일 이내에 대가를 받으면 그 대가를 받은 때를 용역의 공급시기로 본다.

③ 사업자가 다른 사업자와 상표권 사용계약을 할 때 사용대가 전액을 일시불로 받고 상표권을 사용하게 하는 용역을 둘 이상의 과세기간에 걸쳐 계속적으로 제공하고 그 대가를 선불로 받는 경우에는 예정신고기간 또는 과세기간의 종료일을 공급시기로 본다.

④ 완성도기준지급조건부로 용역을 공급하는 경우 역무의 제공이 완료되는 날 이후 받기로 한 대가의 부분에 대해서는 대가의 각 부분을 받기로 한 때를 용역의 공급시기로 본다.

정답 및 해설

선지분석

① 역무의 제공이 완료되는 때 또는 대가를 받기로 한 때를 공급시기로 볼 수 없는 경우에는 역무의 제공이 완료되고 그 공급가액이 확정되는 때를 공급시기로 본다.

② 사업자가 용역의 공급시기가 되기 전에 세금계산서를 발급하고 그 세금계산서 발급일부터 7일 이내에 대가를 받으면 그 세금계산서를 용역의 공급시기로 본다.

④ 완성도기준지급조건부로 용역을 공급하는 경우 역무의 제공이 완료되는 날 이후 받기로 한 대가의 부분에 대해서는 역무의 제공이 완료되는 날을 그 용역의 공급시기로 본다.

답 ③

15 부가가치세법령상 세금계산서를 발급하는 때를 재화 또는 용역의 공급시기로 보는 경우에 해당하지 않는 것은? (단, 재화 또는 용역의 공급시기 및 세금계산서는 법령에 따른 것으로 봄)

2019년 국가직 7급

① 사업자가 부가가치세법 시행령 제28조 제3항 제4호에 따라 전력이나 그 밖에 공급단위를 구획할 수 없는 재화를 계속적으로 공급하는 경우의 공급시기가 되기 전에 세금계산서를 발급하는 경우

② 사업자가 부가가치세법 제15조 또는 제16조에 따른 재화 또는 용역의 공급시기가 되기 전에 재화 또는 용역에 대한 대가의 전부 또는 일부를 받고, 그 받은 대가에 대하여 세금계산서를 발급하는 경우

③ 사업자가 부가가치세법 시행규칙 제17조에 따른 장기할부판매로 재화를 공급하는 경우의 공급시기가 되기 전에 세금계산서를 발급하는 경우

④ 대가를 지급하는 사업자가 거래 당사자 간의 계약서 등에 대금 청구시기와 지급시기를 따로 적고, 대금 청구시기와 지급시기 사이의 기간이 60일인 경우로서 재화 또는 용역을 공급하는 사업자가 그 재화 또는 용역의 공급시기가 되기 전에 세금계산서를 발급하고 그 세금계산서 발급일부터 7일이 지난 후에 대가를 받는 경우

정답 및 해설

부가가치세법 제17조【재화 및 용역의 공급시기의 특례】 ③ 제2항에도 불구하고 대가를 지급하는 사업자가 다음 각 호의 어느 하나에 해당하는 경우에는 재화 또는 용역을 공급하는 사업자가 그 재화 또는 용역의 공급시기가 되기 전에 제32조에 따른 세금계산서를 발급하고 그 세금계산서 발급일부터 7일이 지난 후 대가를 받더라도 해당 세금계산서를 발급한 때를 재화 또는 용역의 공급시기로 본다.
1. 거래 당사자 간의 계약서·약정서 등에 대금 청구시기(세금계산서 발급일을 말한다)와 지급시기를 따로 적고, 대금 청구시기와 지급시기 사이의 기간이 30일 이내인 경우
2. 세금계산서 발급일이 속하는 과세기간(공급받는 자가 제59조 제2항에 따라 조기환급을 받은 경우에는 세금계산서 발급일부터 30일 이내)에 재화 또는 용역의 공급시기가 도래하는 경우

답 ④

16 부가가치세법상 국내에 사업장이 있는 사업자가 행하는 재화 또는 용역의 공급에 대한 영세율 적용과 관련한 설명으로 옳지 않은 것은?

2018년 국가직 9급

① 내국물품을 외국으로 반출하는 것에 대해서는 영세율이 적용된다.

② 국외에서 공급하는 용역에 대해서는 영세율이 적용된다.

③ 항공기에 의하여 여객을 국내에서 국외로 수송하는 것에 대해서는 영세율이 적용되지 않는다.

④ 외화를 획득하기 위한 것으로서 우리나라에 상주하는 국제연합과 이에 준하는 국제기구(우리나라가 당사국인 조약과 그 밖의 국내법령에 따라 특권과 면제를 부여받을 수 있는 경우에 한함)에 재화 또는 용역을 공급하는 것에 대해서는 영세율을 적용한다.

정답 및 해설

선박 또는 항공기에 의한 외국항행용역의 공급에 대하여는 영세율을 적용한다. 외국항행용역은 선박 또는 항공기에 의하여 여객이나 화물을 국내에서 국외로, 국외에서 국내로 또는 국외에서 국외로 수송하는 것을 말한다.

선지분석

① 내국물품의 외국반출에 대하여 영세율이 적용된다.

② 용역의 국외공급에 대하여 영세율이 적용된다.

④ 국제연합 등에 공급하는 재화·용역에 대하여 영세율이 적용된다. ∵ 외화획득 장려

답 ③

17 부가가치세법령상 영세율제도에 대한 설명으로 옳지 않은 것은?

① 대한민국 선박에 의하여 잡힌 수산물을 외국으로 반출하는 것은 영세율을 적용한다.

② 사업자가 대통령령으로 정한 중계무역방식으로 수출하는 경우로서 국내 사업장에서 계약과 대가 수령 등 거래가 이루어지는 것은 영세율을 적용한다.

③ 외교공관 등의 소속 직원으로서 해당 국가로부터 공무원 신분을 부여받은 자 중 내국인에게 대통령령으로 정하는 방법에 따라 재화 또는 용역을 공급하는 경우에는 영세율을 적용한다.

④ 선박 또는 항공기에 의하여 여객이나 화물을 국내에서 국외로, 국외에서 국내로 또는 국외에서 국외로 수송하는 것에 대하여는 영세율을 적용한다.

정답 및 해설

외교공관 등의 소속 직원으로서 해당 국가로부터 공무원 신분을 부여받은 자 또는 외교부장관으로부터 이에 준하는 신분임을 확인받은 자 중 내국인이 아닌 자에게 대통령령으로 정하는 방법에 따라 재화 또는 용역을 공급하는 경우에는 영세율을 적용한다. 동 규정은 외화획득사업에 대한 영세율 규정이기 보다는 외교관에 대한 부가가치세 면세를 목적으로 한 영세율규정이므로 외화로 받은 경우에만 영세율을 적용하는 것이 아니다.

답 ③

18 부가가치세법상 면세 대상인 재화 또는 용역이 아닌 것은?

① 장애인복지법에 따른 장애인보조견 훈련용역

② 수의사법에 규정하는 수의사의 애완견 식품판매

③ 여성용 생리처리 위생용품

④ 도서대여용역

정답 및 해설

수의사가 제공하는 애완동물진료용역은 과세한다. 다만, 각종 법에 따른 수의사의 동물진료용역은 면세한다.

📄 **의료 용역의 원칙과 예외**

의료보건용역	수의사가 제공하는 용역

1. 원칙: 면세
2. 예외: 과세
   (1) 미용 목적 성형수술
   (2) 미용 목적 피부 관련 시술
	1. 원칙: 면세
	  예 각종 법에 따른 진료용역
	2. 예외: 과세
	  예 애완동물 진료용역

선지분석

① 면세용역에 해당한다.

③ 면세재화에 해당한다.

④ 도서에는 도서에 부수하여 도서의 내용을 담은 음반·녹음테이프·비디오테이프를 첨부하여 통상 하나의 공급단위로 하는 것과 전자출판물을 포함한다. 다만, 음악산업진흥 법률, 영화 및 비디오물 진흥 법률, 게임산업진흥 법률의 적용을 받는 부수재화는 과세한다.

답 ②

19

부가가치세법상 부가가치세가 면세되는 경우에 해당하지 않는 것은?

2007년 국가직 9급

① 수돗물
② 공중전화
③ 일반택시 운송사업
④ 국가에 무상으로 공급하는 용역

정답 및 해설

여객운송용역은 면세한다. 다만 항공기, 시외우등고속버스, 전세버스, 택시, 특수자동차, 특종선박, 고속철도에 의한 여객운송용역은 과세한다.

> 📄 **여객운송용역 면세 및 과세(부가가치세법 제26조 제1항 제7호, 부가가치세법 시행령 제37조 제1호 참조)**
>
> 1. 원칙: 면세
> 2. 예외: 과세
>   (1) 항공기에 의한 여객운송용역
>   (2) 우등고속버스에 의한 여객운송사업, 전세버스운송사업
>   (3) 일반택시운송사업 및 개인택시운송사업
>   (4) 자동차대여사업
>   (5) 특종선박
>   (6) 고속철도에 의한 여객운송용역

선지분석

① 수돗물은 면세, 전기는 과세한다.
② 공중전화는 면세, 휴대폰전화는 과세한다.
④ 국가에 무상으로 공급하는 용역은 면세하나 국가에 유상으로 공급하는 용역은 과세한다.

답 ③

20

부가가치세법상 재화 또는 용역의 공급에 대한 면세제도와 관련한 설명으로 옳지 않은 것은? 2015년 국가직 7급

① 국가나 지방자치단체가 공급하는 재화 또는 용역이라고 하여 모두 부가가치세가 면제되는 것은 아니다.

② 국가나 지방자치단체에 재화 또는 용역을 공급하는 거래는 거래의 유·무상을 불문하고 모두 부가가치세가 면제된다.

③ 음악발표회는 영리를 목적으로 하지 않아야 부가가치세가 면제되는 예술행사가 된다.

④ 도로교통법 제2조 제32호의 자동차운전학원에서 수강생에게 지식·기술 등을 가르치는 것은 부가가치세가 면제되는 교육용역에 포함되지 않는다.

정답 및 해설

국가나 지방자치단체에 재화 또는 용역을 공급하는 거래는 <u>무상</u>으로 공급하는 재화 또는 용역에 대하여만 부가가치세를 면제한다.

선지분석

① 국가 등이 공급하는 우체국, KTX 등은 부가가치세가 과세된다.

③ 영리성이 있는 음악발표회 및 이와 유사한 행사는 모두 과세한다.

④ 자동차운전학원과 무도학원에서 가르치는 교육용역은 부가가치세를 과세한다.

📄 **교육용역 면세 및 과세**	
면세	주무관청의 허가 또는 인가를 받거나 주무관청에 등록 또는 신고된 학교, 학원·강습소 등에서 지식·기술 등을 가르치는 것
과세	1. 주무관청의 허가 또는 인가를 받지 않은 교육용역 2. 체육시설의 설치·이용에 관한 법률에 따른 무도학원(볼룸댄스 학원) 3. 도로교통법에 따른 자동차운전학원

답 ②

21 다음 자료를 이용하여 부가가치세가 과세되는 건물과 토지의 임대면적을 상황별로 계산하면?

□□□

<상황 1>

1. 주택과 점포로 겸용되는 1층 건물을 임대하였다.

2. 주택면적 80m², 점포면적 120m², 건물의 부수토지 3,000m²

3. 이 건물은 도시지역 밖에 소재하고 있다.

<상황 2>

1. A씨는 도시지역 안에 소재하는 토지 위에 주택과 점포로 겸용되는 단층건물을 갑씨에게 임대하였다.

2. 주택면적은 60m²이고, 점포면적은 40m²이다.

3. 동 건물의 부수토지는 1,200m²이다.

	상황 1	상황 2
①	점포 120m², 토지 1,800m²	점포 100m², 토지 200m²
②	점포 120m²	점포 40m², 토지 480m²
③	토지 1,800m²	점포 40m², 토지 700m²
④	토지 2,200m²	점포 없음, 토지 200m²
⑤	점포 120m², 토지 2,200m²	점포 없음, 토지 700m²

정답 및 해설

<상황 1> 점포 > 주택인 경우로 건물 중 주택 부분만 주택으로 보아 면세한다.

구분	주택	점포
건물	80m²	120m²
부수토지	800m²	2,200m²

주택 부수토지: Min[ⓐ 3,000m² × 80m² / 200m² = 1,200m², ⓑ 80m² × 10배 = 800m²] = 800m²

<상황 2> 점포 ≤ 주택인 경우로 건물 전부를 주택으로 보고 면세한다.

구분	주택	점포
건물	100m²	0m²
부수토지	500m²	700m²

주택 부수토지: Min[ⓐ 1,200m² × 100m² / 100m² = 1,200m², ⓑ 100m² × 5배 = 500m²] = 500m²

답 ⑤

22 □□□ 부가가치세법상 과세표준의 계산에 관한 설명으로 옳지 않은 것은?

① 외상판매 및 할부판매의 경우에는 공급한 재화의 총가액을 과세표준으로 한다.

② 장기할부판매의 경우에는 계약에 따라 받기로 한 대가의 각 부분을 과세표준으로 한다.

③ 통상적으로 용기를 당해 사업자에게 반환할 것을 조건으로 그 용기대금을 공제한 금액으로 공급하는 경우에는 그 용기대금은 과세표준에 포함하지 아니한다.

④ 공급받는 자에게 도달된 이후에 파손된 재화의 가액은 과세표준에서 제외된다.

정답 및 해설

공급받는 자에게 도달하기 <u>전에</u> 파손·훼손되거나 멸실한 재화의 가액은 공급가액에 포함하지 않는다.

선지분석
① 할부판매만 나온 경우 단기할부판매를 의미한다.
② 장기할부판매의 과세표준에 대한 옳은 내용이다.
③ 용기를 회수할 수 없어 용기대금을 변상금형식으로 변제받은 경우 과세표준에 포함한다.

> 📄 **공급가액에 포함하지 않는 것(부가가치세법 제29조 제5항 참조)**
> 1. 부가가치세
> 2. 매출에누리, 매출환입, 매출할인액
> 3. 공급받는 자에게 도달하기 전에 파손·훼손되거나 멸실한 재화의 가액
> 4. 재화·용역의 공급과 직접 관련되지 않는 국고보조금·공공보조금
> 5. 공급에 대한 대가의 지급이 지연되어 받는 연체이자
> 6. 반환조건부 용기대금·포장비용

답 ④

부가가치세법상 과세표준에 대한 설명으로 옳은 것만으로 묶인 것은?

ㄱ. 사업자가 2과세기간 이상에 걸쳐 부동산임대용역을 공급하고 그 대가를 선불 또는 후불로 받는 경우에는 그 선불 또는 후불로 받은 금액을 과세표준으로 한다.
ㄴ. 과세사업과 면세사업에 공통으로 사용되는 재화를 공급하는 경우에 재화를 공급하는 날이 속하는 과세기간의 총공급가액 중 면세공급가액의 비율이 5% 미만인 경우 당해 재화의 공급가액을 과세표준으로 한다.
ㄷ. 대외무역법에 의한 위탁가공무역방식으로 수출하는 경우에는 완성된 제품의 인도가액을 과세표준으로 한다.
ㄹ. 계약 등에 의하여 확정된 대가의 지급지연으로 인하여 지급받는 연체이자는 과세표준에서 공제하지 아니한다.

① ㄷ
② ㄱ, ㄴ
③ ㄴ, ㄷ
④ ㄴ, ㄹ

정답 및 해설

옳은 것은 ㄷ이다.

선지분석

ㄱ. 사업자가 2과세기간 이상에 걸쳐 부동산임대용역을 공급하고 그 대가를 선불 또는 후불로 받는 경우에는 해당 금액을 계약기간의 개월수로 나눈 금액의 각 과세대상기간의 합계액을 공급가액으로 한다(초월산입, 말월불산입).
ㄴ. 과세사업과 면세사업에 공통으로 사용되는 재화를 공급하는 경우에 재화를 공급하는 날의 직전과세기간의 총공급가액 중 면세공급가액의 비율이 5% 미만인 경우 당해 재화의 공급가액을 과세표준으로 한다.
ㄹ. 계약 등에 의하여 확정된 대가의 지급지연으로 인하여 지급받는 연체이자는 공급가액에 포함하지 않는다.

📑 **부동산임대용역에 대한 공급가액**

1. 임대료
   (1) 원칙: 해당 과세기간에 수입할 임대료를 공급가액으로 함
   (2) 특례: 사업자가 둘 이상의 과세기간에 걸쳐 부동산임대용역을 공급하고 그 대가를 선불 또는 후불로 받는 경우에는 다음의 금액을 공급가액으로 함

$$공급가액 = 선불\ 또는\ 후불로\ 받는\ 임대료 \times \frac{각\ 과세대상기간의\ 개월수}{계약기간의\ 개월수}$$

2. 간주임대료: 사업자가 부동산임대용역을 공급하고 전세금 또는 임대보증금을 받는 경우에는 다음의 금액을 공급가액으로 봄

$$공급가액 = 해당\ 기간의\ 전세금\ 등 \times 정기예금이자율 \times \frac{과세대상기간일수}{365}$$

3. 관리비
   (1) 청소비, 난방비 등 순수관리비는 공급가액에 포함함
   (2) 전기료, 수도료 등 공공요금은 공급가액에 포함하지 아니함

답 ①

24 부가가치세법상 과세표준에 관한 설명으로 옳지 않은 것은?

① 재화의 수입에 대한 부가가치세의 과세표준은 그 재화에 대한 관세의 과세가격과 관세, 개별소비세, 주세, 교육세, 농어촌특별세 및 교통·에너지·환경세를 합한 금액으로 한다.

② 사업자가 재화 또는 용역을 공급받는 자에게 지급하는 장려금이나 이와 유사한 금액 및 대손금액은 과세표준에서 공제하지 아니한다.

③ 재화 또는 용역의 공급과 관련하여 금전 외의 대가를 받는 경우에는 해당 대가의 시가를 공급가액으로 한다.

④ 장기할부판매의 경우에는 계약에 따라 받기로 한 대가의 각 부분을 공급가액으로 한다.

정답 및 해설

재화 또는 용역의 공급과 관련하여 금전 외의 대가를 받는 경우에는 그 대가로 받은 현물 등의 가액이 아니라 자기가 공급한 재화 또는 용역의 시가가 공급가액이다.

선지분석

① 재화의 수입에 대한 과세표준에 대한 옳은 내용이다.
② 과세표준에서 공제하지 않는 항목에 대한 옳은 내용이다.

> 📄 **재화 또는 용역의 공급가액(부가가치세법 제29조 제3항 참조)**
>
> 1. 금전으로 대가를 받는 경우: 그 대가
> 2. 금전 외의 대가를 받는 경우(교환 포함): 자기가 공급한 재화 또는 용역의 시가
> 3. 사업자가 재화 또는 용역을 공급하고 그 대가로 받은 금액에 부가가치세가 포함되어 있는지가 분명하지 않은 경우: 그 대가로 받은 금액에 100/110을 곱한 금액

답 ③

---

25 부가가치세법상 일반과세자의 과세표준으로 보는 공급가액에 대한 설명으로 옳지 않은 것은?

① 자기가 공급한 재화에 대해 금전 외의 대가를 받는 경우에는 부가가치세를 포함한 그 대가를 공급가액으로 한다.

② 폐업하는 경우에는 폐업 시 남아 있는 재화의 시가를 공급가액으로 한다.

③ 완성도기준지급조건부로 재화를 공급하는 경우에는 계약에 따라 받기로 한 대가의 각 부분을 공급가액으로 한다.

④ 조세의 부담을 부당하게 감소시킬 것으로 인정되는 경우로서 특수관계인에게 아무런 대가를 받지 아니하고 재화를 공급하는 경우에는 공급한 재화의 시가를 공급가액으로 본다.

정답 및 해설

자기가 공급한 재화에 대해 금전 외의 대가를 받는 경우에는 자기가 공급한 재화의 시가를 공급가액으로 한다.

선지분석

④ 재화의 무상·저가공급 시 부당행위계산부인규정에 따른 공급가액에 대한 옳은 내용이다.

답 ①

26 부가가치세법령상 과세표준과 관련된 설명으로 옳은 것은?

① 부가가치세법상 대손금액은 과세표준에서 공제한다.

② 공급에 대한 대가의 지급이 지체되었음을 이유로 받는 연체이자는 공급가액에 포함한다.

③ 통상적으로 용기 또는 포장을 해당 사업자에게 반환할 것을 조건으로 그 용기대금과 포장비용을 공제한 금액으로 공급하는 경우에는 그 용기대금과 포장비용은 공급가액에 포함하지 아니한다.

④ 사업자가 재화를 공급받는 자에게 지급하는 장려금은 과세표준에서 공제한다.

정답 및 해설

선지분석

① 부가가치세법상 대손금액은 과세표준에서 공제하지 아니한다.

② 공급에 대한 대가의 지급이 지체되었음을 이유로 받는 연체이자는 공급가액에 포함하지 아니한다.

④ 사업자가 재화를 공급받는 자에게 지급하는 장려금은 과세표준에서 공제하지 아니한다.

답 ③

27 부가가치세법령상 공급가액에 대한 설명으로 옳은 것만을 모두 고르면? (단, 특수관계인과의 거래는 아닌 것으로 가정함)

ㄱ. 개별소비세, 주세 및 교통·에너지·환경세가 부과되는 재화는 개별소비세, 주세 및 교통·에너지·환경세의 과세표준에 해당 개별소비세, 주세, 교육세, 농어촌특별세 및 교통·에너지·환경세 상당액을 공제한 금액을 공급가액으로 한다.

ㄴ. 기부채납의 경우에는 해당 기부채납의 근거가 되는 법률에 따라 기부채납된 가액으로 하되, 기부채납된 가액에 부가가치세가 포함된 경우 그 부가가치세는 제외한다.

ㄷ. 재화나 용역을 공급할 때 그 품질이나 수량, 인도조건 또는 공급대가의 결제방법이나 그 밖의 공급조건에 따라 통상의 대가에서 일정액을 직접 깎아 주는 금액은 공급가액에 포함하지 아니한다.

ㄹ. 사업자가 재화 또는 용역을 공급하고 그 대가로 받은 금액에 부가가치세가 포함되어 있는지가 분명하지 아니한 경우에는 그 대가로 받은 금액을 공급가액으로 한다.

① ㄱ, ㄴ

② ㄴ, ㄷ

③ ㄱ, ㄷ, ㄹ

④ ㄴ, ㄷ, ㄹ

정답 및 해설

옳은 것은 ㄴ, ㄷ이다.

선지분석

ㄱ. 개별소비세, 주세 및 교통·에너지·환경세가 부과되는 재화에 대해서는 개별소비세, 주세 및 교통·에너지·환경세의 과세표준에 해당 개별소비세, 주세, 교육세, 농어촌특별세 및 교통·에너지·환경세 상당액을 <u>합계한</u> 금액을 공급가액으로 한다.

ㄹ. 사업자가 재화 또는 용역을 공급하고 그 대가로 받은 금액에 부가가치세가 포함되어 있는지가 분명하지 아니한 경우에는 그 대가로 받은 금액에 110분의 100을 곱한 금액을 공급가액으로 한다.

답 ②

28 부가가치세법령상 과세표준에 포함되는 공급가액에 대한 설명으로 옳지 않은 것은? (단, 법령에 따른 특수관계인과의 거래가 아님)

2019년 국가직 7급

① 사업자가 제품을 10,000,000원에 외상으로 판매하였으나, 그 공급에 대한 대가를 약정기일 전에 받았다는 이유로 500,000원을 할인하여 9,500,000원을 받았다면, 부가가치세 과세표준에 포함되는 공급가액은 9,500,000원이다.

② 사업자가 제품을 10,000,000원에 외상으로 판매하였으나, 제품의 품질이 주문한 수준에 떨어진다는 이유로 1,000,000원을 에누리하여 9,000,000원을 받았다면, 부가가치세 과세표준에 포함되는 공급가액은 9,000,000원이다.

③ 사업자가 부가가치세법 시행규칙 제17조에 따른 장기할부판매의 경우로서 기업회계기준에 따라 이자상당액 500,000원을 현재가치할인차금, 10,000,000원을 장기매출채권, 9,500,000원을 매출로 회계처리하였다면, 부가가치세 과세표준에 포함되는 공급가액은 9,500,000원이다.

④ 사업자가 취득 후 40개월 사용한 차량 A(취득원가 20,000,000원, 장부가액 14,000,000원, 시가 10,000,000원)를 유사 차량 B(시가 12,000,000원)와 교환한 경우에는 부가가치세 과세표준에 포함되는 차량 A의 공급가액은 10,000,000원이다.

정답 및 해설

장기할부판매 또는 할부판매 경우의 이자상당액은 공급가액에 포함하는 항목이므로 장기매출채권을 9,500,000원으로 처리하였더라도 10,000,000원을 공급가액으로 보아야 한다.

답 ③

29 부가가치세법령상 과세표준에 대한 설명으로 옳은 것은? (단, 제시된 금액은 부가가치세가 포함되지 않은 금액임)

2021년 국가직 9급

① 시가 500원, 원가 450원인 재화를 공급하고 시가 480원인 재화를 대가로 받을 경우 과세표준은 480원이다.

② 특수관계인에게 시가 1,000원인 사업용 부동산 임대용역(부가가치세법 시행령에서 제외하는 사업용 부동산 임대용역은 아님)을 무상으로 제공한 경우 용역의 공급으로 보지 않으므로 과세표준은 없다.

③ 사업을 위하여 대가를 받지 않고 다른 사업자에게 인도한 견본품의 시가가 200원, 원가가 150원일 경우 과세표준은 150원이다.

④ 재화의 공급에 해당되는 폐업 시 남아 있는 재화(감가상각자산은 아님)의 시가가 1,000원, 원가가 800원일 경우 과세표준은 1,000원이다.

정답 및 해설

선지분석

① 공급가액 500원 ∵ 금전 외의 대가를 받는 경우 자기가 공급한 재화 또는 용역의 시가를 공급가액으로 본다.

② 공급가액 1,000원 ∵ 사업자가 특수관계인에게 사업용 부동산의 임대용역을 공급하는 경우 공급한 재화 또는 용역의 시가를 공급가액으로 본다.

③ 공급가액 없음 ∵ 사업을 위하여 대가를 받지 아니하고 다른 사업자에게 인도하거나 양도하는 견본품은 재화의 공급으로 보지 아니한다.

답 ④

30
☐☐☐

다음은 과세사업자인 (주)B의 20X3년 제1기 과세기간의 부가가치세 신고자료이다. 20X3년 제1기 과세기간의 부가가치세 과세표준은? (단, 제시된 금액은 부가가치세가 포함되지 않은 금액임)

2017년 국가직 9급 변형

- 과세재화의 외상판매액: 20,000,000원(매출에누리 1,000,000원이 차감되지 않은 금액임)
- 거래처로부터 받은 판매장려금: 500,000원
- 사업을 위하여 대가를 받지 아니하고 다른 사업자에게 인도한 견본품(원가): 2,000,000원(시가 2,500,000원)
- 업무용 소형승용차(매입세액을 공제받지 못함) 매각액: 1,500,000원(장부가액 1,000,000원)
- 과세재화의 할부판매액: 10,000,000원(20X3년 1월 31일에 제품을 인도하고, 대금은 20X3년 1월 31일부터 10회로 분할하여 매월 말일에 1,000,000원씩 받기로 함)

① 26,500,000원　　　　　　　　　② 29,000,000원
③ 30,500,000원　　　　　　　　　④ 33,000,000원

정답 및 해설

ⓐ 과세재화의 외상판매액: 20,000,000원 − 1000,000원 = 19,000,000원
　　매출에누리는 공급가액에서 차감한다.
ⓑ 업무용 소형승용차 매각(일반적인 공급): 1,500,000원
　　　참고 업무용 소형승용차의 비영업용으로 전환(간주공급)이 아님을 주의함
ⓒ 과세재화의 할부판매액(단기할부판매): 10,000,000원
　　단기할부판매의 공급시기는 인도일
∴ 합계: 19,000,000원 + 1,500,000원 + 10,000,000원 = 30,500,000원
　참고 판매장려금은 과세표준에서 공제하지 않는다. 사업을 위하여 대가를 받지 아니하고 제공하는 견본품은 공급이 아님

답 ③

31
☐☐☐

과세사업을 영위하는 (주)한국이 미국에 $ 20,000의 제품을 수출한 경우, 부가가치세법령상 (주)한국의 2021년 제2기 과세기간의 부가가치세 과세표준은?

2021년 국가직 7급

- 10월 1일 선수금으로 $ 10,000를 송금받아 당일에 1 $당 1,000원에 환가하였다.
- 10월 15일 수출물품을 선적하였고, 당일의 기준환율은 1 $당 1,100원이다.
- 10월 30일 수출대금 잔액 $ 10,000를 외화로 송금받아 1 $당 1,200원에 환가하였다.

① 20,000,000원　　　　　　　　　② 21,000,000원
③ 22,000,000원　　　　　　　　　④ 24,000,000원

정답 및 해설

$10,000 × 1,000원 + $10,000 × 1,100원 = 21,000,000원

답 ②

32 부가가치세법상 대손세액공제에 대한 설명으로 옳지 않은 것은? (단, 폐업은 고려하지 않기로 함) 2017년 국가직 9급

① 재화 또는 용역의 공급자가 대손세액을 매출세액에서 차감한 경우 공급자의 관할 세무서장은 대손세액 공제 사실을 공급받는 자의 관할 세무서장에게 통지하여야 한다.

② 대손세액공제를 받은 사업자가 그 대손금액의 전부 또는 일부를 회수한 경우에는 회수한 대손금액에 관련된 대손세액을 회수한 날이 속하는 과세기간의 매출세액에 더한다.

③ 대손세액공제를 적용받고자 하는 사업자는 대손사실을 증명하는 서류와 함께 해당 신고서를 예정신고 또는 확정신고 시 세무서장에게 제출(국세정보통신망에 의한 제출을 포함)하여야 한다.

④ 법인세법 시행령 제19조의2 제1항 및 소득세법 시행령 제55조 제2항에 따른 대손금으로 인정되는 경우 대손세액공제를 적용받을 수 있다.

정답 및 해설

대손세액공제를 적용받고자 하는 사업자는 대손사실을 증명하는 서류와 함께 해당 신고서를 <u>확정신고 시</u> 세무서장에게 제출(국세정보통신망에 의한 제출을 포함)하여야 한다. 따라서 <u>예정신고 시에는 대손세액공제를 적용하지 않고</u>, 증명서류 미첨부 시에도 대손세액공제를 적용하지 않는다.

답 ③

33 부가가치세법상 세금계산서에 관한 설명으로 옳지 않은 것은? 2013년 국가직 9급

① 영세율이 적용되는 재화의 공급이 법령에서 정하는 내국신용장에 의한 수출인 경우 세금계산서 발급의무가 면제된다.

② 택시운송 사업자, 노점 또는 행상을 하는 자가 공급하는 재화나 용역의 경우 세금계산서 발급의무가 면제된다.

③ 관할 세관장은 수입되는 재화에 대하여 부가가치세를 징수할 때에는 수입세금계산서를 수입하는 자에게 발급하여야 한다.

④ 수용으로 인하여 재화가 공급되는 경우 해당 사업시행자가 세금계산서를 발급할 수 있다.

정답 및 해설

내국신용장 또는 구매확인서에 의하여 공급하는 재화와 한국 국제협력단, 한국국제보건의료재단 및 대한적십자사에 공급하는 재화는 국내사업자들 간의 거래인 점을 감안하여 영세율 세금계산서를 발급하여야 한다.

답 ①

34 ☐☐☐ 부가가치세법상 세금계산서에 대한 설명으로 옳지 않은 것은?

① 전자세금계산서를 발급하였을 때에는 그 발급일의 다음 날까지 전자세금계산서 발급명세를 국세청장에게 전송해야 하며 이 경우 해당 전자세금계산서 보존의무는 면제된다.

② 전자세금계산서 발급의무가 없는 사업자도 전자세금계산서를 발급할 수 있으며 필요적 기재사항을 착오로 잘못 적은 경우에는 수정전자세금계산서를 발급할 수 있다(단, 해당 사업자가 과세표준 또는 세액이 경정될 것을 미리 알고 있는 경우 제외).

③ 관계 증명서류 등에 따라 실제거래사실이 확인되는 경우로서 해당 거래일을 작성연월일로 하여 세금계산서를 발급하는 경우 재화 또는 용역의 공급일이 속하는 달의 다음 달 10일(그 날이 공휴일 또는 토요일인 경우 바로 다음 영업일)까지 세금계산서를 발급할 수 있다.

④ 수탁자가 직접 재화를 인도하는 위탁판매(위탁자를 알 수 없는 경우에 해당하지 않음)의 경우 수탁자가 자신의 명의로 세금계산서를 발급해야 하며 이 경우 위탁자의 등록번호를 덧붙여 적어야 한다.

정답 및 해설

수탁자가 재화를 인도할 때에는 수탁자가 위탁자의 명의로 세금계산서를 발급하며, 위탁자가 직접 재화를 인도하는 때에는 위탁자가 세금계산서를 발급할 수 있다. 이 경우 수탁자의 등록번호를 덧붙여 적어야 한다.

답 ④

35 ☐☐☐ 부가가치세법령상 세금계산서에 대한 설명으로 옳은 것은?

① 사업자가 재화 또는 용역의 공급시기가 되기 전에 세금계산서를 발급하고 그 세금계산서 발급일부터 7일 이내에 대가를 받으면 해당 세금계산서를 발급한 때를 재화 또는 용역의 공급시기로 본다.

② 계약의 해제로 재화 또는 용역이 공급되지 아니한 경우 수정세금계산서의 작성일은 처음 세금계산서 작성일로 한다.

③ 법인사업자와 직전 연도의 사업장별 재화 및 용역의 공급대가의 합계액이 1억 원 이상인 개인사업자는 세금계산서를 발급하려면 전자세금계산서를 발급하여야 한다.

④ 전자세금계산서를 발급하여야 하는 사업자가 아닌 사업자는 전자세금계산서를 발급할 수 없다.

정답 및 해설

선지분석

② 계약의 해제로 재화 또는 용역이 공급되지 아니한 경우에는 계약이 해제된 때에 그 작성일은 계약해제일로 적고 비고란에 처음 세금계산서 작성일을 덧붙여 적은 후 붉은색 글씨로 쓰거나 음(陰)의 표시를 하여 발급한다.

④ 전자세금계산서를 발급하여야 하는 사업자가 아닌 사업자도 전자세금계산서를 발급하고 전자세금계산서 발급명세를 전송할 수 있다.

답 ①, ③

36

부가가치세법령상 공급할 때 세금계산서 발급의무가 면제되는 재화 또는 용역에 해당하지 않는 것은?

2020년 국가직 9급

① 미용, 욕탕 및 유사 서비스업을 경영하는 자가 공급하는 재화 또는 용역

② 원료를 대가 없이 국외의 수탁가공 사업자에게 반출하여 가공한 재화를 양도하는 경우에 그 원료의 반출로서 국내 사업장에서 계약과 대가 수령 등 거래가 이루어지는 것

③ 물품 등을 무환(無換)으로 수출하여 해당 물품이 판매된 범위에서 대금을 결제하는 계약에 의한 수출로서 국내 사업장에서 계약과 대가 수령 등 거래가 이루어지는 것

④ 국외에서 공급하는 용역으로서, 공급받는 자가 국내사업장이 없는 비거주자 또는 외국법인인 경우

정답 및 해설

부가가치세법 시행령 제71조 【세금계산서 발급의무의 면제 등】 ① 법 제33조 제1항에서 "세금계산서를 발급하기 어렵거나 세금 계산서의 발급이 불필요한 경우 등 대통령령으로 정하는 경우"란 다음 각 호의 어느 하나에 해당하는 재화 또는 용역을 공급하는 경우를 말한다.

2. 소매업 또는 미용, 욕탕 및 유사 서비스업을 경영하는 자가 공급하는 재화 또는 용역. 다만, 소매업의 경우에는 공급받는 자가 세금계산서 발급을 요구하지 아니하는 경우로 한정한다.

4. 위탁판매수출 등 국내사업장에서 계약과 대가 수령 등 이루어지는 것. 단, 원료를 대가 없이 국외의 수탁가공 사업자에게 반출하여 가공한 재화를 양도하는 경우에 그 원료의 반출은 제외한다.

9. 그 밖에 국내사업장이 없는 비거주자 또는 외국법인에 공급하는 재화 또는 용역. 다만, 그 비거주자 또는 외국법인이 해당 외국의 개인사업자 또는 법인사업자임을 증명하는 서류를 제시하고 세금계산서 발급을 요구하는 경우는 제외한다.

답 ②

37 다음은 제조업을 영위하는 일반과세자 (주)E의 2023년 제1기 부가가치세 과세기간 중의 거래내역이다. 2023년 제1기 부가가치세 납부세액을 계산할 때 공제 가능한 매입세액 총액은? (단, 거래대금을 지급하고 세금계산서를 적법하게 수취한 것으로 가정함)

2016년 국가직 9급 변형

- 4월 18일: 배기량이 3,000cc인 승용자동차의 구입과 관련된 매입세액 100만 원
- 4월 22일: 사업에 사용할 목적으로 매입한 원료 매입세액 100만 원. 세금계산서의 필요적 기재사항 중 일부가 착오로 사실과 다르게 기재되었으나 그 세금계산서에 적힌 나머지 임의적 기재사항으로 보아 거래사실이 확인됨
- 5월 12일: 법인세법 제25조에 따른 접대비의 지출과 관련된 매입세액 100만 원
- 6월 10일: 공장부지의 조성과 관련된 매입세액 100만 원
- 6월 20일: 사업에 사용할 목적으로 매입하였으나 과세기간 말 현재 사용하지 않은 재료의 매입세액 100만 원

---

① 100만 원
② 200만 원
③ 300만 원
④ 400만 원

정답 및 해설

- 4월 18일: 제조업을 영위하는 법인이 구입한 승용차는 비영업용 승용차로서 해당 매입세액은 불공제 대상이다.
- 4월 22일: 세금계산서의 필요적 기재사항 중 일부가 착오로 사실과 다르게 기재되었으나 그 세금계산서에 적힌 나머지 임의적 기재사항으로 보아 거래사실이 확인되는 경우 매입세액공제가 허용된다.
- 5월 12일: 접대비 및 이와 유사한 비용으로서 소득세법 또는 법인세법상 접대비에 해당하는 지출에 대한 매입세액은 불공제 대상이다.
- 6월 10일: 토지의 조성 등을 위한 자본적 지출에 관련된 매입세액으로서 공장부지 및 택지조성 관련 매입세액은 매입세액 불공제 대상이다.
- 6월 20일: 매입세액공제 시기는 사용시점이 아니라 구입시점이다.

따라서 합계는 100만 원(4월 22일) + 100만 원(6월 20일) = 200만 원이다.

답 ②

38 부가가치세법령상 매입세액공제에 대한 설명으로 옳지 않은 것은?

① 세금계산서의 필요적 기재사항 중 일부가 착오로 사실과 다르게 적혔으나 그 세금계산서에 적힌 나머지 필요적 기재사항 또는 임의적 기재사항으로 보아 거래사실이 확인되는 경우의 매입세액은 매출세액에서 공제한다.

② 재화를 공급받고 실제로 그 재화를 공급한 사업장이 아닌 사업장을 적은 세금계산서를 발급받은 경우 그 사업장이 사업자단위 과세 사업자에 해당하는 사업장인 경우로서 그 재화를 실제로 공급한 사업자가 부가가치세 확정신고를 통하여 해당 과세기간에 대한 납부세액을 신고하고 납부하였다면 그 매입세액은 매출세액에서 공제한다.

③ 토지의 조성 등을 위한 자본적 지출에 관련된 것으로서 토지의 가치를 현실적으로 증가시켜 토지의 취득 원가를 구성하는 비용에 관련된 매입세액은 매출세액에서 공제하지 아니한다.

④ 부가가치세법 제8조에 따른 사업자등록을 신청하기 전의 매입세액은 그 공급시기가 속하는 과세기간이 끝난 후 30일 이내에 등록을 신청한 경우에는 해당 세액을 매출세액에서 공제할 수 있다.

정답 및 해설

30일 이내가 아닌, 20일 이내에 등록을 신청한 경우여야 한다.

> **📄 사업자등록 전 매입세액**
>
> 1. 원칙: 불공제
> 2. 과세기간 끝난 후 20일 이내에 등록 신청 시: 등록신청일부터 공급시기가 속하는 과세기간 기산일까지 역산한 기간 이내의 매입세액은 공제

선지분석

①
> **📄 세금계산서 미수령·부실기재분 매입세액**
>
> 1. 원칙: 불공제
> 2. 필요적 기재사항 중 일부가 착오로 사실과 다르게 적혔으나 그 세금계산서에 적힌 나머지 필요적 기재사항 또는 임의적 기재사항으로 보아 거래사실이 확인되는 경우: 공제

② 세금계산서 미수령·부실기재분 중 공제대상 매입세액에 대한 옳은 설명이다.

③ 토지 관련 매입세액은 불공제대상이다.

답 ④

39 □□□ 부가가치세법상 일반과세자(면세를 포기하고 영세율을 적용받는 경우는 제외)가 면세농산물 등에 대해 의제매입세액 공제를 받는 것에 대한 설명으로 옳지 않은 것은? 2015년 국가직 7급

① 의제매입세액공제는 면세원재료를 사용하여 과세재화·용역을 공급하는 경우에 발생하는 누적효과를 제거하거나 완화시키기 위한 취지에서 마련된 제도이다.

② 의제매입세액은 면세농산물 등을 공급받은 날이 속하는 과세기간이 아니라, 그 농산물을 이용하여 과세대상 물건을 생산한 후 공급하는 시점이 속하는 과세기간의 매출세액에서 공제한다.

③ 의제매입세액의 공제를 받은 면세농산물 등을 그대로 양도 또는 인도하는 때에는 그 공제한 금액을 납부세액에 가산하거나 환급세액에서 공제하여야 한다.

④ 제조업을 경영하는 사업자가 법령에서 규정하는 농어민으로부터 면세농산물 등을 직접 공급받는 경우 의제매입세액공제를 받기 위해서는 세무서장에게 의제매입세액 공제신고서만 제출하면 된다.

정답 및 해설

의제매입세액의 공제시기는 면세 농산물 등을 공급받은 날이 속하는 예정신고 또는 확정신고 시 매입세액으로 공제된다.

답 ②

40 □□□ 제조업을 영위하는 (주)A는 과세사업과 면세사업에 공통으로 사용하던 재화를 2023년 8월 15일에 480,000원(부가가치세 불포함)에 공급하였다. 다음 (주)A의 공급가액 내역을 이용하여 해당 재화의 공급에 대한 부가가치세 과세표준을 계산하면? 2017년 국가직 9급 변형

(단위: 원)

구분	2023년 1기	2023년 2기
과세공급가액	18,000,000	24,000,000
면세공급가액	2,000,000	6,000,000
합계	20,000,000	30,000,000

① 384,000원
② 403,200원
③ 432,000원
④ 480,000원

정답 및 해설

재화의 공급가액이 50만 원 미만이므로 안분계산을 생략하고 해당 재화의 공급가액 전부를 과세표준으로 한다.

> 📄 **과세사업과 면세사업 등에 공통으로 사용된 재화의 공급가액 계산**
>
> 과세사업과 면세사업 등에 공통적으로 사용된 재화를 공급하는 경우에는 다음과 같이 계산한 금액을 공급가액으로 함
>
> $$공급가액 = 해당\ 재화의\ 공급가액 \times 직전과세기간의\ \frac{과세공급가액}{총공급가액}$$
>
> 단, 다음 중 어느 하나에 해당하는 경우에는 해당 재화의 공급가액 전부를 과세표준으로 함
> 1. 재화를 공급하는 날이 속하는 과세기간의 직전 과세기간 총공급가액 중 면세공급가액이 5% 미만인 경우. 다만, 해당 재화의 공급가액이 5천만 원 이상인 경우는 안분해야 함
> 2. 재화의 공급가액이 50만 원 미만인 경우는 공급단위별로 판단함
> 3. 재화를 공급하는 날이 속하는 과세기간에 신규로 사업을 시작하여 직전 과세기간이 없는 경우에 해당함

답 ④

41 부가가치세법령상 홍길동은 과세사업과 면세사업을 겸영하고 있는데 과세사업과 면세사업으로 실지귀속을 구분할 수 없는 2023년 제2기의 공통매입세액은 1천만 원이다. 홍길동의 2023년 제1기와 제2기의 과세 및 면세사업의 공급가액은 다음과 같다. 공통매입세액 중 2023년 제2기 과세기간에 공제받을 수 있는 금액은? (단, 매입세액의 공제요건은 충족하고, 2023년 제2기 중 공통으로 사용되는 재화를 공급한 것은 없음) 2019년 국가직 9급 변형

구분	2023년 제1기	2023년 제2기	합계
과세사업	8천만 원	4천만 원	1억 2천만 원
면세사업	2천만 원	6천만 원	8천만 원
합계	1억 원	1억 원	2억 원

① 2백만 원
② 4백만 원
③ 6백만 원
④ 8백만 원

정답 및 해설

$$10,000,000원 \times \frac{40,000,000원}{100,000,000원} = 4,000,000원$$

공통매입세액 안분계산: 과세사업과 면세사업 등을 겸영하는 경우로서 공통매입세액이 있는 경우 면세사업 등에 관련된 매입세액(불공제 매입세액)은 다음 계산식에 따라 안분하여 계산한다.

$$불공제 \ 매입세액 = 공통매입세액 \times 해당과세기간의 \ \frac{면세공급가액}{총공급가액}$$

답 ②

42 소매업을 영위하는 (주)한국은 과세사업과 면세사업을 겸영하고 있다. 2023년 제1기 과세 및 면세사업의 공급가액과 매입세액이 다음과 같을 때, 확정신고 시 공제받을 수 없는 매입세액은? (단, 모든 거래에 대한 세금계산서 및 계산서는 적법하게 발급받았으며, 주어진 자료 이외의 다른 사항은 고려하지 않음) 2022년 국가직 9급

(단위: 만 원)

구분	공급가액	매입세액
과세사업	300	25
면세사업	200	10
과세·면세공통(실지귀속 불분명)	–	20
합계	500	55

① 8만 원
② 10만 원
③ 18만 원
④ 30만 원

정답 및 해설

면세사업	100,000	–
공통매입세액 중 면세사업분	80,000	20만 원 × 200/500
계	180,000	–

답 ③

43
□□□

부가가치세법상 신고와 납부에 대한 설명으로 옳지 않은 것은?

① 국외사업자로부터 권리를 공급받는 경우에는 공급받는 자의 국내에 있는 사업장의 소재지 또는 주소지를 해당 권리가 공급되는 장소로 본다.

② 국외사업자로부터 국내에서 용역을 공급받는 자(공급받은 그 용역을 과세사업에 제공하는 경우는 제외하되, 매입세액이 공제되지 않은 용역을 공급받는 경우는 포함)는 그 대가를 지급하는 때에 그 대가를 받은 자로부터 부가가치세를 징수하여야 한다.

③ 국외사업자가 부가가치세법에 따른 사업자등록의 대상으로서 위탁매매인을 통하여 국내에서 용역을 공급하는 경우에는 국외사업자가 해당 용역을 공급한 것으로 본다.

④ 국외사업자가 전자적 용역을 국내에 제공하는 경우(사업자등록을 한 자의 과세사업 또는 면세사업에 대하여 용역을 공급하는 경우는 제외)에는 사업의 개시일부터 20일 이내에 간편사업자등록을 하여야 한다.

정답 및 해설

국외사업자가 부가가치세법에 따른 사업자등록의 대상으로서 위탁매매인을 통하여 국내에서 용역을 공급하는 경우에는 위탁매매인이 해당 용역을 공급한 것으로 본다.

답 ③

44
□□□

부가가치세법상 조기환급에 대한 설명으로 옳지 않은 것은?

① 사업자가 법령에 따른 영세율을 적용받는 경우 납세지 관할 세무서장은 환급세액을 조기에 환급할 수 있다.

② 조기환급신고를 받은 세무서장은 각 조기환급기간별로 해당 조기환급신고기한이 지난 후 25일 이내에 사업자에게 환급하여야 한다.

③ 조기환급을 받으려는 사업자가 법령에 의한 부가가치세 확정신고서를 각 납세지 관할 세무서장에게 제출한 경우에는 법률에 따라 조기환급을 신고한 것으로 본다.

④ 사업자가 법령으로 정하는 사업 설비를 신설·취득·확장 또는 증축하는 경우에는 납세지 관할 세무서장은 환급세액을 조기에 환급할 수 있다.

정답 및 해설

조기환급신고를 받은 세무서장은 각 조기환급기간별로 해당 조기환급신고기한이 지난 후 <u>15일</u> 이내에 사업자에게 환급하여야 한다.

📄 **조기환급신고(부가가치세법 시행령 제107조 참조)**

1. 예정·확정신고기간별 조기환급을 받으려는 사업자가 예정·확정신고서를 제출한 경우에는 조기환급을 신고한 것으로 봄
2. 예정·확정신고서를 제출함으로써 조기환급신고가 갈음되기 때문에 별도에 조기환급에 관한 신고서를 제출할 필요가 없음
3. 이미 신고한 조기환급분은 제외함

답 ②

45

부가가치세법상 환급 및 조기환급에 대한 설명으로 옳지 않은 것은?

① 납세지 관할 세무서장은 각 과세기간별로 그 과세기간에 대한 환급세액을 확정신고한 사업자에게 그 확정신고기한이 지난 후 30일 이내(조기환급 제외)에 대통령령으로 정하는 바에 따라 환급하여야 한다.

② 조기환급세액은 영세율이 적용되는 공급분에 관련된 매입세액·시설투자에 관련된 매입세액 또는 국내공급분에 대한 매입세액을 구분하여 사업장별로 해당 매출세액에서 매입세액을 공제하여 계산한다.

③ 납세지 관할 세무서장은 결정 또는 경정에 의하여 추가로 발생한 환급세액이 있는 경우에는 지체 없이 사업자에게 환급하여야 한다.

④ 조기환급을 신고할 때 이미 신고한 과세표준과 납부한 납부세액 또는 환급받은 환급세액은 예정신고 및 확정신고 대상에서 제외하며, 조기환급신고를 할 때 매출·매입처별 세금계산서합계표를 제출한 경우에는 예정신고 또는 확정신고와 함께 매출·매입처별 세금계산서합계표를 제출한 것으로 본다.

정답 및 해설

조기환급세액은 영세율 적용분 매입세액, 시설투자 관련분 매입세액, 국내공급분에 대한 매입세액을 <u>구분하지 아니하고</u> 사업장별로 해당 매출세액에서 매입세액을 공제하여 계산한다.

답 ②

46

부가가치세의 신고, 환급 및 대리납부 등에 관한 설명으로 옳지 않은 것은?

① 소규모법인 사업자가 아닌 법인사업자(신규사업개시자 아님)는 각 과세기간 중 예정신고기간이 끝난 후 25일 이내에 각 예정신고기간에 대한 과세표준과 납부세액 또는 환급세액을 납세지 관할 세무서장에게 신고하여야 한다.

② 사업자가 영세율 등 조기환급기간에 대한 과세표준과 환급세액을 정부에 신고하는 경우에는 조기환급기간에 대한 환급세액을 조기환급기간별로 당해 조기환급신고기한 경과 후 25일 이내에 사업자에게 환급하여야 한다.

③ 대리납부의무자가 부가가치세를 납부하지 아니한 경우에는 사업장 또는 주소지 관할 세무서장은 그 납부하지 아니한 세액에 그 세액의 100분의 10에 해당하는 금액을 더하여 국세징수의 예에 따라 징수한다.

④ 국내사업장이 없는 외국법인으로부터 용역을 공급받는 자가 공급받은 그 용역을 과세사업에 제공하는 경우에는 대리납부의무가 없다.

정답 및 해설

사업자가 영세율 등 조기환급기간에 대한 과세표준과 환급세액을 정부에 신고하는 경우에는 조기환급기간에 대한 환급세액을 조기환급기간별로 당해 조기환급신고기한 경과 후 <u>15일 이내</u>에 사업자에게 환급하여야 한다.

선지분석

③ 본 세액의 100분의 10(국세기본법 제47조의5상 '대리납부할 세액의 10%')에 상당하는 가산금액을 일반적으로 '대리납부 불성실가산세'라고 하는데, 일반가산세 규정과는 별도로 규정되어 있다.

답 ②

47 부가가치세법령상 국외사업자의 전자적 용역 공급에 대한 설명으로 옳지 않은 것은?

① 간편사업자등록을 한 사업자가 국내에 전자적 용역을 공급하는 경우에는 국내사업자와 동일하게 세금계산서 및 영수증을 발급하여야 한다.

② 국내사업장이 없는 비거주자 또는 외국법인이 정보통신망 등을 이용하여 전자적 용역의 거래가 가능하도록 오픈마켓이나 그와 유사한 것을 운영하고 관련 서비스를 제공하는 자를 통하여 국내에 전자적 용역을 공급하는 경우(국내사업자의 용역 등 공급 특례가 적용되는 경우는 제외)에는 그 오픈마켓을 운영하고 관련 서비스를 제공하는 자가 해당 전자적 용역을 국내에서 공급한 것으로 본다.

③ 간편사업자등록을 한 자의 국내로 공급되는 전자적 용역의 공급시기는 구매자가 공급하는 자로부터 전자적 용역을 제공받은 때와 구매자가 전자적 용역을 구매하기 위하여 대금의 결제를 완료한 때 중 빠른 때로 한다.

④ 국내사업장이 없는 비거주자 또는 외국법인이 국내에 이동통신단말장치 또는 컴퓨터 등을 통하여 구동되는 전자적 용역을 공급하는 경우(부가가치세법, 소득세법 또는 법인세법에 따라 사업자등록을 한 자의 과세사업 또는 면세사업에 대하여 용역을 공급하는 경우는 제외)에는 국내에서 해당 전자적 용역이 공급되는 것으로 본다.

정답 및 해설

간편사업자등록을 한 사업자가 국내에 공급하는 전자적 용역에 대해서는 세금계산서 및 영수증 발급의무를 <u>면제</u>한다.

📄 **국내 전자적 용역이 공급되는 경우 부가가치세 과세방법**

공급자	오픈마켓을 통한 공급	
	국내오픈마켓 사업자(KT, SKT 등)	국외오픈마켓 사업자(구글 등)
국외사업자	국내 위탁매매인 또는 대리인이 공급하는 것으로 봄	국외 오픈마켓 사업자가 간편사업자등록을 하고 신고·납부
국내사업자	국내사업자 직접 공급한 것으로 보아 신고·납부	

답 ①

48 부가가치세법상 간이과세자에 대한 설명으로 옳지 않은 것은?

① 간이과세자는 예정부과기한에 대한 세액은 고지하여 부과하고 확정신고 시 당해 과세기간 전체의 세액을 신고납부한다.
② 간이과세자가 부가가치세의 면제를 받아 공급받은 농산물 등을 원재료로 하여 제조 또는 가공한 재화를 공급하는 경우에는 음식점업과 제조업에 한하여 의제매입세액공제를 받을 수 있다.
③ 간이과세자의 세금계산서 제출 세액공제 금액은 교부받은 세금계산서에 기재된 공급대가에 0.5%를 곱하여 계산한다.
④ 직전 연도의 공급대가의 합계액이 4천 800만 원 미만인 자는 세금계산서 대신 영수증을 발급하여야 한다.

| 정답 및 해설 |

간이과세자의 의제매입세액공제제도는 폐지되어 적용이 불가능하다. 그 이유는 업종별 부가가치율에 이미 의제매입세액공제 효과만큼이 포함되어 있음에도 불구하고 의제매입세액공제를 다시 해주는 것은 이중혜택 관점이 있기 때문이다.

(선지분석)
간이과세자는 공급대가의 0.5%의 세액공제를 적용받는다.

답 ②

49 부가가치세법상 간이과세제도에 관한 설명으로 옳지 않은 것은?

① 간이과세자가 일반과세자로 변경된 경우 그 변경 당시의 재고품 등에 대하여 매입세액공제가 허용된다.
② 간이과세자도 부가가치세법상 사업개시일부터 20일 이내에 사업자등록의무가 있다.
③ 간이과세자가 간이과세자에 관한 규정의 적용을 포기하고 일반과세자에 관한 규정을 적용받으려는 경우, 적용받으려는 달의 전달의 마지막 날까지 납세지 관할 세무서장에게 신고하여야 한다.
④ 부동산매매업을 경영하는 개인사업자로서 직전 연도의 공급대가의 합계액이 4천800만 원에 미달하는 자는 간이과세자에 관한 규정을 적용받을 수 있다.

| 정답 및 해설 |

부동산매매업을 경영하는 개인사업자는 과세표준 양성화를 위하여 간이과세를 적용받을 수 없다. 따라서 부동산매매업자는 공급대가와 관계없이 간이과세자에 관한 규정을 적용받을 수 없다.

답 ④

50 부가가치세법상 간이과세에 대한 설명으로 옳지 않은 것은?

2015년 국가직 9급

① 간이과세자가 부동산매매업을 신규로 겸영하는 경우에는 해당 사업의 개시일이 속하는 과세기간의 다음 과세기간부터 간이과세자에 관한 규정을 적용하지 않는다.

② 간이과세자의 납부세액은 공급대가에 해당 업종별 부가가치율과 10퍼센트를 곱하여 계산하며, 둘 이상의 업종을 겸영하면 각각의 업종별로 계산한 금액의 합계액으로 한다.

③ 일반과세자가 간이과세자로 변경된 후 다시 일반과세자로 변경되는 경우에는 간이과세자로 변경된 때에 재고납부세액을 납부하지 않은 재고품 등에 대해서는 재고품 등의 신고와 재고매입세액공제에 관한 규정을 적용하지 않는다.

④ 일반과세자가 간이과세자로 변경되는 경우 재고매입세액을 납부세액에 가산하여 납부해야 하며, 가산대상은 매입세액을 공제받은 것으로서 변경 당시의 재고품 및 감가상각자산에 한한다.

정답 및 해설

일반과세자가 간이과세자로 변경되면 변경 당시의 재고품, <u>건설 중인 자산</u> 및 감가상각자산(매입세액 공제 받은 경우만 해당)에 대하여 대통령령으로 정하는 바에 따라 계산한 금액을 납부세액에 더하여야 한다.

> 📄 **재고매입세액 및 재고납부세액 대상 자산**
>
> 변경되는 날 다음의 자산으로서 매입세액 공제대상인 것 → 매입세액불공제대상 자산은 제외
> 예 토지, 비영업용 소형승용자동차
> 1. 재고품(상품, 제품, 재료 등) not 저장품
> 2. 건설 중인 자산
> 3. 감가상각자산(건물·구축물은 취득·건설·신축 후 10년 이내의 것, 그 밖의 감가상각자산은 취득·제작 후 2년 이내의 것)

답 ④

---

51 부가가치세법령상 일반과세자와 간이과세자를 비교하여 설명한 내용으로 옳지 않은 것은?

2017년 국가직 7급

① 법정요건을 충족하는 경우 일반과세자에 대해서는 업종제한 없이 면세농산물 등에 대한 의제매입세액공제특례가 적용될 수 있으나, 간이과세자는 적용되지 아니한다.

② 재화 또는 용역의 공급에 대한 일반과세자의 부가가치세 과세표준은 해당 과세기간에 공급한 재화 또는 용역의 공급가액을 합한 금액으로 하는데 반하여, 간이과세자의 과세표준은 해당 과세기간의 공급대가의 합계액으로 한다.

③ 일반과세자의 경우에는 세금계산서 관련 가산세가 적용되지만, 간이과세자의 경우 세금계산서 관련 가산세가 적용되는 경우는 없다.

④ 법정요건을 충족하는 경우 일반과세자와 간이과세자 모두에 대해 영세율이 적용될 수 있다.

정답 및 해설

직전 연도의 공급대가의 합계액이 4,800만 원 이상인 간이과세자는 원칙적으로 세금계산서를 발급하여야 하며, 세금계산서를 발급하지 않은 경우 가산세가 적용된다.

답 ③

52 부가가치세법령상 간이과세자에게 허용되지 않는 것은? (단, 법령상의 해당 요건은 충족함) 2019년 국가직 9급 변형

① 재화의 수출에 대한 영세율 적용

② 신용카드 등의 사용에 따른 세액공제

③ 간이과세자에 관한 규정의 적용 포기

④ 법령에 따라 공제받을 금액이 각 과세기간의 납부세액을 초과하는 경우 그 초과부분의 환급

정답 및 해설

간이과세자의 경우 공제받을 금액의 합계액이 각 과세기간의 납부세액을 초과하는 경우에는 그 초과하는 부분은 없는 것으로 보아 그 초과부분의 환급은 발생하지 아니한다. 단, 예정고지세액에 대한 환급을 받을 수 있다.

답 ④

PART 6

법인세법

01 법인세법 총칙

1 납세의무자

Ⅰ 의의

법인세는 법인의 소득에 대해 과세한다. 법인의 소득은 원천에 관계 없이 사업연도의 순증가분을 모두 과세소득으로 보는 순자산증가설에 의하여 과세소득을 산정한다.

Ⅱ 용어의 정의

내국법인	본점, 주사무소 또는 사업의 실질적 관리장소가 국내에 있는 법인
비영리 내국법인	다음의 어느 하나에 해당하는 법인을 말한다. ① 「민법」 제32조에 따라 설립된 법인 ② 「사립학교법」이나 그 밖의 특별법에 따라 설립된 법인으로서 「민법」에 규정된 목적과 유사한 목적을 가진 법인(조합법인 등이 아닌 법인으로서 그 주주 등에게 이익을 배당할 수 있는 법인 제외) ③ 「국세기본법」 제13조 제4항에 따른 법인으로 보는 단체
외국법인	본점 또는 주사무소가 외국에 있는 단체(사업의 실질적 관리장소가 국내에 있지 아니하는 경우만 해당함)로서 다음 중 어느 하나에 해당하는 기준에 해당하는 법인을 말한다. ① 설립된 국가의 법에 따라 법인격이 부여된 단체 ② 구성원이 유한책임사원으로만 구성된 단체 ③ 그 밖에 해당 외국단체와 동종 또는 유사한 국내의 단체가 「상법」 등 국내의 법률에 따른 법인인 경우의 그 외국단체
비영리 외국법인	외국법인 중 외국의 정부·지방자치단체 및 영리를 목적으로 하지 아니하는 법인(법인으로 보는 단체 포함)

Ⅲ 납세의무자

1. 내국법인과 국내원천소득이 있는 외국법인은 「법인세법」에 따라 그 소득에 대한 법인세를 납부할 의무가 있다.

2. 내국법인 중 국가와 지방자치단체(지방자치단체조합 포함)는 그 소득에 대한 법인세를 납부할 의무가 없다.

3. 연결법인은 각 연결사업연도의 소득에 대한 법인세(각 연결법인의 토지 등 양도소득에 대한 법인세 및 「조세특례제한법」 투자·상생협력 촉진을 위한 과세특례를 적용하여 계산한 법인세 포함)를 연대하여 납부할 의무가 있다.

4. 「법인세법」에 따라 법인세를 원천징수하는 자는 해당 법인세를 납부할 의무가 있다.

Ⅳ 과세소득 범위

법인의 종류		각 사업연도 소득	토지 등 양도소득	미환류소득	청산소득
내국 법인	영리법인	국내·외 모든 소득	○	○[1]	○
	비영리법인	국내·외 수익사업소득	○	×	×
외국 법인	영리법인	국내원천소득	○	×	×
	비영리법인	국내 수익사업소득	○	×	×
국가·지방자치단체		비과세법인이므로 납세의무 없음			

[1] 상호출자제한기업집단에 속하는 법인이다.

2 신탁소득

Ⅰ 수익자 과세

신탁재산에 귀속되는 소득에 대해서는 그 신탁의 이익을 받을 수익자가 그 신탁재산을 가진 것으로 보고 「법인세법」을 적용한다.
∵ 신탁을 소득이 흘러가는 도관으로 봄

Ⅱ 수탁자 과세

다음 중 어느 하나에 해당하는 신탁으로서 위탁자 과세요건 모두에 해당하지 않는 신탁(「자본시장과 금융투자업에 관한 법률」에 따른 투자신탁 제외)의 경우에는 신탁재산에 귀속되는 소득에 대하여 신탁계약에 따라 그 신탁의 수탁자(내국법인 또는 거주자인 경우에 한함)가 법인세를 납부할 의무가 있다. 이 경우 신탁재산별로 각각을 하나의 내국법인으로 본다.

1. 「신탁법」 제3조 제1항 각 호 외의 부분 단서에 따른 목적신탁
2. 「신탁법」 제78조 제2항에 따른 수익증권발행신탁

3. 「신탁법」제114조 제1항에 따른 유한책임신탁

4. 그 밖에 **1.**부터 **3.**의 신탁과 유사한 신탁으로서 법령으로 정하는 신탁

∵ 신탁이 법인과 경제적 실체로서 법인과 유사한 활동을 수행하는 경우 그 신탁재산을 내국법인으로 봄

Ⅲ 위탁자 과세

다음 중 어느 하나에 해당하는 신탁의 경우에는 신탁재산에 귀속되는 소득에 대하여 그 신탁의 위탁자가 법인세를 납부할 의무가 있다.

1. 위탁자가 신탁을 해지할 수 있는 권리, 수익자를 지정하거나 변경할 수 있는 권리, 신탁 종료 후 잔여재산을 귀속 받을 권리를 보유하는 등 신탁재산을 실질적으로 지배·통제할 것

2. 신탁재산 원본을 받을 권리에 대한 수익자는 위탁자로, 수익을 받을 권리에 대한 수익자는 위탁자의 지배주주 등의 배우자 또는 같은 주소 또는 거소에서 생계를 같이 하는 직계존비속(배우자의 직계존비속 포함)으로 설정했을 것

Ⅳ 구분 경리

「자본시장과 금융투자업에 관한 법률」의 적용을 받는 법인의 신탁재산(보험회사의 특별계정 제외)에 귀속되는 수입과 지출은 그 법인에 귀속되는 수입과 지출로 보지 아니한다.

3 사업연도

Ⅰ 원칙

1. 사업연도는 법령이나 법인의 정관 등에서 정하는 1회계기간으로 한다. 다만, 그 기간은 1년을 초과하지 못한다.

2. 신고를 하여야 할 법인이 그 신고를 하지 아니하는 경우에는 매년 1월 1일부터 12월 31일까지를 그 법인의 사업연도로 한다.

Ⅱ 사업연도 신고

1. 내국법인

법령이나 정관 등에 사업연도에 관한 규정이 없는 내국법인은 따로 사업연도를 정하여 법인 설립신고 또는 사업자등록과 함께 납세지 관할 세무서장에게 사업연도를 신고하여야 한다.

2. 외국법인

(1) 국내사업장이 있는 외국법인으로서 법령이나 정관 등에 사업연도에 관한 규정이 없는 법인은 따로 사업연도를 정하여 국내사업장 설치신고 또는 사업자등록과 함께 납세지 관할 세무서장에게 사업연도를 신고하여야 한다.

(2) 국내사업장이 없는 외국법인으로서 국내원천 부동산 소득 또는 국내원천 부동산 등 양도소득이 있는 법인은 따로 사업연도를 정하여 그 소득이 최초로 발생하게 된 날부터 1개월 이내에 납세지 관할 세무서장에게 사업연도를 신고하여야 한다.

Ⅲ 최초 사업연도

1. 내국법인의 경우 설립등기일이며, 외국법인은 국내사업을 가지게 된 날(국내사업장이 없는 경우에는 부동산 소득이 최초로 발생한 날)을 최초 사업연도의 개시일로 한다.

2. 최초 사업연도의 개시일 전에 생긴 손익을 사실상 그 법인에 귀속시킨 것이 있는 경우 조세포탈의 우려가 없을 때에는 최초 사업연도의 기간이 1년을 초과하지 아니하는 범위 내에서 이를 당해 법인의 최초 사업연도의 손익에 산입할 수 있다. 이 경우 최초 사업연도의 개시일은 당해 법인에 귀속시킨 손익이 최초로 발생한 날로 한다.

Ⅳ 사업연도

1. 의제

사업연도 중에 법인에게 해산, 합병 등 특정한 사유가 발생한 경우 본래의 사업연도에 관계없이 그 사유가 발생한 날을 기준으로 사업연도를 획일적으로 정하는 것을 사업연도 의제라고 하며, 해당 사유별 의제 사업연도는 다음과 같다.

2. 해산

내국법인이 사업연도 중에 해산(합병 또는 분할에 따른 해산과 조직변경은 제외)한 경우에는 다음의 기간을 각각 1사업연도로 본다.

(1) 그 사업연도 개시일부터 해산등기일(파산으로 인하여 해산한 경우에는 파산등기일, 법인으로 보는 단체의 경우에는 해산일)까지의 기간

(2) 해산등기일 다음 날부터 그 사업연도 종료일까지의 기간

3. 합병·분할

내국법인이 사업연도 중에 합병 또는 분할에 따라 해산한 경우에는 그 사업연도 개시일부터 합병등기일 또는 분할등기일까지의 기간을 그 해산한 법인의 1사업연도로 본다.

4. 조직변경

내국법인이 사업연도 중에 조직변경을 한 경우에는 조직변경 전의 사업연도가 계속되는 것으로 본다.

5. 청산

청산 중인 내국법인의 사업연도는 다음의 구분에 따른 기간을 각각 1사업연도로 본다.

(1) 잔여재산가액이 사업연도 중에 확정된 경우: 그 사업연도 개시일부터 잔여재산가액 확정일까지의 기간

(2) 「상법」에 따라 사업을 계속하는 경우: 다음의 기간

　① 그 사업연도 개시일부터 계속등기일(계속등기를 하지 아니한 경우에는 사실상의 사업 계속일)까지의 기간

　② 계속등기일 다음 날부터 그 사업연도 종료일까지의 기간

6. 연결 적용

내국법인이 사업연도 중에 연결납세방식을 적용받는 경우에는 그 사업연도 개시일부터 연결사업연도 개시일 전날까지의 기간을 1사업연도로 본다.

7. 외국법인

(1) 국내사업장이 있는 외국법인이 사업연도 중에 그 국내사업장을 가지지 아니하게 된 경우에는 그 사업연도 개시일부터 그 사업장을 가지지 아니하게 된 날까지의 기간을 1사업연도로 본다. 다만, 국내에 다른 사업장을 계속하여 가지고 있는 경우에는 그러하지 아니하다.

∵ 내국법인의 해산에 준하는 것

(2) 국내사업장이 없는 외국법인이 사업연도 중에 국내원천 부동산소득 또는 같은 조 국내원천 부동산 등 양도소득이 발생하지 아니하게 되어 납세지 관할 세무서장에게 그 사실을 신고한 경우에는 그 사업연도 개시일부터 신고일까지의 기간을 1사업연도로 본다.

∵ 내국법인의 폐업에 준하는 것

Ⅴ 사업연도 변경

1. 변경방법

(1) 사업연도를 변경하려는 법인은 그 법인의 직전 사업연도 종료일부터 3개월 이내에 납세지 관할 세무서장에게 이를 신고하여야 한다.

(2) 변경신고를 기한까지 하지 아니한 경우에는 그 법인의 사업연도는 변경되지 아니한 것으로 본다. 다만, 법령에 따라 사업연도가 정하여지는 법인의 경우 관련 법령의 개정에 따라 사업연도가 변경된 경우에는 변경신고를 하지 아니한 경우에도 그 법령의 개정 내용과 같이 사업연도가 변경된 것으로 본다.

2. 변경 금지

신설법인의 경우 최초사업연도가 경과하기 전에는 사업연도를 변경할 수 없다.

3. 적용

사업연도가 변경된 경우에는 종전의 사업연도 개시일부터 변경된 사업연도 개시일 전날까지의 기간을 1사업연도로 한다. 다만, 그 기간이 1개월 미만인 경우에는 변경된 사업연도에 그 기간을 포함한다.

4 | 납세지

Ⅰ | 법인세 납세지

1. 내국법인

그 법인의 등기부에 따른 본점이나 주사무소의 소재지(국내에 본점 또는 주사무소가 있지 아니한 경우 사업을 실질적으로 관리하는 장소)

2. 외국법인

국내사업장의 소재지(둘 이상의 국내사업장이 있는 경우 주된 사업장 소재지). 다만, 국내사업장이 없는 외국법인으로서 부동산소득 또는 부동산 양도소득이 있는 외국법인의 경우 각각 그 자산의 소재지(둘 이상인 경우 외국법인이 납세지로 신고하는 장소)

3. 단체

당해 단체의 사업장 소재지를 말하되, 주된 소득이 부동산임대소득인 단체의 경우 그 부동산의 소재지. 이 경우 둘 이상의 사업장 또는 부동산을 가지고 있는 단체의 경우에는 주된 사업장 또는 주된 부동산의 소재지를 말하며, 사업장이 없는 단체의 경우에는 당해 단체의 정관 등에 기재된 주사무소의 소재지(정관 등에 주사무소에 관한 규정이 없는 단체의 경우 그 대표자 또는 관리인의 주소)

Ⅱ | 원천징수 법인세 납세지

1. 법인

(1) 해당 법인의 본점·주사무소 또는 국내에 본점 등이 소재하지 않는 경우에는 사업의 실질적 관리장소의 소재지(외국법인의 경우 해당 법인의 주된 국내사업장의 소재지)

(2) 법인의 지점·영업소 또는 그 밖의 사업장이 독립채산제에 의해 독자적으로 회계사무를 처리하는 경우에는 그 사업장의 소재지(그 사업장의 소재지가 국외에 있는 경우 제외). 다만, 법인이 지점·영업소 또는 그 밖의 사업장에서 지급하는 소득에 대한 원천징수세액을 본점 등에서 전자계산조직 등에 의해 일괄계산하는 경우로서 본점 등의 관할 세무서장에게 신고하거나 사업자단위로 관할 세무서장에게 등록한 경우 해당 법인의 본점 등의 소재지로 한다.

2. 개인

(1) 거주자

그 거주자의 주된 사업장 소재지. 다만, 주된 사업장 외의 사업장에서 원천징수를 하는 경우에는 그 사업장의 소재지, 사업장이 없는 경우에는 그 거주자의 주소지 또는 거소지로 한다.

(2) 비거주자

그 비거주자의 주된 국내사업장 소재지. 다만, 주된 국내사업장 외의 국내사업장에서 원천징수를 하는 경우에는 그 국내사업장의 소재지, 국내사업장이 없는 경우에는 그 비거주자의 거류지 또는 체류지로 한다.

Ⅲ 납세지의 지정

관할 지방국세청장이나 국세청장은 납세지가 그 법인의 납세지로 적당하지 아니하다고 인정되는 경우로서 다음의 어느 하나에 해당하는 경우 그 납세지를 지정할 수 있다.

1. 내국법인의 본점 등의 소재지가 등기된 주소와 동일하지 아니한 경우
2. 내국법인의 본점 등의 소재지가 자산 또는 사업장과 분리되어 있어 조세포탈의 우려가 있다고 인정되는 경우
3. 둘 이상의 국내사업장을 가지고 있는 외국법인의 경우로서 주된 사업장의 소재지를 판정할 수 없는 경우
4. 둘 이상의 자산이 있는 외국법인의 경우로서 납세지 신고를 하지 않은 경우

Ⅳ 납세지의 통지

1. 관할 지방국세청장이나 국세청장은 납세지를 지정한 경우에는 지정통지는 그 법인의 당해 사업연도종료일부터 45일 이내에 해당 법인에 알려야 한다.
2. 통지를 기한 내에 하지 아니한 경우에는 종전의 납세지를 그 법인의 납세지로 한다.

Ⅴ 납세지의 변경

1. 법인은 납세지가 변경된 경우 그 변경된 날부터 15일 이내에 변경 후의 납세지 관할 세무서장에게 이를 신고하여야 한다. 이 경우 납세지가 변경된 법인이 부가가치세 사업자등록정정신고에 따라 그 변경된 사실을 신고한 경우에는 납세지 변경신고를 한 것으로 본다. 만일 변경신고를 하지 아니한 경우 종전의 납세지를 그 법인의 납세지로 한다.

2. 외국법인이 납세지를 국내에 가지지 아니하게 된 경우에는 그 사실을 납세지 관할 세무서장에게 신고하여야 한다.

02 세무조정과 소득처분

1 법인세의 계산구조

Ⅰ 의의

법인세의 각 사업연도 소득은 익금에서 손금을 빼서 계산한다. 그러나 「법인세법」상 익금과 손금을 직접 계산하는 것이 시간적·행정적으로 비효율적이므로 법인의 각 사업연도 소득금액은 법인이 기업회계에 따라 작성한 당기순이익을 기초로 세법과의 차이를 조정(세무조정)하여 계산한다. 이는 회계상 수익·비용이 「법인세법」상 익금·손금과 차이가 별로 없기 때문에 훨씬 간편하게 각 사업연도 소득을 구할 수 있기 때문이다.

Ⅱ 계산구조

수익	익금산입·익금불산입	익금
비용	손금산입·손금불산입	손금
당기순이익	(+)익금산입·손금불산입	각 사업연도 소득금액
	(-)손금산입·익금불산입	

Ⅲ 세무조정

익금산입	장부상 수익이 세법상 익금보다 과소계상한 경우 하는 세무조정
손금불산입	장부상 비용이 세법상 손금보다 과대계상한 경우 하는 세무조정
손금산입	장부상 비용이 세법상 손금보다 과소계상한 경우 하는 세무조정
익금불산입	장부상 수익이 세법상 익금보다 과대계상한 경우 하는 세무조정

I | 결산조정사항

1. 개념

(1) 결산서상 비용으로 계상한 경우에 한하여 「법인세법」상 손금으로 인정하는 항목을 말한다. 즉, 손금항목을 결산상 비용으로 계상하지 않은 경우 세무조정으로 손금산입할 수 없다.

(2) 감가상각비 손금산입에 대하여 「법인세법」은 다음과 같은 규정을 두고 있다.

> 「법인세법」 제23조 【감가상각비의 손금불산입】 내국법인이 각 사업연도의 결산을 확정할 때 토지를 제외한 감가상각자산에 대한 감가상각비를 손비로 계상한 경우에는 상각범위액의 범위에서 그 계상한 감가상각비를 해당 사업연도의 소득금액을 계산할 때 손금에 산입하고, 그 계상한 금액 중 상각범위액을 초과하는 금액은 손금에 산입하지 아니한다.

2. 결산조정사항

항목	예외(신고조정사항)
감가상각비	① 업무용 승용차에 대한 감가상각비 ② 감가상각의제 ③ 특수관계인으로부터 감가상각자산을 양수하면서 자산가액에 미달하는 경우 미달액에 대한 감가상각비 ④ K-IFRS 적용에 따른 내국법인의 감가상각비
대손금	법적청구권의 소멸로 인한 대손사유는 신고조정
자산의 평가손실	–
퇴직급여충당금	퇴직연금충당금은 신고조정사항
대손충당금	–
「법인세법」상 준비금	고유목적사업준비금과 비상위험준비금은 임의조정사항

3. 손금귀속시기

「법인세법」상 사유 또는 요건에 해당하고 결산서상 회계처리한 사업연도에 손금이며, 누락 시 세무조정 및 경정청구를 할 수 없다.

📖 취지

법인이 외부와의 거래 없이 내부거래 중 법인이 손금산입에 대한 선택권이 부여된 것으로서 입법취지는 다음과 같다.

1. 법인의 최종적인 의사결정에 따라 비용으로 계상해야지만 세법상 손금으로 인정된다.
2. 결산조정사항을 비용으로 계상하지 않아 당기순이익을 과다하게 보고됨을 방지한다.
3. 선택 가능한 회계처리사항을 법인이 확정하여 변경하지 못하도록 하기 위함이다.

구분	Case 1	Case 2
회사계상 감가상각비	120	70
상각범위액	100	100
세무조정	손금불산입 20 유보	없음

Ⅱ 신고조정사항 중 강제조정사항

1. 개념

신고조정사항은 결산서와 「법인세법」의 차이에 대하여 반드시 세무조정해야 하는 항목을 말한다. 신고조정사항은 법인이 외부와의 거래에서 발생한 것으로서 장부에 계상하지 않아도 세무조정으로 익금과 손금에 산입해야 한다.

사례

구분	Case 1	Case 2
회사계상 인건비	100	50
세무상 인건비	80	80
세무조정	손금불산입 20	손금산입 30

2. 강제신고조정사항

법인의 외부와의 거래에 따라 발생하는 항목으로서 결산조정사항과 임의신고조정사항이 아닌 항목은 모두 강제신고조정사항이다.

3. 손금산입시기

「법인세법」상 사유 및 요건을 충족한 사업연도에 손금이며, 누락 시 세무조정 및 경정청구가 가능하다.

Ⅲ 신고조정사항 중 임의조정사항

1. 개념

임의조정사항이란 기업회계기준상 위배되는 항목으로서 비용으로 인정되지 않는 것이지만 「법인세법」상 이연혜택 등을 위해 손금으로 인정하는 항목을 말한다. 이러한 항목은 결산서상 계상할 수 없으므로 회사의 선택에 따라 손금산입 세무조정을 허용하고 있다.

사례

구분	Case 1	Case 2
일시상각충당금 설정액	100	50
세무상 한도액	80	80
한도초과액	손금불산입 20	손금산입 30(선택)

2. 임의조정사항

(1) 일시상각충당금과 압축기장충당금, 구상채권상각충당금

(2) 「조세특례제한법」상 준비금, 고유목적사업준비금 및 비상위험준비금

(3) 「조세특례제한법」상 설비투자자산의 감가상각비

(4) 유형자산과 내용연수가 비한정인 무형자산의 감가상각비

3 소득처분

Ⅰ 개요

1. 의의

법인세 과세표준의 신고(수정신고 포함)·결정 또는 경정하는 경우 세무조정사항에 대해 소득의 귀속자와 소득의 종류를 확정시키는 것을 말한다. 소득처분은 각 사업연도 소득에 대한 법인세 납세의무가 있는 모든 법인에게 적용하므로, 납세의무가 있는 비영리법인과 외국법인도 소득처분을 하여야 한다.

2. 유형

(1) 익금에 산입한 금액이 사외에 유출된 경우

구분		소득처분	원천징수
귀속자가 분명한 경우	① 주주(주주인 임원·직원 제외)	배당	○
	② 임원 또는 직원❶	상여	○
	③ 법인·개인사업자의 국내사업장❷	기타사외유출	×
	④ ① ~ ③ 외의 자	기타소득	○
귀속자가 불분명한 경우		대표자 상여	○

(2) 익금에 산입한 금액이 사외에 유출되지 아니한 경우

유보 또는 기타

Ⅱ 사외유출

1. 귀속자가 분명한 경우

사외유출이란 익금산입·손금불산입 세무조정으로 발생한 세무상 소득이 회사의 외부로 유출되어 특정인에게 귀속된 경우 하는 소득처분이다. 그 귀속자를 판정하여 귀속자가 분명한 경우에는 귀속자에 따라 배당·상여·기타소득·기타사외유출로 처분한다.

❶
출자 임원(직원)인 경우: 상여
❷
법인주주인 경우: 기타사외유출

📖 **취지**

사외유출된 금액은 이익처분으로 인한 소득은 아니지만 세무상 소득으로 보아 해당 귀속자의 과세소득을 구성하여 과세하는 것이다. 이러한 사외유출 소득처분은 소득귀속에 따른 조세부과로 과세형평을 도모할 수 있다는 데 그 취지가 있다.

사례

×1년 말 회계 재무상태표				×1년 손익계산서	
자산	100	부채	30	수익	100
		자본금	50	비용	80
		당기순이익	20	당기순이익	20

대표이사의 사적 경비 10을 회사가 비용처리하였다.

×1년 말 세법 재무상태표				×1년 손익계산서	
자산	100	부채	30	익금	100
		자본금	50	손금	70
		소득금액	20	소득금액	30

<소득금액조정합계표>

익금산입 및 손금불산입			손금산입 및 익금불산입		
과목	금액	처분	과목	금액	처분
비용	10	상여			

2. 귀속자가 불분명한 경우

사외유출된 소득의 귀속이 불분명한 경우에는 대표자에 대한 상여로 처분한다. 대표자에 대한 상여로 인정되면 그 소득금액이 현실적으로 대표자에게 귀속되었는지 여부에 관계없이 대표자는 그 상여처분된 소득금액에 대하여 소득세가 과세된다.

📖 취지
귀속자가 불분명한 경우 사외유출소득이 법인의 대표자에게 귀속되었을 개연성이 높고 귀속자를 밝히지 못한 것에 대한 책임을 대표자에게 지움으로써 그 귀속자를 밝히도록 강제하기 위한 것이다.

사례

회사의 세무조사 결과 현금매출 5천만 원이 누락된 것이 적발되었으며, 귀속자도 불분명하다. 관할 세무서는 위 금액을 익금산입하여 대표자 상여로 소득처분하였고 회사가 해당 인정상여에 대해 원천징수할 소득세는 2천만 원이다.

[Case 1] 회사가 소득세 대납액을 가지급금으로 계상한 경우

구분	회계처리				세무조정
대납 시	차) 가지급금	20,000,000	대) 현금	20,000,000	–
퇴직 시	차) 비용	20,000,000	대) 가지급금	20,000,000	손금불산입

→ 사외유출금액의 귀속이 불분명하여 대표자에게 상여처분한 금액에 대한 소득세를 법인이 납부하고 이를 가지급금으로 계상한 금액(특수관계가 소멸될 때까지의 기간에 상당하는 금액에 한함)은 가지급금으로 보지 않음

[Case 2] 회사가 소득세 대납액을 비용처리한 경우

회사	세무조정
차) 비용 20,000,000 대) 현금 20,000,000	손不 20,000,000(기타사외유출)

3. 무조건 기타사외유출로 처분하는 경우

(1) 내용

① 특례기부금 또는 일반기부금의 손금산입한도초과액

② 기업업무추진비 한도초과액과 건당 3만 원(경조금 20만 원) 초과 기업업무추진비 중 적격증명서류 미수취분

③ 업무용 승용차별 임차료 중 감가상각비상당액 한도초과액과 처분손실 한도초과액

④ 손금불산입한 채권자가 불분명한 사채이자와 비실명 채권·증권의 이자·할인액 또는 차익에 대한 원천징수세액에 상당하는 금액

⑤ 손금불산입한 업무무관자산 등 관련이자

⑥ 임대보증금 간주익금에 따라 익금에 산입한 금액

⑦ 사외유출되었으나 귀속이 불분명한 금액 및 추계결정된 과세표준과 법인의 대차대표조상의 당기순이익과의 차액을 대표자상여로 처분한 경우 당해 법인이 그 처분에 따른 소득세 등을 대납하고 이를 손비로 계상하거나 그 대표자와의 특수관계가 소멸될 때까지 회수하지 아니함에 따라 익금에 산입한 금액

⑧ 불균등 자본거래 등에 따라 익금에 산입한 금액으로서 귀속자에게 「상속세 및 증여세법」에 의하여 증여세가 과세되는 금액

⑨ 외국법인의 국내사업장의 각 사업연도의 소득에 대한 법인세의 과세표준을 신고하거나 결정 또는 경정함에 있어서 익금에 산입한 금액이 그 외국법인 등에 귀속되는 소득과 「국제조세조정에 관한 법률」 제6조, 제7조, 제9조, 제12조 및 제15조에 따라 익금에 산입된 금액이 국외특수관계인으로부터 반환되지 않은 소득

(2) 추계결정

추계결정 또는 추계경정된 과세표준과 법인의 재무상태표상의 당기순이익과의 차액(법인세상당액을 공제하지 않은 금액)은 대표자에 대한 이익처분에 의한 상여로 한다. 다만, 천재지변 등으로 장부·증빙서류가 멸실되어 추계하는 경우에는 기타사외유출로 처분한다.

4. 부당하게 사외유출된 금액을 회수하고 신고하는 경우

내국법인이 「국세기본법」의 수정신고기한 내에 매출누락, 가공경비 등 부당하게 사외유출된 금액을 회수하고 세무조정으로 익금에 산입하여 신고하는 경우의 소득처분은 사내유보로 한다. 다만, 다음 중 어느 하나에 해당되는 경우로서 경정이 있을 것을 미리 알고 사외유출된 금액을 익금산입하는 경우에는 그러하지 아니하다.

(1) 세무조사의 통지를 받은 경우

(2) 세무조사가 착수된 것을 알게 된 경우

(3) 세무공무원이 과세자료의 수집 또는 민원 등을 처리하기 위하여 현지출장이나 확인업무에 착수한 경우

(4) 납세지 관할 세무서장으로부터 과세자료 해명 통지를 받은 경우

(5) 수사기관의 수사 또는 재판 과정에서 사외유출 사실이 확인된 경우

(6) 그 밖에 위와 유사한 경우로서 경정이 있을 것을 미리 안 것으로 인정되는 경우

사례

×1년 법인의 대표이사가 가공경비 10에 대해 비용처리한 후 현금을 인출하였다. 법인은 ×2년에 임원으로부터 현금 10을 회수하여 수익처리한 후 ×1년도에 대한 수정신고를 하였다.

×1년 법인세 세무조정				×2년 법인세 세무조정			
B	비용	10	현금 10	B	현금	10	수익 10
T	가지급금	10	현금 10	T	현금	10	가지급금 10
익금산입 가지급금 10(유보)				익금불산입 가지급금 10(△유보)			

Ⅲ 유보(△유보)

익금산입·손금불산입 또는 익금불산입·손금산입의 세무조정이 재무상태표상 자산보다 세무상 자산이 증감하거나 재무상태표상 부채보다 세무상 부채가 증감하는 경우 발생하는 소득처분이다.

재무상태표 왜곡	세무조정	소득처분	세무상 자본
자산 과소 또는 부채 과대	익금산입·손금불산입	유보	증가
자산 과대 또는 부채 과소	손금산입·익금불산입	△유보	감소

취지
유보금액은 다음 사업연도 후 소득금액 계산에 영향을 미치기 때문에 별도7로 관리할 필요성이 있다. 따라서 유보금액은 세무상 자산과 부채의 가액을 정확하게 계산할 수 있게 함으로써 미래 법인 소득계산의 적정화를 기할 수 있다.

[Case 1] 유보

회사는 ×1년 상품 20을 외상매출(인도일 ×1년 말)하였으나, 장부상 회계처리가 누락되었다. 매출원가는 적절하게 처리하였다고 가정한다.

×1년 말 회계 재무상태표				×1년 손익계산서	
자산	100	부채	30	수익	100
		자본금	50	비용	80
		당기순이익	20	당기순이익	20

×1년 말 세법 재무상태표				×1년 손익계산서	
자산	120	부채	30	익금	120
		자본금	50	손금	80
		소득금액	40	소득금액	40

<소득금액조정합계표>와 <자본금과 적립금(을)표>

익금산입 및 손금불산입			손금산입 및 익금불산입		
과목	금액	처분	과목	금액	처분
매출채권	20	유보			

과목	기초	당기 중 증감		기말
		감소	증가	
매출채권	–	–	20	20

[Case 2] △유보

회사는 ×1년 말 국내은행 정기적금에 미수이자 10을 계상하였다.

×1년 말 회계 재무상태표				×1년 손익계산서	
자산	100	부채	30	수익	100
		자본금	50	비용	80
		당기순이익	20	당기순이익	20

×1년 말 세법 재무상태표				×1년 손익계산서	
자산	90	부채	30	익금	90
		자본금	50	손금	80
		소득금액	10	소득금액	10

<소득금액조정합계표>와 <자본금과 적립금(을)표>

익금산입 및 손금불산입			손금산입 및 익금불산입		
과목	금액	처분	과목	금액	처분
			미수이자	10	△유보

과목	기초	당기 중 증감		기말
		감소	증가	
미수이자	–	–	△10	△10

Ⅳ 기타

기타 소득처분이란 세무조정하였으나 세법상 소득이 사외로 유출되지 않았으며, 결산상 자산·부채가 세무상 자산·부채와 차이가 없는 경우 발생하는 소득처분이다. 대표적으로 회계상 자본잉여금 항목을 세법상 익금항목으로 세무조정하는 경우 발생한다.

사례

자본잉여금은 ×1년 자기주식을 처분하여 발생한 것이다.

×1년 말 회계 재무상태표			×1년 손익계산서	
자산	100	부채 30	수익	100
		자본금 40	비용	80
		자본잉여금 10		
		당기순이익 20	당기순이익	20

×1년 말 세법 재무상태표			×1년 손익계산서	
자산	100	부채 30	익금	110
		자본금 40	손금	80
		소득금액 30	소득금액	30

<소득금액조정합계표>

익금산입 및 손금불산입			손금산입 및 익금불산입		
과목	금액	처분	과목	금액	처분
자본잉여금	10	기타			

03 익금과 익금불산입

1 익금항목

Ⅰ 익금의 개념

1. 익금은 자본 또는 출자의 납입 및 「법인세법」에서 규정하는 것은 제외하고 해당 법인의 순자산을 증가시키는 거래로 인하여 발생하는 이익 또는 수입(수익)의 금액으로 한다.

2. 법인세법령상 익금항목을 모두 열거하는 것은 불가능하므로 익금의 대표 유형을 예시하고 있다. 따라서 법에 열거되지 않아도 순자산증가액은 원칙적으로 익금에 해당한다.

Ⅱ 익금항목

1. 사업수입금액

한국표준산업분류에 따른 각 사업에서 생기는 사업수입금액(기업회계기준에 따른 매출에누리금액, 매출할인 및 매출환입금액 제외)

2. 자산의 양도금액

재고자산 이외의 자산의 양도금액은 익금이다. 세법은 자산을 양도한 경우 총액법으로 익금과 손금을 계산하므로 양도 당시의 장부금액은 손금에 해당한다.

3. 자기주식 양도금액

자기주식(합병법인이 합병에 따라 피합병법인이 보유하던 합병법인의 주식을 취득하게 된 경우 포함)의 양도금액은 익금이며, 양도한 자기주식의 장부가액은 손금이다. 이 경우 주식매수선택권의 행사에 따라 주식을 양도하는 경우에는 주식매수선택권 행사 당시의 시가로 계산한 금액으로 한다.
→ 자기주식 소각손익은 자본거래로 보아 익금 또는 손금에 해당하지 않음

4. 임대료

임대업을 영위하지 않는 법인의 자산의 임대료

5. 자산의 평가이익

자산의 평가차익은 익금항목에 열거되어 있지만, 「법인세법」은 자산의 취득가액을 원가로 평가하는 것이 원칙이므로 자산의 평가차익은 대부분 익금으로 보지 않는다. 다만, 「보험업법」이나 그 밖의 법률에 따른 유형자산 및 무형자산 등의 평가차익(장부가액을 증액한 경우만 해당함)은 익금으로 본다.

6. 자산 수증이익

(1) 무상으로 받은 자산의 가액은 법인의 순자산을 증가시키므로 익금이다. 다만, 자산수증이익 중 법령이 정하는 이월결손금 보전에 충당된 금액은 익금불산입한다.

(2) 자산수증이익은 「법인세법」에 따른 시가에 의하여 익금에 산입한다.

7. 채무면제이익

채무면제이익(출자전환에 따른 채무면제이익 포함)은 채무의 면제 또는 소멸로 인하여 생기는 부채의 감소액으로서 익금으로 본다. 다만, 자산수증이익 중 법령이 정하는 이월결손금 보전에 충당된 금액은 익금불산입한다.

8. 환입된 금액

손금에 산입한 금액 중 환입된 금액은 익금이다. 다만, 손금불산입 금액 중 환입된 금액은 익금불산입항목이다.

당초 처리	환입된 금액	사례
손금에 산입된 금액	익금	재산세
손금불산입 금액	익금불산입	법인세
자산의 취득가액	자산의 취득가액 차감	취득세

9. 자본거래 분여이익

법인이 부당행위계산부인 중 자본거래로 인하여 특수관계인으로부터 분여받은 이익은 익금으로 본다.

10. 회수하지 않은 가지급금 등

가지급금 및 그 이자(이하 '가지급금 등')로서 다음 중 어느 하나에 해당하는 금액은 익금으로 본다(∵ 채권포기액으로 간주하여 귀속자에게 소득처분하기 위함). 다만, 채권·채무에 대한 쟁송으로 회수가 불가능한 경우 등 정당한 사유가 있는 경우는 제외한다.

(1) 특수관계가 소멸되는 날까지 회수하지 아니한 가지급금 등[(2)에 따라 익금에 산입한 이자 제외]

(2) 특수관계가 소멸되지 아니한 경우로서 가지급금의 이자를 이자발생일이 속하는 사업연도 종료일부터 1년이 되는 날까지 회수하지 아니한 경우 그 이자

사례

㈜대한의 대표이사에 대한 업무무관가지급금 1억 원을 퇴직할 때까지 정당한 사유 없이 회수하지 아니하였다. 관련 세무조정을 하시오.

익금산입 및 손금불산입			손금산입 및 익금불산입		
과목	금액	처분	과목	금액	처분
가지급금	1억 원	상여	가지급금	1억 원	△유보

11. 해약환급금 준비금

보험회사가 「보험업법」에 따라 적립한 책임준비금의 감소액(할인율의 변동에 따른 책임준비금 평가액의 감소분 제외)으로서 보험감독회계기준에 따라 수익으로 계상된 금액

12. 기타

그 밖의 수익으로서 그 법인에 귀속되었거나 귀속될 금액

Ⅲ 간주익금

1. 간주임대료

(1) 추계하는 경우

① 추계하는 경우 장부나 증빙이 없으므로 전세금 등에 대한 운용수익이 확인되지 않아 과세가 어렵다. 임대료를 받은 법인과의 형평을 유지하기 위해 전세금 등에 이자상당액을 익금으로 본다.

② 대상법인: 추계하는 모든 법인에 대하여 간주임대료를 과세한다.

③ 계산

> 보증금 등의 적수 × 1/365 × 정기예금이자율

㉠ 보증금: 부동산이나 부동산상의 권리를 대여하고 받은 보증금을 말하며, 기장한 경우에는 주택은 간주임대료 대상에서 제외하나, 추계결정의 경우에는 주택도 간주임대료 대상에 포함한다.

㉡ 정기예금이자율: 사업연도 종료일 현재 기획재정부령으로 정하는 이자율로서 연 2.9%를 말한다.

④ 소득처분: 추계결정 또는 추계경정된 과세표준과 법인의 재무상태표 상의 당기순이익과의 차액(법인세상당액을 공제하지 않은 금액)은 대표자에 대한 상여로 한다. 다만, 천재지변 등으로 장부·증빙서류가 멸실되어 추계하는 경우에는 기타사외유출로 처분한다.

(2) 기장하는 경우

① 부동산임대업을 주업으로 하는 법인이 주택을 제외한 부동산 또는 그 부동산에 관한 권리 등을 대여하고 보증금 등을 받은 경우 법령에 따라 계산한 금액을 「법인세법」에 따른 익금에 가산한다.

② 대상법인: 다음의 요건을 모두 충족하는 법인만 간주임대료를 계산한다.
  ㉠ 내국영리법인일 것(비영리내국법인 제외)
  ㉡ 당해 법인의 사업연도 종료일 현재 자산총액 중 임대사업에 사용된 자산가액이 50% 이상인 법인(부동산임대업이 주업인 법인)일 것
  ㉢ 차입금적수가 자기자본적수의 2배를 초과하는 법인일 것

③ 계산 → 익금에 가산할 금액이 '0'보다 적은 때에는 없는 것으로 봄

> (보증금 등의 적수 − 건설비 상당액 적수) × 1/365 × 정기예금이자율 − 금융수익

  ㉠ 보증금 등: 부동산 또는 부동산상의 권리를 임대하고 받은 보증금을 말하며, 주택임대를 지원하기 위하여 주택은 간주임대료 대상에서 제외한다.
  ㉡ 적수계산: 각 사업연도 중에 임대를 개시한 경우 임대사업을 개시한 날부터 적수를 계산하며, 매월 말 현재의 잔액에 경과일수를 곱하여 계산할 수 있다.
  ㉢ 건설비상당액: 당해 건축물의 취득가액(자본적 지출액 포함, 재평가차액 제외)으로 하고, 일부만 임대하는 경우 다음과 같이 계산한다.

> 임대용 부동산의 건설비(토지 제외) 적수총계 × (임대면적적수/건물 연면적적수)

  ㉣ 금융수익: 해당 사업연도의 임대보증금에서 발생한 수입이자와 할인료, 수입배당금, 유가증권처분익(유가증권의 매각익에서 매각손을 차감한 금액), 신주인수권처분익을 말한다. 한편, 금융수익은 발생주의로 계산한다.

④ 세무조정: 익금산입한 후 무조건 기타사외유출로 소득처분한다.

2. 유가증권의 저가매입

(1) 특수관계인인 개인으로부터 유가증권을 시가보다 낮은 가액으로 매입하는 경우 시가와 그 매입가액의 차액에 상당하는 금액은 익금으로 본다.

📖 취지
개인이 특수관계법인(예 가족기업)에게 유가증권을 무상에 가까운 저가로 양도한 경우 유가증권의 매매차익은 양도한 개인에게 「소득세법」상 미열거소득이므로 과세할 수 없고 유가증권을 매입한 법인에게도 미실현이익으로 과세할 수 없어 상속세 또는 증여세를 회피할 수 있었다. 이러한 조세회피를 방지하기 위해 특수관계인으로부터 저가로 매입한 유가증권의 시가와 매입가액과의 차이는 매입시점에서 익금산입하여 과세한다.

(2) 이 경우 주식의 취득가액에는 익금에 산입한 금액을 포함하며, 결과적으로 취득 시 시가가 취득가액이 된다.

▌사례

㈜대한은 ×1년도에 대표이사로부터 유가증권 100주를 10,000,000원(시가 15,000,000원)에 매입하고 매입가액을 취득원가로 계상하였다. ㈜대한은 ×2년도에 동 주식 50주를 7,000,000원에 양도하고 2,000,000원의 유가증권처분이익을 계상하였다.

[세무조정]

구분	익금산입 및 손금불산입			손금산입 및 익금불산입		
	과목	금액	처분	과목	금액	처분
×1년	유가증권	5,000,000	유보			
×2년				유가증권	2,500,000	△유보

3. 기타 간주익금규정

(1) 간접외국납부세액

외국자회사로부터 받은 수입배당금에 대응하는 간접외국납부세액으로서 세액공제의 대상이 되는 금액은 익금으로 본다.

(2) 동업기업소득금액

동업기업 과세특례를 적용받는 동업기업으로부터 배분받은 소득금액은 익금으로 보며, 배분받은 결손금은 손금으로 본다.

---

2 익금불산입 항목

Ⅰ 개요

1. 의의

(1) 익금불산입 항목이란 법인의 순자산을 증가시키는 거래로 인하여 발생하는 수익이지만 익금에서 제외시키는 것을 말한다.

(2) 이는 성격, 과세원천상 법인세를 과세하는 것이 적절하지 않거나, 연구개발 지원 등 조세정책적 목적상 익금불산입한 후 일정기간 후 익금에 산입하는 과세이연제도에 의한 것이다.

2. 익금불산입 항목

구분	취지
자본거래로 인한 익금불산입	자본충실의 원칙 유지
평가이익 등의 익금불산입	조세정책상
수입배당금 익금불산입	이중과세 방지

Ⅱ 자본거래 익금불산입 항목

1. 주식발행액면초과액

액면금액 이상으로 주식을 발행한 경우 그 액면금액을 초과한 금액(무액면 주식의 경우에는 발행가액 중 자본금으로 계상한 금액을 초과하는 금액)은 익금에 산입하지 아니한다. 다만, 채무의 출자전환으로 주식 등을 발행하는 경우에는 그 주식 등의 시가를 초과하여 발행된 금액은 채무면제이익으로 익금항목이다.

2. 포괄적 교환차익

「상법」에 따른 주식의 포괄적 교환을 한 경우로서 자본금 증가의 한도액이 완전모회사의 증가한 자본금을 초과한 경우의 그 초과액

3. 포괄적 이전차익

「상법」에 따른 주식의 포괄적 이전을 한 경우로서 자본금의 한도액이 설립된 완전모회사의 자본금을 초과한 경우의 그 초과액

4. 감자차익

자본감소의 경우로서 그 감소액이 주식의 소각, 주금의 반환에 든 금액과 결손의 보전에 충당한 금액을 초과한 경우의 그 초과금액

예 자본금 20,000,000원을 이월결손금 8,000,000원에 보전하기 위해 구주식 2주당 1주의 비율로 무상감자를 한 경우 감자차익: 10,000,000 – 8,000,000 = 2,000,000

5. 합병차익

「상법」에 따른 합병의 경우로서 소멸된 회사로부터 승계한 재산의 가액이 그 회사로부터 승계한 채무액, 그 회사의 주주에게 지급한 금액과 합병 후 존속하는 회사의 자본금증가액 또는 합병에 따라 설립된 회사의 자본금을 초과한 경우의 그 초과금액. 다만, 소멸된 회사로부터 승계한 재산가액이 그 회사로부터 승계한 채무액, 그 회사의 주주에게 지급한 금액과 주식가액을 초과하는 경우로서 「법인세법」에서 익금으로 규정한 금액(합병매수차익)은 제외한다.

6. 분할차익

「상법」에 따른 분할 또는 분할합병으로 설립된 회사 또는 존속하는 회사에 출자된 재산의 가액이 출자한 회사로부터 승계한 채무액, 출자한 회사의 주주에게 지급한 금액과 설립된 회사의 자본금 또는 존속하는 회사의 자본금 증가액을 초과한 경우의 그 초과금액. 다만, 분할 또는 분할합병으로 설립된 회사 또는 존속하는 회사에 출자된 재산의 가액이 출자한 회사로부터 승계한 채무액, 출자한 회사의 주주에게 지급한 금액과 주식가액을 초과하는 경우로서 「법인세법」에서 익금으로 규정한 금액은 제외한다.

Ⅲ 평가이익 등의 익금불산입

1. 자산의 평가이익

자산의 평가이익은 익금에 산입하지 아니한다. 단, 다음 중 어느 하나에 해당하는 평가이익은 익금에 산입한다.

(1) 「보험업법」및 기타 법률에 의한 유형자산 및 무형자산 등의 평가(증액에 한함)

(2) 재고자산의 평가

(3) 화폐성 외화자산과 부채의 평가

2. 이미 과세된 소득

각 사업연도의 소득으로 이미 과세된 소득(「법인세법」과 다른 법률에 따라 비과세되거나 면제되는 소득 포함)은 익금에 산입하지 아니한다.

3. 법인세 등 환급금

손금에 산입하지 아니한 법인세 또는 법인지방소득세를 환급받았거나 환급받을 금액을 다른 세액에 충당한 금액은 익금에 산입하지 아니한다.

4. 환급금 이자

국세 또는 지방세의 과오납금의 환급금에 대한 이자는 익금에 산입하지 아니한다.

∵ 국세 등을 잘못 징수함에 대한 보상금이므로 이에 대하여 다시 법인세를 과세하면 세부담액만큼 보상효과가 줄어들기 때문

5. 부가가치세 매출세액

부가가치세의 매출세액은 법인이 세무서에 납부하여야 할 예수금(부채) 성격이므로 익금에 산입하지 아니한다.

6. 이월결손금 보전

(1) 무상으로 받은 자산의 가액(국고보조금 등 제외)과 채무의 면제 또는 소멸로 인한 부채의 감소액 중 이월결손금을 보전하는 데에 충당한 금액은 익금에 산입하지 아니한다.

∵ 결손법인의 재무구조 개선을 지원함

(2) **보전대상 이월결손금**

보전대상 이월결손금은 다음의 요건을 모두 충족하여야 한다.

① 세무상 결손금(적격합병·분할 시 승계받은 결손금 제외)으로서 그 후의 각 사업연도의 과세표준을 계산할 때 공제되지 아니한 금액일 것

→ 발생연도의 제한 없이 미공제 이월결손금

② 신고된 각 사업연도의 과세표준에 포함되지 않았으나, 회생계획인가의 결정을 받은 법인의 결손금으로서 법원이 확인한 것이거나 기업개선계획의 이행을 위한 약정이 체결된 법인으로서 금융채권자협의회가 의결한 세무상 결손금

(3) **충당방법**

내국법인이 채무면제이익 등을 다음의 방법으로 처리했을 때 이월결손금 보전에 충당한 것으로 본다.

→ 미충당 시 경정청구 가능

① 이월결손금과 직접 상계하는 방법

② 해당 사업연도 결산 주주총회 결의에 의하여 이월결손금을 보전하고 이익잉여금(결손금)처리계산서에 계상하는 방법

③ 기업회계기준에 따라 영업외수익으로 계상하고 자본금과 적립금조정명세서(갑)에 동 금액을 이월결손금의 보전에 충당한다는 뜻을 표시하고 세무조정으로 익금불산입하는 방법

(4) **충당순서**

일반 채무면제이익과 출자전환에 따른 채무면제이익이 동시에 발생된 경우 이월결손금은 다음과 같은 순서로 보전한다.

① 일반채무면제이익

② 출자전환에 따른 채무면제이익

(5) 효력

채무면제이익 등으로 보전된 이월결손금은 소멸된 것으로 보며 이를 다
시 이후 사업연도의 법인세 과세표준 계산 시 공제하지 아니한다.

7. 연결법인세

연결자법인 또는 연결모법인으로부터 지급받았거나 지급받을 개별귀속법인
세액은 익금에 산입하지 아니한다.

∵ 각 연결법인별 납부세액을 연결모법인에게 지급하고, 연결모법인은 이를
   관할 세무서에 납부하는 구조이기 때문

8. 자본준비금 감액배당

「상법」에 따라 자본준비금을 감액하여 받는 배당금액(내국법인이 보유한 주
식의 장부가액을 한도로 함)은 익금에 산입하지 아니한다. 다만, 다음의 어
느 하나에 해당하는 자본준비금을 감액하여 받는 배당금액은 제외한다.

(1) 건물 재평가적립금(3%)

(2) 적격합병에 따른 합병차익 중 피합병법인의 건물 재평가적립금에 상당
   하는 금액(대통령령으로 정하는 금액을 한도로 함)

(3) 적격분할에 따른 분할차익 중 분할법인의 제건물 재평가적립금에 상당
   하는 금액(대통령령으로 정하는 금액을 한도로 함)

∵ 자본준비금은 주주납입액으로서 그 금액을 감액하여 받는 것은 투자금을
   환급받은 것에 불과함

Check **채무의 출자전환으로 인한 채무면제이익**

출자전환이란 채권자(주로 금융기관)가 채무자인 기업으로부터 받아야 할 대출금을 주식으로 전환해 기업의 부채를 조정하여 채무자의 채무부담 완화를 공식화하여 채무자를 존속시키는 채권·채무 재조정 방법을 말한다.

1. 출자전환 세무처리
① 채무자의 세무처리
 ㉠ 출자전환 채무면제익: 채무의 출자전환으로 주식을 발행하는 경우에는 그 주식의 시가 (시가가 액면가액에 미달하는 경우 액면가액)를 초과하여 발행된 금액은 채무면제이익으로서 익금으로 본다.
 ∵ 경제적 실질상 채무면제와 동일

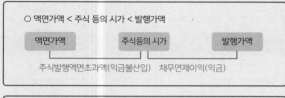

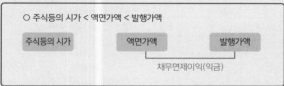

 ㉡ 이월결손금 보전: 출자전환 채무면제익은 이월결손금 보전에 충당할 수 있으며, 이월결손금의 보전에 충당된 채무면제익은 익금불산입한다.
 ㉢ 채무면제익 과세이연: 출자전환 채무면제익 중 이월결손금 보전에 충당하지 아니한 다음의 금액은 해당 사업연도의 익금에 산입하지 아니하고, 그 이후의 각 사업연도에 발생하는 결손금의 보전에 충당할 수 있다.
  ⓐ 「채무자 회생 및 파산에 관한 법률」에 따라 채무를 출자로 전환하는 내용이 포함된 회생계획인가의 결정을 받은 법인이 채무를 출자전환하는 경우
  ⓑ 「기업구조조정 촉진법」에 따라 채무를 출자로 전환하는 내용이 포함된 기업개선계획의 이행을 위한 약정을 체결한 부실징후기업이 채무를 출자전환하는 경우
  ⓒ 해당 법인에 대하여 채권을 보유하고 있는 「금융실명거래 및 비밀보장에 관한 법률」에 따른 금융회사 등과 채무를 출자로 전환하는 내용이 포함된 경영정상화계획의 이행을 위한 협약을 체결한 법인이 채무를 출자로 전환하는 경우
  ⓓ 「기업 활력 제고를 위한 특별법」에 따른 사업재편계획승인을 받은 법인이 채무를 출자전환하는 경우
  → 익금불산입 채무면제익은 미래 결손금 발생 시 익금산입하여야 하나, 결손금의 보전에 충당하기 전에 사업을 폐지하거나 해산하는 경우 그 사유가 발생한 사업연도에 결손금의 보전에 충당하지 않은 금액 전액을 익금에 산입함
② 채권자: 출자전환으로 취득하는 주식의 취득가액
 ㉠ 원칙: 해당 주식의 취득 당시(출자전환 당시)의 시가
 ㉡ 예외: 회생계획인가 결정 등의 출자전환으로 취득한 주식은 출자전환된 채권(업무무관가지급금 및 채무보증구상채권 제외)의 장부가액으로 한다.
 ∵ 출자전환시점에는 출자전환에 따른 과세문제가 발생하지 않도록 함

출자전환으로 소멸하는 채권의 장부가액 100, 출자전환으로 발행되는 주식의 발행가액이 100(시가 20, 액면가액 10)일 경우 채권자 및 채무자의 회계처리

1. 일반적인 채무의 출자전환인 경우

구분	기업회계		「법인세법」		세무조정
채무자	채무 100	자본금 10	채무 100	자본금 10	없음
		주발초 10		주발초 10	
		채무익 80		채무익 80	
채권자	주식 20	채권 100	주식 20	채권 100	없음
	대손금 80		대손금 80		

2. 과세이연요건을 갖춘 채무의 출자전환인 경우

구분	기업회계		「법인세법」		세무조정
채무자	채무 100	자본금 10	채무 100	자본금 10	없음 (단, 채무익 과세이연 가능)
		주발초 10		주발초 10	
		채무익 80		채무익 80	
채권자	주식 20	채권 100	주식 100	채권 100	손不 주식 80 (유보)
	대손금 80				

3 의제배당(배당금 또는 분배금의 의제)

I 개요

1. 의의

의제배당이란 「상법」 등 이익배당절차에 의한 것은 아니지만 법인의 잉여금이 특정사건에 의해 주주에게 귀속됨에 따라 현금배당과 동일한 경제적 효과를 가질 때 「법인세법」은 조세공평을 실현하고 조세회피를 방지하기 위해 주주에게 배당으로 의제하여 과세하는 것을 말한다.

2. 유형

(1) 잉여금의 자본전입으로 인한 의제배당
(2) 감자·해산·합병·분할에 따른 의제배당

Ⅱ 잉여금의 자본전입으로 인한 의제배당

1. 의의

법인이 잉여금을 자본에 전입하는 경우는 주식배당과 무상증자를 하는 경우이다. 이 경우 주주가 취득하는 주식을 '무상주'라 한다.

구분	주식배당	무상증자
자본금 전입 재원	이익잉여금	자본잉여금
의사결정	주주총회	이사회 또는 주주총회
주식 수	증가	증가
효과	발행주식 수 증가 → 거래 활발 → 현금 유출 없이 주가 상승	
「법인세법」	의제배당 과세	① 원칙: 과세하지 않음 ② 일부 재원에 대해서는 과세

2. 주식배당

구분	기업회계		「법인세법」	
피출자 법인	이익잉여금 10	자본금 10	이익잉여금 10	현금 10
			현금 10	자본금 10
주주	–	–	현금 10	익금 10
			주식 10	현금 10
	배당금 수익 아님 ∵ 순자산 변화 없이 자본 내 이동에 불과함		현금배당을 받은 후 즉시 그 돈으로 주식을 구입한 것으로 봄 ∵ 현금배당 후 주식 구입거래를 주식배당으로 하여 현금배당 과세를 피할 수 있음	

3. 무상증자

무상증자는 본래 자본잉여금을 자본금에 전입하는 것으로서 자본 내 변동에 불과하여 주주입장에서 배당으로 보지 아니한다. 다만, 기업회계기준에 따라 자본잉여금으로 분류되는 것이라도 세법상 이익잉여금으로 보는 항목(예 자기주식처분이익)이 있다면 이는 주식배당과 동일한 거래이므로 주주입장에서 의제배당으로 과세한다.

4. 잉여금 자본전입에 따른 의제배당의 내용

(1) 원칙

① 법인의 잉여금의 전부 또는 일부를 자본 또는 출자의 금액에 전입함으로써 취득하는 무상주는 의제배당으로 본다. 다만, 주식발행초과금 등 익금불산입항목인 자본잉여금을 자본전입하여 받는 무상주는 의제배당으로 보지 않는다.

잉여금의 구분			의제배당 과세 여부
무상증자	자본잉여금	익금불산입항목	×
		익금항목	○
주식배당	이익잉여금		○

∵ 자본잉여금을 자본전입에 따라 주주가 받는 주식은 비과세한다는 것이 아니라 자본전입에 따른 증자를 통하여 회사채권자를 보호하고 기업신용도를 높여 자본전입을 촉진하겠다는 정책적 고려에서 의제배당으로 보지 않고 차후에 의제배당 사유가 생겨 그 소정의 초과금액 또는 유보이익의 증가액이 있을 때 과세를 한다는 것

② 잉여금의 자본전입으로 인하여 주주 등이 취득하는 주식의 의제배당 과세 여부는 그 무상주 발행의 재원인 잉여금에 따라 다음과 같이 구분한다.

자본금 전입의 재원			의제배당
자본 잉여금	주식발행 초과금	일반적인 경우	×
		채무의 출자전환 시 채무면제이익	○
	주식의 포괄적 교환차익		×
	주식의 포괄적 이전차익		×
	감자 차익	일반적인 경우	×
		자기주식소각 당시 시가가 취득가액을 초과하는 자기주식소각이익	○
		자기주식소각이익을 소각일부터 2년내 자본전입하는 경우	○
	재평가 적립금❶	익금불산입항목인 재평가적립금(3% 세율)	×
		익금항목인 토지의 재평가적립금(1% 세율)	○
	자기주식처분이익		○
이익 잉여금	이익준비금 등 법정적립금		○
	임의적립금 및 미처분이익잉여금		○

❶ 재평가적립금의 일부를 자본 또는 출자에 전입하는 경우에는 익금항목인 재평가적립금과 익금불산입항목인 재평가적립금의 구성비율에 따라 각각 전입한 것으로 본다.

(2) 예외

익금불산입항목인 자본잉여금을 재원으로 받은 무상주는 본래 의제배당이 아니지만 다음의 두 가지 경우에는 예외적으로 의제배당으로 본다.

① 다음 중 어느 하나에 해당하는 자기주식소각이익

㉠ 소각 당시 시가가 취득가액을 초과하는 경우

∵ 실질이 자기주식처분이익인 점을 고려하여 기간 제한 없이 의제배당으로 과세함

ⓒ 자기주식소각일로부터 2년 이내에 자본에 전입하는 경우

∴ 주가가 하락한 법인이 자기주식을 매입·소각하여 대주주의 지분율을 높인 뒤 자기주식소각이익을 단기간 내 자본전입하여 대주주의 재산을 증식시키는 것을 방지함

소각 당시 자기주식	시가 > 취득가액	
2년 이내 자본전입	의제배당	의제배당
2년 경과 후 자본전입	의제배당	−

② 자기주식 보유법인의 잉여금 자본전입에 따른 의제배당: 법인이 자기주식 또는 자기출자지분을 보유한 상태에서 의제배당으로 보지 않는 자본잉여금을 자본전입함에 따라 그 법인 외의 주주 등의 지분비율이 증가한 경우 증가한 지분비율에 상당하는 주식 등의 가액은 배당으로 본다.

∴ 자기주식을 취득하여 보유한 상태에서 무상증자를 함으로써 세부담 없이 대주주의 지분을 증가시키는 조세회피를 방지하기 위함

③ 이익잉여금으로 상환된 상환주식의 주식발행액면초과액

(3) 무상주 평가

① 원칙: 액면가액(주식배당은 발행가액)

② 무액면주식: 자본금 전입액 ÷ 신규발행 주식 수

∴ 발행주식 수에 따라 의제배당금액이 달라지는 문제를 해소하기 위함

(4) 수입시기

잉여금의 자본전입을 결의한 날

∴ 무상주식수가 확정됨

(5) 계산구조

① 잉여금 계산방법

구분	1차 배정 (지분비율 배정분)	2차 배정 (지분비율 증가분)
의제배당 과세 잉여금	○	○
의제배당 과세되지 않은 잉여금	−	○

② 주식 수 계산방법

㉠ 1차 배정분: 1차 배정 주식 수 × 의제배당 과세비율 × 액면가액 등

㉡ 2차 배정분: 2차 배정 주식 수 × 액면가액 등

(6) 세무조정

익금산입 유가증권 ××× (유보)

[Case 1]

㈜대한은 이익잉여금 6,000,000원과 주식발행초과금 4,000,000원을 자본에 전입하여 10,000주의 무상주를 교부하였다. 무상증자 전 발행주식총수는 10,000주이며, 1주당 액면가액은 1,000원이다. 자기주식에 배정할 무상주를 다른 주주에게 배정한 경우 ㈜서울의 의제배당은?

주주	무상증자 전		1차 배정 (지분율)	2차 배정 (지분율증가분)	무상증자 후	
	비율	주식 수			비율	주식 수
자기주식	20%	2,000주	2,000주	–	10%	2,000주
㈜서울	50%	5,000주	5,000주	1,250주	56.25%	11,250주
기타주주	30%	3,000주	3,000주	750주	33.75%	6,750주
계	100%	10,000주	10,000주	2,000주	100%	20,000주

해설

1. 잉여금 계산방법: 4,250,000

구분		1차 배정분 50%	2차 배정분 20% × 50%/80% = 12.5%
이익잉여금	6,000,000	3,000,000	750,000
주식발행초과금	4,000,000	–	500,000

2. 주식 수 계산방법: 4,250,000
   ① 1차 배정: 5,000주 × 1,000원 × 6,000,000/10,000,000 = 3,000,000원
   ② 2차 배정: 1,250주 × 1,000원 = 1,250,000원

[Case 2]

㈜대한은 이익잉여금 6,000,000원과 주식발행초과금 4,000,000원을 자본에 전입하여 10,000주의 무상주를 교부하였다. 무상증자 전 발행주식총수는 10,000주이며, 1주당 액면가액은 1,000원이다. 자기주식에 배정할 무상주를 실권처리한 경우 ㈜서울의 의제배당은?

주주	무상증자 전		1차 배정 (지분율)	2차 배정 (지분율증가분)	무상증자 후	
	비율	주식 수			비율	주식 수
자기주식	20%	2,000주	–	–	11.11%	2,000주
㈜서울	50%	5,000주	5,000주	–	55.56%	10,000주
기타주주	30%	3,000주	3,000주	–	33.33%	6,000주
계	100%	10,000주	8,000주	–	100%	18,000주

해설

1. 잉여금 계산방법: 3,400,000

구분		1차 배정분 50%	2차 배정분 20% × 50%/80% = 12.5%
이익잉여금	4,800,000	2,400,000	600,000
주식발행초과금	3,200,000	–	400,000

2. 주식 수 계산방법: 3,400,000
   ① 1차 배정: 4,000주(8,000주 × 50%) × 1,000원 × 4,800,000/8,000,000 = 2,400,000원
   ② 2차 배정: 1,000주 × 1,000원 = 1,000,000원

5. 감자·해산·합병·분할에 따른 의제배당

(1) 감자

주식의 소각, 자본의 감소, 사원의 퇴사·탈퇴 또는 출자의 감소로 인하여 주주 등인 내국법인이 취득하는 금전과 그 밖의 재산가액의 합계액이 해당 주식 등을 취득하기 위하여 사용한 금액을 초과하는 금액은 의제배당으로 보아 익금에 산입한다.

> 의제배당 = 감자 등으로 받은 대가 - 소멸주식의 장부가액

① 감자 등으로 받은 대가: 금전으로 받은 경우 금전. 금전 외의 재산은 취득 당시의 시가로 평가한다. 단, 특수관계인으로부터 분여받은 이익이 있는 경우에는 그 금액을 차감한 금액으로 한다.

② 소멸주식의 장부가액: 감자로 소멸된 주식의 세무상 장부가액

구분	취득가액	일부 처분	일부 소각
유상취득한 주식	실제 지출된 금액	평균법	원칙: 평균법 단기소각주식: 먼저 소각되며 취득가액은 '0'
의제배당으로 과세된 무상주	의제배당금액		
의제배당으로 과세되지 않은 무상주	0 (주식수만 증가)		

ㄱ 주식 취득 후 감자결의일까지 기간 중 주식의 일부를 처분한 경우 평균법에 따라 단기소각주식과 다른 주식을 주식 수에 비례하여 양도한 것으로 본다.

ㄴ 감자결의일 전 2년 이내에 의제배당으로 과세되지 않은 무상주를 취득한 경우 그 주식을 먼저 소각한 것으로 보며, 그 주식의 당초 취득가액은 "0"으로 한다.

③ 수입시기: 감자로 인한 의제배당은 그 주주총회 등에서 주식의 소각 등을 결의한 날을 수입시기로 한다. 다만, 주식의 소각 등을 한 날의 주주와 「상법」에 따른 기준일의 주주가 다른 경우에는 동 기준일 또는 사원이 퇴사·탈퇴한 날을 수입시기로 한다.

사례

구분(액면가액 2,000원)	주식 수	처분 주식	잔여 주식
×1. 2. 1. 유상취득 3,000원	200주	(-)80주	120주
×2. 3. 2. 무상주(주식발행초과금) 취득	100주	(-)40주	60주
×2. 5. 1. 무상주(이익잉여금) 취득	200주	(-)80주	120주
×3. 7. 1. 200주를 1주당 3,000원에 처분	500주	(-)200주	300주

1. ×3. 7. 1. 세무상 처분손익: 200,000
   ① 처분대가: 200주 × 3,000원 = 600,000
   ② 소멸주식: 400,000

$$200주 \times \frac{200주 \times 3,000 + 100주 \times 0 + 200주 \times 2,000}{500주} = 400,000$$

2. ×4. 1. 2. 150주를 1주당 4,000원에 감자한 경우 의제배당: 375,000
   ① 감자대가: 150주 × 4,000원 = 600,000
   ② 소멸주식: 225,000

$$60주 \times 0원 \ + 90주 \times \frac{120주 \times 3,000 + 120주 \times 2,000}{240주} = 225,000$$

→ 세무조정: 회계상 처분손익과 감자 시 의제배당 차액을 세무조정함

(2) 해산
   ① 해산한 법인의 주주 등(법인으로 보는 단체의 구성원 포함)인 내국법인이 법인의 해산으로 인한 잔여재산의 분배로서 취득하는 금전과 그밖의 재산의 가액이 그 주식 등을 취득하기 위하여 사용한 금액을 초과하는 금액은 배당으로 본다.
   ② 해산 시 의제배당은 당해 법인의 잔여재산가액이 확정된 날을 수입시기로 한다.

(3) 합병
   ① 피합병법인의 주주 등인 내국법인이 취득하는 합병대가가 그 피합병법인의 주식 등을 취득하기 위하여 사용한 금액을 초과하는 금액은 배당으로 본다.
   ② 합병 시 의제배당은 합병등기일을 수입시기로 한다.

(4) 분할
   ① 분할법인 또는 소멸한 분할합병의 상대방 법인의 주주인 내국법인이 취득하는 분할대가가 그 분할법인 또는 소멸한 분할합병의 상대방 법인의 주식(분할법인이 존속하는 경우 소각 등에 의하여 감소된 주식만 해당함)을 취득하기 위하여 사용한 금액을 초과하는 금액은 배당으로 본다.
   ② 분할 시 의제배당은 분할등기일을 수입시기로 한다.

4 수입배당금액의 익금불산입

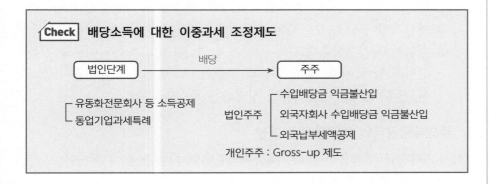

Check 배당소득에 대한 이중과세 조정제도

법인단계 —— 배당 —→ 주주

유동화전문회사 등 소득공제
동업기업과세특례

법인주주
수입배당금 익금불산입
외국자회사 수입배당금 익금불산입
외국납부세액공제

개인주주 : Gross-up 제도

Ⅰ 내국법인 수입배당금액의 익금불산입

1. 개요

(1) 의의

내국법인(고유목적사업준비금을 손금에 산입하는 비영리내국법인 제외)이 피출자법인으로부터 받은 수입배당금액 중 일정액을 각 사업연도의 소득금액을 계산할 때 익금에 산입하지 아니한다.

(2) 익금불산입 배제

다음 중 어느 하나에 해당하는 수입배당금액에 대해서는 적용하지 아니한다.

① 배당기준일 전 3개월 이내에 취득한 주식 등을 보유함으로써 발생하는 수입배당금액

② 유동화전문회사 등에 대한 소득공제 또는 프로젝트금융투자회사에 대한 소득공제에 따라 지급한 배당에 대하여 소득공제를 적용받는 법인으로부터 받은 수입배당금액

③ 지급배당에 대하여 소득공제를 적용받는 법인과세 신탁재산으로부터 받은 수입배당금액

④ 법인세법과 조세특례제한법에 따라 법인세를 비과세·면제·감면받는 다음 중 어느 하나에 해당하는 법인으로부터 지급받은 수입배당금액

  ㉠ 수도권 밖으로 본사를 이전하는 법인, 제주첨단과학기술단지 입주기업에 대한 세액감면 및 제주투자진흥지구 또는 제주자유무역지역 입주기업에 대한 세액감면의 규정을 적용받는 법인(감면율이 100%인 사업연도에 한함)으로부터 받은 수입배당금액

  ㉡ 동업기업 과세특례를 적용받는 법인으로부터 받은 수입배당금액

⑤ 자산재평가법을 위반하여 3% 재평가세율 적용분 재평가적립금을 감액하여 지급받은 수입배당금액

취지

영리법인이 지급하는 배당금의 재원은 이미 그 영리법인의 소득에 대한 법인세가 과세되고 남은 것이므로, 배당을 받는 법인에게 이를 별개의 소득으로 보고 다시 같은 비율의 법인세를 과세하는 것은 사실상 동일한 소득에 대하여 이중과세를 하는 결과가 되므로 이를 방지하고자 하는 데 그 입법취지가 있다.

⑥ 적격합병·적격분할에 따른 합병차익·분할차익 중 승계된 3% 재평가세율 적용분 재평가적립금을 감액하여 지급받은 수입배당금액

⑦ 감자로 인한 의제배당: 자본의 감소로 주주등인 내국법인이 취득한 재산가액이 당초 주식등의 취득가액을 초과하는 금액

⑧ 법인이 자기주식을 보유한 상태에서 익금불산입 자본잉여금을 자본전입을 함에 따라 그 법인 외의 주주인 내국법인의 지분비율이 증가한 경우 증가한 지분비율에 상당하는 주식의 가액

2. 수입배당금액의 익금불산입 계산

(1) 수입배당금 익금불산입액은 피출자법인별로 다음과 같이 계산한다.

→ 0보다 작은 경우에는 없는 것으로 봄

> 수입배당금 익금불산입액 = 수입배당금액 × 익금불산입률 − 지급이자차감액

① 수입배당금액: 현금배당(의제배당 포함)

② 익금불산입률: 피출자법인에 대한 출자비율은 배당기준일 현재 3개월 이상 계속해서 보유하고 있는 주식을 기준으로 계산한다. 이 경우 보유 주식 수를 계산할 때 같은 종목의 주식의 일부를 양도한 경우 먼저 취득한 주식을 먼저 양도한 것으로 본다.

피출자법인에 대한 출자비율	익금불산입률
50% 이상	100%
20% 이상 50% 미만	80%
20% 미만	30%

③ 지급이자 차감액

$$차입금\ 이자 × \frac{해당\ 피출자법인의\ 주식장부가액\ 적수}{자산총액의\ 적수} × 익금불산입률$$

㉠ 차입금 이자: 배당확정일이 속하는 사업연도의 지급이자(기업구매자금대출이자 포함)를 말하나, 「법인세법」상 손금불산입된 지급이자와 연지급수입의 지급이자 및 현재가치할인차금상각액은 제외한다.

㉡ 주식 장부가액: 세무상 장부가액(국가 및 지방자치단체로부터 현물출자받은 주식 제외)을 의미하며, 수입배당금의 익금불산입에서 제외되는 수입배당금액이 발생하는 주식 등의 장부가액(예 배당기준 3개월 내의 취득한 주식)은 포함하지 아니한다.

㉢ 자산총액의 적수: 배당확정일이 속한 사업연도 종료일 현재 재무상태표상 자산총액의 적수를 말한다.

(2) 세무조정

익금불산입 수입배당금 ××× (기타)

Ⅱ 외국자회사 수입배당금액의 익금불산입

1. 의의

(1) 내국법인(간접투자회사 등의 외국납부세액공제 및 환급특례를 적용받는 간접투자회사 등 제외)이 해당 법인이 출자한 외국자회사로부터 받은 수입배당금액(의제배당 포함)의 95%에 해당하는 금액은 각 사업연도의 소득금액을 계산할 때 익금에 산입하지 않는다.

→ 수익비용대응원칙에 따라 수입배당금액에 대응하는 비용을 5%로 의제함

(2) **외국자회사**

내국법인이 직접 외국법인의 의결권 있는 발행주식총수 또는 출자총액의 10%(해외자원개발사업을 하는 외국법인의 경우 5%) 이상을 그 외국법인의 배당기준일 현재 6개월 이상 계속하여 보유(내국법인이 적격합병, 적격분할, 적격물적 분할, 적격현물출자에 따라 다른 내국법인이 보유하고 있던 외국자회사의 주식 등을 승계받은 때에는 그 승계 전 다른 내국법인이 외국자회사의 주식 등을 취득한 때부터 해당 주식 등을 보유한 것으로 봄)하고 있는 법인

(3) **외국납부세액공제와의 관계**

외국자회사 수입배당금 익금불산입규정이 적용되는 경우 외국납부세액공제를 적용하지 않는다.

2. 익금불산입 적용 배제

(1) 특정외국법인의 유보소득에 대하여 내국법인이 배당받은 것으로 보는 금액 및 해당 유보소득이 실제 배당된 경우의 수입배당금액은 익금불산입규정을 적용하지 아니한다.

(2) 「국제조세조정에 관한 법률」 제27조 제1항 각 호의 요건을 모두 충족하는 특정외국법인으로부터 받은 수입배당금액(실제부담세액이 실제발생소득의 15% 이하인 특정외국법인의 해당 사업연도에 대한 이익잉여금 처분액)

(3) 혼성금융상품(자본 및 부채의 성격을 동시에 가지고 있는 금융상품)의 거래에 따라 내국법인이 지급받는 수입배당금액

∵ 국제적 이중 비과세를 방지하기 위함

(4) (2) 및 (3)과 유사한 것으로서 대통령령으로 정하는 수입배당금액

📖 **취지**

외국자회사로부터 배당을 받은 내국법인에게 과세를 하지 않아 국제적 이중과세가 조정된다. 이를 통해 외국자회사에 유보된 소득을 국내로 환류시켜 국내 투자를 활성화하며, 해외에서 외국법인과 동일한 조세부담을 지므로 국제경쟁력을 가질 수 있다.

3. 자본준비금 감액

내국법인이 해당 법인이 출자한 외국법인(외국자회사 제외)으로부터 자본준비금을 감액하여 받는 배당으로서 익금에 산입되지 아니하는 배당에 준하는 성격의 수입배당금액을 받는 경우 그 금액의 95%에 해당하는 금액은 각 사업연도의 소득금액을 계산할 때 익금에 산입하지 아니한다.

→ 외국법인에 대한 지분비율과 무관하게 익금불산입 적용함

4. 주식의 취득가액 조정

내국법인이 외국자회사를 인수하여 취득한 주식 등으로서 그 주식 등의 취득에 따라 내국법인이 외국자회사로부터 받은 수입배당금액이 다음의 요건을 모두 갖춘 경우에 해당하는 주식 등의 취득가액은 해당 주식 등의 매입가액에서 다음의 요건을 모두 갖춘 수입배당금액을 뺀 금액

(1) 내국법인이 외국자회사의 의결권 있는 발행주식총수 또는 출자총액의 10%(해외자원개발사업을 하는 외국법인의 경우 5%) 이상을 최초로 보유하게 된 날의 직전일 기준 이익잉여금을 재원으로 한 수입배당금액일 것
(2) 외국자회사 수입배당금 익금불산입규정에 따라 익금에 산입되지 않았을 것

■ 사례

외국자회사(지분율 20%)로부터 다음과 같이 수입배당금 2억 원을 지급받았다. 단, 배당기준일 전 6개월 이내에 취득한 주식에 해당하지 아니한다.

구분	금액	주식취득일	배당기준일
20×2. 1. 1. 전날 이익잉여금 재원	50,000,000	20×2. 1. 1.	20×2. 12. 31.
20×2. 1. 1. 이후 이익잉여금 재원	150,000,000		

1. 20×2. 1. 1. 전날 이익잉여금 재원: 익금불산입 47,500,000 △유보

2. 20×2. 1. 1. 이후 이익잉여금 재원: 익금불산입 142,500,000 기타

Check 지급이자 정리

구분	연지급수입이자	현재가치할인차금 상각액	기업구매자금 대출이자
수입배당금 익금불산입	제외	제외	포함
지급이자 손금불산입	제외	제외	제외
인정이자(가중평균차입이자율)	제외	제외	포함

02 손금과 손금불산입

1 손금항목

Ⅰ 개요

1. 의의

(1) 손금은 자본 또는 출자의 환급, 잉여금의 처분 및 「법인세법」에서 규정하는 것은 제외하고 해당 법인의 순자산을 감소시키는 거래로 인하여 발생하는 손실 또는 비용(손비)의 금액으로 한다.

(2) 손비는 「법인세법」 및 다른 법률에서 달리 정하고 있는 것을 제외하고는 그 법인의 사업과 관련하여 발생하거나 지출된 손실 또는 비용으로서 일반적으로 인정되는 통상적인 것이거나 수익과 직접 관련된 것으로 한다.

2. 증명서류 수취·보관

(1) 경비지출의 투명성과 거래상대방 사업자의 과표양성화를 도모하기 위하여 법인은 각 사업연도에 그 사업과 관련된 모든 거래에 관한 증명서류를 받아서 신고기한이 지난 날부터 5년간 보관하여야 한다. 단, 각 사업연도 개시일 전 5년이 되는 날 이전에 개시한 사업연도에서 발생한 결손금을 각 사업연도의 소득에서 공제하려는 법인은 해당 결손금이 발생한 사업연도의 증명서류를 공제되는 소득의 귀속사업연도의 법정신고기한부터 1년이 되는 날까지 보관하여야 한다.

(2) 법인이 공급받은 재화 또는 용역의 건당 거래금액(부가가치세 포함)이 3만 원 초과인 거래에 대해 그 대가를 지급하는 경우 원칙적으로 적격증명서류(신용카드매출전표, 현금영수증, 세금계산서, 계산서)를 수취·보관하여야 한다. 동 의무를 위반하는 경우 수취하지 아니한 금액의 2% 금액을 가산세로 납부하여야 한다.

3. 손금 배분원칙

법인에게 귀속되는 모든 비용은 일반적으로 공정·타당하다고 인정되는 기업회계기준에 준거하여 판매비와 일반관리비, 제조원가, 자산취득가액(자산매입부대비 포함) 등으로 명확히 구분하여 경리하여야 한다.

사례

계정과목	금액	비고
세금과공과	10,000,000	취득 시 토지에 대한 취득세 4,000,000원과 재산세 6,000,000
급여	20,000,000	제조원가에 해당하며, 이 중 공장직원급여 30%는 기말재고로 배부되어야 함

위 사례에 대한 세무조정은 다음과 같다.

<손금불산입>　토지　　　　4,000,000　유보 → 취득세는 토지의 취득부대비용

<손금불산입>　재고자산　　6,000,000　유보 → 기말재고자산 배부

4. 손금의 세무조정

회계장부	「법인세법」	세무조정
비용계상	손금항목	–
	손금불산입항목	손금불산입
자산계상	손금항목	손금산입
	손금불산입항목	양편 조정(손금산입 + 손금불산입)

Ⅱ 손비의 범위

1. 판매한 상품 또는 제품에 대한 원료의 매입가액(기업회계기준에 따른 매입에누리금액 및 매입할인금액 제외)과 그 부대비용

2. 판매한 상품 또는 제품의 보관료, 포장비, 운반비, 판매장려금 및 판매수당 등 판매와 관련된 부대비용(판매장려금 및 판매수당의 경우 사전약정 없이 지급하는 경우도 기업업무추진비로 보지 않고 판매부대비용에 포함)

3. 양도한 자산의 양도 당시의 장부가액

4. 인건비

5. 임원 또는 직원의 출산 또는 양육 지원을 위해 해당 임원 또는 직원에게 공통적으로 적용되는 지급기준에 따라 지급하는 금액

6. 유형자산의 수선비

7. 유형자산 및 무형자산에 대한 감가상각비

8. 특수관계인으로부터 양수한 자산의 장부가액이 시가에 미달하는 경우 감가상각비

9. 자산의 임차료

10. 차입금이자

11. 회수할 수 없는 부가가치세 매출세액미수금(「부가가치세법」에 따라 대손세액공제를 받지 아니한 것에 한정함)

12. 법령이 정한 자산의 평가차손

13. 제세공과금(외국자회사 수입배당금 익금불산입과 외국납부세액공제를 모두 적용하지 않는 경우의 외국법인세액 포함)

14. 영업자가 조직한 단체로서 법인이거나 주무관청에 등록된 조합 또는 협회에 지급한 회비(법령 또는 정관에 따라 정상적인 회비징수방식에 의해 경상경비 충당 등 목적으로 부과하는 회비)

영업자가 조직한 단체로서 법인 또는 주무관청 등록된 조합·협회	일반회비	손금
	특별회비	손금불산입 (극히 일부는 일반기부금)
임의로 조직된 조합 또는 협회의 모든 회비		손금불산입

15. 광업의 탐광비(탐광을 위한 개발비 포함)

16. 보건복지부장관이 정하는 무료진료권 또는 새마을진료권에 의하여 행한 무료진료의 가액

17. 「식품 등 기부 활성화에 관한 법률」에 따른 식품 및 생활용품의 제조업·도매업 또는 소매업을 영위하는 내국법인이 해당 사업에서 발생한 잉여 식품 등을 제공자 또는 제공자가 지정하는 자에게 무상으로 기증하는 경우 기증한 잉여 식품 등의 장부가액(기부금에 포함하지 않음)

18. 업무와 관련 있는 해외시찰·훈련비

19. 근로청소년을 위한 특별학급 또는 산업체부설중·고등학교 및 교육기관이 당해 법인과의 계약에 의하여 채용을 조건으로 설치·운영하는 직업교육훈련과정·학과 등의 운영비와 현장실습에 참여하는 학생들에게 지급하는 수당

20. 우리사주조합에 출연하는 자사주의 장부가액 또는 금품

자기 회사 우리사주조합에 출연한 금품	전액 손금인정
협력업체 등 우리사주조합 기부금	한도 내 손금인정

21. 장식·환경미화 등의 목적으로 사무실·복도 등 여러 사람이 볼 수 있는 공간에 항상 전시하는 미술품의 취득가액을 그 취득한 날이 속하는 사업연도의 손비로 계상한 경우 그 취득가액(취득가액이 거래단위별로 1천만 원 이하인 것으로 한정함)

구분	취득가액	회계처리	세무조정
미술품 A	1,000만 원	비용	–
미술품 B	100만 원	자산	–
미술품 C	1,500만 원	비용	손금불산입 1,500만 원(유보) 단, 업무무관자산 아님

22. 광고선전 목적으로 기증한 물품의 구입비용[특정인에게 기증한 물품(개당 3만 원 이하의 물품 제외)의 경우에는 연간 5만 원 이내의 금액으로 한정함]

구분	거래처 A			거래처 B	
광고선전 물품 3개 지급	10,000	광고선전비		30,000	광고선전비
	30,000	광고선전비		40,000	5만 원 초과 시 전액 기업업무 추진비
	50,000	광고선전비	연 5만 원 이하	50,000	기업업무 추진비

23. 임직원이 주식매수선택권 또는 주식이나 주식가치에 상당하는 금전으로 지급받는 상여금으로서 주식기준보상을 행사하거나 지급받는 경우 해당 주식매수선택권 등을 부여하거나 지급한 법인에 그 행사 또는 지급비용으로서 보전하는 금액

24. 주식매수선택권 또는 주식기준보상에 의하여 지급하는 금액(인건비 내용 참조)

25. 중소기업 및 중견기업이 「중소기업 인력지원 특별법」에 따라 부담하는 기여금

26. 임원 또는 직원(지배주주 등인 자 제외)의 사망 이후 유족에게 학자금 등으로 일시적으로 지급하는 금액으로서 기획재정부령으로 정하는 요건을 충족하는 것

27. 다음의 기금에 출연하는 금품(기부금이 아닌 전액 손금)

(1) 해당 내국법인이 설립한 「근로복지기본법」에 따른 사내근로복지기금

(2) 해당 내국법인과 다른 내국법인 간에 공동으로 설립한 공동근로복지기금

(3) 해당 내국법인의 협력중소기업이 설립한 사내근로복지기금

(4) 해당 내국법인의 협력중소기업 간에 공동으로 설립한 공동근로복지기금

28. 보험회사가 「보험업법」 제120조에 따라 적립한 책임준비금의 증가액(할인율의 변동에 따른 책임준비금 평가액의 증가분 제외)으로서 보험감독회계기준에 따라 비용으로 계상된 금액

29. 주택도시보증공사가 적립한 책임준비금의 증가액(할인율의 변동에 따른 책임준비금 평가액의 증가분은 제외)으로서 보험감독회계기준에 따라 비용으로 계상된 금액

30. 「조세특례제한법」에 따라 동업기업으로부터 배분받은 결손금

31. 그 밖의 손비로서 그 법인에 귀속되었거나 귀속될 금액

2 손금불산입항목

I 손금불산입항목

1. 자본거래

(1) 결산을 확정할 때 잉여금의 처분을 손비로 계상한 금액

(2) **주식할인발행차금**

「상법」 제417조에 따라 액면미달의 가액으로 신주를 발행하는 경우 그 미달하는 금액과 신주발행비의 합계액

2. 대손금 손금불산입

내국법인이 보유하고 있는 채권 중 채무자의 파산 등 법령으로 정하는 사유로 회수할 수 없는 채권의 금액은 법령으로 정하는 사업연도의 소득금액을 계산할 때 손금에 산입한다.

3. 세금과 공과금

(1) 법인세비용

(2) 부가가치세매입세액, 개별소비세, 교통·에너지·환경세, 주세

(3) 벌과금, 가산세, 강제징수비

(4) 공과금 중 임의적부담금과 제재목적 부담금

4. 징벌적 손해배상금

내국법인이 지급한 손해배상금 중 실제 발생한 손해를 초과하여 지급하는 금액으로서 법령으로 정하는 금액은 내국법인의 각 사업연도의 소득금액을 계산할 때 손금에 산입하지 아니한다.

5. 자산의 평가손실

자산의 평가손실은 손금에 산입하지 않는다. 단, 다음의 경우에는 손금에 산입한다.

(1) 파손·부패 등의 재고자산의 평가손실

(2) 천재지변·화재·수용·폐광으로 인한 유형자산의 평가손실

(3) 일정한 요건에 해당하는 주식의 평가손실

6. 과다경비 등

(1) 인건비(예 임원상여한도초과액)

(2) 복리후생비

(3) 여비 및 교육·훈련비

(4) 법인이 그 법인 외의 자와 동일한 조직 또는 사업 등을 공동으로 운영하거나 경영함에 따라 발생되거나 지출된 손비

7. 업무무관비용

(1) 업무무관자산을 취득·관리함으로써 생기는 비용 등 법령으로 정하는 금액

(2) 해당 법인의 업무와 직접 관련이 없는 지출금액으로서 법령으로 정하는 금액

Ⅱ 공동경비의 손금불산입

1. 의의

「법인세법」은 공동경비를 자의적으로 배분하여 조세회피할 수 있으므로 법령에서 정한 배분기준을 초과하면 손금으로 인정하지 않는다. 또한 손금불산입되는 금액은 다른 법인의 손금에 추가로 산입되지 아니한다.

2. 배분기준 – 원칙

출자공동사업	출자비율(특수관계 여부와 관계없음)
비출자 공동사업자 간 특수관계가 있는 경우	직전 사업연도 또는 해당 사업연도의 매출액 비율과 총자산가액 비율 중 법인이 선택❶한 비율
비출자 공동사업자 간 특수관계가 없는 경우	약정에 따른 분담비율. 다만, 약정 비율이 없는 경우 특수관계인인 경우 분담기준에 따른다.

❶
선택하지 아니한 경우에는 직전 사업연도의 매출액 총액을 선택한 것으로 보며, 선택한 사업연도부터 연속하여 5개 사업연도 동안 적용하여야 한다.

3. 배분기준 - 특례

공동행사비 및 공동구매비 등에 대하여는 다음 기준에 따를 수 있다.

공동행사비 등 참석인원수에 비례하는 비용		참석인원비율
공동구매비 등 구매금액에 비례하는 비용		구매금액비율
공동광고 선전비	국외 공동광고선전비	수출액비율(대행수출금액 제외, 특정제품에 대한 광고 선전비는 해당 제품의 수출금액)
	국내 공동광고선전비	기업회계기준에 따른 매출액 중 국내매출액비율 (특정제품에 대한 광고선전비는 해당 제품의 매출액, 주로 최종 소비자용 재화·용역을 공급하는 법인은 그 매출액의 2배 이하로 할 수 있음)
무형자산의 공동사용료		해당 사업연도 개시일의 기업회계기준에 따른 자본의 총합계액

Ⅲ 업무무관비용과 징벌적 손해배상금의 손금불산입

1. 업무무관자산 비용

해당 법인의 업무와 직접 관련이 없다고 인정되는 자산의 취득·관리함으로써 생기는 비용은 손금에 산입하지 않는다.

∵ 매각을 유도하기 위해 보유단계비용 부인

Check	업무무관자산 비용에 대한 세무상 처리방법	

구분	항목	내용
취득	취득세 등 취득부대비용	자산의 취득가액
보유	수선비, 재산세	손금불산입(기타사외유출 등)
	감가상각비	손금불산입(유보)
처분❶	양도가액	익금항목
	양도자산의 장부가액	손금항목 ∵ 업무와 무관하지만 수익과 직접 관련됨

2. 타인이 주사용하는 자산의 유지·관리비

해당 법인이 직접 사용하지 않고 다른 사람(비출자임원, 소액주주 임원 및 직원은 제외)이 주로 사용하고 있는 장소·건축물·물건 등의 유지비·관리비·사용료와 이와 관련되는 지출금은 손금에 산입하지 아니한다. 다만, 법인이 「대·중소기업 상생협력 촉진에 관한 법률」에 따른 사업을 중소기업(제조업에 한함)에 이양하기 위하여 무상으로 해당 중소기업에 대여하는 생산설비와 관련된 지출금 등은 제외한다.

❶
업무무관자산의 처분손실도 손금인정된다.

❶
소액주주: 지분율이 1% 미만인 주주이다(단, 지배주주와 특수관계인 제외).

3. 사택 유지·관리비

해당 법인의 주주 등(소액주주❶ 제외)이거나 출연자인 임원 또는 그 친족이 사용하고 있는 사택의 유지비·관리비·사용료와 이와 관련되는 지출금은 손금에 산입하지 아니한다.

사례

구분	지분율	사택유지비	세무조정
임원 갑	1%	10	손금불산입 10 (상여)
임원 을	0.5%	20	–
직원 병	2%	30	–

4. 업무무관자산 차입비용

업무무관자산을 취득하기 위하여 지출한 자금의 차입과 관련되는 비용은 손금에 산입하지 아니한다.

5. 뇌물 등

해당 법인이 공여한 뇌물에 해당하는 금전 및 금전 외의 자산과 경제적 이익의 합계액과 「노동조합 및 노동관계조정법」을 위반하여 지급하는 급여는 손금에 산입하지 아니한다. → 소득처분은 기타소득

6. 대손 불인정 채권처분손실

채무보증구상채권과 업무무관가지급금의 처분손실은 손금에 산입하지 않는다.

7. 징벌적 손해배상금

(1) 내국법인이 지급한 손해배상금 중 실제 발생한 손해를 초과하여 지급하는 금액으로서 법률(외국 법령 포함)의 규정에 따라 지급한 손해배상액 중 실제 발생한 손해액을 초과하는 금액은 손금에 산입하지 아니한다.
(2) 위 규정을 적용할 때 실제 발생한 손해액이 분명하지 아니한 경우에는 다음의 금액을 손금에 산입하지 아니한다.

$$손금불산입액 = A \times \frac{B-1}{B}$$

A: 지급한 손해배상금
B: 실제 발생한 손해액 대비 손해배상액의 배수 상한

예「개인정보 보호법」제39조 제3항에 따른 징벌적 손해배상금으로 피해자에게 3억원을 배상하고 비용처리한 경우로서 실손해액이 불분명한 경우(실제 발생한 손해액 대비 손해배상액의 배수 상한은 3이라고 가정함)

<손금불산입> 200,000,000 (기타사외유출)

Check	업무무관자산의 범위
부동산	다음의 해당하는 부동산. 다만, 법령에 의하여 사용이 금지되거나 제한된 부동산, 유동화전문회사가 등록한 자산유동화계획에 따라 양도하는 부동산 등 부득이한 사유가 있는 부동산을 제외한다. ① 법인의 업무에 직접 사용하지 아니하는 부동산. 다만, 유예기간이 경과하기 전까지의 기간 중에 있는 부동산을 제외한다. ② 유예기간 중에 당해 법인의 업무에 직접 사용하지 아니하고 양도하는 부동산. 다만, 부동산매매업을 주업으로 영위하는 법인의 경우를 제외한다.
동산	① 서화 및 골동품. 다만, 장식·환경미화 등의 목적으로 사무실·복도 등 여러 사람이 볼 수 있는 공간에 상시 비치하는 것을 제외한다. ② 업무에 직접 사용하지 아니하는 자동차·선박 및 항공기. 다만, 저당권의 실행 기타 채권을 변제받기 위하여 취득한 선박으로서 3년이 경과되지 아니한 선박 등 부득이한 사유가 있는 자동차·선박 및 항공기를 제외한다. ③ 위와 유사한 자산으로서 당해 법인의 업무에 직접 사용하지 아니하는 자산

Ⅳ 세금과 공과금

구분	손금불산입항목	손금항목
세금	① 법인세(익금불산입의 적용 대상이 되는 수입배당금액에 대하여 외국에 납부한 세액과 세액공제를 적용하는 경우의 외국법인세액 포함) 및 법인지방소득세 ② 연결모법인에 지급하였거나 지급할 법인세 ③ 판매하지 아니한 제품에 대한 반출필의 개별소비세, 주세 또는 교통·에너지·환경세의 미납액. 단, 제품가격에 그 세액상당액을 가산한 경우 예외로 한다. ④ 부가가치세의 매입세액(단, 일부는 손금항목) ⑤ 세법에 따른 의무불이행으로 인한 세액(가산세 포함) ⑥ 가산금 및 강제징수비	관세, 취득세, 인지세, 증권거래세, 재산세, 종합부동산세, 사업소분·종업원분 주민세, 자동차세 등

공과금	① 법령에 따른 의무적으로 납부하는 것이 아닌 공과금(예 폐수배출부담금) ② 법령에 따른 의무의 불이행 또는 금지·제한 등의 위반에 대한 제재로서 부과되는 공과금	교통우발부담금, 폐기물처리부담금
벌금	벌금, 과료(통고처분에 따른 벌금 또는 과료 포함), 과태료(과료·과태금 포함)은 손금에 산입하지 아니한다. 이에 대한 예시는 다음과 같다. ① 법인의 임직원이 「관세법」을 위반하고 지급한 벌과금 ② 업무와 관련하여 발생한 교통사고 벌과금 ③ 「고용보험 및 산업재해보상보험의 보험료 징수 등에 관한 법률」에 따라 징수하는 산업재해보상보험료의 가산금 ④ 금융기관의 최저예금지급준비금 부족에 대하여 금융기관이 한국은행에 납부하는 과태금 ⑤ 「국민건강보험법」에 따라 징수하는 연체금 ⑥ 외국의 법률에 따라 국외에서 납부한 벌금	① 사계약상의 의무불이행으로 인하여 부담하는 지체상금(정부와 납품계약으로 인한 지체상금 포함, 구상권 행사가 가능한 지체상금 제외) ② 보세구역에 보관되어 있는 수출용 원자재가 「관세법」상의 보관기간 경과로 국고에 귀속이 확정된 자산의 가액 ③ 철도화차 사용료의 미납액 연체이자 ④ 산업재해보상보험료의 연체금 ⑤ 국유지 사용료의 납부지연 연체료 ⑥ 전기요금의 납부지연 연체가산금

> [Check] **부가가치세 매입세액**
>
> | 구분 | | 내용 | 「법인세법」 처리 |
> |---|---|---|---|
> | 매입세액공제대상 | | – | 선급금(채권) |
> | 불공제
매입세액 | 조세
정책상 | 영수증을 교부받은 거래분에 포함된 매입세액으로서 매입세액공제대상이 아닌 금액 | 손금항목
(자산 취득가액 또는 비용처리) |
> | | | 면세사업 관련 | |
> | | | 비영업용 승용차 구입·임차·유지 관련 | |
> | | | 토지 자본적 지출 관련 | 토지의 취득가액 |
> | | | 간주임대료에 대한 부가가치세 | 지출한 자의 손금 |
> | | | 기업업무추진비 지출 관련 | 한도 내 손금 |
> | | 사업자
귀책사유 | ① 사업 무관 지출 관련
② 등록 전 매입세액
③ 세금계산서 미수취·부실기재 관련
④ 합계표 미제출·부실기재 관련 | 손금불산입 항목
(기타사외유출) |
>
> → 의제매입세액은 해당 법인의 각 사업연도의 소득금액계산을 할 때 해당 원재료의 매입가액에서 이를 공제함

3 인건비

I 인건비 손금불산입

1. 의의

인건비는 임원 및 직원에게 근로제공대가로 지급하는 급여 등으로서 원칙적으로 사업과 관련된 손비이나, 과다인건비 성격 등 일정한 인건비는 손금으로 인정되지 아니한다.

→ 주로 의사결정 및 집행에 참여하는 임원의 인건비 과다지급을 방지함

※ 인건비에는 내국법인이 발행주식총수 또는 출자지분의 100% 직접 또는 간접 출자한 해외현지법인에 파견된 임원 또는 직원의 인건비로서 근로소득세가 원천징수된 인건비(해당 내국법인이 지급한 인건비가 해당 내국법인 및 해외출자법인이 지급한 인건비 합계의 50% 미만인 경우로 한정)를 포함함

2. 손금불산입 인건비

인건비 중 다음의 금액은 손금에 산입하지 아니한다.

(1) 법인이 그 임원 또는 직원에게 이익처분에 의하여 지급하는 상여금은 이를 손금에 산입하지 아니한다. 이 경우 합명회사 또는 합자회사의 노무출자사원에게 지급하는 보수는 이익처분에 의한 상여로 본다.

(2) 법인이 지배주주 등(특수관계에 있는 자 포함)인 임원 또는 직원에게 정당한 사유 없이 동일 직위에 있는 지배주주 등 외의 임원 또는 직원에게 지급하는 금액을 초과하여 보수를 지급한 경우 그 초과금액은 이를 손금에 산입하지 아니한다.

(3) 비상근임원에게 지급하는 과다지급보수는 부당행위계산의 부인규정에 따라 손금불산입한다.

   → 부당행위계산의 부인액을 제외하고는 손금에 산입함

(4) 법인이 임원에게 지급하는 상여금 중 정관·주주총회·사원총회 또는 이사회의 결의에 의하여 결정된 급여지급기준에 의하여 지급하는 금액을 초과하여 지급한 경우 그 초과금액은 이를 손금에 산입하지 않는다.

구분	직원	임원
이익처분에 의한 상여	손금불산입	손금불산입
일반적인 상여	전액 손금	한도 내 손금

(5) 법인이 임원에게 지급하는 퇴직급여는 임원이 현실적으로 퇴직하는 경우에 지급하는 것에 한하여 다음의 한도 내에서 손금에 산입한다.

→ 직원의 현실적 퇴직에 따른 퇴직급여는 전액 손금이며, 임원 또는 직원의 비현실적 퇴직인 경우 현실적으로 퇴직할 때까지 업무무관가지급금으로 봄

구분	한도
정관 또는 정관의 위임에 따라 정한 퇴직급여지급규정이 있는 경우	정관 등에 정하여진 금액 (퇴직위로금 등 포함)
위 외의 경우	퇴직 전 1년간 총급여액 × 10% × 근속연수

① 총급여액: 「소득세법」 제20조 제1항 제1호 및 제2호에 따른 금액(비과세소득 제외)으로 하되, 손금에 산입하지 아니하는 금액은 제외한다.

총급여액 포함	총급여액 미포함
㉠ 근로제공급여	㉠ 비과세소득
㉡ 주주총회 등 결의에 따라 받는 상여	㉡ 인정상여
㉢ 미지급급여	㉢ 직무발명보상금
	㉣ 손금불산입 인건비

② 근속연수: 역에 따라 계산하며 1년 미만의 기간은 월수로 계산하되, 1개월 미만의 기간은 없는 것으로 한다. 만일 임원이 직원에서 임원으로 된 때에 퇴직금을 지급하지 아니한 경우에는 직원으로 근무한 기간을 근속연수에 합산할 수 있다.

3. 해산수당 등

법인의 해산에 의하여 퇴직하는 임원 또는 직원에게 지급하는 해산수당 또는 퇴직위로금 등은 최종 사업연도의 손금으로 한다.

4. 복리후생비

법인이 그 임원 또는 직원을 위하여 지출한 복리후생비 중 다음의 어느 하나에 해당하는 비용 외의 비용은 손금에 산입하지 않는다. 이 경우 직원은 파견근로자를 포함한다.

(1) 직장체육비, 직장문화비, 직장회식비

(2) 우리사주조합의 운영비

(3) 「국민건강보험법」, 「노인장기요양보험법」 및 「고용보험법」에 따라 사용자로서 부담하는 보험료 및 부담금

(4) 「영유아보육법」에 의하여 설치된 직장어린이집의 운영비

(5) 그 밖에 임원 또는 직원에게 사회통념상 타당하다고 인정되는 범위에서 지급하는 경조사비 등 위의 비용과 유사한 비용

5. 여비·교육훈련비

법인이 임원 또는 직원이 아닌 지배주주 등(특수관계에 있는 자 포함)에게 지급한 여비 또는 교육훈련비는 해당 사업연도의 소득금액을 계산할 때 손금에 산입하지 아니한다.

∵ 회사의 업무를 수행하지 않는 지배주주 등에게 변칙적으로 배당한 효과

Check | 현실적 퇴직과 비현실적 퇴직

현실적 퇴직	비현실적 퇴직
법인이 퇴직급여를 실제로 지급한 경우로서 다음의 어느 하나에 해당하는 경우 ① 직원이 해당 법인의 임원으로 취임한 때 ② 법인의 임직원이 그 법인의 조직변경·합병·분할 또는 사업양도에 의하여 퇴직한 때 ③ 「근로자퇴직급여 보장법」에 따라 퇴직급여를 중간정산❶하여 지급한 때 ④ 정관 또는 정관에서 위임된 퇴직급여지급규정에 따라 장기 요양 등 사유로 그 때까지의 퇴직급여를 중간정산하여 임원에게 지급한 때	다음의 어느 하나에 해당하는 경우 ① 임원이 연임된 경우 ② 법인의 대주주 변동으로 인하여 계산편의 등 사유로 전 직원에게 퇴직급여를 지급한 경우 ③ 외국법인의 국내지점 종업원이 본점(본국)으로 전출하는 경우 ④ 정부투자기관 등이 민영화됨에 따라 전 종업원의 사표를 일단 수리한 후 재채용한 경우 ⑤ 「근로자퇴직급여 보장법」에 따라 퇴직급여를 중간정산하기로 하였으나 이를 실제로 지급하지 아니한 경우 ⑥ 분할법인이 분할신설법인으로 고용을 승계한 임직원에게 퇴직금을 실제로 지급하지 아니하고 퇴직급여충당금을 승계한 경우 ⑦ 법인의 임직원이 특수관계 있는 법인으로 전출하는 경우에 전입법인이 퇴직급여상당액을 인수하여 퇴직급여충당금으로 계상한 때

Ⅱ 주식매수선택권 등에 의하여 지급하는 금액

주식매수선택권, 우리사주매수선택권이나 금전을 부여받거나 지급받은 자에 대한 다음의 금액은 손금에 산입한다. 다만, 해당 법인의 발행주식총수의 10% 범위에서 부여하거나 지급한 경우로 한정한다.

(1) 주식매수선택권 또는 우리사주매수선택권을 부여받은 경우로서 다음의 어느 하나에 해당하는 경우 해당 금액
　① 약정된 주식매수시기에 약정된 주식의 매수가액과 시가의 차액을 금전 또는 해당 법인의 주식으로 지급하는 경우의 해당 금액
　② 약정된 주식매수시기에 주식매수선택권 또는 우리사주매수선택권 행사에 따라 주식을 시가보다 낮게 발행하는 경우 그 주식의 실제 매수가액과 시가의 차액

❶ 종전에 퇴직급여를 중간정산하여 지급한 적이 있는 경우 직전 중간정산 대상 기간이 종료한 다음 날부터 기산하여 퇴직급여를 중간정산한 것이다.

(2) 주식기준보상으로 금전을 지급하는 경우 해당 금액

> **사례**
>
> [Case 1] 주식결제형(신주발행)
>
> ×1. 1. 1. 3년 용역제공조건으로 주식매수선택권 50개(부여일 공정가치 30원, 행사가격 70원)를 부여하였다. ×4년 초 주식매수선택권 50개를 전부 행사하여 신주 50주(1주당 액면가 50원, 1주당 시가 120원)를 행사가격에 발행하였다.
>
> | ×1년 | 차) 주식보상비용 | 500 | 대) 주식선택권 | 500 | → 손불 500 기타 |
> |---|---|---|---|---|---|
> | ×2년 | 차) 주식보상비용 | 500 | 대) 주식선택권 | 500 | → 손불 500 기타 |
> | ×3년 | 차) 주식보상비용 | 500 | 대) 주식선택권 | 500 | → 손불 500 기타 |
> | ×4년 | 차) 현금 | 3,500 | 대) 자본금 | 2,500 | → 손입 2,500 기타 |
> | | 주식매수선택권 | 1,500 | 주식발행초과금 | 2,500 | |
>
> → 행사시점의 시가와 행사가액 차액[(120 − 70) × 50개]을 손금에 산입함
>
> [Case 2] 주식결제형(자기주식 발행)
>
> 법인이 임직원이 자기주식교부형 주식매수선택권을 행사함에 따라 4,000원에 취득한 자기주식을 행사가격 3,000원(시가 7,000원)에 양도하고 다음과 같이 회계처리하였다.
>
> <회계처리>
>
> 차) 현금   3,000   대) 자기주식   4,000
> 　 자기주식처분손실(자본조정)   1,000
>
> <세무처리>
>
> 차) 현금   7,000   대) 자기주식   4,000
> 　 익금   3,000
> 차) 손금   4,000   대) 현금   4,000
>
> | 익금산입 및 손금불산입 | | | 손금산입 및 익금불산입 | | |
> |---|---|---|---|---|---|
> | 과목 | 금액 | 처분 | 과목 | 금액 | 처분 |
> | 자기주식처분이익 | 3,000 | 기타 | 자기주식처분손실 | 1,000 | 기타 |
> | | | | 행사차액 | 3,000 | 기타 |
>
> [관련 법령] 자기주식의 양도금액은 익금에 해당한다. 이 경우 주식매수선택권의 행사에 따라 주식을 양도하는 경우에는 주식매수선택권 행사 당시의 시가로 계산한 금액으로 한다.
>
> [Case 3] 현금결제형
>
> | 기간 | 차) 주식보상비용 | 10 | 대) 장기미지급비용 | 10 | → 손불 10 유보 |
> |---|---|---|---|---|---|
> | 행사 | 차) 장기미지급비용 | 10 | 대) 현금 | 10 | → 손입 10 △유보 |

4 업무용 승용차 관련비용의 손금불산입 등 특례

I 개요

1. 의의

법인 명의로 구입 또는 임차한 고가의 업무용 승용차를 임직원이 자녀의 통학 등 사적으로 사용하고 승용차 관련 비용은 과세당국의 적발 등이 어렵고 관련 법령이 없어 전액 손금인정되었다. 따라서 임직원의 법인 명의 승용차의 사적용도 사용을 규제하고, 고가의 승용차 구입을 억제하기 위하여 2016. 1. 1. 관련 규정이 도입되었다.

2. 업무용 승용차 범위

업무용 승용차란 개별소비세 과세대상 승용자동차(예 정원이 8인 이하)를 말한다. 다만, 다음의 어느 하나에 해당하는 승용자동차는 제외한다.

(1) 운수업, 자동차판매업, 자동차임대업, 운전학원업, 기계경비업(출동차량에 한함) 또는 시설대여업에서 사업상 수익을 얻기 위하여 직접 사용하는 승용자동차

(2) 장례식장·장의관련 서비스업을 영위하는 법인이 소유하거나 임차한 운구용 승용차

(3) 국토교통부장관의 임시운행허가를 받은 자율주행자동차

3. 승용차 관련비용

업무용 승용차에 대한 감가상각비, 임차료, 유류비, 보험료, 수선비, 자동차세, 통행료 및 금융리스부채에 대한 이자비용 등 업무용 승용차의 취득·유지를 위하여 지출한 비용

II 업무용 승용차 관련비용 손금불산입

1. 감가상각비 강제상각

업무용 승용차에 대한 감가상각비는 정액법을 상각방법으로 하고 내용연수를 5년으로 하여 계산한 금액을 감가상각비로 하여 손금에 산입하여야 한다.
∵ 상각범위액 내 임의계상을 통하여 승용차 관련비용 조절방지

2. 업무용 승용차 업무미사용금액 손금불산입

(1) 내국법인이 업무용승용차를 취득하거나 임차함에 따라 해당 사업연도에 발생하는 업무용승용차 관련비용 중 업무사용금액에 해당하지 아니하는 금액은 해당 사업연도의 소득금액을 계산할 때 손금에 산입하지 아니한다.

→ 소득처분 귀속자에 따라 상여 등

> 업무미사용금액 = 업무용승용차 관련비용 – 업무용승용차 관련비용 × 업무사용비율

(2) 업무용 사용금액이란 다음의 구분에 따른 금액을 말한다. 다만, 해당 업무용승용차에 기획재정부령으로 정하는 자동차등록번호판을 부착하지 않은 경우에는 영(0)원으로 한다.

① 해당 사업연도 전체 기간(임차한 승용차: 해당 사업연도 중에 임차한 기간) 동안 업무전용자동차보험에 가입한 경우

> 업무사용금액 = 업무용승용차 관련비용 × 업무사용비율

업무사무비율은 다음과 같이 계산한다.

구분		업무사용비율
운행기록 등을 작성·비치한 경우		업무용 사용거리❶ / 총주행거리
운행기록 등을 작성하지 않은 경우	승용차 관련비용이 1,500만 원 이하	100%
	승용차 관련비용이 1,500만 원 초과	1,500만 원❷ / 승용차 관련비용

② 업무전용자동차보험에 가입하지 아니한 경우❸: 영(0)원

3. 업무사용 감가상각비 한도초과액

(1) 업무사용 감가상각비 한도초과액 손금불산입

업무사용 감가상각비 중 연 800만 원을 초과하는 금액을 손금불산입(유보)한다.
∵ 고가 차량의 단기 상각 방지

> • 구입차량: 감가상각비 × 업무사용비율 – 800만 원 → 손불(유보)
> • 리스·렌트: 감가상각비 상당액 × 업무사용비율 – 800만 원 → 손불(기타사외유출)

① 감가상각비 상당액은 다음과 같이 계산한다.

임차한 승용차	감가상각비 상당액
등록한 시설대여업자 (운용리스)	임차료에서 해당 임차료에 포함되어 있는 보험료, 자동차세 및 수선유지비를 차감한 금액. 단, 수선유지비를 별도로 구분하기 어려운 경우 임차료(보험료와 자동차세를 차감한 금액)의 7%를 수선유지비로 함
시설대여업자 외 자동차대여사업자 (장기렌트)	임차료의 70%에 해당하는 금액

② 해당 사업연도가 1년 미만인 경우: 800만 원 × 해당 사업연도월수/12

③ 사업연도 중 일부 기간 동안 보유하거나 임차한 경우: 800만 원 × 해당 보유(임차)월수/12, 이 경우 1개월 미만의 일수는 1개월

(2) 감가상각비 한도초과액 이월공제

감가상각비 등 한도초과액은 다음과 같이 이월하여 손금에 산입한다.

① 업무용 승용차별 감가상각비 이월액: 해당 사업연도의 다음 사업연도부터 해당 업무용 승용차의 업무사용금액 중 감가상각비가 800만 원에 미달하는 경우 그 미달하는 금액을 한도로 하여 손금으로 추인한다.

② 업무용 승용차별 임차료 중 감가상각비 상당액 이월액: 해당 사업연도의 다음 사업연도부터 해당 업무용 승용차의 업무사용금액 중 감가상각비 상당액이 800만 원에 미달하는 경우 그 미달하는 금액을 한도로 손금에 산입한다.

4. 승용차 처분손실

(1) 업무용 승용차 처분손실 한도초과액

업무용 승용차 처분손실이 업무용 승용차별로 800만 원(해당 사업연도가 1년 미만인 경우 800만 원에 해당 사업연도의 월수를 곱하고 이를 12로 나누어 산출한 금액)을 초과하는 금액은 손금불산입(기타사외유출)한다.

> 업무용 승용차 처분손실 - 800만 원 = 손금불산입(기타사외유출)

(2) 처분손실 한도초과액의 이월공제

해당 사업연도의 다음 사업연도부터 800만 원을 균등하게 손금에 산입하되, 남은 금액이 800만 원 미만인 사업연도에는 남은 금액을 모두 손금에 산입한다.

5. 특정법인의 업무용 승용차

부동산임대업을 주업으로 하는 등 일정요건을 갖춘 법인(특정법인)에 대해서는 업무용 승용차규정을 적용할 때 다음의 특례를 적용한다.

구분	일반법인	특정법인
① 운행기록 미작성 시 손금인정한도, 업무사용비율 계산	1,500만 원	500만 원
② 감가상각비(상당액) 손금산입한도	800만 원	400만 원
③ 처분손실 손금산입한도	800만 원	400만 원

6. 명세서 제출

업무용 승용차 관련비용 또는 처분손실을 손금에 산입한 법인은 법인세 신고 시 업무용 승용차 관련비용 명세서를 첨부하여 납세지 관할 세무서장에게 제출하여야 한다. 만일 업무용 승용차 관련비용 명세서를 제출하지 아니하거나 사실과 다르게 제출한 경우 다음의 구분에 따른 금액을 가산세를 부과한다.

(1) 명세서를 제출하지 아니한 경우

내국법인이 과세표준을 신고할 때 업무용 승용차 관련비용 등으로 손금에 산입한 금액의 1%

(2) 명세서를 사실과 다르게 제출한 경우

내국법인이 과세표준을 신고할 때 업무용 승용차 관련비용 등으로 손금에 산입한 금액 중 해당 명세서에 사실과 다르게 적은 금액의 1%

5 기업업무추진비의 손금불산입

Ⅰ 개요

1. 개념

기업업무추진비란 접대, 교제, 사례 또는 그 밖에 어떠한 명목이든 상관없이 이와 유사한 목적으로 지출한 비용으로서 내국법인이 직접 또는 간접적으로 업무와 관련이 있는 자와 업무를 원활하게 진행하기 위하여 지출한 금액을 말한다.❶

2. 유사비용 구분

구분	업무관련성	지출목적	지출상대방	손금인정
기업업무추진비	○	거래관계도모	특정인	한도 내
광고선전비	○	구매의욕자극	불특정다수인	전액
판매부대비	○	판매와 직접 관련	매입처	전액
기부금	×	사회환원 등	특정인	한도 내❷

3. 기업업무추진비 규제

기업업무추진비는 지출의 투명성을 확보하고 사업자의 매출을 포착하기 위하여 적격증명수취를 강요하고, 사적용도·향락문화를 억제하기 위해 한도액을 정하고 있다.

구분	처리방법
적격증명서류 미수취 기업업무추진비	손금불산입(기타사외유출)
기업업무추진비 한도초과액	손금불산입(기타사외유출)

❶
관련판례: 법인이 사업을 위하여 지출한 비용 가운데 상대방이 사업에 관련 있는 사람들이고 지출의 목적이 접대 등 행위에 의하여 사업관계자들과의 사이에 친목을 두텁게 하여 거래관계의 원활한 진행을 도모하기 위한 지출을 기업업무추진비로 본다.

❷
비지정기부금은 전액 손금불산입한다.

Ⅱ 기업업무추진비의 범위

1. 사적 경비

주주 또는 임원 또는 직원이 부담하여야 할 성질의 기업업무추진비를 법인이 지출한 것은 이를 기업업무추진비로 보지 아니한다.

→ 손금불산입(배당, 상여 등)

2. 복리시설비

법인이 그 직원이 조직한 조합 또는 단체(예 노동조합지부)에 복리시설비를 지출한 경우 해당 조합이나 단체가 법인인 때에는 이를 기업업무추진비로 보며, 해당 조합이나 단체가 법인이 아닌 때에는 그 법인의 경리의 일부로 본다.

구분	법인격	처리방법
직원이 조직한 조합 또는 단체에 지급하는 복리시설비	법인	업무추진비
	법인 아님	경리의 일부
고객이 조직한 임의단체에 지급하는 금품	–	업무추진비

3. 채권 임의포기액

약정에 의하여 채권의 전부 또는 일부를 포기하는 경우에도 이를 대손금으로 보지 아니하며 기부금 또는 기업업무추진비로 본다. 다만, 특수관계자 외의 자와의 거래에서 발생한 채권으로서 채무자의 부도발생 등으로 장래에 회수가 불확실한 어음·수표상의 채권 등을 조기에 회수하기 위하여 당해 채권의 일부를 불가피하게 포기한 경우 동 채권의 일부를 포기하거나 면제한 행위에 객관적으로 정당한 사유가 있는 때에는 동 채권포기액을 손금에 산입한다.

거래상대방	채권포기 사유		처리방법
특수관계인 외의 자	정당한 사유가 있는 경우		대손금
	정당한 사유가 없는 경우	업무와 관련된 경우	업무추진비
		업무와 무관한 경우	기부금
특수관계인	정당한 사유가 없는 경우		부당행위(손금불산입)

4. 매입세액불공제액

기업업무추진비 및 이와 유사한 비용의 지출에 관련되어 공제받지 못한 매입세액은 기업업무추진비에 부대비용이므로 기업업무추진비로 본다.

5. 사업상 증여 부가가치세

「부가가치세법」에 따른 사업상 증여의 경우로서 법인이 부담한 매출세액 상당액은 사업상 증여의 성질에 따라 기부금 또는 기업업무추진비로 처리한다.

6. 광고선전비

광고선전목적으로 특정인에게 기증한 물품구입비용이 연 5만 원(개당 3만 원 이하 제외) 초과인 경우 5만 원 초과 전액을 기업업무추진비로 본다.

7. 판매부대비용

사전약정이 없거나 사전약정된 금액을 초과하는 판매장려금도 판매부대비용으로 보므로 기업업무추진비에 해당하지 아니한다.

8. 회의비

정상적인 업무를 수행하기 위하여 지출하는 회의비로서 사내 또는 통상회의가 개최되는 장소에서 제공하는 다과 및 음식물 등의 가액 중 사회통념상 인정될 수 있는 범위내의 금액(통상회의비)은 이를 각 사업연도의 소득금액 계산상 손금에 산입하나, 통상회의비를 초과하는 금액과 유흥을 위하여 지출하는 금액은 기업업무추진비로 본다.

Ⅲ 기업업무추진비 가액(현물기업업무추진비)과 귀속시기

1. 현물기업업무추진비

(1) 기업업무추진비를 금전 외의 자산으로 제공한 경우 기업업무추진비 금액은 기부했을 때의 장부가액과 시가 중 큰 금액으로 한다. 이 거래가 「부가가치세법」 사업상 증여에 해당하는 경우로서 법인이 부담한 매출세액은 기업업무추진비에 포함한다.

사례

회사가 거래처에 제품(원가 300, 시가 500)을 증정한 경우

회계	차) 업무추진비	350	대) 제품	300
			부가세예수금	50
세법	차) 업무추진비	550	대) 제품	300
			익금	200
			부가세예수금	50
조정	<손금산입> 200 <익금산입> 200 → 생략해도 됨			
	기업업무추진비 해당액: 200을 가산함			

(2) 금전 외의 자산으로 제공한 경우 기업업무추진비 금액은 수입금액에 포함하지 아니한다.

회사가 거래처에 제품(원가 300, 시가 500)을 증정한 경우

회계	차) 업무추진비	550	대) 매출	500
	매출원가	300	제품	300
			부가세예수금	50
세법	차) 업무추진비	550	대) 제품	300
			익금	200
			부가세예수금	50
조정	<손금불산입> 300 <익금불산입> 300 → 생략해도 됨 매출 500은 기업회계기준에 따른 매출액이 아니므로 수입금액 한도에서 500을 제외한다.			

2. 귀속시기

(1) 기업업무추진비의 귀속시기는 접대행위를 한 날이 속하는 사업연도로 한다. 따라서 기업업무추진비를 신용카드로 결제한 경우로서 당기 말까지 카드대금을 미지급한 경우에도 접대한 날이 속하는 사업연도의 기업업무추진비로 본다.

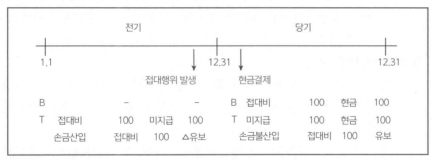

(2) 법인이 업무추진비를 지출한 사업연도의 손비로 처리하지 아니하고 이연처리한 경우에는 이를 지출한 사업연도의 기업업무추진비로서 시부인 계산하고 그 후 사업연도에 있어서는 이를 기업업무추진비로 보지 아니한다.

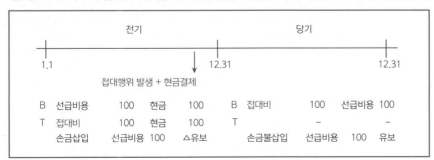

Ⅳ 기업업무추진비의 손금불산입

1. 신용카드 등 미사용 기업업무추진비의 손금불산입

(1) 적용대상

내국법인이 한 차례의 접대에 지출한 기업업무추진비가 3만 원(경조비 20만 원)을 초과하는 경우에는 적격증명서류를 수취하여야 하며, 이를 위반한 경우에는 각 사업연도소득금액 계산 시 동 기업업무추진비를 손금에 산입하지 않는다. 다만, 다음의 어느 하나에 해당하는 기업업무추진비는 그러하지 아니하다.

① 법인이 직접 생산한 제품 등으로 제공하는 현물 기업업무추진비

② 거래처의 매출채권 임의포기액

③ 지출사실이 객관적으로 명백한 경우로서 적격증명서류 구비가 어려운 경우
- ㉠ 기업업무추진비가 지출된 국외지역의 장소에서 현금 외에 다른 지출수단이 없어 증거자료를 구비하기 어려운 해당 국외지역에서의 지출
- ㉡ 농·어민(농업 중 작물재배업·축산업·복합농업, 임업 또는 어업에 종사하는 자를 말하며, 법인 제외)으로부터 직접 재화를 공급받는 경우의 지출로서 그 대가를 금융회사등을 통하여 지급한 지출(해당 법인이 법인세 신고를 할 때 과세표준 신고서에 송금사실을 적은 송금명세서를 첨부하여 납세지 관할 세무서장에게 제출한 경우에 한함)

(2) 적격증명서류 범위

① 법인명의신용카드(외국에서 발행된 신용카드 포함), 직불카드, 기명식선불카드, 직불전자지급수단, 기명식선불전자지급수단 또는 기명식전자화폐, 현금영수증

② 계산서 또는 세금계산서, 매입자발행계산서 및 매입자발행세금계산서

③ 사업자등록을 하지 아니한 자로부터 용역을 제공받고 발행한 원천징수영수증

※ 적격증명서류가 아닌 것: 임직원명의신용카드, 영수증, 금전등록기계산서, 재화 또는 용역을 공급하는 신용카드 등 가맹점이 아닌 다른 가맹점의 명의로 작성된 매출전표 등을 발급받은 경우

(3) 세무조정

손금불산입(기타사외유출)

구분	3만 원(20만 원) 이하	3만 원(20만 원) 초과
증빙미수취	손금불산입(대표자 상여)	
적격증빙미수취	업무추진비	손금불산입(기타사외유출)
적격증빙수취	업무추진비	업무추진비

2. 기업업무추진비 한도초과액의 손금불산입

(1) 한도액 계산

기업업무추진비 한도액 = (① + ②) + ③

기업업무추진비 한도액 = (① + ②) + ③ + ④
① 기본한도: 1,200만 원(중소기업 3,600만 원) × 사업연도 월수/12
② 수입금액 한도: (일반수입금액 × 적용률) + (특수관계인수입금액 × 적용률 × 10%)
③ 문화접대비: Min[문화접대비 지출액, ① + ② × 20%]
④ 전통시장구입비: Min[전통시장에서 지출한 기업업무추진비, ① + ② × 0%]

(2) 수입금액

한도액 계산 시 기업회계기준에 따라 계산한 매출액을 말한다. 수입금액에 포함되는 것과 제외하는 것의 예시는 다음과 같다.

수입금액 포함	수입금액 미포함
① 영업수입금액(업종에 따라 판단함)	① 매출에누리, 매출할인, 매출환입
② 중단사업부문 매출액 포함	② 「부가가치세법」상 간주공급
③ 반제품·부산물·작업폐물 등 매각액	③ 부당행위계산에 의한 익금산입액
④ 기업회계기준에 따른 매출액을 세무조정으로 익금산입한 금액	④ 간주임대료
	⑤ 현물기업업무추진비를 회사가 매출액 계상 시
	⑥ 기업회계기준에 따른 매출액과 「법인세법」상의 익금과의 차액을 세무조정으로 익금산입한 금액

(3) 적용률

수입금액	적용률
100억 원 이하	0.3%
100억 원 초과 500억 원 이하	3,000만 원 + (수입금액 − 100억 원) × 0.2%
500억 원 초과	1억 1,000만 원 + (수입금액 − 500억 원) × 0.03%

※ 일반수입금액과 특수수입금액이 함께 있는 경우 일반수입금액부터 적용률 적용

㉑ 일반수입금액이 80억 원이고 특수수입금액이 40억 원인 경우
(80억 원 × 0.3%) + (20억 원 × 0.3% × 10%) + (20억 원 × 0.2% × 10%)

(4) 문화비

문화비로 지출한 기업업무추진비란 국내 문화 관련 지출로서 다음의 해당하는 비용

① 문화예술의 공연·전시회 또는 박물관, 체육활동의 관람을 위한 입장권의 구입

②「영화 및 비디오물의 진흥에 관한 법률」에 따른 비디오물의 구입

③「음악산업진흥에 관한 법률」에 따른 음반 및 음악영상물의 구입 및 간행물의 구입

④ 문화체육관광부장관이 지정한 문화관광축제의 관람 또는 체험을 위한 입장권·이용권의 구입 및 관광공연장 입장권의 구입

⑤ 박람회의 입장권 구입, 지정문화재 및 국가등록문화재의 관람을 위한 입장권의 구입

⑥ 문화예술 관련 강연의 입장권 구입 또는 초빙강사에 대한 강연료 등

⑦ 자체시설 또는 외부임대시설을 활용하여 해당 내국인이 직접 개최하는 공연 등 문화예술행사비

⑧ 문화체육관광부의 후원을 받아 진행하는 문화예술, 체육행사에 지출하는 경비

⑨ 미술품의 구입(취득가액이 거래단위별로 1백만 원 이하인 것으로 한정함)

⑩ 종합유원시설업 또는 일반유원시설업의 허가를 받은 자가 설치한 유기시설 또는 유기기구의 이용을 위한 입장권·이용권의 구입

⑪ 수목원 및 정원의 입장권 구입

⑫「궤도운송법」에 따른 궤도시설의 이용권 구입

(5) 세무조정

손금불산입(기타사외유출)

> **Check** 특정법인의 한도액
>
> | 한도액 | 기업업무추진비 한도액 = (① + ②) × 50% + ③
① 기본한도: 1,200만 원(중소기업 3,600만 원)
　　　　　× 사업연도 월수/12
② 수입금액한도: (일반수입금액 × 적용률)
　　　　　+ (특수관계인수입금액 × 적용률 × 10%)
③ 문화비한도: Min[문화기업업무추진비 지출액, (① + ②) × 50% × 20%] |
> |---|---|
> | 특정
법인 | 다음의 요건을 모두 갖춘 내국법인을 말한다. ∵ 가족법인의 사적 사용 규제
① 해당 사업연도 종료일 현재 내국법인의 지배주주 등이 보유한 주식 등의 합계가 해당 내국법인의 발행주식총수 또는 출자총액의 50%을 초과할 것
② 해당 사업연도에 부동산임대업을 주된 사업으로 하거나 부동산 또는 부동산상의 권리의 대여로 인하여 발생하는 수입금액과 「소득세법」에 따른 이자소득금액과 배당소득금액 합계가 기업회계기준에 따라 계산한 매출액의 50% 이상일 것
③ 해당 사업연도의 상시근로자 수가 5명 미만일 것 |

①, ②의 우측에 중괄호로 묶여 '일반기업업무추진비 한도액' 표시

Ⅴ 자산 계상 기업업무추진비

1. 내용

기업업무추진비 시부인대상액은 '당기 지출액'이므로 회사가 자산처리한 금액도 모두 포함하여 기업업무추진비 한도초과액을 계산하여야 한다. 기업업무추진비 한도초과액이 발생한 경우 그 부인 순위는 다음에 따른다.

> ① 비용 계상분 → ② 건설 중인 자산 → ③ 유형자산 및 무형자산

2. 세무조정

구분		세무조정
한도초과액	비용 계상분	<손금불산입> ××× (기타사외유출)
	자산 계상분	<손금산입> 자산 ××× (△유보) <손금불산입> 한도초과액 ××× (기타사외유출)
자산감액분의 상각비		<손금불산입> 상각비 ××× (유보)
		상각비 × $\dfrac{\text{자산감액분}(\triangle\text{유보잔액})}{\text{자산의 장부가액}}$

6 기부금의 손금불산입

I 개요

1. 의의

기부금은 사업과 관련 없는 손비이므로 손금불산입항목이지만, 공익성 있는 기부금은 기업의 사회환원 측면에서 일정한 한도액 범위에서 손금으로 인정하며, 공익성 없는 기부금(비지정기부금)은 전액 손금불산입한다.

2. 범위

(1) 본래 기부금

기부금이란 내국법인이 사업과 직접적인 관계없이 무상으로 지출하는 금액을 말한다. 한편, 특례 및 일반기부금 단체에 지출한 금액은 그 특수관계 유무에 관계없이 기부금으로 본다.

(2) 의제기부금

특수관계인 외의 자에게 정당한 사유 없이 자산을 정상가액보다 낮은 가액으로 양도하거나 특수관계인 외의 자로부터 정상가액보다 높은 가액으로 매입하는 거래를 통하여 실질적으로 증여한 것으로 인정되는 금액은 기부금으로 본다. 이 경우 정상가액은 시가에 시가의 30%를 더하거나 뺀 범위의 가액으로 한다.

→ 유상거래 중 재산의 일부 가액만이 무상지출성격으로서 부분적인 기부금임

※ 특수관계인과의 거래는 시가와 거래가액 차액에 대해 부당행위계산부인 적용

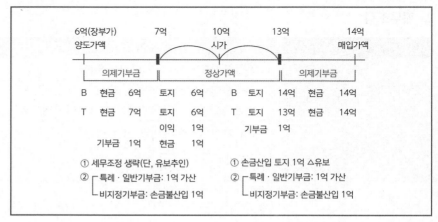

Ⅱ 현물기부금 평가

구분		현물기부금의 평가액
특례기부금		장부가액
일반기부금	특수관계 없는 경우	장부가액
	특수관계 있는 경우	Max[시가, 장부가액]
비지정기부금		Max[시가, 장부가액]

사례

제품(회사의 제품(장부가액 100, 시가 300)을 비지정기부금단체에 기부한 경우

B	차) 기부금	100	대) 제품	100
T	차) 기부금	300	대) 제품	100
			대) 수익	200
세무조정	<익금산입> 200 (기타) <손금산입> 200 (기타) → 세무조정은 생략			
	<손금불산입> 비지정기부금 300 기타사외유출			

Ⅲ 기부금의 귀속시기

기부금은 현금주의에 의하여 그 지출한 날이 속하는 사업연도에 손금으로 산입한다. 법인이 기부금 지출로 어음을 발행(배서를 포함)한 경우 그 어음이 실제로 결제된 날에 지출한 것으로 보며, 수표를 발행한 경우 당해 수표를 교부한 날에 지출한 것으로 본다.

※ 선일자수표는 어음과 성격이 유사하므로 결제일이 귀속시기임

사례

1. 기부금을 가지급금 등으로 이연계상한 경우에는 이를 그 지출한 사업연도의 기부금으로 하고, 그 후의 사업연도에 있어서는 이를 기부금으로 보지 아니한다.

구분	×1(지출)		×2(기부금 대체)	
회계	가지급금 10	현금 10	기부금 10	가지급금 10
세법	기부금 10	현금 10	–	–
세무조정	<손금산입> 가지급금 10 △유보		<손금불산입> 가지급금 10 유보	
	기부금 해당액 10 가산		기부금해당액 10 제외	

2. 기부금을 미지급금으로 계상한 경우 실제로 이를 지출할 때까지는 당해 사업연도의 소득금액계산에 있어서 이를 기부금으로 보지 아니한다.

구분	×1(미지급)		×2(지출)	
회계	기부금 10	미지급금 10	미지급금 10	현금 10
세법	–	–	기부금 10	현금 10
세무조정	<손금불산입> 미지급금 10 유보		<손금산입> 미지급금 10 △유보	
	기부금 해당액 10 제외		기부금 해당액 10 가산	

3. 정부로부터 인·허가를 받기 전의 설립 중인 공익법인 및 단체 등에 지출한 기부금은 정부로부터 인가 또는 허가를 받은 날이 속하는 사업연도의 기부금으로 본다.

Ⅳ 기부금의 구분

1. 특례기부금

(1) 국가나 지방자치단체에 무상으로 기증하는 금품의 가액. 다만, 「기부금품의 모집 및 사용에 관한 법률」의 적용을 받는 기부금품은 접수하는 것만 해당한다.

(2) 국방헌금과 국군장병 위문금품의 가액(향토예비군 포함)

(3) 천재지변(특별재난지역의 선포 사유가 된 재난 포함)으로 생기는 이재민을 위한 구호금품의 가액

(4) 사립학교, 한국장학재단 등에 시설비·교육비·장학금·연구비로 지출하는 기부금

(5) 국립대학병원 등에 시설비·교육비 또는 연구비로 지출하는 기부금

(6) 전문모금기관
사회복지공동모금회, 재단법인 바보의 나눔

2. 우리사주조합 기부금

법인이 협력업체 등 다른 법인의 우리사주조합에 지출하는 기부금

※ 법인이 본인 회사 우리사주조합에 출연하는 자사주의 장부가액·금품: 전액 손금

3. 일반기부금

(1) 다음의 공익법인 등(단체 및 비영리외국법인을 포함)의 고유목적사업비로 지출하는 기부금
① 사회복지법인, 어린이집, 유치원, 「초·중등교육법」 및 「고등교육법」에 따른 학교, 기능대학, 전공대학 형태의 평생교육시설 및 원격대학 형태의 평생교육시설, 「의료법」에 따른 의료법인, 종교단체

② 「민법」상 비영리법인, 비영리외국법인, 사회적협동조합, 공공기관 또는 법률에 따라 직접 설립 또는 등록된 기관 중 법정 요건을 모두 충족한 것으로서 국세청장의 추천을 받아 기획재정부장관이 지정하여 고시한 법인

　　예 대한적십자사, 독립기념관

(2) 다음의 기부금

① 유치원의 장·「초·중등교육법」및 「고등교육법」에 의한 학교의 장, 기능대학의 장, 전공대학 형태의 평생교육시설 및 원격대학 형태의 평생교육시설의 장이 추천하는 개인에게 교육비·연구비 또는 장학금으로 지출하는 기부금

② 「상속세 및 증여세법 시행령」의 요건을 갖춘 공익신탁으로 신탁하는 기부금

③ 사회복지·문화·예술·교육·종교·자선·학술 등 공익목적으로 지출하는 기부금으로서 기획재정부장관이 지정하여 고시하는 기부금

　　예 국민체육진흥기금, 근로복지진흥기금, 발명진흥기금, 과학기술진흥기금으로 출연하는 기부금, 전쟁기념사업회에 전쟁기념관 또는 기념탑의 건립비용으로 지출하는 기부금

(3) 사회복지시설(아동복지시설, 장애인복지시설 등) 또는 기관 중 무료 또는 실비로 이용할 수 있는 시설 또는 기관에 기부하는 금품의 가액

→ 장애인 유료복지시설은 비지정기부금에 해당함

(4) 기획재정부장관이 지정하여 고시하는 국제기구에 지출하는 기부금

　　예 유엔난민기구, 글로벌녹색성장연구소, 아시아산림협력기구 등

(5) 법인으로 보는 단체 중 일반기부금 단체 등을 제외한 단체의 수익사업에서 발생한 소득을 고유목적사업비로 지출하는 금액

4. 비지정기부금

위에 열거되지 않은 기부금은 비지정기부금으로서 그 전액을 손금불산입하고 그 기부받은 자에 따라 배당, 상여, 기타사외유출 등으로 소득처분을 한다.

예 신용협동조합·새마을금고에 지출하는 기부금, 동창회·향우회·종친회 기부금, 정당에 지출하는 기부금

Ⅴ 기부금 시부인 계산

당기순이익 (+) 익금산입 및 손금불산입 (-) 손금산입 및 익금불산입 　차가감소득금액 (+) 기부금한도초과액 (-) 기부금한도초과이월액손금산입 　각 사업연도 소득금액	기부금한도초과액, 기부금한도초과이월손금산입액을 제외한 모든 세무조정(비지정기부금, 기부금 귀속시기, 의제기부금 세무조정 포함) → 소득금액조정합계표에 작성됨 [1단계] 차가감소득금액 계산 [2단계] 시부인 계산

1. 차가감소득금액

당기순이익 + 익금산입 및 손금불산입 − 손금산입 및 익금불산입 = 차가감소득금액

2. 시부인 계산

(1) 내국법인이 각 사업연도에 지출한 기부금 및 이월된 기부금은 손금산입한도액 내에서 해당 사업연도의 소득금액을 계산할 때 손금에 산입하되, 손금산입한도액을 초과하는 금액은 손금에 산입하지 아니한다.

　※ 특례기부금 → 우리사주조합기부금 → 일반기부금 순으로 함

(2) 내국법인이 각 사업연도에 지출하는 기부금 중 기부금의 손금산입한도액을 초과하여 손금에 산입하지 아니한 금액은 해당 사업연도의 다음 사업연도 개시일부터 10년 이내에 끝나는 각 사업연도로 이월하여 그 이월된 사업연도의 소득금액을 계산할 때 기부금 각각의 손금산입한도액의 범위에서 손금에 산입한다.

　※ 2013. 1. 1. 이후 지출한 기부금부터 이월공제기간은 10년임

　※ 우리사주조합기부금 한도초과액은 이월공제규정 없음

(3) 기부금을 손금에 산입하는 경우 이월된 금액을 해당 사업연도에 지출한 기부금보다 먼저 손금에 산입한다. 이 경우 이월된 금액은 먼저 발생한 이월금액부터 손금에 산입한다.

3. 특례기부금

한도액 = (기준소득금액 − 이월결손금) × 50%

(1) 기준소득금액

차가감소득금액(합병·분할에 따른 양도손익 제외) + 특례기부금·우리사
주조합기부금·일반기부금 지출액

(2) 이월결손금

과세표준 계산 시 공제대상 이월결손금이며 각 사업연도 소득의 80%를
한도로 이월결손금 공제를 적용받는 법인은 기준소득금액의 80%를 한
도로 한다.

Check 세무조정

1. 전기이월액: Min(특례기부금한도초과이월액, 특례기부금한도액) 손금산입(기타)

2. 당기지출액: 당기지출액 – (한도액 – 1.의 손금인정액) = ┌ 한도초과액 ⋯ 손금불산입
　　　　　　　　　　　　　　　　　　　　　　　　　　　　　　　　　　　　(기타사외유출)
　　　　　　　　　　　　　　　　　　　　　　　　　　　　　└ 한도미달액 ⋯ 세무조정 없음

---

4. 우리사주조합

한도액 = (기준소득금액 – 이월결손금 – 특례기부금 손금산입액) × 30%

Check 세무조정

당기지출액 – 한도액 = ┌ 한도초과액 ⋯ 손금불산입(기타사외유출)
　　　　　　　　　　　└ 한도미달액 ⋯ 세무조정 없음

---

5. 일반기부금

한도액 = (기준소득금액 – 이월결손금 – 특례기부금 손금산입액
　　　　　 – 우리사주조합기부금 손금산입액) × 10%(20%)❶

Check 세무조정

1. 전기이월액: Min(일반기부금한도초과이월액, 일반기부금한도액) 손금산입(기타)

2. 당기지출액: 당기지출액 – (한도액 – 1.의 손금인정액) = ┌ 한도초과액 ⋯ 손금불산입
　　　　　　　　　　　　　　　　　　　　　　　　　　　　　　　　　　　　(기타사외유출)
　　　　　　　　　　　　　　　　　　　　　　　　　　　　　└ 한도미달액 ⋯ 세무조정 없음

※ 특례기부금 손금산입액은 이월하여 손금산입한 금액을 포함함

❶
사업연도 종료일 현재 사회적 기업은
20%

7 지급이자의 손금불산입

I 개요

1. 의의

법인이 사업을 위하여 자금을 차입하고 부담하는 지급이자는 법인의 순자산을 감소시키는 거래로 인하여 발생하는 손비이므로 손금으로 인정하는 것을 원칙으로 한다. 다만, 조세정책적 목적에서 일정한 지급이자는 손금에 산입하지 아니한다.

2. 손不 지급이자

지급이자는 지급이자 총액을 한도로 다음 순서에 따라 손금에 산입하지 않는다.

구분	소득처분	취지
채권자가 불분명한 사채이자, 비실명채권·증권의 이자	대표자상여 (기타사외유출)❶	가공채무계상 규제, 금융실명거래 유도
건설자금이자	유보	자산의 취득부대비용
업무무관자산 등 관련이자	기타사외유출	비생산적 자금활용 규제

II 채권자가 불분명한 사채이자

1. 의의

채권자가 불분명한 사채의 이자란 다음 중 어느 하나에 해당하는 차입금의 이자(알선수수료·사례금 등 명목여하에 불구하고 사채를 차입하고 지급하는 금품 포함)를 말한다. 다만, 거래일 현재 주민등록표에 의하여 그 거주사실 등이 확인된 채권자가 차입금을 변제받은 후 소재불명이 된 경우의 차입금에 대한 이자를 제외한다.

(1) 채권자의 주소 및 성명을 확인할 수 없는 차입금

(2) 채권자의 능력 및 자산상태로 보아 금전을 대여한 것으로 인정할 수 없는 차입금

(3) 채권자와의 금전거래사실 및 거래내용이 불분명한 차입금

2. 세무조정

채권자가 불분명한 사채의 이자를 손금불산입하되, 원천징수세액 상당액 (∵ 국가에 귀속)은 기타사외유출로 처분하고, 나머지 잔액은 대표자상여 (∵ 사외유출되었으나 귀속이 불분명함)로 처분한다.

❶
원천징수세액 상당액은 기타사외유출로 처분한다.

Ⅲ 지급받은 자가 불분명한 채권·증권의 이자 또는 할인액

1. 의의

지급받은 자가 불분명한 채권·증권의 이자란 채권 또는 증권의 이자·할인액 또는 차익을 당해 채권 또는 증권의 발행법인이 직접 지급하는 경우 그 지급 사실이 객관적으로 인정되지 아니하는 이자·할인액 또는 차익을 말한다.

2. 세무조정

객관적으로 인정되지 않는 이자를 손금불산입하되, 원천징수세액 상당액 (∵국가에 귀속)은 기타사외유출로 처분하고, 나머지 잔액은 대표자상여 (∵ 사외유출되었으나 귀속이 불분명함)로 처분한다.

Ⅳ 건설자금이자

1. 의의

사업용 유형자산·무형자산의 매입·제작 또는 건설에 소요되는 차입금(자산의 건설 등에 소요된 지의 여부가 분명하지 않은 차입금 제외)에 대한 지급이자 또는 이와 유사한 성질의 지출금(특정차입금 이자)은 손금에 산입하지 않고 자산의 취득원가에 산입한다.

2. 건설자금이자대상

대상자산	① 사업용 유형자산 및 무형자산만 건설자금이자대상 자산이므로 투자부동산과 재고자산은 건설자금이자 대상이 아니다. ② 부동산매매업의 주택은 재고자산이므로 건설자금이자 대상이 아니다.
차입금	① 특정차입금: 자본화 강제 ② 일반차입금: 자본화 선택

3. 건설자금이자 계산기간

(1) 건설자금이자는 건설을 개시한 날부터 준공된 날까지 발생한 지급이자를 말한다. 단, 토지매입의 경우 그 대금을 청산한 날까지로 하되, 대금을 청산하기 전에 해당 토지를 사업에 제공한 경우에는 사업에 제공한 날까지 발생한 지급이자를 말한다.

(2) 건설착공 이전이자는 건설자금이자에 포함하는 것이 아니라 각 사업연도의 손금으로 하며, 특정차입금 중 해당 건설 등이 준공된 후에 남은 차입금에 대한 이자는 각 사업연도의 손금으로 한다.

4. 특정차입금 계산

> (특정차입금이자 – 운영자금 전용이자) – 수입이자

(1) 특정차입금에 대한 지급이자 등은 건설 등이 준공된 날까지 이를 자본적 지출로 하여 그 원본에 가산한다. 다만, 특정차입금의 일부를 운영자금에 전용한 경우에는 그 부분에 상당하는 지급이자는 이를 손금으로 한다.

(2) 특정차입금의 일시예금에서 생기는 수입이자는 원본에 가산하는 자본적 지출금액에서 차감한다.

(3) 특정차입금의 연체로 인하여 생긴 이자를 원본에 가산한 경우 그 가산한 금액은 이를 해당 사업연도의 자본적 지출로 하고, 그 원본에 가산한 금액에 대한 지급이자는 이를 손금으로 한다.

5. 일반차입금 계산

건설자금에 충당한 차입금의 이자에서 특정차입금이자를 뺀 금액으로서 다음에 따라 계산한 금액은 손금에 산입하지 아니할 수 있다.

> Min(①, ②)
> ① (건설 등을 위한 연평균지출액❶ – 특정차입금평균액❷) × 자본화이자율❸
> ② 해당 사업연도 중 건설 등에 소요된 기간에 실제로 발생한 일반차입금 이자

❶
해당 사업연도의 건설 등에 지출한 금액의 적수 ÷ 사업연도 일수
❷
해당 사업연도의 특정차입금적수 ÷ 사업연도 일수
❸
일반차입금이자 ÷ $\dfrac{\text{해당 사업연도의 일반차입금적수}}{\text{해당 사업연도 일수}}$

6. 세무조정

구분			세무조정	
			당기	차기 이후
건설자금이자 과소계상	비상각자산		손금불산입(유보)	양도시점에 손금산입(△유보)
	상각자산	건설 중	손금불산입(유보)	준공된 사업연도에 상각부인액으로 보아 시인부족액 범위 내 손금산입(△유보)
		건설완료	즉시상각의제로 시부인계산	–
건설자금이자 과대계상			손금산입(△유보)	감가상각 또는 양도 시 손금불산입(유보) 처리

V 업무무관자산 등에 대한 지급이자

1. 의의
법인의 부동산투기를 억제하고 비생산적인 자금활용을 간접적으로 규제하기 위해 법인이 업무무관자산을 보유하거나 특수관계인에게 업무무관가지급금을 지급하고 있는 경우에는 그에 상당하는 차입금 이자를 손금에 산입하지 않는다.

2. 계산

$$지급이자 \times \frac{(업무무관자산\ 적수 + 업무무관가지급금\ 적수)}{차입금\ 적수}$$

※ 지급이자와 차입금 적수: 선순위 부인된 지급이자와 동 지급이자에 대한 차입금 적수는 제외함

※ 차입금 적수 한도

3. 지급이자 범위

지급이자에 포함되는 것	지급이자에 포함되지 않는 것
미지급이자(손금으로 인정되는 것)	선급이자
사채할인발행차금상각액	현재가치할인차금상각액·연지급수입이자
차입거래로 보는 경우 상업어음할인료	매각거래로 보는 경우 상업어음할인료
금융리스료 중 이자상당액	운용리스료
재고자산에 대한 건설자금이자	한국은행 총재가 정한 기업구매자금대출이자
전환사채에 대한 상환할증금	지급보증료, 신용보증료, 지급수수료

4. 차입금 적수

(1) 원칙
차입금잔액 × 일수 = 차입금적수

(2) 간편법
지급이자 ÷ 연 이자율 × 365(윤년 366) = 차입금적수

※ 사업연도가 1년 미만인 경우에도 위 산식을 적용함

5. 업무무관자산
「법인세법」규정에 의한 취득가액으로 하되, 특수관계인으로부터의 고가매입으로 부당행위부인규정이 적용되는 경우 시가초과액을 포함한다.

특수관계인으로부터 고가매입한 경우

구분	취득가액
부당행위계산부인	시가
지급이자 손금불산입 계산 시 업무무관자산	실제매입가액(시가초과액 포함)

6. 업무무관 가지급금

(1) 범위

① 업무무관 가지급금이란 명칭에 관계없이 법인의 업무와 관련이 없는 자금의 대여액(금융기관 등의 주된 수익사업으로 볼 수 없는 자금의 대여액 포함)을 말하는 것으로서, 지급이자 손금불산입 대상은 특수관계인에 대한 대여금만 해당된다.

② 업무무관 가지급금에는 적정이자율에 따라 이자를 받는 경우도 포함되며, 그 가지급금의 업무관련성 여부는 해당 법인의 목적사업이나 영업내용 등을 기준으로 객관적으로 판단한다.

> 예 내국법인이 해외현지법인의 시설 및 운영자금을 대여한 경우 그 자금의 대여가 내국법인의 영업활동과 관련되었다면 업무무관 가지급금 아님

③ 동일인에 대한 가지급금과 가수금이 함께 있는 경우에는 이를 상계한 금액으로 한다. 다만, 발생 시에 각각 상환기간 및 이자율 등에 관한 약정이 있어 상계할 수 없는 경우에는 이를 상계하지 아니한다.

④ 가지급금 적수 계산 시 가지급금이 발생한 초일은 산입하고 회수된 날은 제외한다.

(2) 가지급금으로 보지 않는 경우

① 「소득세법」상 지급한 것으로 보는 배당소득과 상여금(미지급소득)에 대한 소득세를 법인이 납부하고 가지급금으로 계상한 금액(해당 소득을 실제 지급할 때까지의 기간에 상당하는 금액으로 한정함)

② 국외에 자본을 투자한 내국법인이 해당 국외투자법인에 종사하거나 종사할 자의 여비 · 급료 기타 비용을 대신하여 부담하고 이를 가지급금 등으로 계상한 금액

③ 법인이 우리사주조합 또는 그 조합원에게 해당 우리사주조합이 설립된 회사의 주식취득에 소요되는 자금을 대여한 금액

④ 「국민연금법」에 의하여 근로자가 지급받은 것으로 보는 퇴직금전환금

⑤ 소득의 귀속이 불분명하여 대표자에게 상여처분한 금액에 대한 소득세를 법인이 납부하고 이를 가지급금으로 계상한 금액

⑥ 직원에 대한 월정급여액의 범위에서의 일시적인 급료의 가불금

⑦ 직원에 대한 경조사비 또는 학자금(자녀학자금 포함)의 대여액

⑧ 중소기업에 근무하는 직원(지배주주 등인 직원 제외)에 대한 주택구입 또는 전세자금의 대여액

05 손익의 귀속시기와 자산·부채의 평가

1 손익의 귀속시기

I 손익의 귀속시기

1. 의의

(1) 손익의 귀속을 어느 사업연도로 확정시키는지 여부는 법인의 각 사업연도의 소득이 달라지며 납부세액도 달라질 수 있다.

(2) 「법인세법」은 손익의 귀속시기를 수취할 권리가 확정된 날을 익금의 귀속시기로 하며, 지급할 의무가 확정된 날을 손금의 귀속시기로 한다.

(3) 단, 손금의 귀속시기는 수익활동에 사용됨에 따라 손금으로 되는(예 감가상각비) 항목도 있으므로 의무확정주의 외의 수익·비용 대응원칙도 병행하여 판단하여야 한다.

2. 권리의무 확정주의

(1) 내국법인의 각 사업연도의 익금과 손금의 귀속사업연도는 그 익금과 손금이 확정된 날이 속하는 사업연도로 한다.

(2) 이는 납세자의 과세소득을 획일적으로 파악하여 과세의 공평을 기함과 동시에 납세자의 자의를 배제하기 위함이다.

3. 회계기준 보충적 적용

내국법인의 각 사업연도의 소득금액을 계산할 때 그 법인이 익금과 손금의 귀속사업연도와 자산·부채의 취득 및 평가에 관하여 일반적으로 공정·타당하다고 인정되는 기업회계기준을 적용하거나 관행을 계속 적용하여 온 경우에는 「법인세법」 및 「조세특례제한법」에서 달리 규정하고 있는 경우를 제외하고는 그 기업회계기준 또는 관행에 따른다.

Ⅱ 자산의 판매손익 등의 귀속사업연도

1. 일반적인 경우

(1) 재고자산(부동산 제외) 판매

① 국내판매: 재고자산을 인도한 날. 단, 납품계약 또는 수탁가공계약에 의하여 물품을 납품하거나 가공하는 경우에는 당해 물품을 계약상 인도하여야 할 장소에 보관한 날. 다만, 계약에 따라 검사를 거쳐 인수 및 인도가 확정되는 물품의 경우에는 당해 검사가 완료된 날로 한다.

② 수출: 수출물품을 계약상 인도하여야 할 장소에 보관한 날(계약상 별단의 명시가 없는 한 선적을 완료한 날)

(2) 재고자산 시용판매

상대방이 그 상품 등에 대한 구입의 의사를 표시한 날. 다만, 일정기간 내에 반송하거나 거절의 의사를 표시하지 아니하면 특약 등에 의하여 그 판매가 확정되는 경우에는 그 기간의 만료일로 한다.

(3) 재고자산 외 자산양도

그 대금을 청산한 날. 다만, 대금을 청산하기 전에 소유권 등의 이전등기(등록 포함)를 하거나 당해 자산을 인도하거나 상대방이 당해 자산을 사용수익하는 경우에는 그 이전등기일(등록일 포함)·인도일 또는 사용수익일 중 빠른 날로 한다.

(4) 자산의 위탁매매

수탁자가 그 위탁자산을 매매한 날

(5) 유가증권의 매매

증권시장에서 보통거래방식으로 한 유가증권의 매매는 매매계약을 체결한 날

(6) 매출할인

법인이 매출할인을 하는 경우 그 매출할인금액은 상대방과의 약정에 의한 지급기일(그 지급기일이 정하여 있지 아니한 경우에는 지급한 날)이 속하는 사업연도의 매출액에서 차감한다.

(7) 프로젝트금융투자회사 토지양도대금

프로젝트금융투자회사가 「택지개발촉진법」에 따른 택지개발사업 등 기획재정부령으로 정하는 토지개발사업을 하는 경우로서 해당 사업을 완료하기 전에 그 사업의 대상이 되는 토지의 일부를 양도하는 경우에는 그 양도 대금을 해당 사업의 작업진행률에 따라 각 사업연도의 익금에 산입할 수 있다.

2. 장기할부판매

(1) 의의

장기할부조건은 자산의 판매 또는 양도로서 판매금액 또는 수입금액을 월부·연부 기타의 지불방법에 따라 2회 이상으로 분할하여 수입하는 것 중 당해 목적물의 인도일(상품 외 자산 소유권이전등기일, 인도일 또는 사용수익일 중 빠른 날)의 다음 날부터 최종의 할부금의 지급기일까지의 기간이 1년 이상인 것을 말한다.

(2) 원칙

「법인세법」은 장기할부판매손익을 인도기준(명목가치)으로 인식하는 것이 원칙이다.

(3) 특례

① 인도기준(현재가치): 장기할부조건 등에 의하여 자산을 판매하거나 양도함으로써 발생한 채권에 대하여 기업회계기준이 정하는 바에 따라 현재가치로 평가하여 현재가치할인차금을 계상한 경우 해당 현재가치할인차금 상당액은 해당 채권의 회수기간 동안 기업회계기준이 정하는 바에 따라 환입하였거나 환입할 금액을 각 사업연도의 익금에 산입한다.

∵ 장부상 현재가치 평가한 기업의 세무조정 부담을 줄여주기 위함

② 회수기일 도래기준(→ 세부담 최소)

㉠ 법인이 장기할부조건으로 자산을 판매·양도한 경우로서 판매 또는 양도한 자산의 인도일이 속하는 사업연도의 결산을 확정함에 있어서 해당 사업연도에 회수하였거나 회수할 금액과 이에 대응하는 비용을 각각 수익과 비용으로 계상한 경우에는 그 장기할부조건에 따라 각 사업연도에 회수하였거나 회수할 금액과 이에 대응하는 비용을 각각 해당 사업연도의 익금과 손금에 산입한다.

∵ 인도기준으로 일시에 과세할 경우 세금납부에 부담이 됨

㉡ 중소기업은 장기할부조건으로 자산을 판매·양도한 경우에는 그 장기할부조건에 따라 각 사업연도에 회수하였거나 회수할 금액과 이에 대응하는 비용을 각각 해당 사업연도의 익금과 손금에 산입할 수 있다.

∵ K-IFRS 적용하는 중소기업의 세부담 유지를 위함

㉢ 회수기일 도래기준 적용: 인도일 이전에 회수하였거나 회수할 금액은 인도일에 회수한 것으로 보며, 법인이 장기할부기간 중에 폐업한 경우에는 그 폐업일 현재 익금에 산입하지 아니한 금액과 이에 대응하는 비용을 폐업일이 속하는 사업연도의 익금과 손금에 각각 산입한다.

사례

회수기일 도래기준 적용

판매 400(계약금 100 인도 전 수령, 인도 후 매년 말 100씩 회수 약정), 원가 200

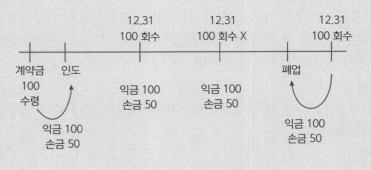

Ⅲ 용역제공 등에 의한 손익의 귀속사업연도

1. 원칙 – 진행기준

건설·제조 기타용역(도급공사 및 예약매출 포함)의 제공으로 인한 익금과 손금은 그 목적물의 건설 등의 착수일이 속하는 사업연도부터 그 목적물의 인도일(용역제공은 그 제공을 완료한 날)이 속하는 사업연도까지 작업진행률을 기준으로 하여 계산한 수익과 비용을 각각 해당 사업연도의 익금과 손금에 산입한다.

(1) 진행기준에 의한 익금과 손금

① 익금: 계약금액 × 작업진행률 – 직전 사업연도 말까지 익금에 산입한 금액

② 손금: 당해 사업연도에 발생된 총비용

(2) 작업진행률

$$작업진행률 = \frac{해당\ 사업연도\ 말까지\ 발생한\ 총공사비누적액}{총공사예정비}$$

① 총공사예정비는 기업회계기준을 적용하여 계약 당시에 추정한 공사원가에 해당 사업연도 말까지의 변동상황을 반영하여 합리적으로 추정한 공사원가로 한다.

② 주택·상가 또는 아파트 등의 예약매출로 인한 익금과 손금의 귀속사업연도를 작업진행률에 의하는 경우에 해당 아파트 등의 부지로 사용될 토지의 취득원가는 총공사비 등에 산입하지 아니하고 작업진행률에 따라 안분하여 손금에 산입한다.

| 토지 구입 시 | 차) 재고자산 ××× 대) 현금 ××× |
| 결산 시 | 차) 공사원가 ××× 대) 재고자산 ××× |

※ 하자보수비는 총공사예정비에 포함하고, 공사완료연도에 누적발생
계약원가에 포함함

2. 인도기준 선택

다음 중 어느 하나에 해당하는 경우에는 그 목적물의 인도일이 속하는 사업
연도의 익금과 손금에 산입할 수 있다.

(1) 중소기업인 법인이 수행하는 계약기간이 1년 미만인 건설 등의 경우

(2) 기업회계기준에 따라 그 목적물의 인도일이 속하는 사업연도의 수익과
비용으로 계상한 경우

    예 예약매출에 대해 K-IFRS에 따라 인도기준을 처리한 경우

3. 인도기준 강제

법인이 비치·기장한 장부가 없거나 비치·기장한 장부의 내용이 충분하지
아니하여 당해 사업연도 종료일까지 실제로 소요된 총공사비누적액 또는 작
업시간 등을 확인할 수 없는 경우에는 그 목적물의 인도일이 속하는 사업연
도의 익금과 손금에 각각 산입한다.

4. 공사해약손익

작업진행률에 의한 익금 또는 손금이 공사계약의 해약으로 인하여 확정된
금액과 차액이 발생된 경우에는 그 차액을 해약일이 속하는 사업연도의 익
금 또는 손금에 산입한다.

Ⅳ 이자소득 등의 귀속사업연도

1. 법인이 수입하는 이자와 할인액

(1) 금융보험업 외의 법인

「소득세법」상 수입시기에 해당하는 날이 속하는 사업연도를 귀속시기로
한다. 다만, 기업의 세무조정 부담을 덜어주기 위해 결산을 확정할 때 이
미 경과한 기간에 대응하는 이자 및 할인액(원천징수되는 이자 및 할인
액은 제외)을 해당 사업연도의 수익으로 계상한 경우에는 그 계상한 사
업연도의 익금으로 한다.

∵ 원천징수대상 기간경과분 미수이자를 익금으로 인정하면 원천징수업
무가 복잡해지므로 미수이자를 회사가 계상한 경우에도 익금으로 보
지 아니함

(2) 금융보험업

한국표준산업분류상 금융보험업을 영위하는 법인의 경우에는 실제로 수입된 날로 하되, 선수입이자 및 할인액은 제외한다.

■ 사례

㈜대한(제조업)은 ×1. 11. 15. 거래처에 자금을 대여하고 월 1,000,000원씩 이자를 다음 달부터 매월 15일에 받기로 약정하였으나, 실제 수령한 금액은 없다. ×1년 결산 시 회계처리는 다음과 같다.

회계	미수이자 1,500,000	이자수익 1,500,000
세법	미수이자 1,000,000	이자수익 1,000,000
세무조정	익금불산입 미수이자 500,000 △유보	

---

2. 법인이 지급하는 이자와 할인액

「소득세법」상 수입시기에 해당하는 날이 속하는 사업연도를 귀속시기로 한다. 다만, 결산을 확정할 때 이미 경과한 기간에 대응하는 이자 및 할인액(차입일부터 이자지급일이 1년을 초과하는 특수관계인과의 거래에 따른 이자 및 할인액 제외)을 해당 사업연도의 손비로 계상한 경우에는 그 계상한 사업연도의 손금으로 한다.

■ 사례

20×1. 1. 1. 법인이 특수관계법인으로부터 1억 원을 연 4.6%(당좌대출이자율)로 차입하여 20×2년 말에 이자를 지급하기로 하였다. 20×1. 12. 31. 회사는 다음과 같이 회계처리하였다.

차) 이자비용	4,600,000	대) 미지급이자	4,600,000

→ 손금불산입 미지급이자 4,600,000 (유보)

---

3. 수입배당금 등 기타손익

(1) 수입배당금

법인이 수입하는 배당금은 「소득세법」상 수입시기에 해당하는 날이 속하는 사업연도의 익금에 산입한다. 다만, 금융회사 등이 금융채무 등 불이행자의 신용회복 지원과 채권의 공동추심을 위하여 공동으로 출자하여 설립한 유동화전문회사로부터 수입하는 배당금은 실제로 지급받은 날이 속하는 사업연도의 익금에 산입한다.

(2) 금융보험업 – 보험료 등

금융 및 보험업을 영위하는 법인이 수입하는 보험료 등의 귀속사업연도는 그 보험료 등이 실제로 수입된 날이 속하는 사업연도로 하되, 선수입 보험료등은 제외한다. 다만, 결산을 확정함에 있어서 이미 경과한 기간에 대응하는 보험료상당액 등을 해당 사업연도의 수익으로 계상한 경우에는 그 계상한 사업연도의 익금으로 하고, 「자본시장과 금융투자업에 관한 법률」에 따른 투자매매업자 또는 투자중개업자가 정형화된 거래방식으로 증권을 매매하는 경우 그 수수료의 귀속사업연도는 매매계약이 체결된 날이 속하는 사업연도로 한다.

(3) 투자회사의 투자손익

투자회사 등이 결산을 확정할 때 증권 등의 투자와 관련된 수익 중 이미 경과한 기간에 대응하는 이자 및 할인액과 배당소득을 해당 사업연도의 수익으로 계상한 경우에는 그 계상한 사업연도의 익금으로 한다.

(4) 신탁업자의 신탁재산

신탁업자가 운용하는 신탁재산(투자신탁재산 제외)에 귀속되는 「소득세법」의 이자소득금액의 귀속사업연도는 원천징수일이 속하는 사업연도로 한다.

(5) 보험회사 특례

보험회사가 보험계약과 관련하여 수입하거나 지급하는 이자·할인액 및 보험료 등으로서 「보험업법」 제120조에 따른 책임준비금 산출에 반영되는 항목은 보험감독회계기준에 따라 수익 또는 손비로 계상한 사업연도의 익금 또는 손금으로 한다.

V 임대료의 귀속사업연도

1. 원칙

자산의 임대로 인한 익금과 손금의 귀속사업연도는 다음의 날이 속하는 사업연도로 한다.

(1) 계약 등에 의하여 임대료의 지급일이 정하여진 경우에는 그 지급일
(2) 계약 등에 의하여 임대료의 지급일이 정하여지지 아니한 경우에는 그 지급을 받은 날

2. 예외

결산을 확정함에 있어서 이미 경과한 기간에 대응하는 임대료 상당액과 이에 대응하는 비용을 당해 사업연도의 수익과 손비로 계상한 경우 및 임대료 지급기간이 1년을 초과하는 경우 이미 경과한 기간에 대응하는 임대료 상당액과 비용은 이를 각각 당해 사업연도의 익금과 손금으로 한다.

3. 정리

❶
임대료 지급기간: 임대료 지급약정일부터 그 다음 임대료 지급약정일까지의 기간이다.

임대료 지급기간❶		임대손익 귀속시기
1년 이하인 경우	원칙	계약상 지급일(없는 경우 실제 지급일)
	예외	발생주의 선택적 허용
1년 초과인 경우		발생주의 강제

예 임대계약기간이 4년이며, 임대료를 2년마다 지급 시 임대료 지급기간은 2년

Ⅵ 기타 손익의 귀속시기

1. 금전등록기 설치법인

영수증 발급대상 업종을 영위하는 법인이 금전등록기를 설치·사용하는 경우 그 수입하는 물품대금과 용역대가의 귀속사업연도는 그 금액이 실제로 수입된 사업연도로 할 수 있다.

2. 사채할인발행차금

법인이 사채를 발행하는 경우에 상환할 사채금액의 합계액에서 사채발행가액(사채발행수수료와 사채발행을 위하여 직접 필수적으로 지출된 비용을 차감한 후의 가액)의 합계액을 공제한 금액(사채할인발행차금)은 기업회계기준에 의한 사채할인발행차금의 상각방법에 따라 이를 손금에 산입한다.

3. 전환사채 처리방법

① 전환사채 발행	전환권조정은 손금산입(△유보)하고, 전환권대가는 익금산입(기타)하며, 상환할증금은 손금불산입(유보)한다.
② 이자지급	전환권 조정액을 이자비용으로 계상한 경우 동 이자비용을 손금불산입(유보)한다.
③ 전환권 행사	상환할증금 중 전환권을 행사한 전환사채에 해당하는 금액은 손금산입(△유보)하고, 주식발행초과금으로 대체된 금액은 익금산입(기타)하며, 전환권 조정과 대체되는 금액은 익금산입(유보)한다.
④ 전환사채 상환	만기일까지 행사하지 않은 상환할증금에 지급하는 금액은 그 만기일이 속하는 사업연도에 손금산입(△유보)한다.

4. 자산유동화의 양도 등

「자산유동화에 관한 법률」에 따른 방법에 의하여 보유자산을 양도하는 경우 및 매출채권 또는 받을어음을 배서양도하는 경우에는 기업회계기준에 의한 손익인식방법에 따라 관련 손익의 귀속사업연도를 정한다.

5. 개발이 취소된 개발비

법인이 개발비로 계상하였으나 해당 제품의 판매 또는 사용이 가능한 시점이 도래하기 전에 개발을 취소한 경우에는 다음의 요건을 모두 충족하는 날이 속하는 사업연도의 손금에 산입한다.

(1) 해당 개발로부터 상업적인 생산 또는 사용을 위한 해당 재료·장치·제품·공정·시스템 또는 용역을 개선한 결과를 식별할 수 없을 것

(2) 해당 개발비를 전액 손비로 계상하였을 것

6. 파생상품손익

계약의 목적물을 인도하지 아니하고 목적물의 가액변동에 따른 차액을 금전으로 정산하는 파생상품의 거래로 인한 손익은 그 거래에서 정하는 대금결제일이 속하는 사업연도의 익금과 손금으로 한다.

7. 리스료

리스이용자가 리스로 인하여 수입하거나 지급하는 리스료(리스개설직접원가 제외)의 익금과 손금의 귀속사업연도는 기업회계기준으로 정하는 바에 따른다. 다만, 한국채택국제회계기준을 적용하는 법인의 금융리스 외의 리스자산에 대한 리스료의 경우에는 리스기간에 걸쳐 정액기준으로 손금에 산입한다.

8. 그 밖의 경우

손익의 귀속시기를 적용할 때 「법인세법 시행규칙」에서 별도로 규정한 것 외의 익금과 손금의 귀속사업연도는 그 익금과 손금이 확정된 날이 속하는 사업연도로 한다.

2 자산·부채의 취득과 평가

I 자산의 취득가액

1. 의의

내국법인이 매입·제작·교환 및 증여 등에 의하여 취득한 자산의 취득가액

(1) **타인으로부터 매입한 자산**

① 일반적인 경우: 매입가액에 취득세(농어촌특별세와 지방교육세 포함), 등록면허세, 그 밖의 부대비용을 가산한 금액. 단, 단기금융자산 등은 매입가액을 취득가액으로 한다.

② 일괄매입: 법인이 토지와 그 토지에 정착된 건물 및 그 밖의 구축물 등을 함께 취득하여 토지의 가액과 건물 등의 가액의 구분이 불분명한 경우 시가에 비례하여 안분계산한다.

(2) **자가제조 등**

자기가 제조·생산·건설 기타 이에 준하는 방법에 의하여 취득한 자산은 원재료비·노무비·운임·하역비·보험료·수수료·공과금(취득세와 등록세를 포함)·설치비 기타 부대비용의 합계액으로 한다.

(3) **현물출자**

① 현물출자한 법인이 취득한 주식의 취득가액

출자법인 등이 현물출자로 인하여 피출자법인을 새로 설립하면서 그 대가로 주식 등만 취득하는 경우	현물출자한 순자산의 시가
그 밖의 경우	해당 주식 등의 시가

② 현물출자에 따라 취득한 자산의 취득가액: 해당 자산의 시가

(4) **물적 분할**

① 물적 분할에 따라 분할법인이 취득한 주식: 물적 분할한 순자산의 시가

② 물적 분할에 따라 취득한 자산의 취득가액: 해당 자산의 시가

(5) **합병 또는 인적 분할**

① 합병 또는 인적 분할에 따라 취득한 주식의 취득가액: 종전의 장부가액 + 의제배당 + 특수관계인으로부터 분여받은 이익 – 금전 등 대가

② 합병 또는 인적 분할에 따라 취득한 자산

적격합병과 적격분할	장부가액
비적격합병과 비적격분할	해당 자산의 시가

(6) 채무의 출자전환 시 취득한 주식

취득 당시의 시가. 다만, 채무자가 과세이연요건을 갖춘 채무의 출자전환으로 취득한 주식 등은 출자전환된 채권(채무보증구상채권과 특수관계인에 대한 업무무관가지급금 제외)의 장부가액으로 한다.

(7) 온실가스 배출권

「온실가스 배출권의 할당 및 거래에 관한 법률」에 따라 정부로부터 무상으로 할당받은 배출권의 취득가액은 '0'원으로 한다.

(8) 공익법인 등이 기부받은 자산

특수관계인 외의 자로부터 기부받은 기부금에 해당하는 자산(금전 외의 자산만 해당함)은 기부한 자의 기부 당시 장부가액[사업소득과 관련이 없는 자산(개인인 경우만 해당함)의 경우에는 취득 당시의 「소득세법 시행령」제89조에 따른 취득가액을 말한다]. 다만, 「상속세 및 증여세법」에 따라 증여세 과세가액에 산입되지 않은 출연재산이 그 후에 과세요인이 발생하여 그 과세가액에 산입되지 않은 출연재산에 대하여 증여세의 전액이 부과되는 경우에는 기부 당시의 시가로 한다.

(9) 그 밖의 경우

교환 또는 증여받은 자산의 취득가액은 취득 당시 시가로 한다.

2. 취득가액에 포함하는 금액

(1) 유가증권 저가매입

특수관계인인 개인으로부터 유가증권을 시가보다 낮은 가액으로 매입하는 경우 시가와 그 매입가액의 차액에 상당하는 금액

→ 위 외의 경우 실제매입가액을 취득가액으로 봄

(2) 건설자금이자

특정차입금이자와 일반차입금이자 중 손금에 산입하지 아니한 금액

(3) 강제매입채권

유형자산의 취득과 함께 국·공채를 매입하는 경우 기업회계기준에 따라 그 국·공채의 매입가액과 현재가치의 차액을 해당 유형자산의 취득가액으로 계상한 금액

3. 취득가액에 포함하지 않는 금액

(1) 현재가치할인차금

① 내용: 자산을 장기할부조건 등으로 취득하는 경우 발생한 채무를 기업회계기준이 정하는 바에 따라 현재가치로 평가하여 현재가치할인차금으로 계상한 경우 당해 현재가치할인차금은 취득가액에 포함하지 아니한다.

사례

×1. 1. 1. 기계장치 30,000,000원에 취득하였으며, 대금은 매년 말 10,000,000원씩 3년간 지급하기로 하였다. 해당 채무의 현재가치는 25,000,000원, 감가상각방법은 정액법(상각률 0.2)으로 가정한다.

구분	명목가치 평가		현재가치 평가	
취득	기계 30	미지급금 30	기계 25	미지급금 30
			현할차 5	
현할차 상각	–	–	이자비용 2.5	현할차 2.5
감가상각	dep 6	감누 6	dep 5	감누 5

② 적용
- ㉠ 취득가액과 구분하여 계상한 현재가치할인차금은 기업회계기준에 따라 유효이자율법에 따라 상각하여야 한다. → 강제신고조정
- ㉡ 수입배당금 익금불산입·지급이자 손금불산입 계산 시 지급이자로 보지 않는다.
- ㉢ 원천징수대상이 아니므로 지급명세서 제출의무도 없다.

③ 장기금전대차: 장기금전대차거래에서 발생하는 채권·채무를 현재가치로 평가하여 명목가액과 현재가치의 차액을 현재가치할인차금으로 계상하여 당기손익으로 처리한 경우 이를 각 사업연도 소득금액 계산상 익금 또는 손금에 산입하지 아니하며, 추후 현재가치할인차금을 상각 또는 환입하면서 이를 이자비용 또는 이자수익으로 계상한 경우에도 익금 또는 손금에 산입하지 않는다.

(2) 연지급수입이자

① 내용: 연지급수입에 있어서 취득가액과 구분하여 지급이자로 계상한 금액은 취득가액에 포함하지 아니한다.

사례

외국에서 원재료를 기한부 신용장방식으로 수입하면서 대금은 1개월 후에 101(수출상 이자 1)을 지급하기로 하고, 은행에 2개월 후 이자 2를 지급하였다.

자산 취득가액		이자비용 처리	
차) 원재료 103 대) 현금 103		차) 원재료 100 대) 현금 103	
		이자비용 3	

② 적용
- ㉠ 수입배당금 익금불산입·지급이자 손금불산입 계산 시 지급이자로 보지 않는다.
- ㉡ 원천징수대상이 아니므로 지급명세서 제출의무도 없다.

(3) 고가매입

    ① 특수관계인과의 거래: 시가초과액은 취득가액에 포함하지 않음

    ② 특수관계 없는 자와의 거래: 정상가액을 초과하는 금액은 취득가액에 포함하지 않음

(4) 의제매입세액

    공제받은 의제매입세액은 법인의 각 사업연도의 소득금액 계산 시 원재료의 매입가액에서 공제하여야 하며, 기말재고자산 평가 시에도 의제매입세액을 차감하여 평가하여야 한다.

4. 법인의 보유 자산에 대한 취득가액 변동

자본준비금 감액배당	자본준비금을 감액하여 배당을 받은 경우에는 그 금액을 차감(내국법인이 보유한 주식의 장부가액을 한도로 함)한 금액을 주식의 취득가액으로 함
법률 평가액	법인세법 규정에 의한 평가가 있는 경우에는 그 평가액
동일내국법인의 완전자법인간 합병	동일한 내국법인이 발행주식총수 또는 출자총액을 소유하고 있는 서로 다른 법인 간에 합병으로서 합병법인으로부터 합병대가로 취득하는 주식 등이 없는 경우에는 해당 피합병법인 주식등의 취득가액(주식 등이 아닌 합병대가가 있는 경우에는 그 합병대가의 금액을 차감한 금액)을 가산한 금액
자본적지출	자본적 지출이 있는 경우에는 그 금액을 가산한 금액
불공정자본거래 분여받은 이익	불공정 합병 또는 분할합병(이미 취득가액에 산입한 금액은 제외)으로 특수관계인으로부터 분여받은 이익이 있는 경우에는 그 이익을 가산한 금액

Ⅱ 자산·부채의 평가

1. 개요

(1) 원칙

    내국법인이 보유하는 자산과 부채의 장부가액을 증액 또는 감액(감가상각 제외, 이하 "평가")한 경우에는 그 평가일이 속하는 사업연도와 그 후의 각 사업연도의 소득금액을 계산할 때 그 자산과 부채의 장부가액은 평가 전의 가액으로 한다.

(2) 예외

    예외적으로 아래와 같은 항목은 평가를 인정하고 있다.

    ① 「보험업법」이나 그 밖의 법률에 따른 유형자산 및 무형자산 등의 평가(증액에 한함)

    ② 재고자산, 유가증권의 평가

    ③ 화폐성 외화자산 및 부채, 파생상품 관련 평가

2. 법률에 따른 유형자산 등의 평가증(평가이익)

(1) 「법인세법」은 자산의 평가이익을 익금으로 과세하면 조세저항을 유발할 수 있고, 이월결손금 공제기간의 연장수단으로 악용할 수 있으므로 자산의 임의평가이익을 인정하지 않는다.

(2) 단, 「보험업법」이나 그 밖의 법률에 따른 유형자산 및 무형자산 등의 평가증한 경우에는 평가 후의 가액을 장부가액으로 하고, 평가이익은 익금으로 본다.

∵ 다른 법률과의 충동을 방지하기 위함

│ 사례

구분	법률에 따른 평가	임의 평가
토지 취득	차) 토지 100 대) 현금 100	차) 토지 100 대) 현금 100
토지 평가	차) 토지 10 대) 수익 10	차) 토지 10 대) 재평가잉여금 10
세무조정	–	<손금산입> 토지 10 △유보 <익금산입> 재평가잉여금 10 기타

3. 자산의 감액손실

다음 중 어느 하나에 해당하는 자산의 장부가액을 해당 감액사유가 발생한 사업연도(유형자산의 경우에는 파손 또는 멸실이 확정된 사업연도를 포함)에 다음에 따른 평가액으로 감액하고, 그 감액한 금액을 해당 사업연도의 손비로 계상하면 손금으로 인정한다.

구분	평가금액
재고자산으로서 파손·부패 등의 사유로 정상가격으로 판매할 수 없는 것	사업연도 종료일 현재 처분가능한 시가로 평가한 가액
천재지변 또는 화재, 법령에 의한 수용 등, 채굴예정량의 채진으로 인한 폐광으로 파손되거나 멸실된 유형자산	사업연도(파손·멸실이 확정된 사업연도 포함) 종료일 현재 시가로 평가한 가액
다음의 주식으로서 주식발행법인이 부도가 발생하거나, 회생계획인가의 결정을 받거나 부실징후기업이 된 경우 ① 주권상장법인이 발행한 주식 등 ② 중소기업창업투자회사 또는 신기술사업금융업자가 보유하는 주식 등 중 각각 창업자 또는 신기술사업자가 발행한 것 ③ 특수관계가 없는 법인(발행주식총수의 5% 이하를 소유하고 취득가액이 10억 원 이하인 경우)이 발행한 주식	사업연도 종료일 현재 시가(시가로 평가한 가액이 1천 원 이하인 경우 1천 원)로 평가한 가액
주식 발행법인이 파산한 경우(모든 주식)	

구분	×1 (파산)	×2(비용처리)		×3(처분)	
B	–	차) 비용 9,9000,000	대) 주식 9,900,000	차) 현금 1,000	대) 처분이익 1,000
T	–		–	차) 현금 1,000 손실 9,899,000	대) 주식 9,900,000
세무 조정	–	<손금불산입> 9,900,000 (유보)		<손금산입> 9,900,000 (△유보)	

4. 재고자산의 평가

(1) 재고자산 범위

① 제품 및 상품(부동산 매매업자의 매매목적 부동산 포함, 유가증권 제외)

② 반제품 및 재공품

③ 원재료

④ 저장품

(2) 재고자산 평가방법

① 재고자산의 평가는 다음에 해당하는 방법 중 법인이 납세지 관할 세무서장에게 신고한 방법에 의한다.

원가법	개별법, 선입선출법, 후입선출법, 총평균법, 이동평균법, 매출가격환원법(소매재고법)
저가법	재고자산을 원가법과 기업회계기준이 정하는 바에 따라 시가로 평가한 가액 중 낮은 편의 가액을 평가액으로 하는 방법

② 법인은 재고자산을 평가할 때 해당 자산을 자산별로 구분하여 종류별·영업장별로 각각 다른 방법에 의하여 평가할 수 있다. 이 경우 수익과 비용을 영업의 종목별 또는 영업장별로 각각 구분하여 기장하고, 종목별·영업장별로 제조원가보고서와 포괄손익계산서 또는 손익계산서를 작성하여야 한다.

(3) 재고자산 신고

① 최초신고

㉠ 신설법인과 새로 수익사업을 개시한 비영리내국법인은 법인의 설립일 또는 수익사업개시일이 속하는 사업연도의 법인세 신고기한까지 재고자산평가방법신고서를 납세지 관할 세무서장에게 제출하여야 한다. 이 경우 저가법을 신고하는 경우에는 시가와 비교되는 원가법을 함께 신고하여야 한다.

ⓒ 법인이 재고자산의 평가방법을 최초신고기한이 경과된 후에 신고한 경우에는 그 신고일이 속하는 사업연도까지는 무신고로 하고, 그 후의 사업연도에 있어서는 법인이 신고한 평가방법에 의한다.

② 변경신고

ⓐ 재고자산 평가방법신고를 한 법인으로서 그 평가방법을 변경하고자 하는 법인은 변경할 평가방법을 적용하고자 하는 사업연도의 종료일 이전 3개월이 되는 날까지 재고자산 등 평가방법변경신고서를 납세지 관할 세무서장에게 제출(국세정보통신망에 의한 제출 포함)하여야 한다.

ⓑ 법인이 재고자산의 평가방법을 신고하지 아니하여 무신고 시 평가방법을 적용받는 경우에 그 평가방법을 변경하려면 변경할 평가방법을 적용하려는 사업연도의 종료일 전 3개월이 되는 날까지 변경신고를 하여야 한다.

(4) 무신고 임의변경 평가방법

① 무신고: 선입선출법(매매를 목적으로 소유하는 부동산은 개별법)에 의하여 재고자산을 평가한다.

② 임의변경: 신고한 평가방법 외의 방법으로 평가한 경우와 법정신고기한 내에 재고자산의 평가방법 변경신고를 하지 아니하고 그 방법을 변경한 경우에는 다음과 같이 재고자산을 평가한다.

> 기말재고자산 = Max[당초 신고한 방법에 의한 평가액, 무신고 시 평가방법]

③ 계산착오: 재고자산평가방법을 신고하고 신고한 방법에 의하여 평가하였으나 기장 또는 계산상의 착오가 있는 경우에는 재고자산의 평가방법을 달리하여 평가한 것으로 보지 아니한다.

→ 임의변경이 아니므로 차이분만 조정

(5) 재고부족액

재고자산이 실제 수량이 장부상 수량보다 적은 경우로서 그 원인이 불분명한 경우에는 그 부족 수량에 해당하는 재고자산을 처분하고 매출누락시킨 것으로 본다. 따라서 해당 재고자산의 시가(부가가치세 과세대상인 경우 부가가치세 포함)를 익금산입(대표자상여)하고 동시에 재고자산의 원가를 손금산입(△유보)한다.

→ 부가가치세 과세대상인 경우 부가가치세는 익금불산입(△유보)

(6) K-IFRS 최초적용 시 특례

① 내국법인이 한국채택국제회계기준을 최초로 적용하는 사업연도에 재고자산평가방법을 후입선출법에서 다른 재고자산평가방법으로 납세지 관할 세무서장에게 변경신고한 경우에는 해당 사업연도의 소득금액을 계산할 때 다음과 같이 계산한 재고자산평가차익을 익금에 산입하지 아니할 수 있다.

| 한국채택국제회계기준을 최초로 적용하는 사업연도의 기초 재고자산 평가액 | − | 한국채택국제회계기준을 최초로 적용하기 직전 사업연도의 기말 재고자산 평가액 |

② 이 경우 재고자산평가차익은 한국채택국제회계기준을 최초로 적용하는 사업연도의 다음 사업연도 개시일부터 5년간 다음과 같이 균등하게 나누어 익금에 산입한다(∵ 물가상승률에 따라 거액의 평가차익이 발생한 법인의 조세부담 완화). 이 경우 개월 수는 역에 따라 계산하되, 1월 미만의 일수는 1월로 하고, 사업연도 개시일이 속한 월을 계산에서 포함한 경우에는 사업연도 개시일부터 5년이 되는 날이 속한 월은 계산에서 제외한다.

| 재고자산평가차익 × 해당 사업연도의 월수 ÷ 60월 |

③ 재고자산평가차익을 익금에 산입하지 아니한 내국법인이 해산(적격합병 또는 적격분할로 인한 해산 제외)하는 경우에는 ②에 따라 익금에 산입하고 남은 금액을 해산등기일이 속하는 사업연도의 소득금액을 계산할 때 익금에 산입한다.

사례

㈜한국은 K-IFRS를 ×2년도에 최초로 적용하면서 상품의 평가방법을 후입선출법에서 선입선출법으로 변경하였다. ×2년 초 선입선출법에 의한 재고자산은 300이고 ×1년 말 기말재고는 200이다. 이에 대한 ㈜한국의 회계처리는 다음과 같다.

구분	×2년			×3년 ~ ×7년
B	차) 상품	100	대) 이익잉여금　100	−
세무 조정	<익금산입> 이익잉여금 100 (기타) <손금산입> 상품 100 (△유보)			<익금산입> 상품 20 (유보)

5. 유가증권의 평가

(1) 평가방법

유가증권 평가는 다음 방법 중 법인이 납세지 관할 세무서장에게 신고한 방법에 따른다.

주식	총평균법·이동평균법 중 선택
채권	개별법·총평균법·이동평균법 중 선택

> **Check** 유가증권 평가방법 비교
>
> | 구분 | 기업회계기준 | 「법인세법」 |
> |---|---|---|
> | FVPL(단기매매증권) | 공정가치(당기손익) | 원가법 |
> | FVOCI(매도가능증권) | 공정가치(기타포괄손익) | |
> | AC측정(만기보유증권) | 상각후원가(당기손익) | |
> | 지분법적용주식 | 피투자회사의 당기순손익을 지분법손익(당기손익)처리 | |

(2) 유가증권 신고

재고자산과 동일

(3) 무신고 임의변경 평가방법

① 무신고: 총평균법

② 임의변경: Max[총평균법에 의한 평가액, 당초 신고한 평가액]

(4) 가상자산

가상자산은 선입선출법에 따라 평가해야 한다.

(5) 집합투자재산

투자회사 등이 보유한 집합투자재산은 시가법에 따라 평가한다. 다만, 「자본시장과 금융투자업에 관한 법률」에 따른 환매금지형집합투자기구가 보유한 시장성 없는 자산은 개별법·총평균법·이동평균법 또는 시가법 중 환매금지형집합투자기구가 납세지 관할 세무서장에게 신고한 방법에 따라 평가하되, 그 방법을 이후 사업연도에 계속 적용하여야 한다.

Ⅲ 외화자산 및 부채의 평가

1. 의의

(1) 개요

① 기업회계기준은 외화자산·부채를 거래일 환율로 기록하고 매 보고기간 말에 화폐성 외화자산·부채를 보고기간 말의 환율로 계산한 환산손익을 당기손익으로 처리한다. 그러나 비화폐성 외화자산·부채는 원칙적으로 환산손익을 당기손익으로 인식하지 않는다.

② 「법인세법」은 화폐성 외화자산·부채의 외화환산손익(평가손익)은 미실현손익에 해당하여 원칙적으로 인정하지 않고 실현 시 발생하는 외환차손익을 익금 또는 손금으로 본다. 다만, 화폐성 외화자산·부채에 대해 평가손익을 인식하는 방법을 신고한 경우 외화평가손익은 해당 사업연도의 익금 또는 손금에 이를 산입한다.

(2) 평가대상

화폐성 자산·부채	지급금액이 일정 화폐로 고정되어 있는 자산·부채 예 현금, 예금, 매출채권, 대여금, 회사채
비화폐성 자산·부채	지급금액이 일정 화폐로 고정되어 있지 않은 자산·부채 예 선급금, 선급비용, 선수금, 재고자산, 유형자산, 무형자산

2. 화폐성 외화자산 및 부채의 평가

(1) 금융회사 외 법인

금융회사 외의 법인이 보유하는 화폐성 외화자산·부채(보험회사의 책임준비금은 제외)와 환위험회피용통화선도 등은 다음 중 어느 하나에 해당하는 방법 중 관할 세무서장에게 신고한 방법에 따라 평가하여야 한다. 다만, 최초로 ②의 방법을 신고하여 적용하기 이전 사업연도의 경우에는 ①의 방법을 적용하여야 한다.

① 화폐성 외화자산·부채와 환위험회피용통화선도 등의 계약 내용 중 외화자산 및 부채를 취득일 또는 발생일(통화선도 등의 경우에는 계약체결일) 현재의 매매기준율 등으로 평가하는 방법

② 화폐성 외화자산·부채와 환위험회피용통화선도 등의 계약 내용 중 외화자산 및 부채를 사업연도 종료일 현재의 매매기준율 등으로 평가하는 방법

(2) 금융회사

구분	평가방법
화폐성 외화자산·부채	사업연도 종료일 현재의 매매기준율 등으로 평가하는 방법 ∵ 외환매매가 영업활동이며 주업인 점 고려
통화선도 등	다음 중 어느 하나에 해당하는 방법 중 관할 세무서장에게 신고한 방법에 따라 평가하는 방법. 다만, 최초로 ②의 방법을 신고하여 적용하기 이전 사업연도에는 ①의 방법을 적용하여야 한다. ① 계약의 내용 중 외화자산 및 부채를 계약체결일의 매매기준율 등으로 평가하는 방법 ② 계약의 내용 중 외화자산 및 부채를 사업연도 종료일 현재의 매매기준율 등으로 평가하는 방법

(3) 평가방법 신고

① 마감환율 평가방법을 적용하려는 법인 또는 평가방법을 변경하려는 법인은 최초로 평가방법을 적용하려는 사업연도 또는 변경된 평가방법을 적용하려는 사업연도의 법인세 신고와 함께 평가방법신고서를 관할 세무서장에게 제출하여야 한다.

② 법인이 신고한 평가방법은 그 후의 사업연도에도 계속하여 적용하여야 한다. 다만, 금융회사 외의 법인은 신고한 평가방법을 적용한 사업연도를 포함하여 5개 사업연도가 지난 후에는 다른 방법으로 신고를 하여 변경된 평가방법을 적용할 수 있다.

3. 외화상환차손익

(1) 원칙

내국법인이 상환받거나 상환하는 외화채권·채무의 원화금액과 원화기장액의 차익 또는 차손은 당해 사업연도의 익금 또는 손금에 이를 산입한다.

(2) 예외

한국은행의 외화채권·채무 중 외화로 상환받거나 상환하는 금액(이하 "외화금액")의 환율변동분은 한국은행이 정하는 방식에 따라 해당 외화금액을 매각하여 원화로 전환한 사업연도의 익금 또는 손금에 산입한다.

06 감가상각비의 손금불산입

1 감가상각 개요

I 의의

유형자산·무형자산은 소모 등의 물리적인 원인이나 경제적 여건 변동 등에 의하여 그 효용이 감소하며, 이러한 현상에 따라 자산원가를 그 자산의 내용연수 동안 합리적이고 체계적인 방법에 따라 각 기간손익에 배분하는 절차이다. 이는 적정한 기간손익을 계산하기 위함이다.

II 「법인세법」 감가상각 특징

1. 결산조정사항

원칙적으로 결산서에 감가상각비를 계상한 경우에만 손금에 산입한다. 단, 일부 감가상각비(예 감가상각의제)는 신고조정에 의해 손금에 산입한다.

2. 계산요소 법정화

내용연수와 상각방법을 구체적으로 규정하여 법인의 자의성을 제약하고 있다.

3. 상각범위액

소득조작을 방지하기 위해 「법인세법」은 감가상각비 한도액(상각범위액)을 정하여 한도액을 초과하여 계상한 감가상각비를 손금에 산입하지 아니한다.

4. 임의상각

법인이 상각범위액을 초과하지 않는 범위 내에서 감가상각비의 계상 여부, 금액 또는 손금산입시기를 임의적으로 선택할 수 있다.

2 감가상각대상 자산의 범위

I 감가상각대상 자산

1. 토지를 제외한 다음의 유형자산 및 무형자산

유형자산	건축물, 차량운반구, 공구, 기구 및 비품, 선박 및 항공기, 기계장치, 동물 및 식물
무형자산	영업권(합병·분할로 인하여 합병법인 등이 계상한 영업권 제외), 디자인권, 실용신안권, 상표권, 특허권, 어업권, 양식업권, 채취권, 유료도로관리권, 수리권, 전기가스공급시설이용권, 공업용수도시설이용권, 수도시설이용권, 열공급시설이용권, 광업권, 전신전화전용시설이용권, 전용측선이용권, 하수종말처리장시설관리권, 수도시설관리권, 댐사용권, 개발비, 사용수익기부자산, 주파수이용권, 공항시설관리권, 항만시설관리권

2. 감가상각자산에 포함하는 것

개발비	상업적인 생산 또는 사용 전에 재료·장치·제품·공정·시스템 또는 용역을 창출하거나 현저히 개선하기 위한 계획 또는 설계를 위하여 연구결과 또는 관련 지식을 적용하는 데 발생하는 비용으로서 기업회계기준에 따른 개발비 요건을 갖춘 것
사용수익 기부자산	금전 외의 자산을 국가 또는 지방자치단체, 특례기부금 또는 일반기부금 단체에게 기부한 후 그 자산을 사용하거나 그 자산으로부터 수익을 얻는 경우 해당 자산의 장부가액(시가 아님)
장기할부 매입자산	장기할부조건 등으로 매입한 감가상각자산의 경우 법인이 해당 자산의 가액 전액을 자산으로 계상하고 사업에 사용하는 경우에는 그 대금의 청산 또는 소유권의 이전 여부에 관계없이 이를 감가상각자산에 포함한다.
리스자산	리스회사가 대여하는 리스자산 중 금융리스자산은 리스이용자의 감가상각자산으로, 금융리스 외의 리스자산은 리스회사의 감가상각자산으로 한다. ※ 유동화전문회사가 자산유동화계획에 따라 금융리스의 자산을 양수한 경우 당해 자산은 리스이용자의 감가상각자산

II 감가상각 제외자산

감가상각자산은 다음의 자산을 포함하지 아니한다.

1. 사업에 사용하지 아니하는 것(사용 중 철거하여 사업에 사용하지 않는 기계장치와 취득 후 사용하지 아니하고 보관 중인 기계장치 등 포함)

※ 일시적 가동중단 상태에 있는 유휴설비는 감가상각대상자산에 포함함

2. 건설 중인 자산

3. 시간의 경과에 따라 그 가치가 감소되지 아니하는 것

[예] 미술조형물, 토지

3 감가상각비 시부인 계산

Ⅰ 개요

1. 의의

내국법인이 각 사업연도의 결산을 확정할 때 감가상각자산에 대한 감가상각비를 손비로 계상한 경우에는 상각범위액의 범위에서 그 계상한 감가상각비를 해당 사업연도의 소득금액을 계산할 때 손금에 산입하고, 그 계상한 금액 중 상각범위액을 초과하는 금액은 손금에 산입하지 아니한다.

※ 감가상각비가 상각범위액에 미달하는 경우 그 미달액은 시인부족액이라 함

Check 상각부인액과 시인부족액 처리				
구분			당기 세무조정	그 후 세무조정
감가상각비	(-)상각범위액	(+)상각부인액	손금불산입(유보)	시인부족액 한도로 손금산입
		(-)시인부족액	세무조정 없음 (단, 전기상각부인액이 있는 경우 시인부족액 한도로 손금산입)	전기 시인부족액은 미래 상각부인액에 충당하지 못함

2. 시부인 단위

감가상각비 시부인은 개별자산별로 구분하여 계산하므로 한 자산의 상각부인액을 다른 자산의 시인부족액과 상계할 수 없다.

Ⅱ 시부인대상 감가상각비

: 회사계상액 + 전기오류수정손실 + 손상차손 + 즉시상각의제

1. 회사계상

판매비와 관리비 또는 제조경비 등으로 계상한 감가상각비

2. 전기오류수정손실

법인이 전기에 과소 계상한 감가상각비를 기업회계기준에 따라 이익잉여금을 감소시키는 전기오류수정손실로 계상한 경우 동 금액은 당기에 감가상각비로 계상한 것으로 보아 해당 사업연도에 시부인 계산한다.

B	차) 전기오류수정손실(잉여금) 100 대) 감가상각누계액 100
T	차) 감가상각비 100 대) 감가상각누계액 100
세무조정	<손금산입> 감가상각비 ××× (기타)

3. 손상차손

감가상각자산이 진부화, 물리적 손상 등에 따라 시장가치가 급격히 하락하여 법인이 기업회계기준에 따라 손상차손을 계상한 경우(천재지변·화재, 법령에 따른 수용 및 폐광 제외)에는 해당 금액을 감가상각비로서 손비로 계상한 것으로 본다.

→ 따라서 손상차손을 감가상각비에 포함하여 시부인을 함

4. 즉시상각의제

내국법인이 감가상각자산을 취득하기 위하여 지출한 금액과 자본적 지출에 해당하는 금액을 손비로 계상한 경우에는 해당 사업연도의 소득금액을 계산할 때 감가상각비로 계상한 것으로 보아 상각범위액을 계산한다. 이에 대한 예시는 다음과 같다.

(1) 비품 등 감가상각자산을 소모품비로 계상한 경우
(2) 취득세를 세금과공과로 처리한 경우
(3) 완공된 자산의 건설자금이자를 이자비용으로 처리한 경우
(4) 유형자산의 자본적 지출액을 수선비로 계상한 경우

Check	즉시상각의제액의 처리		
B	차) 수선비 100 대) 현금 100		
T	차) 자산 100 대) 현금 100	① 자산가액에 가산하여 상각범위액 계산	
세무조정	차) Dep 100 대) 감누 100	② 시부인대상 감가상각비에 포함	

단, 다음의 경우에는 회사가 비용으로 처리한 경우 이를 손금으로 인정하여 세무조정을 하지 않는다.
∵ 소액자산 등을 전액 비용화하여 계산상 편의제공하며 소모적 다툼 방지

구분	내용	처리방법
소액자산	취득가액이 거래단위별로 100만 원 이하인 감가상각자산(고유업무 성질상 대량보유 자산, 그 사업의 개시·확장을 위하여 취득한 자산 제외)	사업에 사용한 사업연도의 손비로 계상한 것에 한하여 손금산입
단기 소모자산 등	① 어업에 사용되는 어구(어선용구 포함). 영화필름, 공구, 가구, 전기기구, 가스기기, 가정용 기구·비품, 시계, 시험기, 측정기기 및 간판, 전화기(휴대용 전화기 포함) 및 개인용 컴퓨터(그 주변기기 포함) → 금형은 포함하지 않음 ② 대여사업용 비디오테이프 및 음악용 콤팩트디스크로서 개별자산의 취득가액이 30만 원 미만인 것	
소액 수선비	각 사업연도에 지출한 수선비(자본적 지출과 수익적 지출의 합계)가 다음 중 어느 하나에 해당하는 경우 ① 개별자산별로 수선비가 600만 원 미만인 경우 ② 개별자산별로 수선비로 지출한 금액이 직전 사업연도종료일 현재 재무상태표상의 장부가액(취득가액 – 감가상각누계액)의 5%에 미달하는 경우 ③ 3년 미만의 기간마다 지출하는 주기적인 수선비	손비로 계상한 경우 자본적 지출 아님
폐기 시 즉시상각	다음 중 어느 하나에 해당하는 경우 ① 시설의 개체 또는 기술의 낙후로 인하여 생산설비의 일부를 폐기한 경우 ② 사업의 폐지 또는 사업장의 이전으로 임대차계약에 따라 임차한 사업장의 원상회복을 위하여 시설물을 철거하는 경우	(장부가액 – 1천 원)을 폐기일 사업연도에 손금산입

Check 수익적 지출과 자본적 지출

구분	수익적 지출	자본적 지출
개념	감가상각자산의 원상을 회복시키거나 능률유지를 위하여 지출한 수선비	자산의 내용연수를 연장시키거나 가치를 현실적으로 증가시키기 위하여 지출한 수선비 → 차기 이후 수익에도 공헌하는 지출
사례	① 건물 또는 벽의 도장 ② 파손된 유리나 기와의 대체 ③ 기계의 소모된 부속품 또는 벨트의 대체 ④ 자동차 타이어의 대체 ⑤ 재해를 입은 자산에 대한 외장의 복구·도장 및 유리의 삽입	① 본래의 용도를 변경하기 위한 개조 ② 엘리베이터 또는 냉난방장치의 설치 ③ 빌딩 등에 있어서 피난시설 등의 설치 ④ 재해 등으로 인하여 멸실 또는 훼손되어 본래의 용도에 이용할 가치가 없는 건축물·기계·설비 등의 복구
처리	① 원칙: 취득가액에 가산하지 아니하고 바로 손금인정 ② 수익적 지출을 자산으로 처리한 경우: 손금산입(△유보) 후 감가상각 또는 처분시점에 추인함	① 원칙: 취득가액에 가산하여 감가상각 과정을 통하여 손금산입 ② 자본적 지출을 비용계상한 경우 　㉠ 비상각자산: 손금불산입(유보) 　㉡ 감가상각자산: 즉시상각의제로 봄(단, 소액수선비면 손금인정)

Ⅲ 상각범위액의 계산

1. 정액법

(1) 내용

당해 감가상각자산의 세무상 취득가액에 당해 자산의 내용연수에 따른 상각률을 곱하여 계산한 각 사업연도의 상각범위액이 매년 균등하게 되는 상각방법을 말한다.

(2) 계산

> (취득가액 + 즉시상각의제누계액) × 정액법에 의한 상각률

① 즉시상각의제누계액: 회사가 취득가액 또는 자본적 지출액을 손비로 처리한 경우로서 자산취득 이후 발생한 전부를 말한다.
② 정액법은 취득가액을 매년 균등한 금액으로 상각하므로 정률법과 달리 전기이월 상각부인액을 고려하지 않는다.

사례

1. 20×1. 1. 1. 자산 100 취득(상각률 0.2)
2. 20×1년 자본적 지출액을 수선비로 처리한 금액: 10
3. 20×2년 자본적 지출액을 수선비로 처리한 금액: 20

구분	20×1	20×2	20×3	20×4	20×5	20×6
① 회사계상 감가상각비	20	20	20	20	20	–
② 즉시상각의제액	10	20	–	–	–	–
감가상각비(① + ②)	30	40	20	20	20	–
③ 취득가액	100	100	100	100	100	100
④ 즉시상각의제누계액	10	30	30	30	30	30
상각범위액(③ + ④) × 상각률	22	26	26	26	26	26
상각부인액(△시인부족액)	8	14	△6	△6	△6	△26
유보잔액	8	22	16	10	4	0

2. 정률법

(1) 내용

① 해당 감가상각자산의 취득가액에서 이미 감가상각비로 손금에 산입한 금액을 공제한 잔액(미상각잔액)에 해당 자산의 내용연수에 따른 상각률을 곱하여 계산한 각 사업연도의 상각범위액이 매년 체감되는 상각방법을 말한다.
② 자산을 취득한 후 자본적 지출이 있는 경우에는 취득가액에 자본적 지출액을 가산한 금액으로 상각범위액을 계산한다.

→ 자본적 지출이 기초에 있었던 것으로 보아 해당 자산의 내용연수에 의해 감가상각함

(2) 계산

> 세무상 미상각잔액 × 정률법에 의한 상각률

① 미상각잔액은 세무상 미상각잔액을 말하며 다음의 ㉠ 또는 ㉡과 같이 계산한다.

   ㉠ 당기 말 장부상 취득가액(취득가액 + 당기 자산계상한 자본적 지출액) – 당기 말 장부상 감가상각누계액 + (당기 감가상각비 계상액 + 당기 즉시상각의제액) + 전기 말 상각부인누계액

   ㉡ (전기 말 장부상 취득가액 – 전기 말 장부상 감가상각누계액) + (당기 자산계상한 자본적 지출액 + 당기 즉시상각의제액) + 전기 말 상각부인누계액

② 정률법 감가상각은 미상각잔액(기초가액)으로 상각하므로 전기이월된 상각부인액 누계액을 고려하여 미상각잔액을 계산한다.

③ 전기즉시상각의제액이 전기의 손금인정된 경우 미상각잔액에 영향을 주지 않으며, 손금불산입된 경우 전기이월 상각부인액에 이미 포함되어 별도로 고려할 필요가 없다.

■ 사례

1. 20×1. 1. 1. 자산 100 취득(상각률 0.5)
2. 20×1년 자본적 지출액을 수선비로 처리한 금액: 10
3. 20×2년 자본적 지출액을 수선비로 처리한 금액: 20

구분	20×1	20×2	20×3	20×4
① 회사계상 감가상각비	70	30	–	–
② 즉시상각의제액	10	20	–	–
감가상각비(① + ②)	80	50	–	–
① 취득가액	100	100	100	100
② 전기 말 감가상각누계액	–	70	100	100
③ 전기 말 상각부인누계액	–	25	37.5	18.75
④ 당기즉시상각의제	10	20	–	–
상각범위액(① – ② + ③ + ④) × 상각률	55	37.5	18,75	9.375
상각부인액(△시인부족액)	25	12.5	△18.75	△9.375
유보잔액	25	37.5	18.75	9.375

3. 특수한 경우의 상각범위액 계산

(1) 신규취득

사업연도 중에 취득하여 사업에 사용한 감가상각자산에 대한 상각범위액은 사업에 사용한 날부터 당해 사업연도종료일까지의 월수에 따라 계산한다. → 1개월 미만 1개월

예 20×1. 1. 1. ~ 12. 31. 법인이 20×1. 7. 10. 자산을 신규 취득 시: 상각범위액 × 6/12

(2) 자본적 지출

기존의 감가상각자산에 자본적 지출이 발생한 경우에는 신규 취득하는 자산과 같이 월할계산을 하는 것이 아니라, 해당 사업연도 개시일의 취득가액 또는 미상각잔액에 자본적 지출액을 가산하여 해당 자산의 내용연수 및 상각률에 따라 감가상각범위액을 계산하여야 한다.

(3) 사업연도 1년 미만

의제사업연도 또는 사업연도 변경 등에 따라 사업연도가 1년 미만인 경우에는 상각범위액에 당해 사업연도의 월수를 곱한 금액을 12로 나누어 계산한 금액을 그 상각범위액으로 한다. → 1개월 미만 1개월

4 | 감가상각방법 적용

I | 자산별 감가상각방법

1. 유형자산

구분	상각방법의 신고	상각방법의 무신고
건축물	정액법	정액법
광업용 유형자산	정률법 · 정액법 · 생산량비례법	생산량비례법
폐기물매립시설	정액법 · 생산량비례법	생산량비례법
위 외 유형자산	정률법 · 정액법	정률법

2. 무형자산

구분	상각방법의 신고	상각방법의 무신고
광업권(해저광물자원 개발 채취권 포함)	정액법·생산량비례법	생산량비례법
개발비	판매 또는 사용이 가능한 시점부터 20년의 범위에서 연 단위로 신고한 내용연수에 따른 정액법	판매 또는 사용이 가능한 시점부터 5년 동안 정액법
사용수익기부자산	해당 자산의 사용수익기간(그 기간에 관한 특약이 없는 경우 신고내용연수)에 따라 균등하게 안분한 금액을 상각하는 방법	
주파수이용권, 공항시설관리권, 항만시설관리권	주무관청에서 고시하거나 주무관청에 등록한 기간 내에서 사용기간에 따라 균등액을 상각하는 방법	
위 외 무형자산	정액법	

Ⅱ 내용연수와 잔존가치

1. 내용연수

(1) 기준내용연수

세법에서 정하는 기준내용연수

(2) 신고내용연수

기준내용연수의 25% 가감한 내용연수범위 안에서 법인이 신고한 내용연수

→ 무신고 시 기준내용연수를 적용하며, 시험연구용자산과 무형자산은 내용연수 범위가 없으므로 기준내용연수를 적용함

(3) 중고자산의 수정내용연수

내국법인이 기준내용연수(매입한 법인에게 적용되는 기준내용연수)의 50% 이상이 경과된 중고자산을 다른 법인 또는 개인사업자로부터 취득(합병·분할에 의하여 자산을 승계한 경우 포함)한 경우에는 그 자산의 기준내용연수의 50%에 상당하는 연수와 기준내용연수의 범위에서 선택하여 납세지 관할 세무서장에게 신고한 내용연수

→ 1년 미만은 없다고 봄 예 기준내용연수 5년: 2~5년

(4) 특례내용연수

다음의 어느 하나에 해당하는 경우 기준내용연수에 기준내용연수의 50%(⑤ 및 ⑥에 해당하는 경우 25%)를 가감하는 범위에서 사업장별로 납세지 관할 지방국세청장의 승인을 받은 내용연수

① 사업장의 특성으로 자산의 부식·마모 및 훼손의 정도가 현저한 경우

② 영업개시 후 3년이 경과한 법인으로서 당해 사업연도의 생산설비(건축물 제외)의 가동률이 직전 3개 사업연도의 평균가동률보다 현저히 증가한 경우 새로운 생산기술 및 신제품의 개발 등으로 기존 생산설비의 가속상각이 필요한 경우

③ 새로운 생산기술 및 신제품의 개발 등으로 기존 생산설비의 가속상각이 필요한 경우

④ 경제적 여건 변동으로 조업을 중단하거나 생산설비의 가동률이 감소한 경우

⑤ 유형자산(시험 연구용 자산 제외)에 대하여 한국채택국제회계기준을 최초로 적용하는 사업연도에 결산내용연수를 변경한 경우(결산내용연수가 연장된 경우 내용연수를 연장하고 결산내용연수가 단축된 경우 내용연수를 단축하는 경우만 해당하되 내용연수를 단축하는 경우에는 결산내용연수보다 짧은 내용연수로 변경할 수 없다)

⑥ 유형자산(시험 연구용 자산 제외)에 대한 기준내용연수가 변경된 경우. 다만, 내용연수를 단축하는 경우로서 결산내용연수가 변경된 기준내용연수의 25%를 가감한 범위 내에 포함되는 경우에는 결산내용연수보다 짧은 내용연수로 변경할 수 없다.

(5) 환산내용연수

법인의 정관상 사업연도가 1년 미만이면 다음 계산식에 따라 계산한 내용연수와 그에 따른 상각률에 따른다. → 1개월 미만 1개월

$$\text{환산내용연수} = \text{내용연수} \times \frac{12}{\text{사업연도월수}}$$

2. 잔존가액

(1) 원칙

잔존가액은 "0"

(2) 정률법 상각범위액을 계산하는 경우

취득가액의 5%에 상당하는 금액으로 하되, 그 금액은 당해 감가상각자산에 대한 미상각잔액이 최초로 취득가액의 5% 이하가 되는 사업연도의 상각범위액에 가산한다.

3. 감가완료자산의 비망가액

법인은 감가상각이 종료되는 감가상각자산에 대하여는 취득가액의 5%와 1천 원 중 적은 금액을 당해 감가상각자산의 장부가액으로 하고, 동 금액에 대하여는 이를 손금에 산입하지 아니한다.

Ⅲ 감가상각방법의 변경

1. 변경사유

법인이 다음에 해당하는 경우에는 납세지 관할 세무서장의 승인을 얻어 그 상각방법을 변경할 수 있다.

(1) 상각방법이 서로 다른 법인이 합병(분할합병 포함)한 경우

(2) 상각방법이 서로 다른 사업자의 사업을 인수 또는 승계한 경우

(3) 외국투자자가 내국법인의 주식 등을 20% 이상 인수 또는 보유하게 된 경우

(4) 해외시장의 경기변동 또는 경제적 여건의 변동으로 인하여 종전의 상각방법을 변경할 필요가 있는 경우

(5) 회계정책의 변경(예 국제회계기준을 최초로 적용)에 따라 결산상각방법이 변경된 경우(변경한 결산상각방법과 같은 방법으로 변경하는 경우만 해당함)

2. 변경신고

상각방법의 변경승인을 얻고자 하는 법인은 그 변경할 상각방법을 적용하고자 하는 최초 사업연도의 종료일까지 감가상각방법변경신청서를 납세지 관할 세무서장에게 제출(국세정보통신망에 의한 제출 포함)하여야 한다.

3. 상각범위액 계산방법

구분	변경 후 상각범위액
정액법으로 변경	(취득가액 – 전기 말 감가상각누계액 + 전기이월 상각부인액) × 정액법 상각률
정률법으로 변경	(취득가액 – 전기 말 감가상각누계액 + 전기이월 상각부인액) × 정률법 상각률

※ 상각률은 잔존연수와 관계없이 신고내용연수 또는 기준내용연수로 한다.

5 감가상각의제

Ⅰ 내용

1. 내국법인이 「법인세법」과 다른 법률에 따라 법인세를 면제받거나 감면받은 경우에는 해당 사업연도의 소득금액을 계산할 때 개별 자산에 대한 감가상각비가 상각범위액이 되도록 감가상각비를 손금에 산입하여야 한다.

∵ 감면기간에 감가상각비를 계상하지 않고 감면기간 후 감가상각비 계상을 통해 조세부담을 회피함

2. 추계결정 또는 경정을 하는 경우에는 감가상각자산에 대한 감가상각비를 손금에 산입한 것으로 본다.

∵ 추계 시 기준경비율에 감가상각비가 반영되어 있는 점

Ⅱ 효과

구분	면제·감면 법인의 경우	추계결정·경정 시
감가상각비 과소계상액	손금산입(△유보)	–
그 후 상각범위액 계산	자산가액에서 감가상각의제액(손금산입 △유보)을 공제	
양도 시	감가상각의제액 △유보 추인	감가상각의제액을 장부가액에서 차감하여 처분손익 계산

6 K-IFRS를 적용하는 법인의 감가상각비 특례

Ⅰ 적용자산

신고조정대상 자산은 법인이 취득한 감가상각자산으로서 한국채택국제회계기준을 최초로 적용한 사업연도의 직전 사업연도(기준연도) 이전에 취득한 감가상각자산(이하 "기존보유자산") 및 기존보유자산과 동일한 종류의 자산으로서 기존보유자산과 동일한 업종(해당 법인이 해당 업종을 한국채택국제회계기준 도입 이후에도 계속하여 영위하는 경우로 한정함)에 사용되는 것(이하 "동종자산")을 말한다.

Ⅱ 추가손금산입

한국채택국제회계기준을 적용하는 내국법인이 보유한 감가상각자산 중 2014년 1월 1일 이후 취득분은 다음의 계산방법에 따라 감가상각비를 추가로 손금에 산입할 수 있다.

1. [1단계] 감가상각비 시부인 계산
2. [2단계] 추가 손금산입액 계산
개별자산에 대한 추가손금산입액을 동종자산의 추가 손금산입 한도의 범위에서 손금산입한다.

(1) 개별자산의 추가 손금산입액(기준감가상각비)

세법상 기준내용연수를 적용하여 계산한 감가상각비 – 1단계 손금인정액

(2) **동종자산의 추가 손금산입 한도**

Min(①, ②)

① 기준내용 감가상각비를 고려한 동종자산의 추가 손금산입 한도: 해당 사업연도 동종자산에 대한 기준내용연수를 적용하여 계산한 감가상각비 합계 – 동종자산에 대한 1단계 손금인정액 합계

② 종전 감가상각비를 고려한 동종자산의 추가 손금산입 한도

㉠ 정액법: 동종자산 취득가액합계액 × 기준상각률 – 동종자산에 대한 1단계 손금인정액 합계

㉡ 정률법: 동종자산 미상각잔액 합계액 × 기준상각률 – 동종자산에 대한 1단계 손금인정액 합계

※ 동종자산 추가 손금산입 한도액이 0보다 작은 경우 0으로 함

③ ②의 25% 해당액이 ①보다 큰 경우에는 ②의 25%를 동종자산의 추가 손금산입 한도로 한다.

∵ 기준내용연수에 의한 동종자산 추가손금산입한도가 너무 적은 경우에는 종전 감가상각비 한도의 25%는 최소 추가 손금산입할 수 있도록 함

7 특수관계인으로부터 양수한 자산에 대한 감가상각비

특수관계인으로부터 자산 양수를 하면서 기업회계기준에 따라 장부에 계상한 자산의 가액이 시가에 미달하는 경우 다음의 금액에 대하여 감가상각비 규정을 준용하여 계산한 감가상각비 상당액은 신고조정에 의해 손금산입할 수 있다.

1. 실제 취득가액이 시가를 초과하는 경우에는 시가와 장부에 계상한 가액과의 차이

2. 실제 취득가액이 시가에 미달하는 경우에는 실제 취득가액과 장부에 계상한 가액과의 차이

∵ 양수법인이 양도법인의 장부가액을 기준으로 감가상각하는 경우 시가와의 차액을 항구적으로 손금산입할 수 없는 문제 해소

종속회사는 지배회사(양도 시 장부가액 600)로부터 ×1. 1. 1. 건물을 매입하였다. 건물의 신고내용연수는 10년이다. 다음 상황별 세무조정을 제시하시오.

[Case 1] 건물 시가 1,000인 경우		[Case 2] 건물 시가 700인 경우	
회사의 회계처리는 다음과 같다.		회사의 회계처리는 다음과 같다.	
차) 건물　　　600 대) 현금　　　700 　　　　　　　　　자본잉여금 100		차) 건물　　　600 대) 현금　　 1,000 　　　　　　　　　자본잉여금 400	
<익금산입> 건물 100 유보	<손금산입> 자본잉여금 100 기타 dep 10* △유보	<익금산입> 건물 100 유보 부당행위 300 기사유	<손금산입> 자본잉여금 400 기타 dep 10* △유보

*dep: 100 × 0.1

8 상각부인액의 처리

I 양도자산의 처리방법

상각부인액이 있는 경우	전체양도	양도 사업연도에 손금산입(△유보)
	일부양도	다음의 금액을 손금산입(△유보)함 $$상각부인액 \times \frac{양도자산의\ 취득가액}{자산의\ 취득가액}$$
시인부족액이 있는 경우		세무조정 없음

II 법률에 따른 평가증

1. 법인이 감가상각자산에 대하여 감가상각과 평가증을 병행한 경우에는 먼저 감가상각을 한 후 평가증을 한 것으로 보아 상각범위액을 계산한다.

2. 법인이 상각부인액이 있는 자산을 「보험업법」 및 기타 법률의 규정에 의하여 평가하여 평가차익이 발생하는 경우, 그 평가증된 자산의 상각부인액은 평가증의 한도까지는 익금에 산입된 것으로 보아 손금추인하고, 평가증의 한도를 초과하는 금액은 그 후의 사업연도로 이월하여 시인부족액을 한도로 손금에 산입하여야 한다.

07 충당금과 준비금

1 충당금

I 의의

기업회계는 적정한 기간손익을 계산하기 위해 아직 확정되지는 않았지만 미래에 발생할 것이 확실한 비용에 대해 추정하여 충당부채를 설정하여 비용으로 계상한다. 그러나 「법인세법」은 권리의무확정주의에 따라 손익을 인식하므로 미확정비용인 충당금을 인정하지 않지만 기업회계기준과의 차이를 최소화하기 위해 열거한 충당금은 허용하고 있다.

II 충당금의 종류

1. 세법상 열거한 충당금

퇴직급여충당금, 퇴직연금충당금, 대손충당금, 구상채권상각충당금, 일시상각충당금(압축기장충당금)

2. 세법상 미열거 충당금

제품보증충당부채, 하자보수충당부채, 복구충당부채 등

2 대손금과 대손충당금

I 대손금

1. 의의

내국법인이 보유하고 있는 채권 중 채무자의 파산 등 법령이 정하는 사유로 회수할 수 없는 채권의 금액(이하 "대손금")은 법령이 정하는 사업연도의 소득금액을 계산할 때 손금에 산입한다.

2. 대손불인정채권

다음 중 어느 하나에 해당하는 채권에 대한 대손금은 손금으로 인정하지 아니한다.

(1) 채무보증구상채권

　∵ 채무보증을 통한 과다차입 및 연쇄도산 방지

(2) 특수관계인에 대한 업무무관가지급금. 이 경우 특수관계인에 대한 판단은 대여시점을 기준으로 한다.

(3) 대손세액공제를 받은 부가가치세 매출세액 미수금

　∵ 이중공제 방지 → (1)과 (2)의 채권은 처분손실도 손금불산입됨

Ⅱ 대손요건

1. 신고조정에 의하여 손금산입할 수 있는 대손금

(1) 의의

신고조정 대손금은 소멸시효가 완성된 매출채권 등으로서 법적 청구권이 소멸되어 더 이상 채권으로 존재할 수 없으므로 법인의 의사결정과 관계없이 청구권이 소멸된 날이 속하는 사업연도의 손금에 해당한다. 따라서 이러한 대손금은 장부상 대손처리를 하지 못한 경우에도 신고조정에 의해 손금에 산입하여야 한다.

(2) 손금시기

해당 사유가 발생한 날이 속하는 사업연도의 손금이다.

(3) 사유

① 「상법」에 따른 소멸시효가 완성된 외상매출금 및 미수금

② 「어음법」 또는 「수표법」에 따른 소멸시효가 완성된 어음 또는 수표

③ 「민법」에 따른 소멸시효가 완성된 대여금 및 선급금

④ 「채무자 회생 및 파산에 관한 법률」에 따른 회생계획인가의 결정 또는 법원의 면책결정에 따라 회수불능으로 확정된 채권

⑤ 「서민의 금융생활 지원에 관한 법률」에 따른 채무조정을 받아 신용회복지원협약에 따라 면책으로 확정된 채권

⑥ 「민사집행법」에 따라 채무자의 재산에 대한 경매가 취소된 압류채권

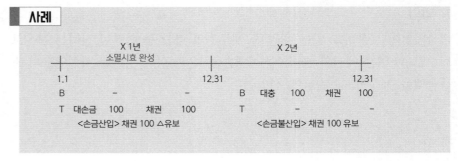

2. 결산조정에 의하여 손금산입할 수 있는 대손금

(1) 의의

결산조정 대손금은 법적 청구권이 소멸되지 않았으나 채무자의 자산상황 또는 지급능력 등을 보아 객관적으로 회수불능상태인 채권으로서 법인의 의사결정에 따라 대손금을 결산상 비용으로 처리한 경우에 한하여 손금으로 본다. 따라서 이러한 대손금은 법인이 장부상 대손금으로 처리하지 않은 경우 신고조정으로 손금산입할 수 없다.

(2) 손금시기

해당 사유가 발생하여 손비로 계상한 날

(3) 사유

① 채무자의 파산, 강제집행, 형의 집행, 사업의 폐지, 사망, 실종 또는 행방불명으로 회수할 수 없는 채권

② 부도발생일부터 6개월 이상 지난 수표 또는 어음상의 채권 및 외상매출금(중소기업의 외상매출금으로서 부도발생일 이전의 것에 한정함). 다만, 해당 법인이 채무자의 재산에 대하여 저당권을 설정하고 있는 경우는 제외한다.

　　㉠ 부도발생일의 개념: 부도수표·어음의 지급기일. 단, 지급기일 전 금융회사 등으로부터 부도확인을 받은 경우 그 부도확인일

　　㉡ '6개월 이상 지난'의 의미: 6개월이 종료한 날의 다음 날

　　㉖ 부도발생일이 6월 30일인 경우 → 다음 해 1월 1일이 속하는 사업연도에 대손금으로 처리

　　㉢ 사후관리를 위한 비망가액: 대손금으로 손비에 계상할 수 있는 금액은 사업연도 종료일 현재 회수되지 아니한 해당 채권의 금액에서 수표·어음은 1매당, 외상매출금은 채무자별 1천 원을 뺀 금액이다.

사례

```
                    X 1                    X 2
        ├──────────┼──────────┼────────────────────┤
       1.1    6.30. 부도발생   12.31                12.31

   B 대충  10,000  채권  10,000    B       -      -
   T       -       -              T 손금  9,000  채권  9,000
   <손금불산입> 채권 10,000 유보    <손금산입> 채권 9,000 △유보
```

---

③ 중소기업의 외상매출금 및 미수금으로서 회수기일이 2년 이상 지난 외상매출금 등. 다만, 특수관계인과의 거래로 인하여 발생한 외상매출금 등은 제외한다.

④ 재판상 화해 등 확정판결과 같은 효력을 가지는 것으로서 「민사소송법」에 따른 화해(화해권고결정과 강제조정결정을 포함함) 및 「민사조정법」에 따른 조정에 따라 회수불능으로 확정된 채권

⑤ 회수기일이 6개월 이상 지난 채권 중 채권가액이 30만 원 이하(채무자별 채권가액의 합계액 기준)인 채권

사례

[Case 1] 甲 30만 원, 乙 30만 원 → 甲과 乙 모두 대손사유 충족
[Case 2] 甲 30만 원, 甲 30만 원 → 甲 대손사유 불충족
[Case 3] 甲 15만 원, 甲 15만 원 → 甲 대손사유 충족

⑥ 중소기업창업투자회사의 창업자에 대한 채권으로서 중소벤처기업부장관이 기획재정부장관과 협의하여 정한 기준에 해당한다고 인정한 것

⑦ 물품의 수출 또는 외국에서의 용역 제공으로 발생한 채권으로서 기획재정부령으로 정하는 사유에 해당하여 무역에 관한 법령에 따라 한국무역보험공사로부터 회수불능으로 확인된 채권

⑧ 금융회사 등의 채권 중 금융감독원장이 기획재정부장관과 협의하여 정한 대손처리기준에 따라 금융회사 등이 금융감독원장으로부터 대손금으로 승인받은 것으로서 금융감독원장이 위 대손처리기준에 해당한다고 인정하여 대손처리를 요구한 채권으로 금융회사 등이 대손금으로 계상한 것

사례

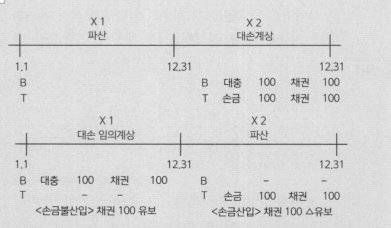

손금의 귀속시기가 도래하기 전에 손비로 계상하여 손금불산입한 대손금은 그 후 대손금 귀속시기가 속하는 사업연도에 세무조정으로 손금에 산입할 수 있다.

(4) 합병·분할 특례

법인이 다른 법인과 합병하거나 분할하는 경우로서 결산조정사항 대손금을 합병등기일 또는 분할등기일이 속하는 사업연도까지 손비로 계상하지 아니한 경우 그 대손금은 해당 법인의 합병등기일 또는 분할등기일이 속하는 사업연도의 손비로 한다.

∵ 피합병법인 등이 손금으로 계상하지 않은 대손금을 합병법인 등이 장부가액으로 승계하여 대손금으로 손금에 산입함으로써 세부담을 회피하는 것을 방지하기 위함

3. 채권·채무의 재조정

내국법인이 기업회계기준에 따른 채권의 재조정에 따라 채권의 장부가액과 현재가치의 차액을 대손금으로 계상한 경우에는 이를 손금에 산입하며, 손금에 산입한 금액은 기업회계기준의 환입방법에 따라 익금에 산입한다.

▌사례

㈜대한은 20×1년 중 거래처 채권 10이 법원의 이자율과 만기 조건을 변경하는 채권 재조정 결정에 따라 장부가액(10)과 현재가치(7) 차액을 다음과 같이 회계처리하였다.

회사	차) 대손상각비 3 대) 대손충당금 3
세법	차) 대손금 3 대) 채권 3
세무조정	① 대손충당금 감액 조정: 익금산입 대손충당금 3 (유보) ② 채권 감액 조정: 손금산입 채권 3 (△유보)
대손충당금 한도계산	① 채권의 장부가액: 채권 3을 장부상 채권의 장부가액에서 차감한다. ② 대손실적률: 대손금 3을 대손실적률 계산 시 대손금으로 보지 않는다. 　　∵ 유효이자율법에 따라 환입하여 익금으로 계상되므로

Ⅲ 대손금의 회수

손금에 산입한 대손금 중 회수한 금액은 그 회수한 날이 속하는 사업연도의 소득금액을 계산할 때 익금에 산입한다.

→ 손금불산입된 대손금은 익금불산입

손금산입한 채권의 회수액	익금항목
손금부인한 채권의 회수액	익금불산입항목

20×1년 채권 10을 회사가 장부상 대손처리한 후 20×2년도 동 채권을 회수하고 다음과 같이 회계처리하였다.

구분		20×1년(대손)	20×2년(회수)
회사		차) 비용　10 대) 채권　10	차) 현금　10 대) 수익　10
세법	손금인정된 경우	차) 손금　10 대) 채권　10 세무조정 없음	차) 현금　10 대) 익금　10 세무조정 없음
	손금불산입된 경우	－ <손금불산입> 채권 10(유보)	차) 현금　10 대) 채권　10 <익금불산입> 채권 10(△유보)

Ⅳ 대손충당금

1. 의의

내국법인이 각 사업연도의 결산을 확정할 때 외상매출금, 대여금 및 그 밖에 이에 준하는 채권의 대손에 충당하기 위하여 대손충당금을 손비로 계상한 경우에는 법령으로 정하는 바에 따라 계산한 금액의 범위에서 그 계상한 대손충당금을 해당 사업연도의 소득금액을 계산할 때 손금에 산입한다.

K-IFRS	일반기업회계기준	「법인세법」
손실충당금	대손충당금	대손충당금
계약상 수취하기로 한 현금흐름과 수취할 것으로 예상하는 현금흐름 차이	합리적이고 객관적인 기준에 따라 추정	기말채권 × Max(1%, 대손실적률)

2. 대손충당금 설정대상채권

(1) 설정대상채권

대손충당금을 설정할 수 있는 채권은 세무상 장부가액이며, 대표적으로 다음과 같다.

① 외상매출금: 상품·제품의 판매가액의 미수액과 가공료·용역 등의 제공에 의한 사업수입금액의 미수액

② 대여금: 금전소비대차계약 등에 의하여 타인에게 대여한 금액

③ 그 밖에 이에 준하는 채권: 어음상의 채권·미수금, 그 밖에 기업회계기준에 따라 대손충당금 설정대상이 되는 채권 예 작업진행률에 의한 공사미수금

④ 선급금, 국가 및 공동단체에 대한 채권, 부가가치세 매출세액 미수금, 정상적인 영업거래에서 발생하는 주세, 개별소비세, 교육세 및 교통·에너지·환경세 미수금

(2) 설정제외채권

① 채무보증으로 인하여 발생한 구상채권

② 특수관계인에 대한 업무무관가지급금(특수관계인에 대한 판단은 대여시점 기준)

③ 특수관계인에게 고가 양도 시 시가초과액에 상당하는 채권

사례

㈜대한이 특수관계법인에게 제품 시가 2억 원을 3억 원에 외상판매한 경우 처리방법

1. ㈜대한(양도자): 대손충당금 설정대상 채권 2억 원
2. ㈜민국(매입자): 부당행위계산부인에 해당

---

④ 매각거래로 보는 매출채권과 받을 어음(단, 차입거래로 보는 경우 설정대상채권임)

⑤ 「법인세법」상 익금의 귀속시기가 도래하지 아니한 미수이자

⑥ 수탁업자의 수탁판매미수금(수탁판매법인의 수입금액을 구성하는 채권이 아니므로 회수의무를 지고 있고 그 대금을 회수하지 못할 경우 이를 변상하기로 계약하였더라도 대손충당금을 설정할 수 없음)

⑦ 부가가치세 신고에 따른 환급금 미수금

(3) 동일인의 채권·채무 상계

법인이 동일인에 대하여 매출채권과 매입채무를 가지고 있는 경우에는 당해 매입채무를 상계하지 아니하고 대손충당금을 계상할 수 있다. 다만, 당사자 간의 약정에 의하여 상계하기로 한 경우에는 그러하지 아니하다.

3. 상계와 환입

(1) 상계

대손충당금을 손금에 산입한 내국법인은 대손금이 발생한 경우 그 대손금을 대손충당금과 먼저 상계하여야 하고, 상계하고 남은 대손충당금의 금액은 다음 사업연도의 소득금액을 계산할 때 익금에 산입한다.

사례

전기 말 대손충당금 잔액 10, 당기 중 대손 8

구분	회계			세법		
대손발생	차) 대충	8 대) 채권	8	차) 대충	8 대) 채권	8
				차) 대충	2 대) 환입	2

---

(2) 환입과 설정

	대손충당금		
당기상계	5,000,000	기초잔액	15,000,000
기말잔액	30,000,000	당기설정	20,000,000

구분	보충법(회계)	총액법(세법)
당기 상계	차) 대손충당금　5 대) 채권　　5	차) 대손충당금　5 대) 채권　　5 차) 대손충당금　10 대) 환입　　10
기말 설정	차) 대손상각비 20 대) 대손충당금 20	차) 대손금　　30 대) 대손충당금 30
I/S	(−)20	(−)30 + 10 = (−)20

(3) 총액법

① 전기 대손충당금 한도초과액: 당기에 모두 환입되어 손금산입(△유보)한다.

② 대손충당금 한도초과액 계산: 대손충당금 기말잔액과 한도액을 비교하여 계산한다.

4. 대손충당금 한도액

대손충당금 한도액은 해당 사업연도종료일 현재의 대손충당금 설정대상 기말채권의 1%에 상당하는 금액과 채권잔액에 대손실적률을 곱하여 계산한 금액 중 큰 금액으로 한다.

> 대손충당금 한도액: 당기 말 대손충당금 설정대상 채권 × Max[1%, 대손실적률]

(1) 대손충당금 설정대상 채권

당기 말 재무상태표상 채권 − 설정제외채권 ± 채권유보

※ 채권유보 중 당기 말 대손금부인누계액: 전기 말 대손금부인액 − 당기 중 손금추인액 + 당기 중 대손금부인액

(2) 대손실적률

$$대손실적률 = \frac{해당\ 사업연도의\ 세무상\ 대손금}{직전\ 사업연도\ 종료일\ 현재의\ 세무상\ 채권가액}$$

3 퇴직급여충당금의 손금산입

I 의의

1. 회계

임직원이 퇴직할 때 지급되는 퇴직급여는 해당 임직원의 재직기간 경과에 따라 계속적으로 발생한 누적비용이다. 회사가 퇴직급여를 실제 지급 시 일시에 비용처리할 경우 기간손익이 왜곡되므로 기업회계에서는 결산 시 퇴직급여의 지급을 위하여 장래 지급하여야 할 퇴직급여추계액을 퇴직급여충당금으로 설정하고 있다.

2. 「법인세법」

(1) 내국법인이 각 사업연도의 결산을 확정할 때 임원이나 직원의 퇴직급여에 충당하기 위하여 퇴직급여충당금을 손비로 계상한 경우에는 법령으로 정하는 바에 따라 계산한 금액의 범위에서 그 계상한 퇴직급여충당금을 해당 사업연도의 소득금액을 계산할 때 손금에 산입한다.

→ 결산조정사항

(2) 「법인세법」에서는 퇴직급여충당금을 사내적립하는 경우 기업의 도산 등으로 임직원의 퇴직급여가 전액 보호될 수 없으므로 2016년 1월 1일 이후 개시하는 사업연도부터는 퇴직급여충당금 설정률 0%로 하여 한도액이 0이 되므로 손금산입이 허용되지 않는다.

II 퇴직급여충당금 세무조정

당기 퇴직급여충당금 설정액	(−) 세무상 한도액	(+) 한도초과액: 손금불산입(유보)
		(−) 한도미달액: 세무조정 없음

1. 한도액

내국법인이 각 사업연도에 임직원의 퇴직급여에 충당하기 위하여 퇴직급여충당금을 손비로 계상한 경우에는 다음의 한도액 내에서 손금에 산입한다.

> Min(① 총급여액 기준, ② 추계액 기준)
> ① 총급여액 × 5%
> ② 퇴직급여추계액 × 0% + 퇴직금전환액잔액 − 세무상 퇴직급여충당금 설정 전 잔액

→ 추계액 기준이 (−)음수가 나온 경우에도 이미 설정한 퇴직급여충당금을 익금으로 환입하지 않음(∵ 퇴직금 지급 시 사용해야 하므로)

2. 총급여액

당기 말 현재 재직하는 퇴직급여의 지급대상이 되는 임원 또는 직원(확정기여형 퇴직연금 등이 설정된 자 제외)에게 해당 사업연도에 지급한 총급여액(손금불산입 인건비, 비과세급여 제외)

3. 한도초과액

퇴직급여충당금 부인액은 임직원이 실제 퇴직 시 지급되는 퇴직급여가 세법상 손금으로 계상된 퇴직급여충당금을 초과하는 경우에 그 초과하는 금액의 범위 내에서 손금으로 추인한다.

4. 합병 · 분할승계

퇴직급여충당금을 손금에 산입한 내국법인이 합병하거나 분할하는 경우 그 법인의 합병등기일 또는 분할등기일 현재의 해당 퇴직급여충당금 중 합병법인 · 분할신설법인 또는 분할합병의 상대방 법인이 승계받은 금액은 그 합병법인 등이 합병등기일 또는 분할등기일에 가지고 있는 퇴직급여충당금으로 본다.

4 퇴직연금충당금의 세무조정

I 확정기여형 퇴직연금

1. 의의

확정기여형 퇴직연금이란 법인이 납부하여야 할 부담금(기여금)이 사전에 확정되고 근로자가 운용하여 근로자가 지급받는 퇴직금이 결정되는 제도이다. 따라서 법인은 당해 부담금(기여금)을 금융기관에 적립할 의무만 있으므로 임직원이 실제 퇴직 시 퇴직금을 지급할 의무는 사라진다.
→ 확정기여형 퇴직연금이 설정된 자는 퇴직급여충당금의 설정대상자가 아님

2. 세법

확정기여형 퇴직연금 등(「근로자퇴직급여 보장법」에 따른 확정기여형퇴직연금, 중소기업퇴직연금기금제도, 개인형퇴직연금제도 및 「과학기술인공제회법」에 따른 퇴직연금 중 확정기여형 퇴직연금에 해당하는 것)의 부담금은 전액 손금에 산입한다.

3. 임원부담금의 규제

임원에 대한 퇴직연금의 부담금은 법인이 퇴직 시까지 부담한 부담금의 합계액을 퇴직급여로 보아 임원퇴직급여한도초과액에 대한 손금불산입규정을 적용하되, 손금산입한도 초과금액이 있는 경우에는 퇴직일이 속하는 사업연도의 부담금 중 손금산입 한도 초과금액 상당액을 손금에 산입하지 아니하고, 한도초과액이 퇴직일이 속하는 사업연도의 부담금을 초과하는 경우 그 초과금액은 퇴직일이 속하는 사업연도의 익금에 산입한다.

> **사례**
>
> ㈜대한은 확정기여형 퇴직연금 가입자 임원에게 매년 10,000,000원씩 10년간 퇴직연금을 불입하였으며, 임원은 ×1. 12. 31.에 퇴사하였다. 정관에 따른 임원 퇴직급여는 85,000,000원인 경우 ×1년 세무조정은?
>
> **해설**
> ⋯⋯⋯⋯⋯⋯⋯⋯⋯⋯⋯⋯⋯⋯⋯⋯⋯⋯⋯⋯⋯⋯⋯⋯⋯⋯⋯⋯⋯⋯⋯⋯⋯⋯⋯⋯⋯⋯⋯
> <손금불산입> 퇴직급여 10,000,000 상여
> <손금불산입> 퇴직급여 5,000,000 상여

Ⅱ 확정급여형 퇴직연금

1. 의의

확정급여형 퇴직연금이란 근로자가 받는 퇴직급여는 사전에 확정되고 사용자가 부담하여 적립할 금액이 운용수익에 따라 달라지는 제도이다.

2. 퇴직연금 범위

내국법인이 임직원의 퇴직을 퇴직급여의 지급사유로 하고 임직원을 수급자로 하는 연금으로서 「보험업법」에 따른 보험회사, 은행 등 금융기관이 취급하는 퇴직연금을 말한다.

3. 세무조정

당기 퇴직연금충당금 설정액	(−) 세무상 한도액	(＋) 한도초과액: 손금불산입(유보)
		(−) 한도미달액: 손금산입(△유보)

(1) 퇴직연금 등으로 지출하는 금액은 원칙적으로 각 사업연도의 결산을 확정할 때 손비로 계상한 경우 법령이 정하는 한도액 범위에서 손금에 산입한다.

(2) 기업회계기준에서는 퇴직연금 등으로 지출한 부담금을 비용으로 인정하지 않아 세법에서는 신고조정에 의하여 각 사업연도 소득금액 계산 시 손금에 산입할 수 있다.

4. 한도액

> 퇴직연금충당금 손금산입 한도액: Min(①, ②) – 세무상 연금충당금 설정 전 잔액
> ① 퇴직급여추계액 기준: 퇴직급여추계액 – 당기 말 세무상 퇴직급여충당금
> ② 퇴직연금예치금 기준: 퇴직연금운용자산 기말잔액

(1) 퇴직급여추계액

다음 금액 중 큰 금액(손금불산입 임원퇴직급여 한도초과액 제외)

① 일시퇴직기준 추계액: 해당 사업연도 종료일 현재 재직하는 임직원의 전원이 퇴직할 경우에 퇴직급여로 지급되어야 할 금액의 추계액(확정기여형 퇴직연금으로 손금에 산입하는 금액 제외)

② 보험수리적기준 추계액: 「근로자퇴직급여 보장법」에 따른 보험수리적기준추계액(확정기여형 퇴직연금으로 손금에 산입하는 금액 제외) + 해당 사업연도종료일 현재 재직하는 임직원 중 확정급여형퇴직연금제도에 가입하지 아니한 자에 대한 일시퇴직기준 추계액 + 확정급여형퇴직연금제도에 가입한 사람으로서 그 재직기간 중 미가입기간이 있는 자의 그 미가입기간에 대한 일시퇴직기준 추계액

∵ 보험회사에서 미가입자에 대해서는 보험수리적기준 추계액을 계산해주지 않으므로 일시퇴직기준 추계액을 더함

(2) 당기 말 세무상 퇴직급여충당금

장부상 퇴직급여충당금 기말잔액 – 퇴직급여충당금 기말 유보

(3) 세무상 연금충당금 설정 전 잔액

장부상 연금충당금 기초잔액 – 당기 감소액 – 연금충당금 설정 전 유보

(4) 퇴직연금운용자산 기말잔액

기초퇴직연금운용자산 – 기중퇴직연금예치금 감소액 + 당기 퇴직연금예치금 납입액

5. 퇴직급여 지급순서

확정급여형 퇴직연금에서 지급하는 퇴직금액은 퇴직연금충당금과 상계하고 부족액은 퇴직급여충당금과 상계한다. 만일 퇴직급여충당금이 없으면 퇴직급여로 비용처리한다.

5 일시상각충당금 또는 압축기장충당금

Ⅰ 국고보조금 등으로 취득한 사업용 자산가액의 손금산입

1. 의의

내국법인이 국고보조금 등을 지급받아 그 지급받은 날이 속하는 사업연도의 종료일까지 사업용 자산을 취득하거나 개량하는 데에 사용한 경우 또는 사업용 자산을 취득하거나 개량하고 이에 대한 국고보조금 등을 사후에 지급받은 경우에는 해당 사업용 자산의 가액 중 그 사업용 자산의 취득 또는 개량에 사용된 국고보조금 등 상당액을 그 사업연도의 소득금액을 계산할 때 손금에 산입할 수 있다.

2. 손금산입방법

(1) 결산조정사항

손금에 산입하는 금액은 개별 사업용 자산별로 해당 사업용 자산의 가액 중 그 취득 또는 개량에 사용된 국고보조금 등에 상당하는 금액을 다음의 구분에 따라 일시상각충당금 또는 압축기장충당금으로 계상하여야 한다.
  ① 감가상각자산: 일시상각충당금
  ② ① 외의 자산: 압축기장충당금

(2) 신고조정허용

일시상각충당금 등은 기업회계기준에 위배되므로 장부상 회계처리하지 않고 신고조정에 의해 손금산입할 수 있다.

※ 사업용 자산을 취득하거나 개량한 후 국고보조금 등을 지급받았을 때에는 지급일이 속한 사업연도 이전 사업연도에 이미 손금에 산입한 감가상각비에 상당하는 금액은 손금에 산입하는 금액에서 제외한다.

3. 익금산입방법

(1) 국고보조금 등을 사업용 자산 취득에 사용한 경우

① 비상각자산: 압축기장충당금은 당해 사업용 자산을 처분하는 사업연도에 이를 전액 익금에 산입한다. 단, 해당 사업용 자산의 일부를 처분하는 경우의 익금산입액은 해당 사업용 자산의 가액 중 일시상각충당금 또는 압축기장충당금이 차지하는 비율로 안분계산한 금액에 의한다.

② 감가상각자산: 일시상각충당금은 해당 사업용 자산의 감가상각비(취득가액 중 해당 일시상각충당금에 상당하는 부분에 대한 것에 한함)와 상계하는 방법으로 익금에 산입한다. 다만, 해당 자산을 처분하는 경우에는 상계하고 남은 잔액을 그 처분한 날이 속하는 사업연도에 전액 익금에 산입한다.

(2) 국고보조금 등을 사업용 자산 취득에 사용하지 않은 경우

국고보조금 등 상당액을 손금에 산입한 내국법인이 손금에 산입한 금액을 기한 내에 사업용 자산의 취득 또는 개량에 사용하지 아니하거나 사용하기 전에 폐업 또는 해산하는 경우 그 사용하지 아니한 금액은 해당 사유가 발생한 날이 속하는 사업연도의 소득금액을 계산할 때 익금에 산입한다. 다만, 합병하거나 분할하는 경우로서 합병법인 등이 그 금액을 승계한 경우는 제외하며, 이 경우 그 금액은 합병법인 등이 손금에 산입한 것으로 본다.

Ⅱ 보험차익으로 취득한 자산가액의 손금산입

1. 보험차익

(1) 보험차익이란 보험에 가입한 건물·기계 등의 고정자산이 화재·천재 및 기타 사유로 인하여 멸실 또는 손괴됨으로써 보험회사로부터 지급받는 보험금이 피해를 받은 자산의 장부가액(상각자산인 경우 감가상각누계액을 공제한 잔액)을 초과하는 경우 그 초과액을 말한다.

(2) 「법인세법」은 보험차익을 순자산증가액으로서 익금에 산입한다. 다만, 보험차익으로 취득한 자산가액에 대한 그 과세시기를 보험차익의 발생시점에서 감가상각시점으로 이연하는 일시상각충당금 손금산입제도를 두고 있다.

2. 의의

(1) 내국법인이 유형자산의 멸실이나 손괴로 인하여 보험금을 지급받아 그 지급받은 날이 속하는 사업연도의 종료일까지 멸실한 유형자산과 같은 종류의 자산을 대체 취득하거나 손괴된 유형자산을 개량(그 취득한 자산의 개량 포함)하는 경우에는 해당 자산의 가액 중 그 자산의 취득 또는 개량에 사용된 보험차익 상당액(일시상각충당금)을 그 사업연도의 소득금액을 계산할 때 손금에 산입할 수 있다.

(2) 보험금을 지급받은 날이 속하는 사업연도의 종료일까지 사업용 자산을 취득하거나 개량하지 아니한 내국법인이 법인세 신고와 함께 보험차익 사용계획서를 제출한 경우 그 사업연도의 다음 사업연도 개시일부터 2년 이내에 대체자산을 취득하거나 개량하는 경우에도 손금에 산입할 수 있다.

3. 일시상각충당금 한도액

손금에 산입하는 금액은 개별보험대상자산별로 해당 자산의 가액 중 그 취득 또는 개량에 사용된 보험차익에 상당하는 금액으로 한다. 이 경우 해당 보험대상자산의 가액이 지급받은 보험금에 미달하는 경우에는 보험금 중 보험차익 외의 금액(소실된 자산의 장부가액)을 먼저 사용한 것으로 본다.

> **사례**
>
> 보험금 100, 멸실된 자산의 장부가액 60, 새로운 자산 취득가액 90
>
> 일시상각충당금 설정액: Min(①, ②)
>
> ① 보험차익: 100 - 60 = 40
>
> ② 한도: 90 - 60 = 30

4. 일시상각충당금 익금산입

(1) 일시상각충당금은 다음과 같이 해당 사업용 자산의 감가상각비(취득가액 중 해당 일시상각충당금에 상당하는 부분에 대한 것에 한함)에 상당하는 금액을 익금에 산입한다. 다만, 해당 자산을 처분하는 경우에는 상계하고 남은 잔액을 그 처분한 날이 속하는 사업연도에 전액 익금에 산입한다.

$$\text{대체 취득한 자산의 감가상각비} \times \frac{\text{손금에 산입한 보험차익}}{\text{대체 취득한 자산의 취득가액}}$$

※ 보험차익으로 취득한 자산의 감가상각비를 일시상각충당금과 상계할 때에는 먼저 감가상각비에 대한 시부인 세무조정을 한 후, 손금으로 인정되는 감가상각비와 상계해야 함

(2) 해당 사업용 자산의 일부를 처분하는 경우의 익금산입액은 해당 사업용 자산의 가액 중 일시상각충당금이 차지하는 비율로 안분계산한 금액에 의한다.

Ⅲ 공사부담금

1. 의의

전기, 도시가스 사업 등을 하는 내국법인이 그 사업에 필요한 시설을 하기 위하여 해당 시설의 수요자 또는 편익을 받는 자로부터 공사부담금을 제공받아 그 제공받은 날이 속하는 사업연도의 종료일까지 사업용 자산의 취득에 사용하거나 사업용 자산을 취득하고 이에 대한 공사부담금을 사후에 제공받은 경우에는 해당 사업용 자산의 가액을 그 사업연도의 소득금액을 계산할 때 손금에 산입할 수 있다.

2. 손금산입시기

공사부담금의 손금산입시기는 공사부담금을 제공받은 날이 속하는 사업연도로 한다. 단, 공사부담금을 제공받은 날이 속하는 사업연도의 다음 사업연도의 개시일부터 1년 이내에 사업용 자산의 취득에 사용하고자 하는 경우에도 공사부담금을 제공받은 날이 속하는 사업연도에 손금산입할 수 있다.

〈Check〉 준비금		
구분	대상법인	잉여금처분에 의한 신고조정
책임준비금	보험사업을 하는 내국법인 (「보험업법」에 보험회사 제외)	–
비상위험준비금	보험사업을 하는 내국법인	한국채택국제회계기준을 적용하는 내국법인
해약환급금준비금	「보험업법」에 따른 보험회사	「보험업법」에 따른 보험회사
고유목적사업준비금	비영리내국법인	회계감사를 받는 비영리내국법인

08 부당행위계산의 부인

1 부당행위계산의 부인 일반

Ⅰ 개요

1. 의의

납세지 관할 세무서장 또는 관할 지방국세청장은 내국법인의 행위 또는 소득금액의 계산이 특수관계인과의 거래로 인하여 그 법인의 소득에 대한 조세의 부담을 부당하게 감소시킨 것으로 인정되는 경우에는 그 법인의 행위 또는 소득금액의 계산과 관계없이 그 법인의 각 사업연도의 소득금액을 계산한다.

∵ 과세의 공평을 기하고 조세회피행위를 방지하기 위한 실질과세원칙 구체화

2. 적용법인

부당행위계산의 부인은 내국법인(청산 중인 법인 포함), 국내원천소득이 있는 외국법인, 수익사업을 영위하는 비영리법인 등 국내에서 납세의무가 있는 모든 법인에 적용한다.

3. 판정시기

(1) 원칙

부당행위계산 부인규정은 그 행위 당시를 기준으로 하여 당해 법인과 특수관계인 간의 거래(특수관계인 외의 자를 통하여 이루어진 거래를 포함)에 대하여 이를 적용한다.

(2) 불공정합병

합병등기일이 속하는 사업연도의 직전사업연도의 개시일(그 개시일이 서로 다른 법인이 합병한 경우 먼저 개시한 날)부터 합병등기일까지의 기간에 의한다.

Ⅱ 특수관계인

법인과 다음 중 어느 하나의 관계에 있는 자를 말한다. 이 경우 본인도 그 특수관계인의 특수관계인으로 본다.

1. 임원의 임면권의 행사, 사업방침의 결정 등 해당 법인의 경영에 대해 사실상 영향력을 행사하고 있다고 인정되는 자(「상법」에 따라 이사로 보는 자 포함)와 그 친족

2. 소액주주❶ 등이 아닌 주주 또는 출자자(비소액주주 등)와 그 친족

3. 법인의 임원·직원 또는 비소액주주 등의 직원(비소액주주 등이 영리법인인 경우 그 임원을, 비영리법인인 경우 그 이사 및 설립자)과 이들과 생계를 함께하는 친족 또는 법인 또는 비소액주주 등의 금전이나 그 밖의 자산에 의해 생계를 유지하는 자와 이들과 생계를 함께하는 친족

4. 해당 법인이 직접 또는 그와 1.부터 3.까지의 관계에 있는 자를 통해 어느 법인의 경영에 대해 지배적인 영향력을 행사하고 있는 경우 그 법인

5. 해당 법인이 직접 또는 그와 1.부터 4.까지의 관계에 있는 자를 통해 어느 법인의 경영에 대해 지배적인 영향력을 행사하고 있는 경우 그 법인

6. 해당 법인에 30% 이상을 출자하고 있는 법인에 30% 이상을 출자하고 있는 법인이나 개인

7. 해당 법인이 「독점규제 및 공정거래에 관한 법률」에 따른 기업집단에 속하는 법인인 경우에는 그 기업집단에 소속된 다른 계열회사 및 그 계열회사의 임원

❷
다른 법인에는 영리법인과 비영리법인을 포함한다.

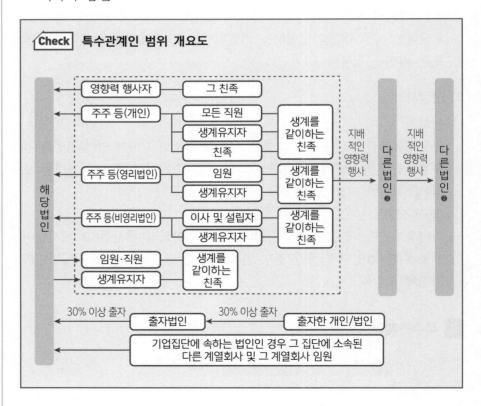

Ⅲ 부당행위계산의 유형

1. 고가매입 · 저가양도

(1) 자산을 시가보다 높은 가액으로 매입 또는 현물출자받았거나 그 자산을 과대상각한 경우

(2) 자산을 무상 또는 시가보다 낮은 가액으로 양도 또는 현물출자한 경우. 다만, 주식매수선택권 등의 행사 또는 지급에 따라 주식을 양도하는 경우는 제외한다.

2. 저리대여 · 고리차용

(1) 금전, 그 밖의 자산 또는 용역을 무상 또는 시가보다 낮은 이율·요율이나 임대료로 대부하거나 제공한 경우. 다만, 다음의 어느 하나에 해당하는 경우는 제외한다.
　① 주식매수선택권 등의 행사 또는 지급에 따라 금전을 제공하는 경우
　② 비출자임원(소액주주 등인 임원 포함) 및 직원에게 사택을 제공하는 경우
　③ 연결납세방식을 적용받는 연결법인 간에 연결법인세액의 변동이 없는 등 기획재정부령으로 정하는 요건을 갖추어 용역을 제공하는 경우

(2) 금전, 그 밖의 자산 또는 용역을 시가보다 높은 이율·요율이나 임차료로 차용하거나 제공받은 경우. 다만, 연결납세방식을 적용받는 연결법인 간에 연결법인세액의 변동이 없는 등 기획재정부령으로 정하는 요건을 갖추어 용역을 제공받은 경우는 제외한다.

> **Check** 일정 금액 이상의 이익분여 요건
>
> 1.의 (1)~(2), 2.의 (1)~(2) 및 이에 준하는 거래는 시가와 거래가액의 차액이 3억 원 이상이거나 시가의 5% 금액 이상인 경우에 한하여 부당행위계산 부인규정을 적용한다. 단, 주권상장법인이 발행한 주식을 거래한 경우에는 시가가 정확하므로 차이가 중요하지 않은 경우에도 부당행위로 본다.

3. 자본거래

(1) 특수관계인인 법인 간 불공정합병(분할합병 포함)으로 인해 주주 등인 법인이 특수관계인인 다른 주주 등에게 이익을 분여한 경우. 단, 「자본시장과 금융투자업에 관한 법률」에 따라 합병(분할합병 포함)하는 경우 제외

(2) 불균등증자(포기한 신주가 「자본시장과 금융투자업에 관한 법률」에 따른 모집방법으로 배정되는 경우 제외)로 인하여 주주 등인 법인이 특수관계인인 다른 주주 등에게 이익을 분여한 경우

(3) 불균등감자로 인하여 주주 등인 법인이 특수관계인인 다른 주주 등에게 이익을 분여한 경우

(4) 위 외의 경우로서 증자·감자, 합병(분할합병 포함)·분할, 전환사채 등에 의한 주식의 전환·인수·교환 등 자본거래를 통하여 법인의 이익을 분여하였다고 인정되는 경우(단, 주식매수선택권 등의 행사에 따라 주식을 발행하는 경우 제외)

4. 기타

(1) 특수관계인인 법인 간 합병(분할합병 포함)·분할에 있어서 불공정한 비율로 합병·분할하여 합병·분할에 따른 양도손익을 감소시킨 경우. 단, 「자본시장과 금융투자업에 관한 법률」에 따라 합병(분할합병 포함)·분할하는 경우 제외

(2) 무수익 자산을 매입 또는 현물출자받았거나 그 자산에 대한 비용을 부담한 경우

(3) 불량자산을 차환하거나 불량채권을 양수한 경우

(4) 출연금을 대신 부담한 경우

(5) 파생상품에 근거한 권리를 행사하지 아니하거나 그 행사기간을 조정하는 등의 방법으로 이익을 분여하는 경우

(6) 기타 위에 준하는 행위 또는 계산 및 그 외에 법인의 이익을 분여하였다고 인정되는 경우

Ⅳ 시가

1. 의의

부당행위계산 부인규정을 적용할 때 건전한 사회 통념 및 상거래 관행과 특수관계인이 아닌 자 간의 정상적인 거래에서 적용되거나 적용될 것으로 판단되는 가격(요율·이자율·임대료 및 교환 비율과 이에 준하는 것 포함)인 시가를 기준으로 한다.

2. 시가가 분명한 경우

시가란 해당 거래와 유사한 상황에서 해당 법인이 특수관계인 외의 불특정 다수인과 계속적으로 거래한 가격 또는 특수관계인이 아닌 제3자간에 일반적으로 거래된 가격이 있는 경우에는 그 가격을 말한다. 다만, 상장주식의 시가는 다음에 따른다.

증권시장에서 거래한 경우		거래가격
증권시장 외 거래와 시간 외 대량매매	경영권 이전이 수반되지 않은 경우	거래소 최종시세가액
	경영권 이전이 수반된 경우	거래소 최종시세가액의 20% 가산

3. 시가가 불분명한 경우

(1) 시가가 불분명한 경우에는 다음을 차례로 적용하여 계산한 금액에 따른다.

① 감정평가법인 등이 감정한 가액이 있는 경우 그 가액(감정한 가액이 둘 이상인 경우에는 그 감정한 가액의 평균액). 다만, 주식 등 및 가상 자산은 제외한다.

② 「상속세 및 증여세법」규정을 준용하여 평가한 가액. 이 경우 비상장 주식을 평가할 때 해당 비상장주식을 발행한 법인이 보유한 주식(주권상장법인이 발행한 주식으로 한정)의 평가금액은 평가기준일의 거래소 최종시세가액

(2) **자산제공(금전 제외)**

당해 자산 시가의 50% 금액에서 그 자산의 제공과 관련하여 받은 전세금 또는 보증금을 차감한 금액에 정기예금이자율을 곱하여 산출한 금액

> (해당 자산의 시가 × 50% - 전세금 등) × 정기예금이자율

(3) **용역제공**

당해 용역의 제공에 소요된 금액(직접비 및 간접비 포함)과 원가에 해당 사업연도 중 특수관계인 외의 자에게 제공한 유사한 용역 제공거래 또는 특수관계인이 아닌 제3자 간의 일반적인 용역제공거래를 할 때의 수익률(기업회계기준에 따라 계산한 매출액에서 원가를 차감한 금액을 원가로 나눈 율)을 곱하여 계산한 금액을 합한 금액

> 용역의 원가 + 용역의 원가 × 원가 이익률

(4) **금전대여**

금전의 대여 또는 차용의 경우에는 가중평균차입이자율을 시가로 한다. 다만, 가중평균차입이자율이 불가능한 경우 등은 당좌대출이자율을 시가로 한다.

매입 시 대금 전부 지급	① 시가를 초과하는 금액은 익금에 산입하여 이를 귀속자에 따라 상여 등으로 처분하고 동 금액을 손금산입(△유보)로 처분한다.
	② 그 자산을 감가상각하였을 때에는 다음과 같이 계산한 시가초과액에 대한 감가상각비를 손금불산입(유보)한다.
	$$회사계상\ 감가상각비 \times \frac{시가초과부인액\ 잔액}{당해연도\ 감가상각\ 전\ 장부가액}$$
	③ 그 자산을 양도한 때에는 시가초과액(① − ②) 잔액을 손금불산입(유보)한다.
매입 시 대금 미지급	① 시가초과액을 익금산입하여 유보로 처분함(이때 일부 금액이 지급되었다면 지급된 금액 중 시가초과액은 익금산입하여 귀속자에 따라 사외유출로 처분함)과 동시에, 동액을 손금산입하여 △유보로 처분한다.
	② 지급된 금액 중 시가초과액을 손금산입(△유보)함과 동시에, 동 금액을 익금산입하여 귀속자에 따라 사외유출로 처분한다. 이 경우 시가상당액을 시가초과액보다 먼저 지급한 것으로 본다.
	③ 상각 또는 양도 시 위 ② 규정을 준용한다.

사례

㈜대한은 대표이사로부터 비상장주식 100주를 10,000,000원(시가 7,000,000원)에 매입하였다.

1. 매입 시 대금을 전액 지급한 경우

익금산입	손금산입
부당행위계산 3,000,000 상여	주식 3,000,000 (△유보)

2. 매입 시 8,000,000원만 지급한 경우

구분	익금산입	손금산입
매입	부당행위계산 1,000,000 상여	주식 3,000,000 (△유보)
	미지급금 2,000,000 유보	
지급	부당행위계산 2,000,000 상여	미지급금 2,000,000 (△유보)

2 가지급금의 인정이자

1. 의의

특수관계인에게 금전을 무상으로 대여하거나 시가보다 낮은 이자율로 대여한 경우 회사가 수령한 이자와 세무상 이자상당액(인정이자) 차액을 익금에 산입한다.

→ 시가와 거래가액 차액이 3억 원 이상이거나 시가의 5% 이상인 경우 한하여 적용함

2. 인정이자 계산

$$인정이자 = 가지급금\ 적수^{①} × 인정이자율 × 1/365(윤년\ 366)$$

(1) 가지급금

① 판단기준

구분	지급이자 손금불산입	인정이자
특수관계인	○	○
업무관련성 여부	업무무관대여	–
적정이자 수취 여부	무관	무상 또는 저리대여

② 가지급금과 가수금 상계 여부: 동일인에 대한 가지급금과 가수금이 함께 있는 경우 이를 상계한다. 다만, 동일인에 대한 가지급금과 가수금 발생 시에 각각 상환기간 및 이자율 등에 관한 약정이 있어 이를 상계할 수 없는 경우에는 상계하지 않는다.

③ 인정이자 계산 제외 가지급금: 지급이자 손금불산입 내용 참조

(2) 인정이자율

① 원칙: 가중평균차입이자율

자금을 대여한 법인의 대여시점 현재 각각의 차입금 잔액(특수관계인으로부터의 차입금 제외)에 차입 당시의 각각의 이자율을 곱한 금액의 합계액을 해당 차입금 잔액의 총액으로 나눈 비율을 말한다.

$$가중평균\ 차입이자율 = \frac{\Sigma(대여시점\ 각각\ 차입금\ 잔액^{②} × 차입\ 당시\ 각각\ 이자율^{③})}{대여시점\ 차입금\ 잔액^{②}의\ 총액}$$

❶
가지급금이 발생한 초일은 산입하고 가지급금이 회수된 날은 제외한다.

❷
1. **차입금 포함**: 건설자금이자 관련 차입금, 기업구매자금 대출금
2. **차입금 제외**: 특수관계인으로부터 차입금, 채권자불분명사채, 비실명채권 등 발행으로 조달된 차입금, 연지급수입이자 발생 차입금

❸
변동금리로 차입한 경우에는 차입 당시의 이자율로 차입금을 상환하고 변동된 이자율로 그 금액을 다시 차입한 것으로 본다.

② 예외: 다음의 경우에는 당좌대출이자율을 시가로 한다.

㉠ 특수관계인이 아닌 자로부터 차입한 금액이 없는 경우 ㉡ 차입금 전액이 채권자가 불분명한 사채 또는 매입자가 불분명한 채권·증권의 발행으로 조달된 경우 ㉢ 대여법인의 대여시점 현재 가중평균차입이자율이나 대여금리가 차입법인의 가중평균차입이자율보다 높은 경우 ㉣ 대여한 날(갱신한 경우 그 갱신일)부터 해당 사업연도 종료일(해당 사업연도에 상환하는 경우 상환일)까지의 기간이 5년을 초과하는 대여금이 있는 경우	해당 대여금만 당좌대출이자율
법인이 법인세 신고와 함께 당좌대출이자율을 시가로 선택하는 경우	선택한 사업연도와 이후 2개 사업연도는 당좌대출이자율을 시가로 함

3. 세무조정 소득처분

(1) 원칙

<익금산입> 인정이자 ××× 귀속자에 따라 상여 등

(2) 가지급금에 대한 미수이자를 계상한 경우

구분	세무조정 및 소득처분
사전약정이 없는 경우	특수관계인의 가지급금 상환기간 및 이자율 등에 대한 약정이 없는 경우에는 법인의 미수이자 계상액을 익금불산입(△유보)함과 동시에 세무상 인정이자를 익금산입하고 귀속자에 따라 소득처분한다.
사전약정이 있는 경우	특수관계인의 가지급금 상환기간 및 이자율 등에 대한 약정이 있는 경우에는 미수이자를 인정하되, 인정이자와 비교하여 미수이자가 낮은 경우에만 그 차액을 익금산입하고 귀속자에 따라 소득처분한다.

3 불공정 자본거래에 대한 부당행위계산 부인

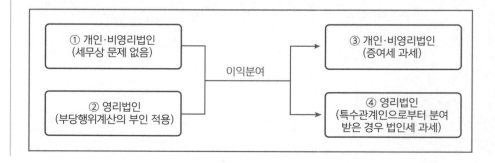

Ⅰ 불공정합병

1. 의의

특수관계인인 법인 간의 합병(분할합병 포함)에 있어서 주식을 시가보다 높거나 낮게 평가하여 불공정비율로 합병한 경우로서 주주인 법인이 특수관계인인 다른 주주 등에게 이익을 분여한 경우 「법인세법」상 부당행위계산의 부인규정을 적용한다. 다만, 「자본시장과 금융투자업에 관한 법률」에 따라 합병(분할합병 포함)하는 경우는 제외한다.

※ 특수관계인법인 판정: 합병등기일이 사업연도의 직전사업연도의 개시일 ~ 합병등기일

2. 「법인세법」과 「상속세 및 증여세법」 차이

구분	「법인세법」	「상속세 및 증여세법」
합병당사법인	특수관계 있는 법인 간 합병	특수관계 있는 법인 간 합병
주주	이익을 분여한 법인주주와 분여받은 법인주주가 특수관계 있는 경우에 한함(소액주주 제외)	대주주(1% 이상 또는 액면가액이 3억 원 이상)가 얻은 이익만 과세함(특수관계요건 불필요)
현저한 이익	1주당 평가차액이 합병법인 1주당 평가액의 30% 이상이거나 대주주 1인의 증여받은 금액이 3억 원 이상인 경우에 적용함	

3. 현저한 이익

다음 (1) 또는 (2) 중 어느 하나에 해당하는 경우를 말한다.

(1) 1주당 평가차익이 30% 이상일 것

합병법인의 합병 후 1주당 평가액 – 주가가 과대평가된 합병당사법인의 1주당 평가액 × 합병비율❶ ≥ 합병법인의 합병 후 1주당 평가액 × 30%

(2) 분여이익 ≥ 3억 원

4. 합병 후 1주당 평가액

$$\frac{\text{피합병법인의 합병 전 주식가액} \times \text{합병 전 주식 수} + \text{합병법인의 합병 전 주식가액} \times \text{합병 전 주식 수}}{\text{합병법인의 합병 후 주식 수}}$$

5. 특수관계인 분여이익 계산

$$\left(\begin{array}{c}\text{합병 후 합병법인의} \\ \text{1주당 평가액} \\ - \text{주가과대평가법인의} \\ \text{1주당 평가액}\end{array}\right) \times \text{합병비율} \times \begin{array}{c}\text{특수관계인의 이익을 분여한 법인의} \\ \text{합병 후 주식 수 합병 전 지분비율}\end{array}$$

❶
$$\text{합병비율} = \frac{\begin{array}{c}\text{주가가 과대평가된} \\ \text{합병당사법인의 합병 전} \\ \text{주식 수}\end{array}}{\begin{array}{c}\text{주가가 과대평가된} \\ \text{합병당사법인의 합병 후} \\ \text{주식 수}\end{array}}$$

6. 세무조정

(1) 특수관계인에게 이익을 분여한 법인주주

분여이익은 익금산입하여 그 귀속자가 법인인 경우 기타사외유출로 처분하며, 그 귀속자가 개인인 경우로서 증여세가 과세되는 경우 기타사외유출, 그 외의 경우에는 배당(주주), 상여(임직원) 등으로 처분한다.

(2) 특수관계인으로부터 이익을 분여받은 법인주주

분여받은 이익을 익금산입(유보)으로 처분한다.

→ 주식 취득가액에 가산

Ⅱ 불공정증자

1. 의의

(1) 불균등증자

법인이 증자를 위하여 신주(전환사채·신주인수권부사채 또는 교환사채 등 포함)를 배정하는 경우 기존주주가 신주인수권을 포기하거나 당초부터 신주를 불균등하게 배정하는 경우 주주 상호 간의 기존지분율이 달라진다. 이 경우 신주를 시가보다 저가 또는 고가로 발행하여 특수관계가 있는 주주 간 이익분여를 한 경우, 이익을 분여한 법인주주에게는 부당행위계산 부인규정을 적용하고, 이익을 분여받은 법인주주에게는 동 분여받은 이익을 익금에 산입한다.

(2) 적용요건

구분		특수관계인 요건	현저한 이익요건
저가발행	실권주 재배정한 경우	○	불필요
	실권주 재배정하지 않는 경우	○	○
고가발행	실권주 재배정한 경우	○	불필요
	실권주 재배정하지 않는 경우	○	○

2. 저가발행으로서 실권주 재배정하는 경우

(1) 의의

신주가 증자 전 가액보다 저가로 발행되면 신주인수자는 [(증자 후 1주당 평가액 - 1주당 인수가액) × 인수주식 수]만큼 직접적 이익을 얻을 수 있음에도 동 이익을 포기하면 신주인수포기자가 실권주를 추가로 배정받은 자에게 이익을 분여하는 효과가 발생한다.

(2) 현저한 이익요건

재배정하는 경우 현저한 이익 요건 검토는 하지 아니한다.

(3) 분여이익

실권한 법인주주가 실권주를 배정받은 특수관계 있는 주주에게 분여한 것으로 보는 이익은 다음과 같이 계산한다.

$$\left[\begin{array}{l}\text{증자 후 1주당 평가액} \\ -\ \text{신주 1주당 인수가액}\end{array}\right] \times \text{실권주수} \times \dfrac{\text{특수관계인이 인수한 실권주수}}{\text{재배정된 실권주 총수}}$$

(4) 증자 후 1주당 평가액

비상장 주식	$\dfrac{(\text{증자 전 주식 수} \times \text{증자 전 1주당 평가액}) + (\text{증자주식 수} \times \text{신주 1주당 인수가액})}{\text{증자 전 주식 수} + \text{증자주식 수}}$
상장 주식	Min(①, ②) ① 권리락(증자한 날 다음 날)일 이후 2개월간의 최종시세가액의 평균액 ② $\dfrac{\text{증자 전 주식 수} \times \text{증자 전 1주당 평가액} + \text{증자주식 수} \times \text{증자 시 발행가액}}{\text{증자 전 주식 수} + \text{증자주식 수}}$

(5) 세무조정

① 특수관계인에게 이익을 분여한 영리법인은 분여이익을 익금산입(기타사외유출)한다.

② 특수관계인으로부터 이익을 분여받은 영리법인은 분여받은 이익을 익금산입(유보)한다.

3. 저가발행으로서 실권주를 배정하지 않은 경우

(1) 적용대상

법인이 신주를 시가보다 낮은 가액에 발행하는 경우로서 해당 법인의 법인주주가 신주를 배정받을 수 있는 권리를 포기하고, 해당 법인이 실권주를 배정하지 아니하면 실권한 법인주주가 그 신주를 인수한 특수관계 있는 주주에게 이익을 분여한 것으로 본다.

∵ 경제적 실질이 증자 전의 지분비율대로 균등하게 전액 증자한 후 실권주주의 증자분만 신주인수가액에 상당한 대가를 지급하고 불균등 감자한 경우와 동일함

(2) 현저한 이익

다음 ① 또는 ② 중 어느 하나에 해당하는 경우에만 부당행위계산부인을 적용한다.

$$① \quad \frac{균등증자 시 1주당 평가액❶ - 신주 1주당 인수가액}{균등증자 시 1주당 평가액} \geq 30\%$$

② 분여이익 ≥ 3억 원

(3) 분여이익

$$\left[\begin{matrix}균등증자 시\\ 신주 1주당 평가액\\ - 신주 1주당 인수가액\end{matrix}\right] × 특수관계인 실권주수 × \begin{matrix}실권한 법인주주와\\ 특수관계 있는 주주들의\\ 증자 후 지분율\end{matrix}$$

(4) 세무조정

① 특수관계인에게 이익을 분여한 영리법인(실권주주): 익금산입(기타사외유출)

② 특수관계인으로부터 이익을 분여받은 영리법인(실권주 인수주주): 익금산입(유보)

4. 고가발행 재배정하는 경우

(1) 적용대상

법인이 시가보다 고가로 발행되는 경우로서 특수관계에 있는 주주가 포기한 실권주를 재배정받은 경우에는 실권주를 배정받은 법인주주가 실권한 특수관계 있는 주주에게 이익을 분여한 것으로 본다.

(2) 분여이익

실권주를 배정받은 주주가 분여한 이익은 다음과 같이 계산한다.

$$\left[\begin{matrix}신주 1주당\\ 인수가액\\ - 증자 후 1주당\\ 평가액\end{matrix}\right] × \begin{matrix}실권주를 재배정받은\\ 법인주주가\\ 재배정받은 주식 수\end{matrix} × \frac{재배정된 실권주 중 특수\\ 관계인에게 배정된 실권주 수}{재배정된 실권주 총수}$$

(3) 세무조정

① 특수관계인에게 이익을 분여한 법인주주(실권주를 재배정받은 법인주주): 부당행위계산부인을 적용하여 분여이익을 익금산입(기타사외유출)하며, 인수한 주식을 자산으로 계상한 경우 시가초과 인수액을 손금산입(△유보)한다.

② 특수관계인으로부터 이익을 분여받은 법인주주(실권주를 재배정한 법인주주): 분여받은 이익을 익금으로 보아 익금산입(유보)한다.

5. 고가발행 재배정하지 않는 경우

(1) 적용대상

특수관계에 있는 주주는 신주를 배정받을 수 있는 권리의 전부 또는 일부를 포기하고, 법인주주가 증자에 참여하여 신주를 인수한 경우 신주를 인수한 법인주주가 실권한 특수관계 있는 주주에게 이익을 분여한 것으로 본다.

(2) 현저한 이익

다음 ① 또는 ② 중 어느 하나에 해당하는 경우에만 부당행위계산부인을 적용한다.

> ① $\dfrac{\text{신주 1주당 인수가액} - \text{증자 후 1주당 평가액}^{\mathbf{0}}}{\text{균등증자 시 1주당 평가액}} \geq 30\%$
>
> ② 분여이익 $\geq$ 3억 원

(3) 분여이익

> $\left[\begin{array}{l}\text{신주 1주당 인수가액}\\[4pt] -\ \text{증자 후 1주당 평가액}\end{array}\right] \times \text{특수관계인의 실권주수} \times \dfrac{\text{특수관계 있는 주주들이}}{\text{포기한 실권주식 수}}\Big/{\text{균등증자 시 증자주식총수}}$

(4) 세무조정

① 특수관계인에게 이익을 분여한 법인주주(실권주 인수주주): 분여이익을 익금산입(기타사외유출)한다. 이 경우 인수한 주식을 자산으로 계상한 경우 분여이익을 손금산입(△유보)한다.

② 특수관계인으로부터 이익을 분여받은 법인주주(실권주주): 분여받은 이익을 익금산입(유보)한다.

Ⅲ 불균등감자

1. 의의

법인의 감자 시 특정주주의 주식만을 시가에 현저히 미달하게 불균등 감자함으로써 법인주주(소액주주 등 제외)의 특수관계인에게 경제적 이익이 이전되는 경우 부당행위계산의 부인규정을 적용한다.

❶
$\dfrac{\begin{array}{c}\text{증자 전 주식 수} \times \text{증자 전 1주당 평가액} +\\ \text{균등증자 시 증자주식 수} \times\\ \text{증자 시 1주당 발행가액}\end{array}}{\begin{array}{c}\text{증자 전 주식 수} + \text{증자 전의 지분비율대로}\\ \text{균등하게 증자하는 경우 증가주식 수}\end{array}}$

2. 현저한 이익

다음 중 어느 하나에 해당하는 경우에만 부당행위계산 부인을 적용한다.

(1) 감자 전 1주당 평가액 – 감자로 지급한 1주당 금액 ≥ 감자 전 1주당 평가액 × 30%

(2) 분여이익 ≥ 3억 원

3. 분여이익

(1) 저가불균등감자

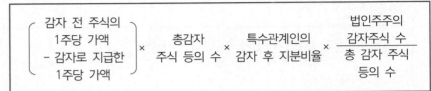

(2) 고가불균등감자

(감자 시 지급한 1주당 금액 – 감자 전 주식의 1주당 가액)
× 특수관계인의 감자한 주식 등의 수 × 법인주주의 감자 후 지분율

(3) 소득처분

① 특수관계인에게 이익을 분여한 영리법인: 익금산입(기타사외유출)

② 특수관계인으로부터 이익을 분여받은 영리법인: 익금산입(유보)

09 과세표준과 세액계산

1 과세표준의 계산

I 법인세 과세표준

내국법인의 각 사업연도의 소득에 대한 법인세의 과세표준은 각 사업연도의 소득의 범위에서 이월결손금·비과세소득·소득공제를 차례로 공제한 금액으로 한다.

각 사업연도 소득금액	
(−) 이월결손금	15년간 이월공제 → 공제한도: 각사업연도소득 × 80%(중소기업 등 100%)
(−) 비과세소득	
(−) 소득공제	
과세표준	

사례

각 사업연도 소득금액	100,000,000	
(−) 이월결손금	90,000,000	중소기업
(−) 비과세소득	20,000,000	10,000,000원은 소멸
과세표준	0	

II 이월결손금 공제

1. 일반적인 경우

(1) 의의

① 내국법인의 각 사업연도의 결손금은 그 사업연도에 속하는 손금의 총액이 그 사업연도에 속하는 익금의 총액을 초과하는 경우에 그 초과하는 금액이며, 이월결손금은 각 사업연도의 개시일 전 발생한 각 사업연도의 결손금으로서 그 후의 각 사업연도의 과세표준을 계산할 때 공제되지 아니한 금액을 말한다.

② 공제하는 이월결손금은 먼저 발생한 사업연도 이월결손금부터 차례로 공제한다.

(2) 공제대상

① 이월결손금은 세무상 결손금으로서 신고하거나 결정·경정되거나 수정신고한 과세표준에 포함된 결손금일 것

② 각 사업연도의 개시일 전 15년(2019. 12. 31. 이전 기간 10년, 2008. 12. 31. 이전 5년) 이내에 개시한 사업연도에서 발생한 결손금일 것

③ 미소멸 이월결손금일 것. 참고로 이월결손금은 다음의 사유로 소멸한다.

　㉠ 소급공제한 결손금

　㉡ 과세표준 계산상 공제한 경우

　㉢ 자산수증익과 채무면제이익으로 보전한 경우

　㉣ 출자전환 시 채무면제이익을 이월하여 결손금 보전에 충당한 경우

(3) 공제한도

이월결손금 공제는 각 사업연도 소득의 80%(중소기업과 회생계획을 이행 중인 기업 등의 법인의 경우는 100%)을 한도로 한다.

> **사례**
>
> 이월결손금이 12억 원인 경우
>
> | 구분 | 중소기업 등 | 비중소기업 |
> | --- | --- | --- |
> | 각 사업연도 소득금액 | 10억 원 | 10억 원 |
> | 이월결손금 | 10억 원 | 8억 원 |
> | 과세표준 | 0원 | 2억 원 |
> | 차기이월결손금 | 2억 원 | 4억 원 |

(4) 공제배제

법인세의 과세표준과 세액을 추계하는 경우에는 이월결손금을 공제하지 아니한다. 다만, 천재지변 등으로 장부나 그 밖의 증명서류가 멸실되어 추계하는 경우에는 이월결손금을 공제한다.

2. 사업양수 시 이월결손금 공제 제한

내국법인이 다른 내국법인의 사업을 양수하는 경우로서 다음의 기준에 모두 해당하는 경우에는 사업양수일 이월결손금은 사업을 양수한 내국법인의 각 사업연도의 과세표준을 계산할 때 양수한 사업부문에서 발생한 소득금액(중소기업 간 또는 동일사업을 하는 법인 간에 사업을 양수하는 경우로서 회계를 구분하여 기록하지 아니한 경우 그 소득금액을 자산가액 비율로 안분계산한 금액)의 범위에서는 공제하지 아니한다.

🔳 취지
이월결손금이 많은 법인이 큰 소득금액이 발생하는 우량법인을 양수하여 해당 이월결손금을 양수한 사업부문의 소득금액에서 공제함으로써 조세회피하는 것을 방지하기 위함이다.

(1) 양수자산이 사업양수일 현재 양도법인의 자산총액의 70% 이상이고, 양도법인의 자산총액에서 부채총액을 뺀 금액의 90% 이상인 경우

(2) 사업의 양도·양수 계약일 현재 양도·양수인이 특수관계인인 법인인 경우

3. 중소기업의 결손금 소급공제에 따른 환급

(1) 의의
중소기업은 결손금을 직전 사업연도의 과세표준에서 공제하여 이미 납부한 세금을 환급하는 제도를 두고 있다. 모든 기업이 불경기에 결손금 소급공제를 적용하여 세액을 환급하면 정부의 재정수입이 악화될 우려가 있어 우리나라는 중소기업이 신청한 경우에 한하여 결손금 소급공제를 적용한다.

(2) 대상 법인
① 중소기업에 해당하는 내국법인일 것

② 결손금이 발생한 사업연도와 그 직전 사업연도의 소득에 대한 법인세의 과세표준 및 세액을 각각 신고기한 내에 신고한 경우일 것
∴ 성실납세법인일 것

③ 법인세 신고기한까지 신청서를 납세지 관할 세무서장에게 신청하여야 한다.
→ 신청하지 않은 경우 이월공제되며, 경정청구에 의한 환급은 적용되지 않음

(3) 소급공제 결손금
① 소급공제기간은 직전 사업연도에 한정하여 가능하므로 직전 사업연도의 결손금이 발생한 경우에는 자동으로 이월공제된다.

② 소급공제받으려는 결손금은 해당 사업연도의 결손금으로서 일부만을 신청할 수 있다.

③ 소급공제받은 결손금은 소멸된 것으로 보므로 이후 사업연도의 이월공제받을 수 없다.

(4) 환급세액 계산

> 환급세액: Min(①, ②)
> ① 직전사업연도 법인세 산출세액❶ − (직전사업연도 과세표준 − 소급공제결손금) × 직전사업연도 세율
> ② 한도: 직전사업연도 법인세 산출세액 − 직전연도 공제·감면세액❷

❶
직전사업연도 법인세 산출세액에는 토지 등 양도소득에 대한 법인세를 제외한다.
❷
환급세액은 산출세액 차액이므로 가산세는 환급받을 수 없다.

(5) 환급세액 추징

① 추징사유: 납세지 관할 세무서장은 다음 중 어느 하나에 해당되는 경우에는 환급세액(① 및 ②의 경우에는 과다하게 환급한 세액 상당액)에 이자상당액을 더한 금액을 해당 결손금이 발생한 사업연도의 법인세로서 징수한다.

　㉠ 법인세를 환급한 후 결손금이 발생한 사업연도에 대한 법인세 과세표준과 세액을 경정함으로써 결손금이 감소된 경우

　㉡ 결손금이 발생한 사업연도의 직전 사업연도에 대한 법인세 과세표준과 세액을 경정함으로써 환급세액이 감소된 경우

　㉢ 중소기업에 해당하지 아니하는 내국법인이 법인세를 환급받은 경우

② 추징세액

　㉠ 과다환급세액: 결손금 중 그 일부 금액만을 소급공제받은 경우에는 소급공제받지 아니한 결손금(이월공제분)이 먼저 감소된 것으로 본다.

$$당초\ 환급세액 \times \frac{감소된\ 결손금 - 소급공제받지\ 않은\ 결손금}{소급공제\ 결손금}$$

　㉡ 이자상당액

$$환급취소세액 \times 일수^{❶} \times 0.022\%^{❷}$$

(6) 환급절차

납세지 관할 세무서장은 소급공제 신청을 받으면 지체 없이 환급세액을 결정하여 「국세기본법」에 따라 환급하여야 한다.

(7) 환급세액 재경정

① 납세지 관할 세무서장은 당초 환급세액을 결정한 후 당초 환급세액 계산의 기초가 된 직전 사업연도의 법인세액 또는 과세표준이 달라진 경우에는 즉시 당초 환급세액을 경정하여 추가로 환급하거나 과다하게 환급한 세액 상당액을 징수하여야 한다.

② 당초 환급세액을 경정할 때 소급공제 결손금액이 과세표준금액을 초과하는 경우 그 초과 결손금액은 소급공제 결손금액으로 보지 아니한다.

---

❶ 일수: 당초 환급세액의 통지일의 다음 날부터 법인세액의 고지일까지의 기간이다.

❷ 납세자가 법인세액을 과다하게 환급받은 데 정당한 사유가 있는 경우 국세환급가산금 이자율을 적용한다.

Ⅲ 비과세소득

1. 의의

비과세소득도 법인의 순자산을 증가시키는 익금이므로 법인의 각 사업연도의 소득금액에 합산된 후 과세표준에서 공제된다. 따라서 비과세 소득은 익금불산입 항목과는 달리 소득금액을 기준으로 하여 계산하는 이월결손금 공제·기부금 한도액에 영향을 미치게 된다.

2. 「법인세법」 비과세

내국법인의 각 사업연도 소득 중 「공익신탁법」에 따른 공익신탁의 신탁재산에서 생기는 소득에 대하여는 각 사업연도의 소득에 대한 법인세를 과세하지 아니한다.

Ⅳ 유동화전문회사 등에 대한 소득공제(「법인세법」 제51조의2)

1. 의의

유동화전문회사 및 투자회사, 투자목적회사, 투자유한회사, 투자합자회사(기관전용 사모집합투자기구 제외) 및 투자유한책임회사 등에 해당하는 내국법인이 배당가능이익 90% 이상을 배당한 경우 그 배당금액은 해당 배당을 결의한 잉여금 처분의 대상이 되는 사업연도의 소득금액에서 공제한다.

예 20×3년 사업연도의 배당금 관련 주주총회를 20×4년 2월에 결의하였다면 소득공제는 배당금 처분의 대상사업연도인 20×3년의 소득금액 계산에 있어서 공제함

2. 배당가능이익

기업회계기준에 따라 작성한 재무제표상의 법인세비용 차감 후 당기순이익에 이월이익잉여금을 가산하거나 이월결손금을 공제하고, 「상법」에 따라 적립한 이익준비금을 차감한 금액. 이 경우 다음 중 어느 하나에 해당하는 금액은 제외한다.

(1) 「상법」에 따라 자본준비금을 감액하여 받는 배당(자본전입 시 의제배당으로 과세하는 자본준비금의 배당 제외)

(2) 당기순이익, 이월이익잉여금 및 이월결손금 중 유가증권·집합투자재산의 평가손익. 다만, 시가법으로 평가한 투자회사 등의 자산의 평가손익은 배당가능이익에 포함한다.

3. 초과배당 이월공제

(1) 배당금액이 해당 사업연도의 소득금액을 초과하는 경우 그 초과하는 금액(초과배당금액)은 해당 사업연도의 다음 사업연도 개시일부터 5년 이내에 끝나는 각 사업연도로 이월하여 그 이월된 사업연도의 소득금액에서 공제할 수 있다. 다만, 내국법인이 이월된 사업연도에 배당가능이익의 90% 이상을 배당하지 않은 경우에는 그 초과배당금액을 공제하지 아니한다.

(2) 이월된 초과배당금액을 해당 사업연도의 소득금액에서 공제하는 경우에는 다음의 방법에 따라 공제한다.
   ① 이월된 초과배당금액을 해당 사업연도의 배당금액보다 먼저 공제할 것
   ② 이월된 초과배당금액이 둘 이상인 경우에는 먼저 발생한 초과배당금액부터 공제할 것

4. 소득공제 배제

다음 중 어느 하나에 해당하는 경우에는 소득공제를 적용하지 아니한다.

(1) 배당을 받은 주주 등에 대하여 「법인세법」 또는 「조세특례제한법」에 따라 그 배당에 대한 소득세 또는 법인세가 비과세되는 경우. 다만, 배당을 받은 주주 등이 동업기업과세특례를 적용받는 동업기업인 경우로서 그 동업자들에 대하여 배분받은 배당에 해당하는 소득에 대한 소득세 또는 법인세가 전부 과세되는 경우는 제외한다.

(2) 배당을 지급하는 내국법인이 주주 등의 수 등을 고려하여 다음의 요건을 모두 갖춘 법인인 경우
   ∵ 고율의 양도세를 회피하기 위해 명목회사를 조세회피수단으로 악용하는 것을 방지함
   ① 사모방식으로 설립되었을 것
   ② 개인 2인 이하 또는 개인 1인 및 그 친족이 발행주식총수의 95% 이상의 주식 등을 소유할 것. 다만, 개인 등에게 배당 및 잔여재산의 분배에 관한 청구권이 없는 경우를 제외한다.

2 산출세액

Ⅰ 의의

내국법인의 각 사업연도의 소득에 대한 법인세 산출세액은 과세표준에 세율을 적용하여 계산한 금액(토지 등 양도소득에 대한 법인세액 및 투자·상생협력 촉진을 위한 과세특례를 적용하여 계산한 법인세액이 있으면 이를 합한 금액)을 그 세액으로 한다.

Ⅱ 세율

과세표준	세율
2억 원 이하	과세표준의 9%
2억 원 초과 200억 원 이하	1천 800만 원 + 2억 원을 초과하는 금액의 19%
200억 원 초과 3천억 원 이하	37억 8,000만 원 + 200억 원을 초과하는 금액의 21%
3천억 원 초과	625억 8,000만 원 + 3,000억 원을 초과하는 금액의 24%

Ⅲ 사업연도 1년 미만 법인

사업연도가 1년 미만인 내국법인의 각 사업연도의 소득에 대한 법인세 산출세액은 다음과 같이 계산한다. 이 경우 월수의 계산은 태양력에 따라 계산하되, 1개월 미만의 일수는 1개월로 한다.

산출세액 = [과세표준 × 12/사업연도의 월수 × 세율] × 사업연도의 월수/12

Check 세액감면 및 세액공제 적용순서

순위	종류	사례
1	세액 감면 · 면제	「조세특례제한법」에 의한 세액감면 · 세액
2	이월공제가 인정되지 아니하는 세액공제	재해손실세액공제
3	이월공제가 인정되는 세액공제❶	외국납부세액공제
4	사실과 다른 회계처리로 인한 경정에 따른 세액공제❶	

I 외국납부세액공제

1. 개요

내국법인의 각 사업연도의 소득에 대한 과세표준에 국외원천소득이 포함되어 있는 경우로서 그 국외원천소득에 대하여 외국법인세액을 납부하였거나 납부할 것이 있는 경우에는 공제한도금액 내에서 외국법인세액을 해당 사업연도의 산출세액에서 공제할 수 있다.

2. 외국법인세액

(1) 직접외국납부세액

사례

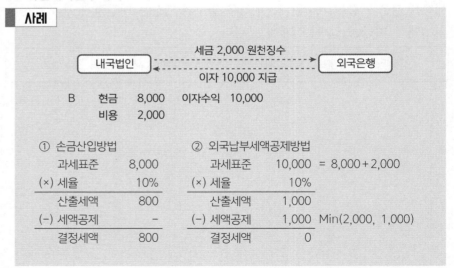

직접외국법인세액이란 외국정부(지방자치단체 포함)에 납부하였거나 납부할 세액(가산세 제외)을 말한다.

→ 조세조약에 관계없음

(2) 간주외국납부세액

구분		외국에서 과세하는 경우	외국에서 면세하는 경우	
			세액공제 ×	세액공제 ○
① 내국법인의 외국배당소득		100	100	100
② 외국에서 납부세액(10%)		10	0	0
한국에서의 세액	산출세액(30%)	30	30	30
	세액공제	10	0	10
	③ 납부세액	20	30	20
총 부담세액(② + ③)		30	30	20
세후 순소득		70	70	80

국외원천소득이 있는 내국법인이 조세조약의 상대국에서 해당 국외원천소득에 대하여 법인세를 감면받은 세액 상당액은 그 조세조약으로 정하는 범위에서 세액공제의 대상이 되는 외국법인세액으로 본다.

∵ 외국인투자자에게 국내법 또는 조약에 의해서 부여한 감면세액을 선진국 등의 거주지국이 당해 납세자의 세액을 계산함에 있어서 원천지국에서 실지로 납부한 것으로 간주하여 산출세액으로부터 세액공제함으로서 실질적인 조세감면혜택을 투자자에게 귀속시키기 위한 제도

(3) 간접외국납부세액

① 내용

　㉠ 내국법인의 각 사업연도의 소득금액에 외국자회사로부터 받는 수입배당금액이 포함되어 있는 경우 그 외국자회사의 소득에 대하여 부과된 외국법인세액 중 그 수입배당금액에 대응하는 것으로서 법령으로 계산한 금액은 세액공제되는 외국법인세액으로 본다.

　㉡ 외국자회사: 내국법인이 직접 외국자회사의 의결권 있는 발행주식총수 또는 출자총액의 10%(해외자원개발사업을 하는 외국법인 5%) 이상을 해당 외국자회사의 배당기준일 현재 6개월 이상 계속하여 보유하고 있는 법인

② 산식

$$\text{외국자회사의 법인세액} \times \frac{\text{수입배당금액}}{\text{외국자회사의 소득금액} - \text{외국자회사의 법인세액}}$$

③ 세무처리: 간접외국납부세액에 대해 외국납부세액공제를 적용받는 경우에는 간접외국납부세액을 외국자회사의 배당확정일이 속하는 사업연도에 익금산입(기타)한 후 외국납부세액공제를 적용하여야 한다.

　→ 손금산입 불가

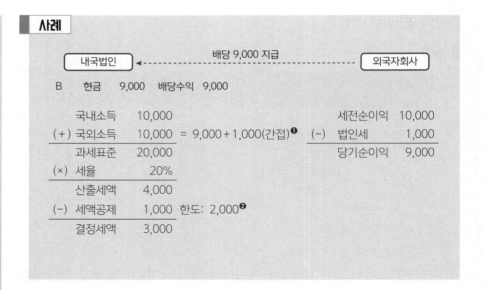

❶
$$1,000 \times \frac{9,000}{9,000}$$

❷
$$4,000 \times \frac{10,000}{20,000}$$

사례

배당 9,000 지급

내국법인 ◄------------------------------ 외국자회사

B   현금   9,000   배당수익 9,000

국내소득	10,000	
(+) 국외소득	10,000	= 9,000 + 1,000(간접)❶
과세표준	20,000	
(×) 세율	20%	
산출세액	4,000	
(−) 세액공제	1,000	한도: 2,000❷
결정세액	3,000	

세전순이익	10,000
(−) 법인세	1,000
당기순이익	9,000

3. 외국납부세액 공제방법

(1) 계산식

Min(①, ②)
① 직접외국납부세액 + 간주외국납부세액 + 간접외국납부세액
② 공제한도법인세 산출세액 × $\dfrac{국외원천소득}{해당\ 사업연도의\ 소득에\ 대한\ 과세표준}$

① 산출세액: 토지 등 양도소득에 대한 법인세액, 투자·상생협력 촉진을 위한 법인세액 제외
② 국외원천소득: 국외발생소득으로서 내국법인의 각 사업연도 소득의 과세표준 계산에 관한 규정을 준용해 산출한 금액. 이 경우 국외원천소득은 그 국외원천소득에서 해당 사업연도의 과세표준을 계산할 때 손금에 산입된 금액(국외원천소득이 발생한 국가에서 과세할 때 손금에 산입된 금액 제외)으로서 다음의 국외원천소득대응비용을 뺀 금액으로 한다.
  ㉠ 직접비용: 국외원천소득에 직접 관련되어 대응되는 비용. 이 경우 해당 국외원천소득과 그 밖의 소득에 공통적으로 관련된 비용은 제외한다.
  ㉡ 배분비용: 국외원천소득과 그 밖의 소득에 공통적으로 관련된 비용 중 다음의 배분방법에 따라 안분계산한 국외원천소득 관련 비용
    ⓐ 업종이 같은 경우 공통손금: 수입금액 또는 매출액에 비례하여 안분
    ⓑ 업종이 다른 경우 공통손금: 개별 손금에 비례하여 안분

© 이월결손금

    ⓐ 이월결손금이 발생된 국가가 분명: 해당 국가의 소득금액 차감

    ⓑ 이월결손금이 발생된 국가가 불분명: 소득금액비율로 안분하여 차감

(2) 공제한도 계산방법

공제한도금액을 계산할 때 국외사업장이 둘 이상의 국가에 있는 경우에는 국가별로 구분하여 이를 계산한다. 이 경우 어느 국가의 소득금액이 결손인 경우의 기준 국외원천소득금액 계산은 국가별 소득금액에서 그 결손금액을 총소득금액에 대한 국가별 소득금액 비율로 안분계산하여 차감한 금액으로 한다.

사례

국가별	외국납부세액	국가별소득	기준국외원천소득	세액공제한도액	이월공제
A국	100	500	$500 - (600 \times \frac{500}{1,000}) = 200$	$120^{❶} \times \frac{200}{400^{❷}} = 60$	40
B국	0	△600	−	−	−
C국	60	300	$300 - (600 \times \frac{300}{1,000}) = 120$	$120^{❶} \times \frac{120}{400^{❷}} = 36$	24
국내	−	200	−	−	−
계	160	△600 1,000	320	96	64

❶ 산출세액: 120

❷ 법인세 과세표준금액: 400

(3) 이월공제

외국정부에 납부하였거나 납부할 외국법인세액이 해당 사업연도의 공제한도금액을 초과하는 경우 그 초과하는 금액은 해당 사업연도의 다음 사업연도 개시일부터 10년 이내에 끝나는 각 사업연도(이월공제기간)로 이월하여 그 이월된 사업연도의 공제한도금액 내에서 공제받을 수 있다. 다만, 외국정부에 납부하였거나 납부할 외국법인세액을 이월공제기간 내에 공제받지 못한 경우 그 공제받지 못한 외국법인세액은 이월공제기간의 종료일 다음 날이 속하는 사업연도의 소득금액을 계산할 때 손금에 산입할 수 있다.

(4) 공제 배제

① 외국자회사 수입배당금액에 대해 익금불산입규정이 적용되는 경우

② 법인세 과세표준과 세액을 추계하는 경우에는 외국납부세액공제를 적용하지 아니한다. 다만, 천재지변 등으로 장부나 그 밖의 증명서류가 멸실되어 추계하는 경우에는 그러하지 아니하다.

Ⅱ 재해손실세액공제

1. 의의

내국법인이 각 사업연도 중 천재지변이나 그 밖의 재해로 인하여 자산총액의 20% 이상을 상실하여 납세가 곤란하다고 인정되는 경우에는 재해손실세액공제를 받을 수 있다.
∵ 재난으로 피해를 입은 법인을 지원하기 위함

2. 자산상실비율

$$자산상실비율 = \frac{상실된\ 자산의\ 가액}{상실\ 전\ 자산총액}$$

(1) 자산총액

사업용 자산(토지 제외)과 타인 소유의 자산으로서 그 상실로 인한 변상책임이 당해 법인에게 있는 것의 합계액. 따라서 법인이 재해로 인하여 수탁받은 자산을 상실하고 그 자산가액상당액을 보상하여 주는 경우 이를 재해로 인하여 상실된 자산의 가액 및 상실전의 자산총액에 포함한다.

(2) 상실된 자산의 가액

재해자산이 보험에 가입되어 있어 보험금을 수령한 경우 동 보험금을 그 재해로 인하여 상실된 자산의 가액에서 차감하지 아니한다. 한편 예금·받을어음·외상매출금 등 당해 채권추심에 관한 증서가 멸실된 경우 이를 상실된 자산의 가액에 포함하지 아니한다.

(3) 자산의 평가

자산상실비율은 재해발생일 현재 그 법인의 장부가액에 의하여 계산하되, 장부가 소실 또는 분실되어 장부가액을 알 수 없는 경우에는 납세지 관할 세무서장이 조사하여 확인한 재해발생일 현재의 가액에 의하여 이를 계산한다.

3. 세액공제 계산

$$재해손실세액공제액 = [법인세액(① + ②) \times 자산상실비율]$$

→ 한도: 상실된 자산의 가액

(1) 재해발생일 현재 부과되지 않은 법인세와 부과된 법인세로서 미납된 법인세(가산세[●] 포함)

(2) 재해발생일이 속하는 사업연도의 법인세(산출세액 − 다른 법률에 따른 세액감면·세액공제 + 가산세)

[●] **가산세:** 장부의 기록·보관 불성실 가산세, 무신고가산세, 과소신고·초과환급신고가산세, 납부지연가산세, 원천징수납부 등 납부지연가산세

4. 신청기한

재해손실세액공제를 받으려는 내국법인은 다음의 구분에 따른 기한까지 재해손실세액공제신청서를 납세지 관할 세무서장에게 제출해야 한다.

(1) 재해발생일 현재 과세표준신고기한이 지나지 않은 법인세의 경우에는 그 신고기한. 다만, 재해발생일부터 신고기한까지의 기간이 3개월 미만인 경우에는 재해발생일부터 3개월로 한다.

(2) 재해발생일 현재 미납된 법인세와 납부해야 할 법인세의 경우 재해발생일부터 3개월

Ⅲ 사실과 다른 회계처리로 인한 경정에 따른 세액공제

1. 의의

내국법인이 다음의 요건을 모두 충족하는 사실과 다른 회계처리를 하여 과세표준 및 세액을 과다하게 계상함으로써 경정청구하여 경정을 받은 경우에는 과다 납부한 세액을 환급하지 아니하고 그 경정일이 속하는 사업연도부터 각 사업연도의 법인세액에서 과다 납부한 세액을 공제한다.

∵ 환급을 금지하고 세액공제하여 불이익 부여

(1) 사업보고서 및 감사보고서를 제출할 때 수익 또는 자산을 과다 계상하거나 손비 또는 부채를 과소 계상할 것

(2) 내국법인, 감사인 또는 그에 소속된 공인회계사가 경고·주의 등의 조치를 받을 것

2. 세액공제

(1) 각 사업연도별로 공제하는 금액은 과다 납부한 세액의 20%를 한도로 하고, 공제 후 남아 있는 과다 납부한 세액은 이후 사업연도에 이월하여 공제한다.

(2) 내국법인이 해당 사실과 다른 회계처리와 관련하여 그 경정일이 속하는 사업연도 이전의 사업연도에 수정신고를 하여 납부할 세액이 있는 경우 그 납부할 세액에서 과다 납부한 세액을 과다 납부한 세액의 20%를 한도로 먼저 공제하여야 한다.

3. 법인이 해산하는 경우

과다 납부한 세액을 공제받은 내국법인으로서 과다 납부한 세액이 남아있는 내국법인이 해산하는 경우에는 다음에 따른다.

(1) 합병 또는 분할에 따라 해산하는 경우

합병법인 또는 분할신설법인(분할합병의 상대방 법인 포함)이 남아 있는 과다 납부한 세액을 승계하여 세액공제한다.

(2) (1) 외의 방법에 따라 해산하는 경우

납세지 관할 세무서장 또는 관할 지방국세청장은 남아 있는 과다 납부한 세액에서 청산소득에 대한 법인세 납부세액을 빼고 남은 금액을 즉시 환급하여야 한다.

4. 일반경정청구와 중복

동일한 사업연도에 경정청구의 사유 외에 다른 경정청구의 사유가 있는 경우 사실과 다른 회계처리로 인한 과다납부세액은 다음의 산식에 따라 계산한다.

$$\text{과다납부한 세액} \times \frac{\text{사실과 다른 회계처리로 인하여 과다계상한 과세표준}}{\text{과다계상한 과세표준의 합계액}}$$

Ⅳ 연구·인력개발비에 대한 세액공제

1. 의의

연구·인력개발비가 있는 경우에는 다음의 금액을 합한 금액을 해당 과세연도의 법인세에서 공제한다. 이 경우 신성장·원천기술 및 국가전략기술 연구개발비를 동시에 적용받을 수 있는 경우에는 납세의무자의 선택에 따라 그 중 하나만을 적용한다.

2. 세액공제 계산

(1) 신성장·원천기술

신성장·원천기술연구개발비 × 공제율(① + ②)

① 20%(코스닥상장중견기업 25%, 중소기업 30%)

② Min[수입금액 대비 신성장·원천기술연구개발비 비율 × 3, 10%(코스닥상장중견기업 15%)]

(2) 국가전략기술

국가전략기술연구개발비 × 공제율(① + ②)

① 30%(중소기업 40%)

② Min(수입금액 대비 국가전략기술연구개발비 비율 × 3, 10%)

(3) 일반연구·인력 개발비

신성장·원천기술 및 국가전략기술에 해당하지 아니하거나 신성장·원천 기술 및 국가전략기술에 대한 세액공제를 선택하지 아니한 경우 다음 중 선택하는 방법으로 세액공제액을 계산한다.

① 증가분방식: (당기 발생액 − 전기 발생액) × 25%(중견 40%, 중소 50%)

② 당기분방식: 당기 발생액 × 공제율❶

Check 당기분방식만을 적용하는 경우

1. 해당 과세연도의 개시일부터 소급하여 4년간 일반연구·인력개발비가 발생하지 않은 경우
2. 직전 과세연도에 발생한 일반연구·인력개발비가 해당 과세연도의 개시일부터 소급하여 4년간 발생한 일반연구·인력개발비의 연평균 발생액보다 적은 경우

∵ 임의로 증가분 방식 세액공제액을 조절하는 것 방지

$$\text{연평균 발생액} = \frac{\text{해당 과세연도 개시일부터 소급하여 4년간}}{\text{해당 과세연도 개시일부터 소급하여 4년간}} \times \frac{\text{해당 과세연도}}{\text{개월 수}}$$
발생한 일반연구·인력개발비의 합계액 / 일반연구·인력개발비가 발생한 과세연도의 수❷ × 개월 수 / 12

---

❶
공제율은 다음과 같다.

구분		공제율
㉠ 중소기업		25%
㉡ 중소기업이 최초로 중소기업에 해당하지 않게 된 과세연도 개시일부터	3년간	15%
	그 후 2년	10%
㉢ 중견기업이 ㉡에 해당하지 않는 경우		8%
㉣ 위에 해당하지 않는 경우(한도 2%)		$\frac{\text{일반연구·인력개발비}}{\text{해당 연도 수입금액}} \times 50\%$

❷
그 수가 4 이상인 경우 4로 한다.

---

4 최저한세

I 의의

1. 최저한세란 조세정책상 세금을 감면해 주는 경우라도 조세부담의 형평, 국민개납 및 재정수입확보의 측면에서 소득이 있는 법인에게 조세특례 및 감면을 무제한으로 허용하지 않고 최소한의 세금을 내도록 하는 제도를 말한다.

2. 즉, 감면 후 세액이 최저한세에 미달하는 경우 그 미달하는 세액에 상당하는 부분에 대해서는 감면 등을 적용하지 아니한다.

II 대상법인

1. 내국법인(단, 당기순이익 과세대상인 조합법인 제외)
2. 국내사업장 귀속소득 또는 부동산소득이 있는 외국법인

Ⅲ 최저한세

1. 적용대상
「조세특례제한법」상 조세특례 및 조세감면

(1) 조세특례
손금산입 · 익금불산입

(2) 조세감면
비과세 · 소득공제 · 세액감면 · 세액공제

2. 적용 제외

(1)「법인세법」상 조세특례 및 조세감면
　예 국납부세액공제, 재해손실세액공제, 사실과 다른 회계처리로 인한 경정에 따른 세액공제

(2) 중소기업의 연구 및 인력개발비 세액공제

(3) 법인의 공장 · 본사를 수도권 밖으로 이전 시 법인세 등 감면

Check | 최저한세율

순위		종류
중소기업		7%
최초로 중소기업에 해당하지 않게 된 사업연도 개시일부터 3년간		8%
그 다음 2년		9%
위 외 비중소기업	과세표준 100억 원 이하	10%
	과세표준 100억 원 초과 1천억 원 이하	12%
	과세표준 1천억 원 초과	17%

Ⅳ 계산구조

```
        결산서상 당기순이익
    (+) 익금산입 · 손금불산입          최저한세 적용대상
    (-) 손금산입 · 익금불산입          ㉠ 손금산입 · 익금불산입
        각 사업연도 소득금액            ㉡ 비과세
    (-) 이월결손금, 비과세, 소득공제     ㉢ 소득공제
        과세표준                      과세표준 + (㉠ + ㉡ + ㉢)
        산출세액                         감면 전 과세표준
    (-) 최저한세 적용대상 세액감면 · 공제  (×) 최저한세율
      ① 감면 후 세액                   ② 최저한세      Max(①, ②)
                                     (-) 최저한세 적용 제외 세액감면 ·
                                         공제
    ※ 감면 배제 결정
    ① 감면 후 세액 ≥  ② 최저한세
      → 감면 배제 없음                 (+) 토지 등 양도소득법인세
    ① 감면 후 세액 <  ② 최저한세        (+) 미환류소득에 대한 법인세
      → 최저한세와 감면 후 세액의 차액만큼 감면 등을 배제  (+) 지점세 · 가산세 · 추가납부세액
                                         총부담세액
                                     (-) 중간예납세액 · 수시부과세액 ·
                                         원천납부세액
                                         자진납부세액
```

Ⅴ 조세감면 배제순서

1. 법인세 자진 신고 · 납부 시

법인의 임의 선택

2. 경정 시

다음의 순서에 따라 순차로 적용배제하여 추징세액을 계산한다. 다만, 동일한 호 안에서는 열거된 조문순서에 따른다.

(1) 「조세특례제한법」에 따른 준비금의 손금산입

(2) 손금산입 및 익금불산입

(3) 세액공제(동일 조문에 의한 감면세액 중 이월된 공제세액이 있는 경우에는 나중에 발생한 것부터 적용 배제)

(4) 세액감면 · 면제

(5) 비과세 · 소득공제

5 가산세

Ⅰ 무신고가산세

1. 적용요건

법정신고기한까지 세법에 따른 국세의 과세표준신고(중간신고 포함)를 하지 아니한 경우에는 무신고가산세를 적용한다.

2. 계산

부정행위가 없는 경우	Max(①, ②) ① 무신고납부세액[1] × 20% ② 수입금액 × 7/10,000
부정행위가 있는 경우	Max(①, ②) ① 무신고납부세액× 40%(역외거래 부정행위 60%) ② 수입금액 × 14/10,000

3. 중복적용 배제

무신고가산세를 적용할 때 장부의 기록·보관 불성실 가산세가 동시에 적용되는 경우에는 그 중 가산세액이 큰 가산세만 적용하고, 가산세액이 같은 경우에는 무신고가산세만 적용한다.

Ⅱ 과소신고·초과환급 가산세

1. 적용요건

법정신고기한까지 세법에 따른 국세의 과세표준신고(중간신고 포함)를 한 경우로서 납부할 세액을 신고하여야 할 세액보다 적게 신고(과소신고)하거나 환급받을 세액을 신고하여야 할 금액보다 많이 신고(초과신고)한 경우 과소신고·초과환급 가산세를 적용한다.

2. 계산

부정행위가 없는 경우	과소신고납부세액[2] × 10%
부정행위가 있는 경우	Max[①, ②] ① 부정행위 과소신고납부세액[2] × 40%(역외거래 부정행위 60%) ② 부정행위로 과소신고된 과세표준과 관련한 수입금액 × 14/10,000

[1] 그 신고로 납부하여야 할 세액(가산세와 세법에 따라 가산하여 납부하여야 할 이자 상당 가산액이 있는 경우 그 금액 제외)이다.

[2] 과소신고한 납부세액과 초과신고한 환급세액을 합한 금액(가산세와 세법에 따라 가산하여 납부하여야 할 이자 상당 가산액이 있는 경우 그 금액 제외)이다.

3. 부정과소 · 일반과소납부세액 구분방법

신고 중 부정행위로 과소신고 · 초과신고한 경우 과소신고납부세액 등 중에 부정행위로 인한 과소신고납부세액 등(부정과소신고납부세액)과 그 외의 과소신고납부세액 등(일반과소신고납부세액)이 있는 경우로서 부정과소신고납부세액과 일반과소신고납부세액을 구분하기 곤란한 경우 부정과소신고납부세액은 다음 계산식에 따라 계산한 금액으로 한다.

$$\text{과소신고납부세액 등} \times \frac{\text{부정행위로 인하여 과소신고한 과세표준}}{\text{과소신고한 과세표준}}$$

4. 서식 - 별지 9호

⑦ 구분		⑧ 과소신고 납부세액	과소신고 과세표준금액				과소신고 납부세액			
			⑨ 계	⑩ 일반	⑪ 부정	⑫ 부정 (국제거래)	⑬ 계	⑭ 일반 [⑧×(⑩/⑨)]	⑮ 부정 [⑧×(⑪/⑨)]	⑯ 부정 (국제거래) [⑧×(⑫/⑨)]
각 사업연도 소득	과소신고									
	기납부세액 과다 등									
토지 등 양도소득	과소신고									

위 표 상단에는 "2. 과소신고 납부세액 계산" 이라고 적혀 있다.

과세표준의 변동과 관계없는 과소신고한 납부세액(공제감면세액 및 기납부세액 과다공제 등)과 관련한 과소신고납부세액은 ⑦ 구분란의 '기납부세액 과다 등'의 칸에 적는다.

Ⅲ 납부지연가산세

1. 의의

다음의 금액을 합한 금액을 가산세로 한다.

(1) 미납세액 또는 과소납부세액(이자상당가산액 포함) × 법정납부기한의 다음 날부터 납부일까지의 기간(납부고지일 ~ 납부고지서에 따른 납부기한 기간 제외) × 0.022%

(2) 초과환급세액(이자상당가산액 포함) × 환급받은 날의 다음 날부터 납부일까지의 기간(납부고지일~납부고지서에 따른 납부기한 기간 제외) × 0.022%

(3) **국세를 납부고지서에 따른 납부기한까지 완납하지 아니한 경우**
법정납부기한까지 납부하여야 할 세액(이자상당가산액 포함) 중 납부고지서에 따른 납부기한까지 납부하지 아니한 세액 또는 과소납부분 세액 × 3%

2. 적용

체납된 국세의 납부고지서별·세목별 세액이 150만 원 미만인 경우에는 (1) 및 (2)의 가산세를 적용하지 아니한다. 납부고지서에 따른 납부기한의 다음 날부터 납부일까지의 기간(「국세징수법」에 따라 지정납부기한과 독촉장에서 정하는 기한을 연장한 경우에는 그 연장기간 제외)이 5년을 초과하는 경우에는 그 기간은 5년으로 한다.

10 납세절차

1 신고와 납부

Ⅰ 신고기한

납세의무가 있는 내국법인은 각 사업연도의 종료일이 속하는 달의 말일부터 3개월(내국법인이 성실신고확인서를 제출하는 경우 4개월) 이내에 그 사업연도의 소득에 대한 법인세의 과세표준과 세액을 납세지 관할 세무서장에게 신고하여야 한다. 내국법인으로서 각 사업연도의 소득금액이 없거나 결손금이 있는 법인의 경우에도 신고하여야 한다.

> **Check** 외부감사 미종결로 인한 신고기한 연장
> 1. 「주식회사 등의 외부감사에 관한 법률」에 따라 감사인에 의한 감사를 받아야 하는 내국법인이 해당 사업연도의 감사가 종결되지 아니하여 결산이 확정되지 아니하였다는 사유로 신고기한의 연장을 신청한 경우에는 그 신고기한을 1개월의 범위에서 연장할 수 있다.
> 2. 신고기한이 연장된 내국법인이 세액을 납부할 때에는 기한 연장일수에 국세환급가산금 이자율을 적용하여 계산한 금액을 가산하여 납부하여야 한다. 이 경우 기한 연장일수는 신고기한의 다음 날부터 신고 및 납부가 이루어진 날(연장기한까지 신고납부가 이루어진 경우만 해당함) 또는 연장된 날까지의 일수로 한다.

Ⅱ 필수적 첨부서류

재무상태표, 포괄손익계산서, 이익잉여금처분계산서, 세액조정계산서
→ 미제출 시 무신고가산세 부과
→ 외부세무조정 대상법인이 외부조정계산서를 첨부하지 않은 경우도 무신고가산세 부과

Ⅲ 납부기한

법인세 신고기한까지 납부하여야 한다.

Ⅳ 분납

내국법인이 납부할 세액이 1천만 원을 초과하는 경우에는 납부할 세액의 일부를 다음의 금액 범위에서 납부기한이 지난 날부터 1개월(중소기업 2개월) 이내에 분납할 수 있다.

구분	분납할 수 있는 세액
납부할 세액이 2,000만 원 이하	1,000만 원을 초과하는 금액
납부할 세액이 2,000만 원 초과	납부할 세액의 50% 이하의 금액

→ 가산세와 감면분 추가납부세액은 분납대상세액에 포함하지 않음

2 성실신고확인제도

Ⅰ 대상법인

다음 중 어느 하나에 해당하는 내국법인을 말한다. 단, 「주식회사 등의 외부감사에 관한 법률」에 따라 감사인에 의한 감사를 받은 내국법인은 이를 제출하지 아니할 수 있다.

1. 부동산임대업을 주된 사업으로 하는 등 요건에 해당하는 내국법인

2. 「소득세법」의 성실신고확인대상사업자가 사업용 자산을 현물출자 및 사업양수도 등의 방법으로 내국법인으로 전환한 경우(사업연도 종료일 현재 법인으로 전환한 후 3년 이내로 한정함)

3. 2.에 따라 전환한 내국법인이 그 전환에 따라 경영하던 사업을 2.에서 정하는 방법으로 인수한 다른 내국법인(전환일부터 3년 이내인 경우로서 그 다른 내국법인의 사업연도 종료일 현재 인수한 사업을 계속 경영하고 있는 경우로 한정함)

Ⅱ 성실신고확인서 제출

성실신고확인대상 내국법인은 성실한 납세를 위하여 법인세의 과세표준과 세액을 신고할 때 신고서 등 서류에 더하여 비치·기록된 장부와 증명서류에 의하여 계산한 과세표준금액의 적정성을 세무사 등이 확인하고 작성한 확인서를 납세지 관할 세무서장에게 제출하여야 한다.

Ⅲ 보정요구

납세지 관할 세무서장은 제출된 성실신고확인서에 미비한 사항 또는 오류가 있을 때에는 보정할 것을 요구할 수 있다.

Ⅳ 혜택

1. 신고기한 1개월 연장

성실신고확인대상 내국법인이 성실신고확인서를 제출하는 경우 각 사업연도 종료일이 속한 달의 말일부터 4개월 이내 신고하여야 한다.

2. 확인비용 세액공제

성실신고확인대상법인이 성실신고확인서를 제출하는 경우 성실신고 확인에 직접 사용한 비용의 60%에 해당하는 금액을 해당 사업연도의 법인세에서 공제하되, 그 한도는 150만 원으로 한다.

Ⅴ 불이익

1. 가산세

성실신고 확인대상인 내국법인이 성실신고확인서를 제출하지 아니한 경우에는 법인세 산출세액(토지 등 양도소득에 대한 법인세액 및 투자·상생협력 촉진을 위한 과세특례를 적용하여 계산한 법인세액 제외)의 5%와 수입금액의 0.02% 중 큰 금액을 가산세로 해당 사업연도의 법인세액에 더하여 납부하여야 한다. 이 경우 경정으로 산출세액이 0보다 크게 된 경우에는 경정된 산출세액을 기준으로 가산세를 계산하며, 산출세액이 없는 경우에도 가산세를 적용한다.

2. 비정기 세무조사

성실신고확인서를 제출하지 아니한 경우 정기선정에 의한 조사 외의 세무조사를 할 수 있다.

3 중간예납

I 대상법인

사업연도의 기간이 6개월을 초과하는 내국법인은 각 사업연도(합병이나 분할에 의하지 아니하고 새로 설립된 법인의 최초 사업연도 제외) 중 중간예납기간에 대한 중간예납세액을 납부할 의무가 있다. 다만, 다음의 어느 하나에 해당하는 법인은 중간예납세액을 납부할 의무가 없다.

1. 「고등교육법」에 따른 사립학교를 경영하는 학교법인, 국립대학법인 서울대학교, 국립대학법인 인천대학교, 산학협력단, 「초·중등교육법」에 따른 사립학교를 경영하는 학교법인

2. 직전 사업연도의 중소기업으로서 직전 사업연도 산출세액을 기준으로 계산한 금액이 50만 원 미만인 내국법인

3. 청산법인(청산기간 중에 해산 전의 사업을 계속하여 영위하는 경우로서 해당사업에서 사업수입금액이 발생하는 경우 제외)

4. 관할 세무서장이 중간예납기간 중 휴업 등의 사유로 사업수입금액이 없는 것으로 확인한 휴업법인

5. 국내 사업장이 없는 외국법인

II 중간예납 납부

내국법인은 중간예납기간이 지난 날부터 2개월 이내에 중간예납세액을 납세지 관할 세무서 등에 납부하여야 한다. 이 경우 납부할 중간예납세액이 1천만 원을 초과하는 경우에는 분납규정을 준용하여 분납할 수 있다.

→ 무신고가산세는 없으나, 납부지연가산세는 부과함

III 중간예납세액 계산

1. 다음의 (1)과 (2) 방법을 선택하여 계산한다.

(1) 직전 사업연도의 산출세액을 기준으로 하는 방법

$$중간예납세액 = (A - B - C - D) \times 6/직전\ 사업연도\ 개월\ 수$$

① 직전 사업연도에 대한 법인세로서 확정된 산출세액(가산세를 포함하고, 토지 등 양도소득에 대한 법인세액 및 투자·상생협력 촉진을 위한 과세특례를 적용하여 계산한 법인세액 제외)

② 직전 사업연도에 감면된 법인세액(소득에서 공제되는 금액 제외)

③ 직전 사업연도에 법인세로서 납부한 원천징수세액

④ 직전 사업연도에 법인세로서 납부한 수시부과세액

※ 중간예납세액은 고려하지 아니한다.

(2) 해당 중간예납기간의 법인세액을 기준으로 하는 방법

$$[(중간예납기간의\ 과세표준 \times \frac{12}{6}) \times 세율] \times \frac{6}{12} - \left(\begin{array}{l}중간예납기간의\ 감면세액\\ 중간예납기간의\ 원천징수세액\\ 중간예납기간의\ 수시부과세액\end{array}\right)$$

2. 구체적 계산방법은 다음과 같다.

준비금(충당금)	준비금 손금산입은 결산에 반영한 경우에 한하여 손금산입한다. 단, 「조세특례제한법」에 의한 준비금은 신고조정에 의하여 손금에 산입할 수 있다.
감가상각비	감가상각비는 해당 중간예납기간의 아래 상각범위액을 한도로 결산에 반영한 경우 손금에 산입한다. 상각범위액 = 자산가액 × 정상상각률 × 6/12
이월결손금	중간예납기간 개시일 전 15년(2019. 12. 31. 이전 사업연도에서 발생한 결손금은 10년) 이내에 개시한 사업연도에서 발생한 결손금으로서 중간예납기간을 1사업연도로 보기 때문에 전액을 중간예납기간의 소득금액에서 차감한다.
최저한세 적용	각종 준비금·특별상각·소득공제·세액공제 및 감면 등에 대하여 중간예납세액을 계산할 때 최저한세를 적용한다.

Ⅳ 중간예납세액 선택 불가

1. 중간예납의 납부기한까지 중간예납세액을 납부하지 아니한 경우

직전 사업연도의 산출세액을 기준으로 하는 방법

→ 2.에 해당하는 경우는 제외함

2. 다음에 해당하는 경우

해당 중간예납기간의 법인세액을 기준으로 하는 방법

(1) 직전 사업연도의 법인세로서 확정된 산출세액(가산세 제외)이 없는 경우 (유동화전문회사 등 법인 또는 프로젝트금융회사의 경우 제외)

(2) 해당 중간예납기간 만료일까지 직전 사업연도의 법인세액이 확정되지 아니한 법인

(3) 분할신설법인 또는 분할합병의 상대방 법인의 분할 후 최초의 사업연도

4 원천징수

I 원천징수대상

내국법인(금융회사 등의 대통령령으로 정하는 소득은 제외)에 다음의 금액을 지급하는 자는 그 지급하는 금액에 원천징수세율을 적용하여 계산한 법인세(1천 원 이상인 경우만 해당함)를 원천징수하여 그 징수일이 속하는 달의 다음 달 10일까지 납세지 관할 세무서 등에 납부하여야 한다.

원천징수대상소득		원천징수세율
이자소득금액	비영업대금의 이익	25%(14%❶)
	위 외 이자소득	14%
집합투자기구로부터의 이익 중 투자신탁의 이익		14%

❶ 금융위원회에 등록한 온라인투자연계금융업자를 통하여 지급받는 이자소득이다.

II 배제대상

1. 법인세 부과되지 않거나 면제되는 소득
2. 신고한 과세표준에 이미 산입된 미지급소득
3. 원천징수 대상소득금액이 「자본시장과 금융투자업에 관한 법률」에 따른 투자신탁재산에 귀속되는 시점에는 해당 소득금액이 지급되지 아니한 것으로 보아 원천징수하지 아니한다.

III 반기별 납부

직전연도(신규로 사업을 개시한 사업자의 경우 신청일이 속하는 반기)의 상시 고용인원이 20인 이하인 원천징수의무자(금융보험업을 영위하는 법인 제외)로서 원천징수 관할 세무서장으로부터 원천징수세액을 반기별로 납부할 수 있도록 승인을 얻거나 국세청장이 정하는 바에 따라 지정을 받은 자는 그 징수일이 속하는 반기의 마지막 달의 다음 달 10일까지 납부할 수 있다.

5 수시부과

Ⅰ 의의

납세지 관할 세무서장 또는 관할 지방국세청장은 내국법인이 그 사업연도 중에 수시부과사유로 법인세를 포탈할 우려가 있다고 인정되는 경우에는 수시로 그 법인에 대한 법인세를 부과할 수 있다. 이 경우에도 각 사업연도의 소득에 대하여 법인세 신고를 하여야 한다.

→ 수시부과세액은 기납부세액으로 공제함

Ⅱ 수시부과사유

다음의 어느 하나에 해당하는 경우를 말한다.

1. 신고를 하지 아니하고 본점 등을 이전한 경우
2. 사업부진 기타의 사유로 인하여 휴업 또는 폐업상태에 있는 경우
3. 기타 조세를 포탈할 우려가 있다고 인정되는 상당한 이유가 있는 경우
4. 법인이 주한 국제연합군 또는 외국기관으로부터 사업수입금액을 외국환 은행을 통하여 외환증서 또는 원화로 영수할 때

6 법인세의 결정 또는 경정

Ⅰ 의의

1. 결정

납세지 관할 세무서장 또는 관할 지방국세청장은 내국법인이 신고를 하지 아니한 경우에는 그 법인의 각 사업연도의 소득에 대한 법인세의 과세표준과 세액을 결정한다. 결정은 신고기한부터 1년 내에 완료해야 한다. 다만, 국세청장이 조사기간을 따로 정하거나 부득이한 사유로 인하여 국세청장의 승인을 받은 경우에는 그러하지 아니하다.

2. 경정

납세지 관할 세무서장 또는 관할 지방국세청장은 법인세 신고를 한 내국법인이 다음의 어느 하나에 해당하는 경우에는 그 법인의 각 사업연도의 소득에 대한 법인세의 과세표준과 세액을 경정한다.

(1) 신고 내용에 오류 또는 누락이 있는 경우

(2) 지급명세서, 매출·매입처별 계산서합계표의 전부 또는 일부를 제출하지 아니한 경우

(3) 시설 규모나 영업 현황으로 보아 신고 내용이 불성실하다고 판단되는 경우

3. 재경정

납세지 관할 세무서장 또는 관할 지방국세청장은 법인세의 과세표준과 세액을 결정 또는 경정한 후 그 결정 또는 경정에 오류나 누락이 있는 것을 발견한 경우에는 즉시 이를 다시 경정한다.

Ⅱ 방법

1. 실지조사

납세지 관할 세무서장 또는 관할 지방국세청장은 법인세의 과세표준과 세액을 결정 또는 경정하는 경우에는 장부나 그 밖의 증명서류를 근거로 하여야 한다.

2. 추계조사

다음과 같은 사유로 장부나 그 밖의 증명서류에 의하여 소득금액을 계산할 수 없는 경우에는 추계할 수 있다.

(1) 소득금액을 계산할 때 필요한 장부 또는 증명서류가 없거나 중요한 부분이 미비 또는 허위인 경우

(2) 기장의 내용이 시설규모, 종업원 수, 원자재·상품·제품 또는 각종 요금의 시가 등에 비추어 허위임이 명백한 경우

(3) 기장의 내용이 원자재사용량·전력사용량 기타 조업상황에 비추어 허위임이 명백한 경우

11 합병 및 분할특례

1 합병에 관한 특례

Ⅰ 개요

1. 의의

합병이란 두 개 이상의 회사가 「상법」의 절차에 따라 청산절차 없이 합쳐지면서 최소한 한 개 이상 회사의 법인격을 소멸시키되, 합병 이후에 존속하는 회사(존속회사) 또는 합병으로 인해 신설되는 회사(신설회사)가 소멸하는 회사의 권리·의무를 포괄적으로 승계하고 그의 사원(또는 주주)을 수용하는 회사법상의 법률사실을 말한다.

2. 합병의 종류

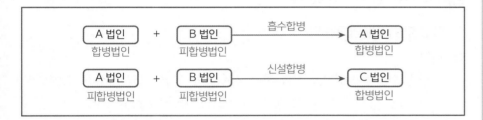

3. 합병에 대한 이론

(1) 인격합일설

합병이란 복수의 회사가 단체법상의 계약에 의하여 단일회사가 되는 것으로서 피합병법인의 인격이 그대로 합병회사에 승계되며, 그 결과 피합병법인의 자산, 부채·자본이 그대로 합병법인에 승계된다. 따라서 자산과 부채를 피합병법인의 장부가액대로 승계하여야 하며, 영업권과 (-)영업권이 발생되지 않는다.

(2) 현물출자설

피합병법인의 영업 전부를 합병법인에 현물출자하고 그 대가로서 합병회사의 주식을 교부받는 것으로 본다. 따라서 자산과 부채를 시가로 승계하여야 하며, 영업권 또는 (-)영업권이 발생할 수 있다. 또한 순자산의 시가와 자본금의 차액은 납입자본금의 일종인 주식발행초과금으로 본다.

4. 합병의 과세체계

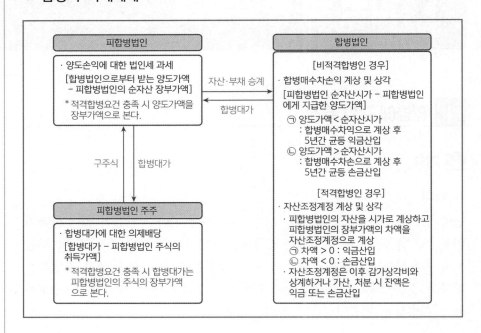

Ⅱ 비적격합병 시 과세문제

1. 피합병법인의 양도손익

(1) 의의

피합병법인이 합병으로 해산하는 경우에는 그 법인의 자산을 합병법인에 양도한 것으로 본다. 이 경우 그 양도에 따라 발생하는 양도손익은 피합병법인이 합병등기일이 속하는 사업연도의 소득금액을 계산할 때 익금 또는 손금에 산입한다.

> 양도손익 = 피합병법인이 합병법인으로부터 받은 양도가액 – 순자산 장부가액

(2) 양도가액

① 합병대가: 합병으로 인하여 피합병법인의 주주 등이 지급받는 합병법인 또는 합병법인의 모회사의 주식 등의 가액 및 금전이나 그 밖의 재산가액의 합계액. 단, 합병법인이 합병등기일 전 취득한 피합병법인의 주식 등(이하 "합병포합주식 등")이 있는 경우에는 그 합병포합주식 등에 대하여 합병교부주식 등을 교부하지 아니하더라도 그 지분비율에 따라 합병교부주식 등을 교부한 것으로 보아 합병교부주식 등의 가액을 계산한다.

∵ 합병 전에 미리 피합병법인의 주식을 인수하고 합병 시 해당 주식에 대해 합병대가를 지급하지 않는 경우 피합병법인에게 지급할 양도대가가 과소하게 산정되어 세부담 회피할 수 있음

② 법인세 대납액: 합병법인이 납부하는 피합병법인의 법인세 및 그 법인세(감면세액 포함)에 부과되는 국세와 법인지방소득세의 합계액

(3) 순자산 장부가액

① 세무상 순자산 장부가액: 피합병법인의 합병등기일 현재의 자산의 장부가액 총액에서 부채의 장부가액 총액을 뺀 가액

→ 세무상 장부가액은 유보(△유보)를 반영해서 계산하되, 합병법인이 승계하는 피합병법인의 퇴직급여충당금과 대손충당금과 관련된 유보는 고려하지 않음

② 이 경우 순자산 장부가액을 계산할 때 「국세기본법」에 따라 환급되는 법인세액이 있는 경우에는 이에 상당하는 금액을 피합병법인의 합병등기일 현재의 순자산 장부가액에 더한다.

사례

1. 피합병법인의 합병등기일 전 재무상태표

재고자산	100,000,000	부채	200,000,000
건물	200,000,000	자본금	100,000,000
토지	200,000,000	주식발행초과금	100,000,000
		이익잉여금	100,000,000
합계	500,000,000	합계	500,000,000

토지 유보 100,000,000원과 퇴직급여충당금 관련 유보 50,000,000원(합병법인이 승계함)이 있음

2. 합병등기일 직전 피합병법인의 주주 관련 사항

주주	지분비율	비고
합병법인	20%	합병등기일 전 취득한 합병포합주식
기타주주	80%	

3. 합병법인은 기타주주에게만 합병대가로 액면가액 100,000,000원(시가 800,000,000원)의 신주를 교부하였으며, 합병포합주식에 대해서는 신주를 교부하지 않았다.

4. 피합병법인의 양도손익: ① − ② = 600,000,000

① 양도가액: 800,000,000 + 800,000,000 × 20%/80% = 1,000,000,000

② 장부가액: (500,000,000 + 100,000,000) − 200,000,000 = 400,000,000

2. 피합병법인의 주주에 대한 의제배당

(1) 의의

피합병법인의 주주 등인 내국법인이 취득하는 합병대가가 그 피합병법인의 주식 등을 취득하기 위하여 사용한 금액을 초과하는 금액은 다른 법인으로부터 이익을 배당받았거나 잉여금을 분배받은 금액으로 본다.

∵ 주식을 처분하고 현금으로 받은 것과 동일하며, 합병시점에 미실현이익이 실현된 것으로 보아 배당으로 의제함

> 합병 시 의제배당 = 합병대가 − 종전 주식의 장부가액

(2) 합병대가

① 합병대가란 합병법인으로부터 합병으로 인하여 취득하는 합병법인 (합병등기일 현재 합병법인의 발행주식총수 또는 출자총액을 소유하고 있는 내국법인 포함)의 주식 등의 가액과 금전 또는 그 밖의 재산 가액의 합계액을 말한다. 이 경우 주식의 가액 등은 취득 당시 시가로 계산하며, 불공정합병의 경우로서 특수관계인으로부터 분여받은 이익이 있는 경우 이중과세되므로 그 금액은 주식의 시가에서 차감한다.

② 합병대가에는 다음의 금액이 포함되지 않는다.

ⓐ 합병포합주식 등의 합병교부주식 등 가액

ⓑ 합병법인이 납부하는 피합병법인의 법인세 및 법인지방소득세 등

(3) 종전 주식가액

주식을 취득하기 위하여 실제 소요된 금액을 말한다. 단, 의제배당으로 과세되는 무상주는 액면가액(또는 발행가액)이며, 의제배당으로 과세되지 않은 무상주는 '0'이다.

> **사례**
>
> 합병법인은 피합병법인의 유일한 주주인 ㈜대한에게 합병대가로 액면가액 50,000,000원(시가 150,000,000원)의 합병법인의 신주를 교부하고 20,000,000원의 합병교부금을 지급하였다. ㈜대한은 피합병법인의 주식을 50,000,000원에 취득하였으며, 특수관계가 아니다.
>
> ㈜대한의 의제배당: (150,000,000 + 20,000,000) − 50,000,000
> = 120,000,000

3. 합병법인의 과세문제

(1) 승계한 자산가액

합병법인이 비적격합병으로 피합병법인의 자산을 승계한 경우에는 그 자산을 피합병법인으로부터 합병등기일 현재의 시가로 양도받은 것으로 본다.

(2) 합병매수차익

합병법인은 피합병법인의 자산을 시가로 양도받은 것으로 보는 경우로서 피합병법인에 지급한 양도가액이 피합병법인의 합병등기일 현재의 자산총액에서 부채총액을 뺀 금액(이하 "순자산시가")보다 적은 경우에는 그 차액을 합병등기일부터 5년간 균등하게 나누어 익금에 산입한다.

∵ 원활한 합병을 지원하기 위해 합병매수차익을 5년간 나누어서 과세함

$$\text{합병매수차익 중 익금에 산입할 금액} = \text{합병매수차익} \times \frac{\text{해당 사업연도 월수}^❶}{60개월}$$

(3) 합병매수차손

합병법인이 피합병법인의 자산을 시가로 양도받은 것으로 보는 경우로서 피합병법인에 지급한 양도가액이 합병등기일 현재의 순자산시가를 초과하는 경우 그 차액을 다음과 같이 처리한다.

① 합병법인이 피합병법인의 상호·거래관계, 그 밖의 영업상의 비밀 등에 대하여 사업상 가치가 있다고 보아 대가를 지급한 경우: 합병매수차손을 세무조정계산서에 계상하고 합병등기일부터 5년간 균등하게 나누어 손금에 산입한다.

  ∵ 합병법인이 합병매수차손을 일시에 계상할 경우 조세회피와 같은 부작용이 발생하여, 이를 최소화하기 위한 것임

$$\text{합병매수차손 중 손금에 산입할 금액} = \text{합병매수차손} \times \frac{\text{해당 사업연도 월수}}{60개월}$$

② ① 외의 경우: 합병매수차손을 손금으로 인정하지 아니한다. 따라서 회사가 기업회계기준에 따라 계상한 영업권을 손금산입(△유보)하는 한편 손금불산입(기타)하고, 그 후 영업권을 상각하면 손금불산입(유보)한다.

(4) 기타사항

① 합병법인이 피합병법인의 퇴직급여충당금 또는 대손충당금을 승계한 경우에는 그와 관련된 세무조정사항을 승계하고 그 밖의 세무조정사항은 모두 승계하지 아니한다.

② 합병법인은 피합병법인의 이월결손금, 세액감면 및 세액공제를 승계하지 아니한다.

❶ 월수는 역에 따라 계산하되 1월 미만의 일수는 1월로 하고, 합병등기일이 속한 월을 1월로 계산한 경우 합병등기일부터 5년이 되는 날이 속한 월은 계산에서 제외한다.

Ⅲ 적격합병 시 과세문제

1. 적격합병요건

(1) 사업목적성

합병등기일 현재 1년 이상 사업을 계속하던 내국법인 간의 합병일 것. 다만, 다른 법인과 합병하는 것을 유일한 목적으로 하는 기업인수목적회사(SPAC)로서 일정한 요건을 모두 갖춘 법인의 경우는 본문의 요건을 갖춘 것으로 본다.

(2) 지분의 연속성

① 요건: 피합병법인의 주주 등이 합병으로 인하여 받은 합병대가의 총합계액 중 합병법인의 주식 등의 가액이 80% 이상이거나 합병법인의 모회사(합병등기일 현재 합병법인의 발행주식총수 또는 출자총액을 소유하고 있는 내국법인)의 주식 등의 가액이 80% 이상인 경우로서 그 주식 등을 배정할 때 피합병법인의 지배주주 등에게는 다음 계산식에 따른 가액 이상의 주식 등을 배정하고, 피합병법인의 그 지배주주 등은 합병등기일이 속하는 사업연도의 종료일까지 그 주식 등을 보유할 것

피합병법인의 지배주주 등에게 배정하는 주식	=	피합병법인의 주주 등이 받은 합병교부주식가액	×	지배주주 등의 피합병법인에 대한 지분비율

② 합병대가의 총합계액
  ㉠ 합병법인이 지급하는 합병교부주식가액, 금전이나 그 밖의 재산가액의 합계액
  ㉡ 합병포합주식 등에 대해 합병교부주식 등을 교부하지 않더라도 그 지분비율에 따라 교부한 것으로 보아 계산한 가액

③ 합병포합주식 등이 있는 경우: 합병대가 중 주식가액이 80% 이상인지 판정할 때 합병법인이 합병등기일 전 2년 내에 취득한 합병포합주식 등이 있는 경우에는 다음의 금액을 금전으로 교부한 것으로 본다.

구분	금전 교부금 간주액
합병법인이 합병등기일 현재 피합병법인의 지배주주 등이 아닌 경우	합병법인이 합병등기일 전 2년 이내에 취득한 합병포합주식 등이 피합병법인의 발행주식총수의 20%를 초과하는 경우 그 초과하는 합병포합주식 등에 대하여 교부한 합병교부주식 등(합병교부주식 등을 교부한 것으로 보는 경우 그 주식 등 포함)의 가액
합병법인이 합병등기일 현재 피합병법인의 지배주주 등인 경우	합병등기일 전 2년 이내에 취득한 합병포합주식 등에 대하여 교부한 합병교부주식 등(합병교부주식 등을 교부한 것으로 보는 경우 그 주식 등 포함)의 가액

사례

1. 합병 직전 피합병법인의 주주 관련 사항

주주	주식 수	비고
합병법인	400주	100주는 합병등기일 2년 전에 취득하였으며, 300주는 2년 내 취득함
기타주주	600주	
총 발행주식 수	1,000주	

2. 합병법인은 피합병법인의 기타주주에게만 600주(1주당 시가 10,000원)를 교부하였으며, 합병포합주식에 대해서는 아무런 대가를 지급하지 않았다.

[Case 1] 합병법인이 피합병법인의 지배주주가 아닌 경우 주식교부비율

① 합병대가: 600주 × 10,000원 + 400주 × 10,000원 = 10,000,000원

② 금전교부금 간주액: [300주 − (1,000주 × 20%)] × 10,000원 = 1,000,000원

$$\text{주식교부비율} = \frac{10,000,000 - 1,000,000(\text{교부금 간주액})}{10,000,000} = 90\%$$

[Case 2] 합병법인이 피합병법인의 지배주주인 경우 주식교부비율

① 합병대가: 600주 × 10,000원 + 400주 × 10,000원 = 10,000,000원

② 금전교부금 간주액: 300주 × 10,000원 = 3,000,000원

$$\text{주식교부비율} = \frac{10,000,000 - 3,000,000(\text{교부금 간주액})}{10,000,000} = 70\%$$

(3) 사업의 계속성

합병법인이 합병등기일이 속하는 사업연도의 종료일까지 피합병법인으로부터 승계받은 사업을 계속할 것. 다만, 피합병법인이 다른 법인과 합병하는 것을 유일한 목적으로 하는 기업인수목적회사로서 일정한 법인인 경우에는 본문의 요건을 갖춘 것으로 본다.

(4) 고용승계

합병등기일 1개월 전 당시 피합병법인에 종사하는 근로자 중 합병법인이 승계한 근로자의 비율이 80% 이상이고, 합병등기일이 속하는 사업연도의 종료일까지 그 비율을 유지할 것. 다만, 다음 중 어느 하나에 해당하는 근로자는 피합병법인에 종사하는 근로자에서 제외한다.

① 임원

② 합병등기일이 속하는 사업연도의 종료일 이전에 「고용상 연령차별금지 및 고령자고용촉진에 관한 법률」 제19조에 따른 정년이 도래하여 퇴직이 예정된 근로자

③ 합병등기일이 속하는 사업연도의 종료일 이전에 사망한 근로자 또는 질병·부상 등 기획재정부령으로 정하는 사유로 퇴직한 근로자

④ 「소득세법」에 따른 일용근로자

⑤ 근로계약기간이 6개월 미만인 근로자. 다만, 근로계약의 연속된 갱신으로 인하여 합병등기일 1개월 전 당시 그 근로계약의 총 기간이 1년 이상인 근로자는 제외한다.

⑥ 금고 이상의 형을 선고받는 등 기획재정부령으로 정하는 근로자의 중대한 귀책사유로 퇴직한 근로자

Check 지분의 연속성 예외

다음의 부득이한 사유가 있는 경우에는 지분의 연속성 요건을 갖추지 못한 경우에도 적격합병에 따른 과세특례를 적용받을 수 있다.

1. 피합병법인의 일정 지배주주 등이 합병으로 교부받은 전체주식 등의 50% 미만을 처분한 경우. 이 경우 해당 주주 등이 합병으로 교부받은 주식 등을 서로 간에 처분하는 것은 해당 주주 등이 그 주식 등을 처분한 것으로 보지 않고, 해당 주주 등이 합병법인 주식 등을 처분하는 경우에는 합병법인이 선택한 주식 등을 처분하는 것으로 본다.
2. 피합병법인의 일정 지배주주 등이 사망하거나 파산하여 주식 등을 처분한 경우
3. 피합병법인의 일정 지배주주 등이 적격합병·적격분할·적격물적 분할 또는 적격현물출자에 따라 주식 등을 처분한 경우
4. 피합병법인의 일정 지배주주 등이 「조세특례제한법」 제38조·제38조의 2 또는 제121조의 30에 따라 주식 등을 현물출자 또는 교환·이전하고 과세를 이연받으면서 주식 등을 처분한 경우
5. 피합병법인의 일정 지배주주 등이 「채무자 회생 및 파산에 관한 법률」에 따른 회생절차에 따라 법원의 허가를 받아 주식 등을 처분하는 경우
6. 피합병법인의 일정 지배주주 등이 기업개선계획의 이행을 위한 약정 또는 기업개선계획의 이행을 위한 특별약정에 따라 주식 등을 처분하는 경우
7. 피합병법인의 일정 지배주주 등이 법령상 의무를 이행하기 위하여 주식 등을 처분하는 경우

---

2. 피합병법인

(1) 의의

적격합병의 경우 피합병법인이 합병법인으로부터 받은 양도가액을 피합병법인의 합병등기일 현재의 순자산 장부가액으로 보아 양도손익이 없는 것으로 할 수 있다.

∵ 형식적인 조직개편에 불과하여 과세이연하는 제도

> 양도손익 = 양도가액(순자산 장부가액) − 순자산 장부가액

(2) 양도손익을 '0'으로 보는 특례

다음 중 어느 하나에 해당하는 경우에는 적격합병 요건을 충족하지 못하였더라도 적격합병으로 보아 양도손익이 없는 것으로 할 수 있다.

∵ 완전모회사와 완전자회사는 별개의 법인이지만 실질적으로는 경제적 동일체인 점

① 내국법인이 발행주식총수 또는 출자총액을 소유하고 있는 다른 법인을 합병하거나 그 다른 법인에 합병되는 경우

② 동일한 내국법인이 발행주식총수 또는 출자총액을 소유하고 있는 서로 다른 법인 간에 합병하는 경우

3. 피합병법인의 주주에 대한 의제배당

(1) 의의

적격합병 요건 중 ① + ② 충족 시 피합병법인의 주주가 취득한 재산 중 주식은 종전의 주식 장부가액으로 평가하며, 의제배당은 다음과 같이 계산한다.

$$의제배당 = 합병대가 - 종전 \ 주식의 \ 장부가액$$

∵ 과세이연요건을 갖춘 합병의 경우 피합병법인의 주식이 합병법인의 주식으로 교체되는 것에 불과하므로 의제배당으로 과세되지 않고 추후 처분 시 과세함

① 합병대가로 주식만 받은 경우

$$합병대가 = 종전 \ 주식의 \ 장부가액$$

② 합병대가로 주식, 기타재산 및 교부금을 받은 경우

$$합병대가 = Min(종전 \ 주식의 \ 장부가액, \ 교부받은 \ 주식의 \ 시가) + 기타재산의 \ 시가 + 교부금$$

∵ 교부받은 주식의 시가가 종전 주식의 가액보다 낮은 경우 실제 실현된 이익보다 크게 과세되는 문제가 발생하기 때문

(2) 과세이연요건

구분	피합병법인과 합병법인	피합병법인의 주주
① 사업목적의 합병	○	○
② 지분의 연속성	○	○ (주식보유 요건 불필요)
③ 사업의 계속성	○	–
④ 고용 유지 요건	○	–

합병법인은 피합병법인의 유일한 주주인 ㈜대한에게 합병대가로 주식 100주(1주당 시가 8,000원, 액면가액 5,000원)와 합병교부금 2,000,000원을 지급하였다. ㈜대한은 피합병법인의 주식 100주를 1주당 10,000원에 취득하였다.

적격합병이라고 가정할 경우 ㈜대한의 의제배당

합병대가	2,800,000	Min(100주 × 8,000원, 100주 × 10,000원) + 2,000,000
소멸주식	1,000,000	100주 × 10,000원
의제배당	1,800,000	

4. 합병법인의 과세문제

(1) 승계한 자산가액

적격합병을 한 합병법인은 피합병법인의 자산을 장부가액으로 양도받은 것으로 한다. 이 경우 장부가액과 시가와의 차액(자산조정계정)을 자산별로 계상하여야 한다.

∵ 형식적인 조직개편에 불과한 적격합병을 지원하기 위해 과세를 이연함

(2) 자산조정계정

① 합병법인은 피합병법인의 자산을 장부가액으로 양도받은 것으로 보는 경우 양도받은 자산 및 부채의 가액을 합병등기일 현재의 시가(∵ 기업회계기준과 동일하게 처리하기 위함)로 계상하되, 시가에서 피합병법인의 장부가액을 뺀 금액이 0보다 큰 경우에는 그 차액을 익금에 산입(∵ 합병으로 소득이 과세되지 않기 위함)하고 이에 상당하는 금액을 자산조정계정으로 손금에 산입(∵ 피합병법인의 장부가액으로 수정하기 위함)하여, △유보로 처분하고, 0보다 작은 경우에는 시가와 장부가액의 차액을 손금에 산입하고 이에 상당하는 금액을 자산조정계정으로 익금에 산입하여 유보로 처분한다.

> 양도받은 자산 및 부채 시가 = (+) 자산조정계정: 손금산입(△유보)
> – 피합병법인의 장부가액   (−) 자산조정계정: 익금산입(유보)

② 장부가액은 세무상 장부가액을 말한다. 단, 세무조정사항이 있는 경우에는 합병법인이 세무조정사항을 승계하므로 그 세무조정사항 중 익금불산입액은 더하고 손금불산입액은 뺀 가액으로 한다.

(3) 자산조정계정 추인

① 감가상각자산에 설정된 자산조정계정: 자산조정계정으로 손금에 산입한 경우에는 해당 자산의 감가상각비(해당 자산조정계정에 상당하는 부분에 대한 것만 해당함)와 상계하고, 자산조정계정으로 익금에 산입한 경우에는 감가상각비에 가산한다. 이 경우 해당 자산을 처분하는 경우에는 상계 또는 더하고 남은 금액을 그 처분하는 사업연도에 전액 익금 또는 손금에 산입한다.

② ① 외의 자산에 설정된 자산조정계정: 해당 자산을 처분하는 사업연도에 전액 익금 또는 손금에 산입. 다만, 자기주식을 소각하는 경우에는 익금 또는 손금에 산입하지 아니하고 소멸한다.

(4) 기타사항

적격합병을 한 합병법인은 피합병법인의 합병등기일 현재의 이월결손금과 피합병법인이 각 사업연도의 소득금액 및 과세표준을 계산할 때 익금 또는 손금에 산입하거나 산입하지 아니한 세무조정사항, 그 밖의 자산·부채 및 감면·세액공제 등을 승계한다.

Check 적격합병으로 취득한 자산의 감가상각	
감가상각 기초가액	적격합병, 적격분할, 적격물적 분할 또는 적격현물출자에 의하여 취득한 자산의 상각범위액을 정할 때 취득가액은 적격합병 등에 의하여 자산 양도법인의 취득가액으로 하고, 미상각잔액은 양도법인의 양도 당시의 장부가액에서 적격합병 등에 의하여 자산양수법인이 이미 감가상각비로 손금에 산입한 금액을 공제한 잔액으로 한다.
상각범위액	해당 자산의 상각범위액은 다음 중 어느 하나에 해당하는 방법으로 정할 수 있다. 이 경우 선택한 방법은 그 후 사업연도에도 계속 적용한다. ① 양도법인의 상각범위액을 승계하는 방법. 이 경우 상각범위액은 양도법인이 적용하던 상각방법 및 내용연수에 의하여 계산한 금액으로 한다. ② 양수법인의 상각범위액을 적용하는 방법. 이 경우 상각범위액은 양수법인이 적용하던 상각방법 및 내용연수에 의하여 계산한 금액으로 한다.

5. 적격합병에서의 이탈

(1) 의의

적격합병(경제적 동일한 회사 간의 합병으로서 적격합병으로 보는 경우 제외)을 한 합병법인은 합병등기일이 속하는 사업연도의 다음 사업연도의 개시일부터 2년(고용승계요건은 3년) 이내에 다음 중 어느 하나에 해당하는 사유가 발생하는 경우에는 그 사유가 발생한 날이 속하는 사업연도의 소득금액을 계산할 때 양도받은 자산의 장부가액과 시가와의 차액(시가가 장부가액보다 큰 경우만 해당함), 승계받은 결손금 중 공제한 금액 등을 익금에 산입하고, 피합병법인으로부터 승계받아 공제한 감면·세액공제액 등을 해당 사업연도의 법인세에 더하여 납부한 후 해당 사업연도부터 감면 또는 세액공제를 적용하지 아니한다. 다만, 대통령령으로 정하는 부득이한 사유가 있는 경우에는 그러하지 아니하다.

① 합병법인이 피합병법인으로부터 승계받은 사업을 폐지하는 경우

② 피합병법인의 주주 등이 합병법인으로부터 받은 주식 등을 처분하는 경우

③ 각 사업연도 종료일 현재 합병법인에 종사하는 「근로기준법」에 따라 근로계약을 체결한 내국인 근로자 수가 합병등기일 1개월 전 당시 피합병법인과 합병법인에 각각 종사하는 근로자 수의 합의 80% 미만으로 하락하는 경우

(2) 적격합병 이탈 시 처리

① 자산조정계정과 이월결손금의 익금산입: 합병법인이 적격합병 이탈사유에 해당하는 경우에는 자산조정계정 잔액의 총합계액(총합계액이 0보다 큰 경우에 한정하며, 총합계액이 0보다 작은 경우에는 없는 것으로 봄)과 피합병법인으로부터 승계받은 결손금 중 공제한 금액 전액을 익금에 산입한다. 이 경우 계상된 자산조정계정은 소멸하는 것으로 한다.

② 합병매수차익 또는 합병매수차손의 처리: 자산조정계정 잔액의 총합계액을 익금에 산입한 경우 합병매수차익 또는 합병매수차손에 상당하는 금액은 다음의 구분에 따라 처리한다.

㉠ 합병 당시 합병법인이 피합병법인에 지급한 양도가액이 피합병법인의 합병등기일 현재의 순자산시가에 미달하는 경우: 합병매수차익에 상당하는 금액을 적격합병 이탈 사유가 발생한 날이 속하는 사업연도에 손금에 산입하고, 그 금액에 상당하는 금액을 합병등기일부터 5년이 되는 날까지 다음의 구분에 따라 분할하여 익금에 산입한다.

구분	합병매수차익의 익금산입액
이탈사유가 발생한 사업연도	합병매수차익 × (합병등기일부터 해당 사업연도 종료일까지의 월수❶) / 60개월
이탈 사업연도의 다음 사업연도 ~ 합병등기일부터 5년이 되는 날이 속하는 사업연도	합병매수차익 × 해당 사업연도의 월수 / 60개월 합병등기일이 속하는 월의 일수가 1월 미만인 경우 합병등기일부터 5년이 되는 날이 속하는 월은 없는 것으로 한다.

❶ 월수는 역에 따라 계산하되 1월 미만의 일수는 1월이다.

ⓒ 합병 당시 합병법인이 피합병법인에 지급한 양도가액이 피합병법인의 합병등기일 현재의 순자산시가를 초과한 경우: 합병매수차손에 상당하는 금액을 적격합병 이탈 사유가 발생한 날이 속하는 사업연도에 익금에 산입하되, 사업상 가치가 있다고 보아 대가를 지급한 경우에 한정하여 그 금액에 상당하는 금액을 합병등기일부터 5년이 되는 날까지 다음의 구분에 따라 분할하여 손금에 산입한다.

구분	합병매수차손의 손금산입액
이탈사유가 발생한 사업연도	합병매수차손 × (합병등기일부터 해당 사업연도 종료일까지의 월수❷) / 60개월
이탈 사업연도의 다음 사업연도 ~ 합병등기일부터 5년이 되는 날이 속하는 사업연도	합병매수차손 × 해당 사업연도의 월수 / 60개월 합병등기일이 속하는 월의 일수가 1월 미만인 경우 합병등기일부터 5년이 되는 날이 속하는 월은 없는 것으로 한다.

❷ 월수는 역에 따라 계산하되 1월 미만의 일수는 1월이다.

③ 승계한 세무조정사항의 추인: 합병법인이 적격합병 이탈사유가 발생한 경우에는 합병법인의 소득금액 및 과세표준을 계산할 때 승계한 세무조정사항 중 익금불산입액은 더하고 손금불산입액은 빼며, 피합병법인으로부터 승계하여 공제한 감면 또는 세액공제액 상당액을 해당 사유가 발생한 사업연도의 법인세에 더하여 납부하고, 해당 사유가 발생한 사업연도부터 적용하지 아니한다.

IV 합병차익의 자본전입에 따른 의제배당

1. 개요

(1) 합병차익은 자본거래에서 발생한 순자산증가액이므로 내국법인의 각 사업연도의 소득금액을 계산할 때 익금에 산입하지 아니한다. 합병차익이란 상법 제174조에 따른 합병의 경우로서 소멸된 회사로부터 승계한 재산의 가액이 그 회사로부터 승계한 채무액, 그 회사의 주주에게 지급한 금액과 합병 후 존속하는 회사의 자본금증가액 또는 합병에 따라 설립된 회사의 자본금을 초과한 경우의 그 초과금액을 말한다. 다만, 소멸된 회사로부터 승계한 재산가액이 그 회사로부터 승계한 채무액, 그 회사의 주주에게 지급한 금액과 주식가액을 초과하는 경우로서 법에서 익금으로 규정한 금액은 제외한다.

> 합병차익 = 승계한 재산가액 − (승계한 채무액 + 합병교부금 + 합병교부주식의 액면가액)

(2) 합병법인이 합병 시 발생한 합병차익을 합병 이후 자본금에 전입하는 경우 동 금액이 합병법인의 주주 입장에서 의제배당에 해당하는지 여부를 판단하여야 한다.

2. 적격합병의 경우

(1) 의의

적격합병을 한 경우 합병차익 중 과세대상 의제배당금액은 다음의 합계액(합병차익을 한도로 함)으로 계산한다.

피합병법인의 장부가액을 초과하여 승계한 재산의 가액	합병등기일 현재 합병법인이 승계한 재산의 가액이 그 재산의 피합병법인 장부가액(세무조정사항이 있는 경우 그 세무조정사항 중 익금불산입액은 더하고 손금불산입액은 뺀 가액)을 초과하는 경우 그 초과하는 금액 ∵ 위 금액은 결국 상각·양도 시 법인세가 과세되므로 과세된 잉여금 성격
피합병법인의 잉여금	① 피합병법인의 자본잉여금 중 의제배당대상 자본잉여금에 상당하는 금액 ② 피합병법인의 이익잉여금에 상당하는 금액 ∵ 합병 전 의제배당이 합병 후에도 동일하게 과세되기 위함

(2) 합병차익 전입순서

합병차익의 일부를 자본 또는 출자에 전입하는 경우에는 의제배당에 해당하지 않는 금액을 먼저 전입하는 것으로 한다.

합병차익 구성	의제배당
① 합병차익 중 다음의 합계액(한도: 합병차익) 　㉠ 피합병법인의 장부가액을 초과하여 승계한 재산의 가액 　㉡ 피합병법인의 자본잉여금 중 의제배당대상 자본잉여금 　㉢ 피합병법인의 이익잉여금	○
② 합병차익 중 ① 외의 금액	×

3. 비적격합병의 경우

(1) 의의

비적격합병으로 발생한 합병차익을 자본에 전입하여 주주에게 무상주를 교부받은 경우 의제배당으로 보지 아니한다. 비적격합병으로 피합병법인은 합병에 따른 의제배당이 발생하며, 동 잉여금 상당액을 합병차익으로 계상한 후 자본전입을 한 경우 의제배당으로 과세되면 이중과세문제가 발생하기 때문이다.

(2) 입법 미비점

합병차익 중 합병매수차익이 발생한 경우 합병매수차익까지 의제배당으로 과세되지 않는 문제가 발생한다. 적격합병과 형평을 위해서 합병매수차익 부분은 의제배당으로 과세하는 것이 타당하다.

Ⅴ 합병 시 이월결손금 등 공제 제한

1. 이월결손금 공제

(1) 구분경리

다른 내국법인을 합병하는 법인은 다음의 구분에 따른 기간 동안 자산·부채 및 손익을 피합병법인으로부터 승계받은 사업에 속하는 것과 그 밖의 사업에 속하는 것을 각각 다른 회계로 구분하여 기록하여야 한다. 다만, 중소기업 간 또는 동일사업을 하는 법인 간에 합병하는 경우에는 회계를 구분하여 기록하지 아니할 수 있다.

① 합병등기일 현재 이월결손금이 있는 경우 또는 피합병법인의 이월결손금을 공제받으려는 경우: 그 결손금 또는 이월결손금을 공제받는 기간
② 그 밖의 경우: 합병 후 5년간

(2) 합병법인 이월결손금

① 합병법인의 합병등기일 현재 이월결손금 중 적격합병에 따라 합병법인이 승계한 결손금을 제외한 금액은 합병법인의 각 사업연도의 과세표준을 계산할 때 피합병법인으로부터 승계받은 사업에서 발생한 소득금액의 범위에서는 공제하지 않는다.

② 중소기업 간 또는 동일사업을 하는 법인 간에 합병하는 경우로서 회계를 구분하여 기록하지 아니한 경우에는 그 소득금액을 합병등기일 현재 합병법인과 피합병법인의 사업용 자산가액 비율로 안분계산한 금액으로 한다. 이 경우 합병법인이 승계한 피합병법인의 사업용 자산가액은 승계결손금을 공제하는 각 사업연도의 종료일 현재 계속 보유(처분 후 대체하는 경우 포함)·사용하는 자산에 한정하여 그 자산의 합병등기일 현재 가액에 따른다.

(3) 피합병법인의 이월결손금 승계

① 적격합병에 따라 합병법인이 승계한 피합병법인의 결손금은 피합병법인으로부터 승계받은 사업에서 발생한 소득금액의 범위에서 합병법인의 각 사업연도의 과세표준을 계산할 때 공제한다.

② 승계결손금의 범위액: 합병법인이 각 사업연도의 과세표준을 계산할 때 승계하여 공제하는 결손금은 합병등기일 현재의 피합병법인의 이월결손금(합병등기일을 사업연도의 개시일로 보아 계산한 금액)으로 하되, 합병등기일이 속하는 사업연도의 다음 사업연도부터는 매년 순차적으로 1년이 지난 것으로 보아 계산한 금액으로 한다.

(4) 합병법인의 이월결손금 공제한도

합병법인의 합병등기일 현재 결손금과 합병법인이 승계한 피합병법인의 결손금에 대한 공제는 다음의 구분에 따른 소득금액의 80%(중소기업과 회생계획을 이행 중인 기업 등 법인의 경우 100%)을 한도로 한다.

① 합병법인의 합병등기일 현재 결손금의 경우: 합병법인의 소득금액에서 피합병법인으로부터 승계받은 사업에서 발생한 소득금액을 차감한 금액

② 합병법인이 승계한 피합병법인의 결손금의 경우: 피합병법인으로부터 승계받은 사업에서 발생한 소득금액

∵ 이월결손금의 승계를 무제한적으로 인정하는 경우 결손금이 누적된 회사를 합병을 통하여 합병회사와는 무관한 경영활동에서 발생한 이월결손금을 이용하여 합병회사의 조세부담을 회피할 수 있음. 따라서 합병법인의 기존사업 결손금과 피합병법인 승계받은 사업의 결손금을 각각 구분하여 해당 사업에서 발생한 소득금액의 범위에서 공제함

2. 기타규정

(1) 합병 전 보유자산 처분손실의 공제 제한

적격합병을 한 합병법인은 합병법인과 피합병법인이 합병 전 보유하던 자산의 처분손실(합병등기일 현재 해당 자산의 시가가 장부가액보다 낮은 경우로서 그 차액을 한도로 하며, 합병등기일 이후 5년 이내에 끝나는 사업연도에 발생한 것만 해당함)을 각각 합병 전 해당 법인의 사업에서 발생한 소득금액(해당 처분손실을 공제하기 전 소득금액)의 범위에서 해당 사업연도의 소득금액을 계산할 때 손금에 산입한다. 이 경우 손금에 산입하지 아니한 처분손실은 자산 처분 시 각각 합병 전 해당 법인의 사업에서 발생한 결손금으로 보아 각각 합병 전 해당 법인의 사업에서 발생한 소득금액의 범위 안에서 합병법인의 각 사업연도의 과세표준을 계산할 때 공제한다.

2016. 12. 20. 개정 전	2016. 12. 20. 개정 후
① 실제처분손실 = 　처분 당시 시가 – 장부가액	공제제한대상 처분손실 = Min(①, ②) ① 실제처분손실 = 　처분 당시 시가 – 장부가액 ② 내재손실 = 　합병 당시 시가 – 장부가액

∵ 이월결손금 공제제한규정을 피하기 위하여 합병 당시 이미 처분손실이 내재된 자산을 합병 이후에 처분함으로써 그 처분손실을 손금에 산입하여 조세를 회피하고자 하는 합병을 방지하기 위함

> **▌사례**
>
> 합병법인은 ×1. 1. 1.에 피합병법인을 흡수합병하면서 토지를 장부가액 1억 원(합병 당시 시가 5,000만 원)에 승계하였다. 합병법인은 ×2. 7. 1.에 토지를 시가 4,000만 원에 처분하여 처분손실 6,000만 원이 발생하였다.
>
> | 공제제한 대상 처분손실 = Min(①, ②)
① 실제처분손실
　= 40,000,000 – 100,000,000
② 내재손실 = 50,000,000 – 100,000,000 | 합병 후 피합병법인으로부터 승계받은 사업에서 발생한 소득범위에서 공제함 |
> | --- | --- |
> | 위 외 처분손실 10,000,000 | 합병법인에서 발생한 전체 소득범위에서 공제함 |

(2) **합병 전 합병법인의 기부금한도초과액**

합병법인의 합병등기일 현재 특례 및 일반기부금 중 한도초과이월액으로서 그 후의 각 사업연도의 소득금액을 계산할 때 손금에 산입하지 아니한 금액 중 적격합병에 따라 합병법인이 승계한 기부금한도초과액을 제외한 금액은 합병법인의 각 사업연도의 소득금액을 계산할 때 합병 전 합병법인의 사업에서 발생한 소득금액을 기준으로 특례기부금 및 일반기부금 각각의 손금산입한도액의 범위에서 손금에 산입한다.

(3) **피합병법인 기부금한도초과액**

피합병법인의 합병등기일 현재 기부금한도초과액으로서 합병법인이 승계한 금액은 합병법인의 각 사업연도의 소득금액을 계산할 때 피합병법인으로부터 승계받은 사업에서 발생한 소득금액을 기준으로 특례기부금 및 일반기부금 각각의 손금산입한도액의 범위에서 손금에 산입한다.

2 분할에 관한 특례

I 개요

분할이란 「상법」에 규정된 절차에 따라 한 회사의 권리·의무의 전부 또는 일부를 분리하여 하나 이상의 신설회사 또는 기존회사에 포괄승계하고 그 대가로서 신설 또는 기존회사의 주식을 부여받는 단체법상의 제도를 말한다. 이 경우 분할에 따라 분할되는 회사를 '분할법인'이라고 하고, 분할에 따라 설립되는 회사를 '분할신설법인'이라고 한다.

1. 분할의 유형

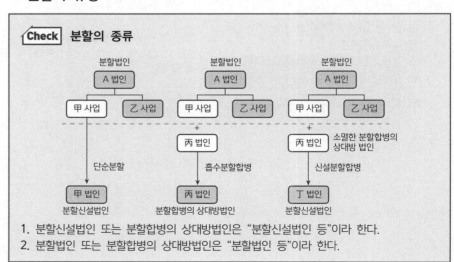

2. 분할의 형태

(1) 인적 분할

법인분할에 의하여 설립된 법인의 주식이 분할한 법인의 주주 지분율에 따라 교부하는 분할 형태를 말한다. → 합병 시 과세문제와 동일

비적격분할	분할을 통하여 분할법인에게 축적된 미실현이익이 실현되었다고 보는 관점
적격분할	형식적 조직개편에 불과한 적격분할의 경우 분할법인의 미실현이익이 실현되었다고 보기 어렵고, 원활한 기업의 구조조정을 지원하기 위하여 분할시 각종 조세에 관한 과세이연규정을 두고 있다.

(2) 물적 분할

법인분할에 의하여 설립된 법인의 주식이 분할법인에게 교부하는 형태를 말한다. → 현물출자와 유사

Ⅱ 인적 분할에 대한 과세문제

1. 비적격 인적 분할 시 과세문제

(1) 분할법인의 양도손익

① 의의

㉠ 완전분할: 내국법인이 분할로 해산하는 경우(물적 분할 제외)에는 그 법인의 자산을 분할신설법인 또는 분할합병의 상대방 법인에 양도한 것으로 본다. 이 경우 그 양도에 따라 발생하는 양도손익은 분할법인 등이 분할등기일이 속하는 사업연도의 소득금액을 계산할 때 익금 또는 손금에 산입한다.

> 분할법인 등이 분할신설법인 등으로부터 받은 양도가액 - 분할법인 등의 분할등기일 현재의 순자산 장부가액

㉡ 불완전분할: 내국법인이 분할(물적 분할 제외)한 후 존속하는 경우 분할한 사업부문의 자산을 분할신설법인 등에 양도함으로써 발생하는 양도손익은 분할법인이 분할등기일이 속하는 사업연도의 소득금액을 계산할 때 익금 또는 손금에 산입한다. 다만, 분할법인의 결손금은 분할신설법인에 승계하지 아니한다.

> 분할법인 등이 분할신설법인 등으로부터 받은 양도가액 - 분할법인이 분할한 사업부문의 분할등기일 현재의 순자산장부가액

② 양도가액: 다음의 금액을 모두 더한 금액

　㉠ 분할대가: 분할신설법인 등이 분할로 인하여 분할법인의 주주에 지급한 분할신설법인 등의 주식(분할합병의 경우 분할등기일 현재 분할합병의 상대방 법인의 발행주식총수 또는 출자총액을 소유하고 있는 내국법인의 주식 포함)의 가액 및 금전이나 그 밖의 재산가액의 합계액. 다만, 분할합병의 경우 분할합병의 상대방 법인이 분할등기일 전 취득한 분할합병포합주식이 있는 경우에는 그 주식에 대하여 분할합병교부주식을 교부하지 아니하더라도 그 지분비율에 따라 분할합병교부주식을 교부한 것으로 보아 분할합병의 상대방 법인의 주식의 가액을 계산한다.

　㉡ 법인세 대납액: 분할신설법인 등이 납부하는 분할법인의 법인세 및 그 법인세(감면세액 포함)에 부과되는 국세와 법인지방소득세의 합계액

③ 순자산 장부가액

　㉠ 분할법인 등의 순자산 장부가액이란, 분할법인 등의 분할등기일 현재의 자산의 장부가액 총액에서 부채의 장부가액 총액을 뺀 가액으로 한다.

　　→ 순자산 장부가액은 세무상 장부가액을 의미하므로 유보 금액은 더하고 △유보는 뺌

　㉡ 분할법인 등의 순자산장부가액을 계산할 때 「국세기본법」에 따라 환급되는 법인세액이 있는 경우에는 이에 상당하는 금액을 분할법인 등의 분할등기일 현재의 순자산장부가액에 더한다.

(2) 분할법인의 주주

① 의의: 분할법인의 주주가 취득하는 분할대가가 그 분할법인 또는 소멸한 분할합병의 상대방 법인의 주식(분할법인이 존속하는 경우 소각 등에 의하여 감소된 주식만 해당함)을 취득하기 위하여 사용한 금액을 초과하는 금액은 배당받은 것으로 본다.

> 분할 시 의제배당 = 분할대가 – 종전 주식의 장부가액

② 분할대가: 분할교부주식가액(시가로 평가함)과 분할교부금을 합계액을 말한다.

(3) 분할신설법인 등

① 승계한 자산가액: 분할신설법인 등이 분할로 분할법인 등의 자산을 승계한 경우에는 그 자산을 분할법인등으로부터 분할등기일 현재의 시가로 양도받은 것으로 본다.

② 분할매수차익: 분할신설법인 등은 분할법인 등의 자산을 시가로 양도받은 것으로 보는 경우로서 분할법인 등에 지급한 양도가액이 분할법인 등의 분할등기일 현재의 순자산시가보다 적은 경우에는 그 차액(분할매수차익)을 세무조정계산서에 계상하고 분할등기일부터 5년간 균등하게 나누어 익금에 산입한다.

③ 분할매수차손: 분할신설법인 등은 분할법인 등의 자산을 시가로 양도받은 것으로 보는 경우에 분할법인 등에 지급한 양도가액이 분할등기일 현재의 순자산시가를 초과하는 경우로서 그 차액을 분할매수차손이라 한다. 분할매수차손은 분할신설법인 등이 분할법인 등의 상호·거래관계, 그 밖의 영업상의 비밀 등에 대하여 사업상 가치가 있다고 보아 대가를 지급한 경우에만 그 차액을 세무조정계산서에 계상하고 분할등기일부터 5년간 균등하게 나누어 손금에 산입한다.

2. 적격인적 분할에 대한 특례

(1) 적격분할요건

① 사업목적성: 분할등기일 현재 5년 이상 사업을 계속하던 내국법인이 다음의 요건을 모두 갖추어 분할하는 경우일 것(분할합병의 경우에는 소멸한 분할합병의 상대방 법인 및 분할합병의 상대방 법인이 분할등기일 현재 1년 이상 사업을 계속하던 내국법인일 것)

㉠ 분리하여 사업이 가능한 독립된 사업부문을 분할하는 것일 것

㉡ 분할하는 사업부문의 자산 및 부채가 포괄적으로 승계될 것. 다만, 공동으로 사용하던 자산, 채무자의 변경이 불가능한 부채 등 분할하기 어려운 일정한 자산과 부채의 경우는 제외한다.

㉢ 분할법인만의 출자에 의하여 분할하는 것일 것

② 지분의 연속성

㉠ 분할법인 등의 주주가 분할신설법인 등으로부터 받은 분할대가의 전액이 주식인 경우(분할합병의 경우에는 분할대가의 80% 이상이 분할신설법인 등의 주식인 경우 또는 분할대가의 80% 이상이 분할합병의 상대방 법인의 발행주식총수 또는 출자총액을 소유하고 있는 내국법인의 주식인 경우를 말함)로서 그 주식이 분할법인 등의 주주가 소유하던 주식의 비율에 따라 배정(분할합병의 경우에는 지배주주에게 다음 계산식에 따른 가액 이상을 배정한 것)되고 분할법인 등의 지배주주가 분할등기일이 속하는 사업연도의 종료일까지 그 주식을 보유할 것

> 분할법인 등의 주주가 지급받은 분할신설법인 등의 주식가액의 총 합계액
> × 지배주주의 분할법인 등에 대한 지분비율

ⓛ 분할대가의 총합계액은 분할에 따른 양도손익을 계산하는 경우의 분할대가금액으로 하고, 분할합병의 경우에는 분할대가의 총합계액 중 주식 등의 가액이 80% 이상인지를 판정할 때 분할합병의 상대방 법인이 분할등기일 전 2년 내에 취득한 분할법인의 분할합병포합주식이 있는 경우에는 다음의 금액을 금전으로 교부한 것으로 본다. 이 경우 신설분할합병 또는 3 이상의 법인이 분할합병하는 경우로서 분할법인이 취득한 다른 분할법인의 주식이 있는 경우에는 그 다른 분할법인의 주식을 취득한 분할법인을 분할합병의 상대방 법인으로 보아 다음 규정을 적용하고, 소멸한 분할합병의 상대방 법인이 취득한 분할법인의 주식이 있는 경우에는 소멸한 분할합병의 상대방 법인을 분할합병의 상대방 법인으로 보아 다음 규정을 적용하여 계산한 금액을 금전으로 교부한 것으로 본다.

ⓐ 분할합병의 상대방 법인이 분할등기일 현재 분할법인의 지배주주 등이 아닌 경우: 분할합병의 상대방 법인이 분할등기일 전 2년 이내에 취득한 분할합병포합주식이 분할법인 등의 발행주식총수의 20%를 초과하는 경우 그 초과하는 분할합병포합주식에 대하여 교부한 분할합병교부주식(분할합병포합주식에 대한 분할합병교부주식 교부 간주액 포함)의 가액

ⓑ 분할합병의 상대방 법인이 분할등기일 현재 분할법인의 지배주주 등인 경우: 분할등기일 전 2년 이내에 취득한 분할합병포합주식에 대하여 교부한 분할합병교부주식(분할합병포합주식에 대한 분할합병교부주식 교부 간주액 포함)의 가액

③ 사업의 계속성: 분할신설법인 등이 분할등기일이 속하는 사업연도의 종료일까지 분할법인 등으로부터 승계받은 사업을 계속할 것

④ 고용승계: 분할등기일 1개월 전 당시 분할하는 사업부문에 종사하는 근로자 중 분할신설법인 등이 승계한 근로자의 비율이 80% 이상이고, 분할등기일이 속하는 사업연도의 종료일까지 그 비율을 유지할 것

(2) **분할법인**

① 적격분할의 경우에는 분할법인이 분할로 발생하는 양도손익을 계산할 때 양도가액을 분할법인등의 분할등기일 현재의 순자산 장부가액으로 보아 양도손익이 없는 것으로 할 수 있다.

$$양도손익 = 양도가액(순자산 장부가액) - 순자산 장부가액$$

② 적격분할은 분할법인의 순자산 장부가액이 분할신설법인에게 그대로 승계되어 분할등기일 현재 미실현이익을 과세하지 않는 것이다. 과세되지 않은 양도차익은 분할신설법인이 해당 자산을 처분하거나 감가상각을 할 때 과세된다.

(3) 분할법인의 주주에 대한 의제배당

분할에 대한 의제배당 계산방법은 합병과 동일하다.

> 의제배당 = 분할대가 − 종전 주식의 장부가액

① 분할대가로 주식만 받은 경우

> 분할대가 = 종전 주식의 장부가액

② 분할대가로 주식, 기타재산 및 교부금을 받은 경우

> 분할대가 = Min(종전 주식의 장부가액, 교부받은 주식의 시가)
> \+ 기타재산의 시가 + 교부금

③ 과세이연요건

구분	피합병법인과 합병법인	피합병법인의 주주
사업목적의 합병	○	○
지분의 연속성	○	○ (주식보유 요건 불필요)
사업의 계속성	○	−
고용 유지 요건	○	−

(4) 분할신설법인

① 승계한 자산가액: 적격분할을 한 분할신설법인 등은 분할법인 등의 자산을 장부가액으로 양도받은 것으로 한다. 이 경우 장부가액과 시가와의 차액을 대통령령으로 정하는 바에 따라 자산별로 계상하여야 한다.

② 자산조정계정: 분할신설법인 등은 분할법인 등의 자산을 장부가액으로 양도받은 경우 양도받은 자산 및 부채의 가액을 분할등기일 현재의 시가로 계상하되, 시가에서 분할법인 등의 장부가액(세무조정사항이 있는 경우 그 세무조정사항 중 익금불산입액은 더하고 손금불산입액은 뺀 가액)을 뺀 금액이 0보다 큰 경우에는 그 차액을 익금에 산입하고 이에 상당하는 금액을 자산조정계정으로 손금에 산입하며, 0보다 작은 경우에는 시가와 장부가액의 차액을 손금에 산입하고 이에 상당하는 금액을 자산조정계정으로 익금에 산입한다. 이 경우 자산조정계정의 처리에 관하여는 적격합병법인의 규정을 준용한다.

③ 세무조정승계: 적격분할법인 등의 각 사업연도 소득금액 및 과세표준을 계산할 때 세무조정사항(분할의 경우 분할하는 사업부문의 세무조정사항에 한정함)은 모두 분할신설법인이 승계한다.

III 물적 분할 시 분할법인의 과세

1. 개요

(1) 의의

① 물적 분할은 분할법인의 일부 사업부문의 자산·부채를 공정가치로 이전하고 이에 상응하는 주식을 취득하여 순자산의 감소를 수반하지 않으므로 일종의 자산 교환에 해당한다. 따라서 물적 분할법인은 청산소득의 양도손익이 아닌, 일반적인 자산처분손익과 동일한 사업부문 처분손익을 계산한다.

② 분할신설법인의 분할대가를 분할법인이 취득하여 주주에게 분배하지 않아 주주입장에서는 보유주식의 변동이 없으므로 의제배당 과세문제가 발생하지 않는다.

③ 분할신설법인은 현물출자를 받고 설립된 경우와 유사하므로 분할에 따른 분할매수차익·분할매수차손(영업권)의 문제가 발생하지 않는다.

(2) 물적 분할 과세문제

구분	과세문제
분할법인	양도손익
분할법인의 주주	-
분할신설법인	-

2. 분할법인 과세문제

(1) 의의

물적 분할에 따라 분할법인이 취득하는 주식 등의 경우 물적 분할한 순자산의 시가로 평가하므로 물적 분할한 순자산의 시가가 장부가액보다 크면 양도차익(순자산의 시가가 장부가액보다 적으면 양도차손)이 발생한다. 그러나 분할 시 분할법인의 자산양도차익이 일시에 과세되면 원활한 기업의 구조조정의 저해요소가 되므로 적격물적 분할에 대해서는 자산양도차익에 대하여 압축기장충당금을 설정하여 손금에 산입하여 과세를 이연받을 수 있다.

→ 단, 부동산임대업을 주업으로 하는 사업부문 등을 분할하는 경우 적격물적 분할로 보지 않음

(2) 압축기장충당금 설정

분할법인이 물적 분할에 의하여 분할신설법인의 주식 등을 취득한 경우로서 적격분할의 요건을 갖춘 경우 그 주식 등의 가액 중 물적 분할로 인하여 발생한 자산의 양도차익에 상당하는 금액은 분할등기일이 속하는 사업연도의 소득금액을 계산할 때 압축기장충당금을 설정하여 손금에 산입할 수 있다.

> 손금에 산입할 압축기장충당금 = 물적 분할한 순자산의 시가
> − 분할법인이 분할신설법인에 양도한 순자산의 장부가액❶

❶
분할법인이 분할신설법인에 양도한 순자산 장부가액: 세법상 장부가액

(3) 압축기장충당금 익금산입(원칙)

① 분할법인이 손금에 산입한 양도차익에 상당하는 금액(압축기장충당금 설정액)은 다음 중 어느 하나에 해당하는 사유가 발생하는 사업연도에 해당 주식 등과 자산의 처분비율을 고려하여 산정한 금액을 익금에 산입한다. 다만, 분할신설법인이 적격합병되거나 적격분할하는 등 대통령령으로 정하는 부득이한 사유가 있는 경우에는 그러하지 아니하다.
  ㉠ 분할법인이 분할신설법인으로부터 받은 주식 등을 처분하는 경우
  ㉡ 분할신설법인이 분할법인으로부터 승계받은 자산을 처분하는 경우. 이 경우 분할신설법인은 그 자산의 처분 사실을 처분일부터 1개월 이내에 분할법인에 알려야 한다.
② 압축기장충당금 익금산입액은 다음과 같이 계산한다.

> 전기 말 압축기장 충당금 잔액 ×
> [(당기주식처분비율(A) + 당기 처분한 자산의 양도차익 실현비율(B)) − (A × B)]

  ㉠ 분할법인이 직전 사업연도 종료일 현재 보유하고 있는 분할신설법인의 주식의 장부가액에서 해당 사업연도에 분할법인이 처분한 분할신설법인의 주식 등의 장부가액이 차지하는 비율
  ㉡ 분할신설법인이 직전 사업연도 종료일 현재 보유하고 있는 승계자산의 양도차익(분할등기일 현재의 승계자산의 시가에서 분할등기일 전날 분할법인이 보유한 승계자산의 장부가액을 차감한 금액)에서 해당 사업연도에 처분한 승계자산의 양도차익이 차지하는 비율

(4) 압축기장충당금 익금산입(전액)

양도차익 상당액을 손금에 산입한 분할법인은 분할등기일부터 2년(③은 3년) 이내에 다음 중 어느 하나에 해당하는 사유가 발생하는 경우에는 손금에 산입한 금액 중 익금에 산입하고 남은 금액을 그 사유가 발생한 날이 속하는 사업연도의 소득금액을 계산할 때 익금에 산입한다. 다만, 대통령령으로 정하는 부득이한 사유가 있는 경우에는 그러하지 아니하다.
① 분할신설법인이 분할법인으로부터 승계받은 사업을 폐지하는 경우
② 분할법인이 분할신설법인의 발행주식총수 또는 출자총액의 50% 미만으로 주식 등을 보유하게 되는 경우
③ 각 사업연도 종료일 현재 분할신설법인에 종사하는 근로자 수가 분할등기일 1개월 전 당시 분할하는 사업부문에 종사하는 근로자 수의 80% 미만으로 하락하는 경우

(5) 세무조정승계

물적 분할에 의하여 자산과 부채를 양도받은 경우에는 적격·비적격 여부에 관계없이 분할법인의 퇴직급여충당금 또는 대손충당금을 분할법인이 승계한 경우에는 그와 관련된 세무조정사항을 승계하고 그 밖의 세무조정사항은 모두 승계하지 아니한다.

∵ 물적 분할에 따라 취득한 자산을 시가로 평가하므로 관련 유보는 승계하지 못함

Ⅳ 분할차익의 자본전입에 따른 의제배당

1. 개요

(1) 분할차익은 자본거래에서 발생한 순자산증가액이므로 내국법인의 각 사업연도의 소득금액을 계산할 때 익금에 산입하지 아니한다. 분할차익이란 분할 또는 분할합병으로 설립된 회사 또는 존속하는 회사에 출자된 재산의 가액이 출자한 회사로부터 승계한 채무액, 출자한 회사의 주주에게 지급한 금액과 설립된 회사의 자본금 또는 존속하는 회사의 자본금증가액을 초과한 경우의 그 초과금액. 다만, 분할 또는 분할합병으로 설립된 회사 또는 존속하는 회사에 출자된 재산의 가액이 출자한 회사로부터 승계한 채무액, 출자한 회사의 주주에게 지급한 금액과 주식가액을 초과하는 경우로서 「법인세법」에서 익금으로 규정한 금액은 제외한다.

> 분할차익 = 승계한 재산가액 −
> (승계한 채무액 + 분할교부금 + 분할교부주식의 액면가액)

(2) 분할신설법인이 분할차익을 분할 이후 자본금에 전입하는 경우 주주가 취득하는 무상주에 대한 의제배당 여부를 결정한다.

2. 적격분할의 경우

(1) 적격분할을 한 경우 다음의 금액의 합계액(분할차익 한도)을 의제배당을 본다.

분할 평가차익	분할등기일 현재 분할신설법인 등이 승계한 재산의 가액이 그 재산의 분할법인 장부가액(세무조정사항이 있는 경우에는 그 세무조정사항 중 익금불산입액은 더하고 손금불산입액은 뺀 가액)을 초과하는 경우 그 초과하는 금액
분할 시 감자차손	분할에 따른 분할법인의 자본금 및 자본잉여금 중 의제배당대상 자본잉여금 외의 잉여금의 감소액이 분할한 사업부문의 분할등기일 현재 순자산 장부가액에 미달하는 경우 그 미달하는 금액. 이 경우 분할법인의 분할등기일 현재의 분할 전 이익잉여금과 의제배당대상 자본잉여금에 상당하는 금액의 합계액을 한도로 한다.

(2) 분할차익 전입순서

분할차익의 일부를 자본 또는 출자에 전입하는 경우에는 의제배당에 해당하지 않는 금액을 먼저 전입하는 것으로 한다.

분할차익 구성	의제배당	전입순서
① 분할차익 중 다음의 합계액(한도: 분할차익) 　㉠ 분할법인의 장부가액을 초과하여 승계한 재산의 가액 　㉡ 분할 시 감자차손: 분할사업부문 순자산 장부가액 － 　　（자본금과 의제배당대상이 아닌 자본잉여금 감소액）	○	ⓑ
② 분할차익 중 ① 외의 금액	×	ⓐ

Ⅴ 분할 시 이월결손금의 공제 제한

1. 이월결손금 공제

(1) 분할법인 상대방법인의 이월결손금

분할합병의 상대방법인의 분할등기일 현재 이월결손금 중 분할신설법인 등이 승계한 결손금을 제외한 금액은 분할합병의 상대방법인의 각 사업연도의 과세표준을 계산할 때 분할법인으로부터 승계받은 사업에서 발생한 소득금액(중소기업 간 또는 동일사업을 하는 법인 간에 분할합병하는 경우에 해당되어 회계를 구분하여 기록하지 아니한 경우에는 그 소득금액을 자산가액 비율로 안분계산한 금액)의 범위에서는 공제하지 아니한다.

(2) 분할신설법인 등이 승계한 이월결손금

분할신설법인 등이 승계한 분할법인 등의 결손금은 분할법인 등으로부터 승계받은 사업에서 발생한 소득금액의 범위에서 분할신설법인 등의 각 사업연도의 과세표준을 계산할 때 공제한다.

(3) 이월결손금 공제한도

분할합병의 상대방법인의 분할등기일 현재 결손금과 분할신설법인 등이 승계한 분할법인등의 결손금에 대한 공제는 다음의 구분에 따른 소득금액의 80%(중소기업과 회생계획을 이행 중인 기업 등 법인의 경우 100%)을 한도로 한다.

① 분할합병의 상대방법인의 분할등기일 현재 결손금의 경우: 분할합병의 상대방법인의 소득금액에서 분할법인으로부터 승계받은 사업에서 발생한 소득금액을 차감한 금액

② 분할신설법인 등이 승계한 분할법인등의 결손금의 경우: 분할법인 등으로부터 승계받은 사업에서 발생한 소득금액

2. 기타규정

(1) 분할 전 보유자산 처분손실의 공제 제한

적격분할합병을 한 분할신설법인 등은 분할법인과 분할합병의 상대방법인이 분할합병 전 보유하던 자산의 처분손실(분할등기일 현재 해당 자산의 시가가 장부가액보다 낮은 경우로서 그 차액을 한도로 하며, 분할등기일 이후 5년 이내에 끝나는 사업연도에 발생한 것만 해당함)을 각각 분할합병 전 해당 법인의 사업에서 발생한 소득금액(해당 처분손실을 공제하기 전 소득금액)의 범위에서 해당 사업연도의 소득금액을 계산할 때 손금에 산입한다. 이 경우 손금에 산입하지 아니한 처분손실은 자산 처분 시 각각 분할합병 전 해당 법인의 사업에서 발생한 결손금으로 보아 이월결손금 공제규정을 적용한다.

(2) 분할합병 상대방법인 기부금한도초과액

분할합병의 상대방법인의 분할등기일 현재 특례기부금 및 일반기부금 중 이월된 기부금한도초과액 중 분할신설법인 등이 승계한 기부금한도초과액을 제외한 금액은 분할신설법인 등의 각 사업연도의 소득금액을 계산할 때 분할합병 전 분할합병의 상대방법인의 사업에서 발생한 소득금액을 기준으로 기부금 각각의 손금산입한도액의 범위에서 손금에 산입한다.

(3) 분할법인의 기부금한도초과액

분할법인 등의 분할등기일 현재 기부금한도초과액으로서 분할신설법인 등이 승계한 금액은 분할신설법인 등의 각 사업연도의 소득금액을 계산할 때 분할법인 등으로부터 승계받은 사업에서 발생한 소득금액을 기준으로 기부금 각각의 손금산입한도액의 범위에서 손금에 산입한다.

12 기타 법인세

1 각 연결사업연도의 소득에 대한 법인세

Ⅰ 의의

1. 연결납세제도

둘 이상의 회사가 경제적으로 하나의 실체인 경우 경제적 실질에 따라 해당 회사들을 하나의 과세단위로 보아 소득을 통산하여 법인세를 신고·납부하는 제도를 말한다.

2. 용어의 정의

연결법인	연결납세방식을 적용받는 내국법인
연결집단	연결법인 전체
연결모법인	연결집단 중 다른 연결법인을 연결지배하는 연결법인
연결자법인	연결모법인의 연결지배를 받는 연결법인
연결사업연도	연결집단의 소득을 계산하는 1회계기간

Ⅱ 연결납세방식의 적용

1. 적용대상

연결지배란 내국법인이 다른 내국법인의 발행주식총수 또는 출자총액의 90% 이상을 보유하고 있는 경우를 말한다. 이 경우 그 보유비율은 다음에서 정하는 바에 따라 계산한다. 한편 연결자법인이 둘 이상일 때에는 해당 법인 모두가 연결납세방식을 적용하여야 하므로 자회사의 일부만을 선택하여 연결납세방식을 적용할 수는 없다.

(1) 의결권 없는 주식 또는 출자지분을 포함할 것

(2) 「상법」 또는 「자본시장과 금융투자업에 관한 법률」에 따라 보유하는 자기주식은 제외할 것

(3) 우리사주조합을 통하여 근로자가 취득한 주식 및 주식매수선택권의 행사에 따라 발행되거나 양도된 주식(주식매수선택권을 행사한 자가 제3자에게 양도한 주식 포함)으로서 발행주식총수의 5% 이내의 주식은 해당 법인이 보유한 것으로 볼 것

취지

기업의 조직형태(사업부와 자회사 형태) 선택 시 조세의 중립성을 보장하여 기업이 경영환경에 탄력적으로 대응할 수 있게 하고, 기업과세체계의 선진화에 기여하기 위하여 연결납세제도를 2010년도 1월 1일부터 도입하였다.

(4) 다른 내국법인을 통하여 또 다른 내국법인의 주식 또는 출자지분을 간접적으로 보유하는 경우로서 연결가능모법인이 연결가능자법인을 통해 또 다른 내국법인의 주식 또는 출자지분을 보유하는 경우에는 다음 계산식에 따른 보유비율을 합산할 것

> 연결가능모법인의 연결가능자법인에 대한 주식보유비율
> × 연결가능자법인의 또 다른 내국법인에 대한 주식보유비율

2. 완전모법인 배제법인

(1) 비영리내국법인
(2) 해산으로 청산 중인 법인
(3) 「법인세법」 제51조의2(유동화전문회사 등에 대한 소득공제) 제1항 각 호의 어느 하나에 해당하는 법인이거나 「조세특례제한법」 제104조의31 제1항에 따른 법인
(4) 다른 내국법인(비영리내국법인 제외)으로부터 완전지배를 받는 법인
(5) 동업기업과세특례를 적용하는 동업기업
(6) 해운기업에 대한 법인세 과세표준계산특례를 적용하는 법인

3. 완전자법인 배제법인

(1) 해산으로 청산 중인 법인
(2) 유동화전문회사 등에 대한 소득공제를 적용대상 법인 또는 프로젝트금융회사
(3) 동업기업과세특례를 적용하는 동업기업
(4) 해운기업에 대한 법인세 과세표준계산특례를 적용하는 법인

4. 연결사업연도

연결납세방식을 적용받는 각 연결법인의 사업연도는 연결사업연도와 일치하여야 한다. 이 경우 연결사업연도의 기간은 1년을 초과하지 못한다. 단, 본래사업연도가 법령 등에 규정되어 연결사업연도와 일치시킬 수 없는 연결가능자법인으로서 대통령령으로 정하는 요건을 갖춘 내국법인인 경우에는 연결사업연도를 해당 내국법인의 사업연도로 보아 연결납세방식을 적용할 수 있다.

5. 연결 납세지

연결법인의 납세지는 연결모법인의 납세지로 한다.

Ⅲ 적용절차

1. 적용신청

(1) 연결납세방식을 적용받으려는 내국법인과 해당 내국법인의 연결대상법인 등은 최초의 연결사업연도 개시일부터 10일 이내에 연결납세방식 적용 신청서를 해당 내국법인의 납세지 관할세무서장을 경유하여 관할지방국세청장에게 제출하여야 한다.

(2) 신청을 받은 관할지방국세청장은 최초의 연결사업연도 개시일부터 2개월이 되는 날까지 승인 여부를 서면으로 통지하여야 하며, 그 날까지 통지하지 아니한 경우에는 승인한 것으로 본다.

2. 적용변경

연결자법인 추가	① 연결모법인이 새로 다른 내국법인을 연결지배하게 된 경우에는 연결 지배가 성립한 날이 속하는 연결사업연도의 다음 연결사업연도부터 해당 내국법인은 연결납세방식을 적용하여야 한다. ② 법인의 설립등기일부터 연결모법인이 연결지배하는 내국법인은 설립등기일이 속하는 사업연도부터 연결납세방식을 적용하여야 한다. ③ 연결모법인은 연결자법인이 변경된 경우에는 변경일 이후 중간예납기간 종료일과 사업연도 종료일 중 먼저 도래하는 날부터 1개월 이내에 납세지 관할지방국세청장에게 신고하여야 한다.
연결자법인 배제	① 연결모법인의 연결지배를 받지 아니하게 되거나 해산한 연결자법인은 해당 사유가 발생한 날이 속하는 연결사업연도의 개시일부터 연결납세방식을 적용하지 아니한다. 다만, 연결자법인이 다른 연결법인에 흡수합병되어 해산하는 경우에는 해산등기일이 속하는 연결사업연도에 연결납세방식을 적용할 수 있다. → 변경 사유가 발생한 날부터 1개월 이내에 신고하여야 함 → 재적용 제한 규정 준용함 ② 연결납세방식을 적용받은 연결사업연도와 그 다음 연결사업연도의 개시일부터 4년 이내에 끝나는 연결사업연도 중에 연결납세방식을 적용하지 아니하는 경우 다음의 구분에 따라 소득금액 또는 결손금을 해당 사유가 발생한 날이 속하는 사업연도의 익금 또는 손금에 각각 산입하여야 한다. 다만, 대통령령으로 정하는 부득이한 사유가 있는 경우에는 그러하지 아니하다.

연결사업연도 동안 다른 연결법인의 결손금과 합한 연결배제법인(연결납세방식을 적용하지 아니하게 된 개별법인)의 소득금액	연결배제법인의 익금에 산입
연결사업연도 동안 다른 연결법인의 소득금액과 합한 연결배제법인의 결손금	연결배제법인의 손금에 산입
연결사업연도 동안 연결배제법인의 결손금과 합한 해당 법인의 소득금액	해당 법인의 익금에 산입
연결사업연도 동안 연결배제법인의 소득금액과 합한 해당 법인의 결손금	해당 법인의 손금에 산입

3. 연결 납세방식 취소

취소 사유	연결모법인의 납세지 관할지방국세청장은 다음의 어느 하나에 해당하는 경우에는 연결납세방식의 적용 승인을 취소할 수 있다. ① 연결법인의 사업연도가 연결사업연도와 일치하지 아니하는 경우 ② 연결모법인이 연결지배하지 아니하는 내국법인에 대하여 연결납세방식을 적용하는 경우 ③ 연결모법인의 연결가능자법인에 대하여 연결납세방식을 적용하지 아니하는 경우 ④ 추계 사유로 장부나 그 밖의 증명서류에 의하여 연결법인의 소득금액을 계산할 수 없는 경우 ⑤ 연결법인에 수시부과사유가 있는 경우 ⑥ 연결모법인이 다른 내국법인(비영리내국법인은 제외)의 연결지배를 받는 경우
재적용 제한	연결납세방식의 적용 승인이 취소된 연결법인은 취소된 날이 속하는 사업연도와 그 다음 사업연도의 개시일부터 4년 이내에 끝나는 사업연도까지는 연결납세방식의 적용 당시와 동일한 법인을 연결모법인으로 하여 연결납세방식을 적용받을 수 없다.

4. 연결 납세방식 포기

신고	연결납세방식의 적용을 포기하려는 연결법인은 연결납세방식을 적용하지 아니하려는 사업연도 개시일 전 3개월이 되는 날까지 연결모법인의 납세지 관할지방국세청장에게 신고하여야 한다. 다만, 연결납세방식을 최초로 적용받은 연결사업연도와 그 다음 연결사업연도의 개시일부터 4년 이내에 끝나는 연결사업연도까지는 연결납세방식의 적용을 포기할 수 없다.
효력	① 연결납세방식의 적용을 포기한 연결법인은 연결납세방식이 적용되지 아니하는 최초의 사업연도와 그 다음 사업연도의 개시일부터 4년 이내에 종료하는 사업연도까지는 연결납세방식의 적용 당시와 동일한 법인을 연결모법인으로 하여 연결납세방식을 적용받을 수 없다.

② 연결납세방식의 적용을 포기한 경우 연결이월결손금 중 해당 법인에서 발생한 결손금으로서 각 연결사업연도의 과세표준을 계산할 때 공제되지 아니한 금액은 해당 연결법인의 이월결손금으로 본다.

③ 불가피한 사유로 연결법인간 사업연도 불일치가 허용된 연결법인이 연결납세방식의 적용을 포기하는 경우 연결모법인의 납세지 관할지방국세청장에게 신고한 날이 속하는 연결사업연도의 종료일 다음 날부터 본래사업연도 개시일 전날까지의 기간을 1사업연도로 본다.

Ⅳ 각 연결사업연도의 소득

1. 계산구조

각 연결사업연도의 소득은 각 연결법인별로 다음의 순서에 따라 계산한 소득 또는 결손금을 합한 금액으로 한다.

(1) 1단계 – 연결법인별 각 사업연도의 소득

연결법인별로 개별납세방식에 따라 세무조정하여 각 연결법인의 각 사업연도의 소득금액(또는 결손금)을 계산한다.

(2) 2단계 – 연결법인별 연결 조정항목의 제거

수입배당금 익금불산입, 기업업무추진비 및 기부금은 연결단위로 다시 계산하므로 개별납세방식에 따라 계산한 세무조정금액을 다음과 같이 반대조정으로 제거한다.

제거조정	각 연결법인별 세무조정
(+) 익금산입(기타)	내국법인 수입배당금의 익금불산입액
	기부금한도초과이월액 중 손금산입액
(-) 손금산입(기타)	기업업무추진비 손금불산입액
	기부금 한도초과액 손금불산입

(3) 3단계 – 연결법인 간 거래손익의 조정

다음에 해당하는 연결법인 간 내부거래손익을 제거하고, 제거한 손익이 실현된 경우 반대로 처리한다.

∵ 연결집단을 하나의 법인으로 보므로 연결법인 간 거래를 제거해야 정확한 연결소득 계산이 가능함

거래손익 조정	각 연결법인별 세무조정
(-) 익금불산입(기타)	다른 연결법인으로부터 받은 수입배당금액
(+) 손금불산입(기타)	다른 연결법인에게 지급한 기업업무추진비
(+) 손금불산입(기타)	다른 연결법인에 대한 채권에 대해 설정한 대손충당금
(-) 익금불산입(△유보)	양도손익이연자산을 다른 연결법인에 양도 시 발생한 소득
(+) 손금불산입(유보)	양도손익이연자산을 다른 연결법인에 양도 시 발생한 손실

(4) 4단계 - 연결 조정항목의 연결법인별 배분

연결집단을 하나의 내국법인으로 보아 계산한 수입배당금 익금불산입액, 기업업무추진비 손금불산입액 및 기부금 손금불산입액을 일정한 산식에 따라 각 연결법인별로 배분하여 각 연결법인별로 다음과 같이 조정한다.

배분 후 조정	연결집단 기준으로 계산
(−) 익금불산입	수입배당금 익금불산입액
(+) 손금불산입	기업업무추진비 손금불산입액
(+) 손금불산입	기부금 손금불산입액
(−) 손금산입	기부금한도초과이월액의 손금산입액

2. 연결법인 간 거래손익의 조정

(1) 다른 연결법인 채권에 대한 대손충당금의 조정

연결법인이 대손충당금 한도초과액 손금불산입액이 있는 경우에는 당초 손비로 계상한 채권별 대손충당금의 크기에 비례하여 손금불산입액을 배분하고 다른 연결법인에 대한 채권에 대하여 계상한 대손충당금 상당액에서 배분된 손금불산입액을 뺀 금액을 손금에 산입하지 아니한다.

(2) 연결법인 간 자산양도손익의 과세이연

① 양도손익 이연자산 범위: 양도손익이연자산이란 다음 중 어느 하나에 해당하는 자산을 말한다. 단, ㉠~㉫의 자산은 양도시점에 국내에 소재하는 자산에 한한다.

㉠ 유형자산(건축물은 제외) ㉡ 무형자산 ㉢ 매출채권, 대여금, 미수금 등의 채권	모든 자산. 단, 거래 건별 장부가액이 1억 원 이하인 자산은 양도손익이연자산에서 제외할 수 있음
㉣ 금융투자상품 ㉤ 토지와 건축물 ㉥ 다른 연결법인에 전액 양도하는 외국법인의 주식 등	거래 건별 장부가액에 관계없이 모든 자산

→ 재고자산은 거래 횟수가 많고 제품 등의 형태로 남아있어 양도손익이연자산에 적합하지 않음

② 과세이연방법: 양도손익이연자산을 다른 연결법인(이하 "양수법인")에 양도함에 따라 발생한 연결법인(이하 "양도법인")의 양도소득 또는 양도손실은 익금 또는 손금에 산입하지 아니하고, 양수법인에게 다음 중 어느 하나의 사유가 발생한 날이 속하는 사업연도에 다음의 산식에 따라 계산한 금액을 양도법인의 익금 또는 손금에 산입한다. 다만, 해당 양도손익이연자산의 양도에 대하여 부당행위계산의 부인이 적용되는 경우에는 그러하지 아니하다.

구분	익금 또는 손금으로 산입할 금액
양도손익이연자산을 감가상각하는 경우	㉠ 양도소득 또는 양도손실 × $\dfrac{감가상각액}{양수법인의 \ 장부가액}$ ㉡ 양도소득 또는 양도손실 × $\dfrac{해당 \ 사업연도의 \ 월수}{양도손익이연자산의 \ 내용연수 \ 중 \ 경과하지 \ 아니한 \ 기간의 \ 월수}$ → 월수는 역에 따라 계산하되, 1개월 미만의 월수는 1개월로 함
양도손익이연자산을 양도하는 경우	양도소득 또는 양도손실 × 양도손익이연자산의 양도비율❶ → 다른 연결법인에 양도하는 경우 제외
양도손익이연자산에 대손이 발생하거나 멸실된 경우	양도소득 또는 양도손실 × $\dfrac{대손금액 \ 또는 \ 멸실금액}{양수법인의 \ 장부가액}$
양도한 채권의 지급기일이 도래하는 경우	양도법인의 양도가액 – 양도법인의 장부가액
양도손익이연자산을 「상법」 제343조에 따라 소각하는 경우	양도소득 또는 양도손실 × $\dfrac{소각자산의 \ 장부가액}{양수법인의 \ 장부가액}$

❶ 양수법인이 연결법인으로부터 매입한 자산과 그 외의 자산이 함께 있는 경우에는 연결법인으로부터 매입한 자산을 먼저 양도한 것으로 본다.

③ 이연손익 일시인식: 연결납세방식을 적용받지 않게 된 경우에는 양도법인 또는 양수법인이 연결납세방식을 적용받지 아니하게 된 경우 양도법인이 양도손익이연자산을 양도할 때 익금 또는 손금에 산입하지 아니한 금액 중 익금 또는 손금에 산입하고 남은 금액은 연결납세방식을 적용받지 아니하게 된 날이 속하는 사업연도에 양도법인의 익금 또는 손금에 산입한다.

④ 이연손익 승계

㉠ 양도법인 또는 양수법인을 다른 연결법인이 합병하는 경우: 양도법인 또는 양수법인을 다른 연결법인이 합병하는 경우 합병법인을 양도법인 또는 양수법인으로 보아 과세이연을 적용한다.

㉡ 양도법인이 분할하는 경우: 양도법인이 분할하는 경우 익금 또는 손금에 산입하지 아니한 금액은 분할법인 또는 분할신설법인(분할합병의 상대방 법인 포함)이 분할등기일 현재 순자산가액을 기준으로 안분하여 각각 승계하고, 양수법인이 분할하는 경우로서 분할신설법인이 양도손익이연자산을 승계하는 경우에는 분할신설법인이 해당 자산을 양수한 것으로 보아 양도손익이연규정을 적용한다.

3. 연결 조정항목의 연결법인별 배분

(1) 연결법인의 수입배당금액의 익금불산입

① 연결집단의 수입배당금 익금불산입 계산: 연결집단을 하나의 내국법인으로 보아 다음과 같이 수입배당금 익금불산입액을 계산한다.

$$\left(\text{수입배당금} - \text{지급이자} \times \frac{\text{주식적수}}{\text{재무상태표상 자산총액적수}} \right) \times \text{익금불산입률}$$

㉠ 지급이자: 각 연결법인의 지급이자를 더하여 계산하되, 연결법인 간 지급이자(해당 차입거래에 대하여 부당행위계산의 부인규정이 적용되는 경우는 제외)를 뺀 금액으로 한다.

㉡ 재무상태표상의 자산총액: 각 연결법인의 재무상태표상의 자산총액의 합계액에서 연결법인에 대한 대여금, 매출채권, 미수금 등의 채권과 연결법인이 발행한 주식을 제거한 금액으로 한다.

㉢ 익금불산입률(30%·80%·100%)을 정하는 출자비율: 각 연결법인이 수입배당금액을 지급한 내국법인에 출자한 비율을 더하여 계산한다.

② 연결법인별 배분: 위와 같이 계산한 연결법인 수입배당금 익금불산입액은 수입배당금액을 지급한 내국법인에 출자한 각 연결법인의 출자비율의 합계액 중 해당 연결법인의 출자비율이 차지하는 비율에 따라 해당 연결법인에 배분하여 익금에 산입하지 아니한다.

$$\text{연결집단의 수입배당금 익금불산입액} \times \frac{\text{해당 연결법인의 출자비율}}{\text{각 연결법인의 출자비율 합계액}}$$

(2) 연결법인의 기업업무추진비 손금불산입

① 연결집단의 기업업무추진비 손금불산입 계산: 연결집단을 하나의 내국법인으로 보아 다음과 같이 기업업무추진비 손금불산입액을 계산한다.

> [1단계] 기업업무추진비 합계액 중 적격증명서류 미수취 손금불산입
> [2단계] 기업업무추진비 한도초과액 계산
>
> $$\text{기업업무추진비 해당액} - \text{기업업무추진비 한도액}$$

㉠ 기업업무추진비 합계액: 각 연결법인의 기업업무추진비 합계액에서 다른 연결법인에게 지급한 기업업무추진비를 뺀 금액

㉡ 기업업무추진비 해당액: 기업업무추진비 합계액 – 적격증명서류 미수취 손금불산입액

© 기업업무추진비 한도액 계산 시 수입금액: 각 연결법인의 수입금액의 합계액에서 연결법인 간 양도손익이연자산의 양도에 따른 수입금액을 뺀 금액으로 한다.

② 연결법인별 배분: 연결법인 기업업무추진비 손금불산입액은 다음과 같이 연결법인에게 배분한다.

㉠ 적격증명서류 미수취로 인한 손금불산입액: 지출한 연결법인에 직접 배분

㉡ 기업업무추진비 한도초과액: 기업업무추진비 지출액의 비율로 연결법인에게 배분

$$\text{연결집단을 하나의 내국법인으로 보아 계산한 기업업무추진비 손금불산입액} \times \frac{\text{해당 연결법인의 기업업무추진비 지출액}}{\text{각 연결법인의 기업업무추진비 지출액의 합계액}}$$

(3) 연결법인의 기부금의 손금불산입

① 연결집단의 기부금 손금불산입액 계산: 연결집단을 하나의 내국법인으로 보아 다음과 같이 손금불산입액을 계산한다.

$$\text{해당 기부금 손금불산입액} = \text{해당 기부금의 합계액} - \text{해당 기부금별 손금산입 한도액}$$

Check 해당 기부금별 손금산입 한도액

1. 특례기부금
(기준소득금액 − 이월결손금) × 50%
2. 우리사주조합기부금
(기준소득금액 − 이월결손금 − 특례기부금 손금산입액) × 30%
3. 일반기부금
(기준소득금액 − 이월결손금 − 특례기부금 · 우리사주조합기부금 손금산입액) × 10%

② 손금불산액의 연결법인별 배분: 위와 같이 계산한 연결법인 기부금 손금불산입액은 다음과 같이 연결법인에게 배분한다.

㉠ 비지정기부금: 지출한 연결법인에 직접 배분

㉡ 특례기부금 및 일반기부금 한도초과액: 해당 기부금 지출액에 따라 연결법인에게 배분

$$\text{연결집단을 하나의 내국법인으로 보아 계산한 해당 기부금의 손금불산입액} \times \frac{\text{해당 연결법인의 해당 기부금 지출액}}{\text{각 연결법인의 기부금 지출액 합계액}}$$

③ 이월손금산입액의 연결법인별 배분: 연결집단을 하나의 내국법인으로 보고 계산하여 손금에 산입하지 않은 특례기부금·일반기부금 한도초과액을 이월하여 손금에 산입하는 경우 먼저 발생한 사업연도의 한도초과액부터 손금산입하며, 이월손금산입액 중 각 연결법인별 배분액은 다음과 같이 계산한다.

$$
\text{연결집단을 하나의 내국법인으로 보아 계산한 기부금한도초과이월 손금산입액} \times \frac{\text{해당 연결법인의 해당 기부금 한도초과액}}{\text{각 연결법인의 해당 기부금 한도초과액 합계액}}
$$

Ⅴ 연결과세표준

1. 과세표준의 계산

(1) 의의

각 연결사업연도의 소득에 대한 과세표준은 각 연결사업연도 소득의 범위에서 다음에 따른 금액을 차례로 공제한 금액으로 한다. 다만, 이월결손금 공제는 연결소득 개별귀속액의 80%(중소기업과 회생계획을 이행 중인 기업 등의 연결법인의 경우 100%)을 한도로 한다.
① 연결이월결손금
② 각 연결법인의 비과세소득의 합계액
③ 각 연결법인의 소득공제액의 합계액

(2) 산식

$$
\text{각 연결사업연도의 과세표준} = \text{각 연결사업연도 소득} - \text{연결이월결손금} - \text{연결비과세소득} - \text{연결소득공제액}
$$

2. 연결이월결손금

(1) 공제대상 이월결손금

① 각 연결사업연도의 개시일 전 15년(2019년 12월 31일 이전에 개시한 사업연도에서 발생한 결손금은 10년) 이내에 개시한 연결사업연도의 결손금(연결법인의 연결납세방식의 적용 전에 발생한 결손금 포함)으로서 그 후의 각 연결사업연도(사업연도 포함)의 과세표준을 계산할 때 공제되지 아니한 금액
② 위에서 말하는 연결사업연도의 결손금이란 법인세 신고 또는 결정·경정 및 수정신고한 과세표준에 포함된 결손금을 말한다. 이때 결손금(연결소득금액이 0보다 작은 경우 해당 금액)은 다음 산식에 따라 각 연결법인별로 배분한다.

$$\text{각 연결사업연도의 소득금액} \times \frac{\text{해당 법인의 결손금}}{\text{연결집단의 결손금 합계(0보다 작은 것만 합산)}}$$

(2) 연결이월결손금 공제범위

① 연결이월결손금에 대한 공제의 범위는 연결소득 개별귀속액의 80%로 한다. 다만, 중소기업과 회생계획을 이행 중인 등의 연결법인의 경우는 100%를 공제한도로 한다.

② 연결소득 개별귀속액은 다음과 같이 계산한다.

$$\text{연결집단의 연결소득금액} \times \frac{\text{해당 법인의 소득금액}}{\text{연결집단의 소득금액(0보다 큰 것만 합산)}}$$

(3) 연결이월결손금 공제제한

결손금을 공제하는 경우 다음의 결손금은 각 구분에 따른 금액을 한도로 공제한다.

해당 결손금	공제 한도
연결법인의 연결납세방식의 적용 전에 발생한 결손금	해당 연결법인의 연결소득 개별귀속액
연결모법인이 적격합병에 따라 피합병법인의 자산을 양도받는 경우 합병등기일 현재 피합병법인(합병등기일 현재 연결법인이 아닌 법인만 해당함)의 공제대상 결손금	연결모법인의 연결소득 개별귀속액 중 피합병법인으로부터 승계받은 사업에서 발생한 소득
연결모법인이 적격분할합병에 따라 소멸한 분할법인의 자산을 양도받는 경우 분할등기일 현재 소멸한 분할법인의 공제대상 결손금 중 연결모법인이 승계받은 사업에 귀속하는 금액	연결모법인의 연결소득 개별귀속액 중 소멸한 분할법인으로부터 승계받은 사업에서 발생한 소득

(4) 이월결손금 공제순서

연결과세표준을 계산할 때 먼저 발생한 사업연도의 이월결손금부터 공제한다. 같은 사업연도에 둘 이상의 연결법인에서 발생한 이월결손금이 있는 경우에는 연결사업연도의 과세표준을 계산할 때 해당 연결법인에서 발생한 이월결손금부터 연결소득 개별귀속액을 한도로 먼저 공제하고, 연결소득 개별귀속액이 없는 경우 다른 연결법인의 연결소득 개별귀속액 비율대로 배분하여 다른 연결법인의 연결소득 개별귀속액에서 공제한다.

VI 세액의 계산

1. 연결산출세액

연결산출세액은 연결과세표준에 법인세율을 적용하여 계산한 금액으로 한다.

2. 연결법인별 산출세액

연결법인별 산출세액은 다음과 같이 계산한 금액으로 한다. 이 경우 연결법인에 토지 등 양도소득에 대한 법인세가 있는 경우에는 이를 가산한다.

> 연결법인별 산출세액 = 과세표준 개별귀속액 × 연결세율

(1) 과세표준 개별귀속액
해당 연결법인의 연결소득 개별귀속액에서 각 연결사업연도의 과세표준 계산 시 공제된 결손금(해당 연결법인의 연결소득 개별귀속액에서 공제된 금액)과 해당 연결법인의 비과세소득 및 소득공제액을 뺀 금액

(2) 연결세율
연결사업연도의 소득에 대한 과세표준에 대한 연결산출세액(토지 등 양도소득에 대한 법인세 제외)의 비율

3. 세액감면 · 세액공제

(1) 연결산출세액에서 공제하는 연결법인의 감면세액과 세액공제액은 각 연결법인별로 계산한 감면세액과 세액공제액의 합계액으로 한다.

(2) 각 연결법인의 감면 또는 면제되는 세액은 감면 또는 면제되는 소득에 연결세율을 곱한 금액(감면의 경우 그 금액에 해당 감면율을 곱하여 산출한 금액)으로 한다. 이 경우 감면 또는 면제되는 소득은 과세표준 개별귀속액을 한도로 한다.

VII 연결납세방식의 신고와 납부

1. 신고

(1) 연결모법인은 각 연결사업연도의 종료일이 속하는 달의 말일부터 4개월 이내에 해당 연결사업연도의 소득에 대한 법인세의 과세표준과 세액을 납세지 관할 세무서장에게 신고하여야 한다.

   → 연결사업연도 소득금액이 없거나 결손금이 있는 경우도 신고는 해야함

(2) 「주식회사 등의 외부감사에 관한 법률」에 따라 감사인에 의한 감사를 받아야 하는 연결모법인 또는 연결자법인이 해당 사업연도의 감사가 종결되지 아니하여 결산이 확정되지 아니하였다는 사유로 신고기한의 연장을 신청한 경우에는 그 신고기한을 1개월의 범위에서 연장할 수 있다.

2. 납부

(1) 연결모법인은 연결산출세액에서 감면·공제세액(가산세 제외), 중간예납세액, 원천징수세액을 공제한 금액을 각 연결사업연도의 소득에 대한 법인세로서 신고기한까지 납세지 관할 세무서 등에 납부하여야 한다.

(2) 연결자법인은 신고기한까지 연결법인별 산출세액에서 감면세액, 중간예납세액, 원천징수세액을 뺀 금액에 가산세를 가산하여 연결모법인에 지급하여야 한다.

3. 결정·경정 및 징수 등

각 연결사업연도의 소득에 대한 법인세의 결정·경정·징수 및 환급에 관하여는 개별납세규정을 준용하나, 추계결정, 수시부과결정, 결손금소급공제는 준용하지 아니한다.

4. 중소기업 관련 규정

각 연결사업연도의 소득에 대한 법인세액을 계산할 때 「법인세법」 및 「조세특례제한법」의 중소기업에 관한 규정은 연결집단을 하나의 내국법인으로 보아 중소기업에 해당하는 경우에만 적용한다.

---

2 투자·상생협력 촉진을 위한 과세특례

I 의의

1. 상호출자제한기업집단에 속하는 내국법인이 그 법인의 소득 중 투자, 임금 등으로 환류하지 않은 소득이 있는 경우 다음의 산식에 따라 계산한 세액을 미환류소득에 대한 법인세로 하여 해당 사업연도의 법인세액에 추가하여 납부하여야 한다.

> (미환류소득 − 차기환류적립금 − 이월된 초과환류액) × 20%

2. 적용대상 법인

각 사업연도 종료일 현재 「독점규제 및 공정거래에 관한 법률」에 따른 상호출자제한기업집단에 속하는 내국법인

Ⅱ 미환류소득 계산방법

미환류소득 또는 초과환류액은 법인이 다음의 방법 중 어느 하나를 선택하여 계산한 금액을 말한다. 해당 금액이 양수인 경우에는 "미환류소득"이라 하고, 산정한 금액이 음수인 경우에는 음의 부호를 뗀 금액을 "초과환류액"이라 한다.

1. 투자 포함 방법

$$기업소득 \times 70\% - (투자금액 + 임금증가금액 + 상생협력지출금액)$$

2. 투자 제외 방법

$$기업소득 \times 15\% - (임금증가금액 + 상생협력지출금액)$$

Ⅲ 미환류소득의 신고와 산정방법

1. 미환류소득신고

내국법인은 미환류소득(또는 초과환류액)을 각 사업연도의 종료일이 속하는 달의 말일부터 3개월(연결법인이 법인세의 과세표준과 세액을 신고하는 경우 각 연결사업연도의 종료일이 속하는 달의 말일부터 4개월) 이내에 납세지 관할 세무서장에게 신고하여야 한다.

2. 계산방법 선택과 계속적용

내국법인이 미환류소득 계산방법 중 한 가지를 선택하여 신고한 경우 해당 사업연도의 개시일부터 다음의 구분에 따른 기간까지는 그 선택한 방법을 계속 적용하여야 한다. 다만, 합병법인 또는 사업양수 법인이 해당 사업연도에 합병 또는 사업양수의 대가로 기업소득의 50%를 초과하는 금액을 금전으로 지급하는 경우에는 그 선택한 방법을 변경할 수 있다.

투자 포함 방법을 선택하여 신고한 경우	3년이 되는 날이 속하는 사업연도
투자 제외 방법을 선택하여 신고한 경우	1년이 되는 날이 속하는 사업연도

3. 무신고 시 계산방법

미환류소득의 계산방법 중 어느 하나의 방법을 선택하지 아니한 내국법인의 경우에는 해당 법인이 최초로 적용대상 법인에 해당하게 되는 사업연도에 미환류소득이 적게 산정되거나 초과환류액이 많게 산정되는 방법을 선택하여 신고한 것으로 본다.

4. 미환류소득 승계

합병 또는 분할에 따라 피합병법인 또는 분할법인이 소멸하는 경우 합병법인 또는 분할신설법인은 미환류소득 및 초과환류액을 승계할 수 있다.

Ⅳ 미환류소득(초과환류액)의 계산

1. 기업소득

> 기업소득 = 각 사업연도 소득금액 + 가산항목 − 차감항목

기업소득(각 사업연도 소득금액 중 환류할 수 있는 최대금액)이란 각 사업연도의 소득에 가산항목 합계액을 더한 금액에서 차감항목 합계액을 뺀 금액(그 수가 음수인 경우 '0')으로 한다. 다만, 연결납세방식을 적용받는 연결법인으로서 각 연결법인의 기업소득 합계액이 3천억 원을 초과하는 경우에는 다음 계산식에 따라 계산한 금액으로 하고, 그 밖의 법인의 경우로서 기업소득이 3천억 원을 초과하는 경우에는 3천억 원(∵ 3천억 원 초과분 법인세율이 24%인 점 고려)으로 한다.

$$3천억\ 원 \times \frac{해당\ 연결법인의\ 기업소득}{각\ 연결법인의\ 기업소득\ 합계액}$$

(1) 가산항목

① 국세·지방세의 과오납금 환급금 이자

② 기부금 한도초과액이 이월되어 해당 사업연도의 손금에 산입한 금액

③ 해당 사업연도에 투자금액에 포함하는 자산에 대한 감가상각비로서 해당 사업연도에 손금으로 산입한 금액(투자 포함 방식만 적용함)

　∵ 이중차감 방지

　→ 법인이 투자제외 방식을 선택한 경우 투자자산 감가상각비를 가산하지 않음

　→ 수입배당금 익금불산입액은 2023. 1. 1. 이후부터는 가산항목에서 제외함

(2) 차감항목

① 해당 사업연도의 법인세액(과세표준 × 세율 − 해당 사업연도의 감면·세액공제액 + 가산세)과 법인세 감면액에 대한 농어촌특별세액 및 법인지방소득세액

　㉠ 내국법인이 직접 납부한 외국법인세액으로서 손금에 산입하지 아니한 세액(외국납부세액공제한도 초과액 포함)과 간접외국납부세액공제에 따라 익금산입한 외국법인세액을 포함함

ⓛ 다른 사업연도에 대한 법인세 환급세액이나 추가납부세액은 고려하지 않음

② 「상법」에 따라 해당 사업연도에 의무적으로 적립하는 이익준비금
→ 이익금의 1/10을 초과하여 적립된 이익준비금은 의무적립금의 범위에서 제외함

③ 법령에 따라 의무적으로 적립하는 적립금

④ 과세표준 계산 시 해당 사업연도에 공제할 수 있는 이월결손금
→ 소득금액의 80% 한도는 적용하지 않음

⑤ 피합병법인(분할법인)의 주주인 법인의 의제배당소득으로서 해당 사업연도의 익금에 산입한 금액(외국법인 수입배당금 익금불산입을 적용하기 전의 금액)

⑥ 해당 사업연도 기부금 한도초과액의 손금불산입액

⑦ 피합병법인(분할법인)의 양도차익

⑧ 지급배당 소득공제를 적용받는 유동화전문회사 등이 배당한 금액

⑨ 외국기업지배지주회사의 외국자회사가 그 보유주식 등을 발행한 외국법인으로부터 받는 배당소득으로서 해당 사업연도에 익금에 산입한 금액

⑩ 공적자금의 상환과 관련하여 지출하는 금액

2. 환류액

(1) 투자금액

사업용 자산과 벤처기업 주식에 대한 투자합계액을 말한다.

① 사업용 자산
㉠ 국내사업장에서 사용하기 위하여 새로이 취득하는 사업용 자산(중고품 및 금융리스 외의 리스자산 제외)으로서 다음의 자산. 다만, ㉠의 자산(해당 사업연도 이전에 취득한 자산 포함)에 대한 자본적 지출을 포함하되, 해당 사업연도에 소액자산 등 손금 인정 특례에 따라 즉시상각된 분은 제외한다.

유형 자산	ⓐ 기계 및 장치, 공구, 기구 및 비품, 차량 및 운반구, 선박 및 항공기, 그 밖에 이와 유사한 사업용 유형자산 ⓑ 신축·증축하는 업무용 건축물(토지 제외): 공장, 영업장, 사무실 등 해당 법인이 업무에 직접 사용하기 위하여 신축 또는 증축하는 건축물. 이 경우 법인이 해당 건축물을 임대하거나 업무의 위탁 등을 통하여 해당 건축물을 실질적으로 사용하지 않는 경우 업무에 직접 사용하지 않은 것으로 본다. → 부동산임대업에 사용할 목적으로 준공된 건물 매입은 투자액 아님

무형 자산	다음에 해당하는 자산을 말한다. 다만, 영업권(합병 또는 분할로 인하여 합병법인 등이 계상한 영업권 포함), 사용수익기부자산가액, 주파수이용권, 공항시설관리권 및 항만시설관리권은 투자액으로 보지 아니한다. ⓐ 디자인권, 실용신안권, 상표권 ⓑ 「특허물자원 개발법」에 의한 채취권, 유료도로관리권, 수리권, 전기가스공급시설이용권, 공업용수도시설이용권, 수도시설이용권, 열공급시설이용권 ⓒ 광업권, 전신전화전용시설이용권, 전용측선이용권, 하수종말처리장시설관리권, 수도시설관리권 ⓓ 댐사용권

ⓒ 투자가 2개 이상의 사업연도에 걸쳐서 이루어지는 경우에는 그 투자가 이루어지는 사업연도마다 해당 사업연도에 실제 지출한 금액을 기준으로 투자 합계액을 계산한다.

② 벤처기업에 대한 신규출자: 벤처기업에 다음 중 어느 하나에 해당하는 방법으로 출자(창업·벤처전문 사모집합투자기구 또는 창투조합 등을 통한 출자 포함)하여 취득한 주식 등

ⓐ 해당 기업의 설립 시에 자본금으로 납입하는 방법

ⓑ 해당 기업이 설립된 후 유상증자하는 경우로서 증자대금을 납입하는 방법

(2) 임금증가금액

> 임금증가액＝상시근로자임금증가액＋청년정규직임금증가액
＋정규직전환근로자임금증가액

① 상시근로자 임금증가액: 상시근로자의 해당 사업연도 임금이 증가한 경우

ⓐ 해당 사업연도의 상시근로자 수가 직전 사업연도의 상시근로자 수보다 증가하지 않는 경우: 상시근로자 임금증가금액

ⓑ 해당 사업연도의 상시근로자 수가 직전 사업연도의 상시근로자 수보다 증가한 경우: 이 경우 기존 상시근로자 임금증가금액과 신규 상시근로자 임금증가금액은 다음의 구분에 따라 계산한 금액으로 한다. ⓑ에 따라 계산한 금액은 해당 연도 상시근로자 임금증가금액을 한도로 한다.

> 기존 상시근로자 임금증가금액 × 1.5＋신규 상시근로자 임금증가금액 × 2

ⓐ 기존 상시근로자 임금증가금액: 해당 연도 상시근로자 임금증가금액－신규 상시근로자 임금증가금액(ⓑ에 따라 계산한 금액)

❶
해당 연도에 최초로 「근로기준법」에 따라 근로계약을 체결한 상시근로자(근로계약을 갱신하는 경우 제외)에 대한 다음에 따라 계산한 임금지급액의 평균액

$$\text{임금지급액의 평균액} = \frac{\text{신규 상시근로자에 대한 임금지급액}}{\text{신규 상시근로자 수}}$$

❷
청년정규직근로자란 15세 이상 34세(병역을 이행한 사람의 경우에는 6년을 한도로 병역을 이행한 기간을 현재 연령에서 빼고 계산한 연령) 이하인 사람을 말한다.

ⓑ 신규 상시근로자 임금증가금액: (해당 연도 상시근로자 수 − 직전 연도 상시근로자 수) × 신규 상시근로자에 대한 임금지급액의 평균액❶

→ 당기 퇴사 효과 고려

② 청년정규직 임금증가액: 해당 사업연도에 청년정규직근로자❷ 수가 직전 사업연도의 청년정규직근로자 수보다 증가한 경우에는 해당 사업연도의 청년정규직근로자에 대한 임금증가금액

③ 정규직전환근로자 임금증가액: 해당 사업연도에 정규직 전환 근로가 있는 경우에는 정규직 전환 근로자(청년정규직근로자 제외)에 대한 임금증가금액

④ 상시근로자 범위: 「근로기준법」에 따라 근로계약을 체결한 근로자를 말한다. 다만, 다음의 자는 제외한다.

㉠ 임원

㉡ 해당 기업의 최대주주 또는 최대출자자(개인사업자의 경우 대표자) 및 그와 친족관계인 근로자

㉢ 근로소득원천징수부에 의하여 근로소득세를 원천징수한 사실이 확인되지 아니하는 근로자

㉣ 근로계약기간이 1년 미만인 근로자(근로계약의 연속된 갱신으로 인하여 그 근로계약의 총 기간이 1년 이상인 근로자 제외)

㉤ 「근로기준법」에 따른 단시간근로자

㉥ 「소득세법」 제20조 제1항 제1호 및 제2호에 따른 근로소득의 금액(비과세 포함, 인정상여 및 퇴직급여 미포함)이 8천만 원 이상인 근로자. 단, 해당 과세연도의 근로제공기간이 1년 미만인 근로자의 경우 해당 근로자의 근로소득금액을 해당 과세연도 근무제공월수로 나눈 금액에 12를 곱하여 산출한 금액을 기준으로 판단한다.

※ 상시근로자 임금증가액과 청년정규직 또는 정규직전환근로자는 중복공제받는 것이지만, 청년과 정규직전환은 중복 적용이 배제됨

(3) 상생협력지출금액

① 상생협력지출액: 「대·중소기업 상생협력 촉진에 관한 법률」에 따른 상생협력을 위하여 지출하는 금액에 300%를 곱한 금액

② 범위: 「대·중소기업 상생협력 촉진에 관한 법률」에 따른 상생협력을 위하여 지출하는 금액이란 해당 사업연도에 지출한 다음 중 어느 하나에 해당하는 금액을 말한다. 다만, 해당 금액이 특수관계인을 지원하기 위하여 사용된 경우는 제외한다.

㉠ 상생협력을 위한 기금 출연 등에 대한 세액공제에 따라 출연을 하는 경우 그 출연금

908 해커스공무원 학원·인강 gosi.Hackers.com

ⓒ 협력중소기업의 사내근로복지기금에 출연하는 경우 그 출연금
ⓒ 「근로복지기본법」에 따른 공동근로복지기금에 출연하는 경우 그 출연금
ⓔ 금융회사 등이 중소기업에 대한 보증 또는 대출지원을 목적으로 출연하는 경우 그 출연금

Ⅴ 차기환류적립금과 초과환류액

1. 차기환류적립금의 적립

(1) 미환류소득에 대한 계산방법을 신고한 법인은 해당 사업연도 미환류소득의 전부 또는 일부를 다음 2개 사업연도의 투자, 임금 등으로 환류하기 위하여 차기환류적립금으로 적립한 경우에는 그 금액을 해당 사업연도의 미환류소득에서 차기환류적립금을 공제할 수 있다.
∵ 차기의 환류 기회를 제공하여 기업 경영환경 개선
(2) 해당 사업연도에 차기환류적립금을 적립하여 미환류소득에서 공제한 내국법인이 다음 2개 사업연도에 상호출자제한기업집단에 속하는 내국법인에 해당하지 아니하게 되는 경우에도 미환류소득에 대한 법인세를 납부하여야 한다.

2. 초과환류액 이월

해당 사업연도에 초과환류액(초과환류액으로 차기환류적립금을 공제한 경우 그 공제 후 남은 초과환류액)이 있는 경우에는 그 초과환류액을 그 다음 2개 사업연도까지 이월하여 그 다음 2개 사업연도 동안 미환류소득에서 공제할 수 있다.
→ 2021. 1. 1. 이후 신고하는 초과환류액부터 이월공제기간을 2년으로 연장함

3. 사후관리

차기환류적립금을 적립한 경우 다음 계산식에 따라 계산한 금액(음수인 경우 영으로 봄)을 그 다음 다음 사업연도의 법인세액에 추가하여 납부하여야 한다.

(차기환류적립금 – 해당 사업연도의 초과환류액) × 20%

Ⅵ 투자한 자산 처분 시 추가납부

1. 추가납부사유

내국법인이 미환류소득 계산 시 투자액으로 공제한 자산을 처분한 경우 등 다음의 사유에 해당하는 경우에는 그 자산에 대한 투자금액의 공제로 인하여 납부하지 아니한 세액에 이자상당액을 가산하여 납부하여야 한다.

(1) 기계장치 등 사업용 유형자산의 투자완료일, 무형자산(매입한 자산 한정)의 매입일 또는 벤처기업 주식은 취득일부터 2년이 지나기 전에 해당 자산을 양도하거나 대여하는 경우. 다만, 다음 중 어느 하나에 해당하는 경우는 제외한다.

① 투자세액공제 추징 배제 사유(현물출자, 합병, 분할 등으로 소유권 이전)에 해당하는 경우

② 기계장치 등 사업용 유형자산을 「대·중소기업 상생협력 촉진에 관한 법률」에 따른 수탁기업(특수관계인 제외)에 무상양도 또는 무상대여하는 경우

③ 천재지변, 화재 등으로 멸실되거나 파손되어 사용이 불가능한 자산을 처분하는 경우

④ 한국표준산업분류표상 해당 자산의 임대업이 주된 사업(둘 이상의 서로 다른 사업을 영위하는 경우 해당 사업연도의 기계장치 등 사업용 유형자산의 임대업의 수입금액이 총 수입금액의 50% 이상인 경우)인 법인이 해당 자산을 대여하는 경우를 말한다.

(2) 업무용 건축물에 해당하지 아니하게 되는 등 다음 중 어느 하나에 해당하는 경우

① 해당 법인이 업무용 신증축건축물을 준공 후 2년 이내에 임대하거나 위탁하는 등 업무에 직접 사용하지 아니하는 경우. 다만, 한국표준산업분류표상 부동산업, 건설업 또는 종합소매업을 주된 사업으로 하는 법인이 해당 건축물을 임대하는 경우는 제외한다.

② 업무용 신증축건축물을 준공 전에 처분하거나 준공 후 2년 이내에 처분하는 경우. 다만, 국가·지방자치단체에 기부하고 그 업무용 신증축건축물을 사용하는 경우는 제외한다.

③ 업무용 신증축건축물의 건설에 착공한 후 천재지변이나 그 밖의 정당한 사유없이 건설을 중단한 경우

2. 이자상당액

내국법인은 투자금액의 공제로 인하여 납부하지 아니한 세액에 이자상당액을 다음의 사유가 발생하는 날이 속하는 사업연도의 과세표준신고를 할 때 납부하여야 한다.

(1) 이자상당액

투자액의 공제로 납부하지 않은 세액 × 일수❶ × 0.022%

(2) 사유

① 「조세특례제한법 시행령」 제100조의32 제20항 제1호에 따라 자산을 양도하거나 대여한 날
② 업무용 신증축건축물을 임대하거나 위탁하는 날 등 업무에 직접 사용하지 아니한 날
③ 업무용 신증축건축물을 처분한 날
④ 업무용 신증축건축물의 건설을 중단한 날부터 6개월이 되는 날

❶ 투자금액을 공제받은 사업연도의 법인세 과세표준신고일의 다음 날부터 이자상당액 납부일까지의 기간이다.

사 업 연 도	· · · ~ · · ·	미환류소득에 대한 법인세 신고서	법 인 명	
			사업자등록번호	

1. 적용대상	① 자기자본 500억원 초과 법인(중소기업, 비영리법인 등 제외)	일반[ ], 연결[ ]
	② 상호출자제한기업집단 소속기업	일반[ ], 연결[ ]
2. 과세방식 선택	③ 투자포함 방식(A방식)	[ ]
	④ 투자제외 방식(B방식)	[ ]

3. 미환류소득에 대한 법인세 계산

	⑤ 사업연도 소득		
과 세 대 상 소 득	가산항목	⑥ 국세등 환급금 이자	
		⑦ 수입배당금 익금불산입액	
		⑧ 기부금 이월 손금산입액	
		⑨ 투자자산 감가상각분(A방식만 적용)	
		⑩ 소계((⑥+⑦+⑧+⑨)	
	차감항목	⑪ 법인세액등	
		⑫ 상법상 이익준비금 적립액	
		⑬ 법령상 의무적립금	
		⑭ 이월결손금 공제액	
		⑮ 피합병법인(분할법인)의 주주인 법인의 의제배당소득	
		⑯ 기부금 손금한도 초과액	
		⑰ 피합병법인(분할법인)의 양도차익	
		⑱ 유동화전문회사 등이 배당한 금액	
		⑲ R&D준비금 익금산입액	
		⑳ 해외자회사 배당수익 중 익금산입액	
		㉑ 공적자금 상환액	
		㉒ 소계((⑪+⑫+⑬+⑭+⑮+⑯+⑰+⑱+⑲+⑳+㉑)	
	㉓ 기업소득(⑤+⑩-㉒)		
	㉔ 연결법인 기업소득 합계액		
	㉕ 과세대상 소득(㉓×70%또는15%, ㉔×㉓/㉔×70%또는15%)		
투 자 금 액	유형자산	㉖ 기계및장치등	
		㉗ 업무용 건물 건축비	
		㉘ 벤처기업에 대한 신규출자	
	㉙ 무형자산		
	㉚ 소계(㉖+㉗+㉘+㉙)		
임 금 증 가 금 액	상시근로자 임금 증가 금액 계산	㉛ 해당 사업연도 상시근로자 수	
		㉜ 직전 사업연도 상시근로자 수	
		㉝ 해당 사업연도 상시근로자 임금지급액	
		㉞ 직전 사업연도 상시근로자 임금지급액	
		㉟ 해당 사업연도 신규 상시근로자 임금지급평균액	
		㊱ 임금증가 계산금액 [(㉛-㉜) ≤ 0 인 경우 : (㉝-㉞), (㉛-㉜) > 0 인 경우 : {(㉝-㉞)-(㉛-㉜)×㉟}×1.5+(㉛-㉜)×㉟×2]	
	청년정규직 임금 증가 금액 계산	㊲ 해당 사업연도 청년정규직근로자 수	
		㊳ 직전 사업연도 청년정규직근로자 수	
		㊴ 해당 사업연도 청년정규직근로자 임금지급액	
		㊵ 직전 사업연도 청년정규직근로자 임금지급액	
		㊶ 임금증가 계산금액[(㊲-㊳) > 0 인 경우만 (㊴-㊵)]	
	㊷ 정규직 전환 근로자(청년정규직 근로자 제외) 임금증가금액		
	㊸ 소계(㊱+㊶+㊷)		
상생협력 지출금액	㊹ 상생협력출연금		
	㊺ 사내근로복지기금 및 공동근로복지기금 출연금		
	㊻ 신용보증기금에 대한 출연금 등		
	㊼ 상생협력 지출금액 계산[(㊹+㊺+㊻)×3]		

210mm×297mm[백상지 80g/㎡ 또는 중질지 80g/㎡]

(뒤쪽)

미환류소득	㊽ A방식(70% 적용)[㉕-(㉚+㊸+㊼)]		㊿ 차기환류적립금	적립	[ ]
	㊾ B방식(15% 적용)[㉕-(㊸+㊼)]			금액	
(51)초과환류액	A방식				
	B방식				

	직전전 사업연도	직전 사업연도	해당 사업연도
(52) 미환류소득			
(53) 이월된 초과환류액			
(54) 차기환류적립금			
(55) 이월된 차기환류적립금			
(56) 초과환류액(=(51))			
(57) 과세대상미환류소득 ((52)-(53)-(54)+(55)-(56))			

4. 미환류소득에 대한 법인세 납부액 ((57)×20%)	(58)

「조세특례제한법 시행령」 제100조의32제3항에 따라 미환류소득에 대한 법인세 신고서를 제출합니다.

년 월 일

신고인(법 인) (인)

신고인(대표자) (서명)

세무대리인은 조세전문자격자로서 위 신고서를 성실하고 공정하게 작성하였음을 확인합니다.

세무대리인 (서명 또는 인)

세무서장 귀하

작성방법

1. 해당 법인이 ①,②에 해당하는 경우 각각 표시합니다.
2. 해당 법인이 선택하는 과세방식을 ③,④란에 표시합니다.
3. ⑦은 2023.1.1. 이후 개시하는 사업연도부터는 가산항목에서 제외되므로 기재하지 않습니다.
4. ⑩을 계산할 때 해당 법인이 투자제외 방식을 선택한 경우 ⑨ 투자자산 감가상각분을 가산하지 않습니다.
5. ㉕ 과세대상 소득은 투자포함 방식 선택시 70%를, 투자제외 방식 선택시 15%를 ㉓ 기업소득에 곱하여 계산합니다. 연결법인의 경우 기업소득은 연결법인 기업소득 합계액(3천억원 초과시 3천억원) × 개별연결법인 기업소득 ÷ 연결법인 기업소득 합계액으로 계산합니다.
6. 미환류소득은 투자포함 방식 선택시 ㊽란에, 투자제외 방식 선택 시 ㊾란에 적습니다.
7. 「조세특례제한법」 제100조의32제5항에 따라 해당 사업연도의 미환류소득의 전부 또는 일부를 다음 2개 사업연도에 투자, 임금 또는 상생협력 지출금액 등으로 환류하기 위해 차기환류적립금을 적립하여 해당 사업연도의 미환류소득에서 공제하는 경우 (54)차기환류적립금란에 표시하고 적립금액을 적습니다.
8. (52) 및 (56)란에 매 사업연도의 미환류소득(차기환류적립금 적립액) 또는 초과환류액을 적되, 「조세특례제한법 시행령」 제100조의32제23항에 따라 합병법인 또는 분할신설법인이 미환류소득 또는 초과환류액을 승계한 경우에는 해당 승계금액을 포함하여 적습니다.

   그리고, 피합병법인 또는 분할법인이 합병법인 또는 분할신설법인에게 미환류소득을 승계한 경우에는 해당 승계금액을 (54)차기환류적립금에 적습니다.
9. (53)란은 「조세특례제한법」 제100조의32제7항 및 제9항에 따라 당기로 이월된 초과환류액을 의미합니다
10. (55) 이월된 차기환류적립금란에는 「조세특례제한법」 제100조의32제5항 및 제6항에 따라 당기로 이월된 차기환류적립금을 적습니다.
11. (58)이 음수인 경우에는 "0"으로 적습니다.

210㎜×297㎜[백상지 80g/㎡ 또는 중질지 80g/㎡]

VII 토지 등 양도소득에 대한 과세특례

1. 의의

내국법인이 비사업용 토지, 주택(별장 포함), 주택을 취득하기 위한 권리로서 조합원입주권 및 분양권을 양도한 경우 토지 등 양도소득에 대한 법인세를 각 사업연도 소득에 대한 법인세액에 추가하여 납부하여야 한다. 이 경우 하나의 자산이 법규정 중 둘 이상에 해당할 때에는 그 중 가장 높은 세액을 적용한다.

∵ 법인의 부동산 투기 억제

2. 비과세대상

다음의 어느 하나에 해당하는 토지 등 양도소득. 단, 미등기 토지 등에 대한 토지 등 양도소득에 대하여는 그러하지 아니하다.

(1) 파산선고에 의한 토지 등의 처분으로 인하여 발생하는 소득

(2) 법인이 직접 경작하던 농지로서 양도소득세 비과세요건인 농지의 교환 또는 분할·통합으로 인하여 발생하는 소득

(3)「도시개발법」이나 그 밖의 법률에 의한 환지처분으로 지목 또는 지번이 변경되거나 체비지로 충당됨으로써 발생하는 소득

(4)「소득세법 시행령」제152조 제3항에 따른 교환으로 발생하는 소득

(5) 적격분할·적격합병·적격물적 분할·적격현물출자·조직변경 및 교환으로 인하여 발생하는 소득

(6)「한국토지주택공사법」에 따른 한국토지주택공사가 개발사업으로 조성한 토지 중 주택건설용지로 양도함으로써 발생하는 소득

(7) 주택을 신축하여 판매하는 법인이 그 주택 및 주택에 부수되는 토지로서 그 면적 중 넓은 면적 이내의 토지를 양도함으로써 발생하는 소득

(8) 민간임대주택에 관한 특별법에 따른 임대사업자로서 장기일반민간임대주택등을 300호 또는 300세대 이상 취득하였거나 취득하려는 자에게 토지를 양도하여 발생하는 소득

(9) 공공매입임대주택을 건설할 자에게 주택 건설을 위한 토지를 양도하여 발생한 소득

3. 계산구조

양도금액		토지 등의 양도로 인하여 발생한 금액으로 함
		→ 특수관계인에게 저가양도한 경우 시가임
(−)	장부가액	세무상 장부가액을 말하므로 세무상 취득가액에 자본적 지출 등을 가산하되, 판매수수료와 같이 자산을 양도하기 위해 지출하는 비용은 장부가액에 포함되지 아니한다.
(×)	세율	① **비사업용 토지**: 10%(미등기 40%)
		② **주택과 별장**: 20%(미등기 40%)
		③ **조합원입주권과 분양권**: 20%
	산출세액	

4. 양도차손 통산

법인이 각 사업연도에 둘 이상의 토지 등을 양도한 경우 토지 등 양도소득은 해당 사업연도에 양도한 자산별로 양도소득을 계산하여 합산한다. 이 경우 양도한 자산 중 양도 당시의 장부가액이 양도금액을 초과하여 양도차손이 발생한 경우 다음 자산의 양도소득에서 순차로 차감하여 토지 등 양도소득을 계산한다.

(1) 양도차손이 발생한 자산과 같은 세율을 적용받는 자산의 양도소득

(2) 양도차손이 발생한 자산과 다른 세율을 적용받는 자산의 양도소득

5. 양도소득 귀속시기

토지 등 양도소득의 귀속사업연도와 양도시기(취득시기)에 관하여 자산의 판매손익 등의 사업연도규정을 준용한다. 단, 장기할부조건에 의한 토지 등 양도의 경우에는 회수기일도래기준규정에도 불구하고 대금청산일을 양도시기로 하되, 대금을 청산하기 전 소유권 이전등기(등록 포함)를 하거나 당해 토지 등을 인도 또는 사용수익하는 경우 그 이전등기일(등록일 포함)·인도일·사용수익일 중 빠른 날로 한다.

3 비영리법인

Ⅰ 납세의무의 범위

1. 수익사업

비영리내국법인의 각 사업연도의 소득은 다음의 수익사업에서 생기는 소득으로 한정한다.

※ 수익사업에서 생긴 소득: 해당 사업에서 생긴 주된 수입금액 및 이와 직접 관련하여 생긴 부수수익의 합계액에서 해당 사업수익에 대응하는 손비를 공제한 소득

(1) 제조업, 건설업, 도매 및 소매업 등 한국표준산업분류에 따른 사업으로서 대통령령으로 정하는 것

(2) 「소득세법」에 따른 이자소득

(3) 「소득세법」에 따른 배당소득

(4) 주식·신주인수권 또는 출자지분의 양도로 인한 수입

(5) 유형자산 및 무형자산의 처분으로 인한 수입. 단, 처분일 현재 3년 이상 계속하여 법령 또는 정관에 규정된 고유목적사업(수익사업 제외)에 직접 사용한 유형·무형자산의 처분으로 인하여 생기는 수입은 수익사업에서 제외한다.

자산의 유지 등을 위한 관람료·입장료수입 등 부수수익이 있는 경우		① 관람료 등의 부수수입: 수익사업 포함 ② 해당 자산의 처분: 수익사업 제외
고유목적사업으로 전입 후 처분하는 경우 과세방법	2018. 2. 12. 전	양도가액 – 최초취득가액
	2018. 2. 12. 이후	양도가 – 전입 시 시가

(6) 「소득세법」 양도소득세 과세대상인 부동산에 관한 권리 및 기타자산의 양도로 인한 수입

(7) 그 밖에 대가를 얻는 계속적 행위로 인한 수입으로서 소득세법에 따른 채권 등(그 이자소득에 대하여 법인세가 비과세되는 것 제외)의 매도에 따른 매매익(채권 등의 매각익에서 매각손을 차감한 금액)

2. 수익사업 제외소득

다음의 어느 하나에 해당하는 사업은 수익사업에서 제외한다.

(1) 축산업(축산관련 서비스업 포함)·조경관리 및 유지 서비스업 외의 농업

(2) 연구개발업(계약 등에 의하여 그 대가를 받고 연구·개발용역을 제공하는 사업 제외)

(3) 선급검사용역을 공급하는 사업

(4) 일정한 교육시설에서 해당 법률에 따른 교육과정에 따라 제공하는 교육
    서비스업(이하 생략)

Ⅱ 고유목적사업준비금의 손금산입

1. 의의

비영리내국법인(법인으로 보는 단체의 경우에는 대통령령으로 정하는 단체
만 해당함)이 각 사업연도의 결산을 확정할 때 그 법인의 고유목적사업이나
일반기부금에 지출하기 위하여 고유목적사업준비금을 손비로 계상한 경우
에는 일정한 한도액 범위에서 그 계상한 고유목적사업준비금을 해당 사업연
도의 소득금액을 계산할 때 손금에 산입한다.

📖 **취지**

수익사업소득에 대하여 영리내국법인과
동일하게 법인세를 과세한다면 공익성
이 있는 비영리내국법인이 고유목적사
업 또는 일반기부금에 사용할 재원 중
일부가 세금으로 징수되어 공익사업을
원활하게 수행하는 데 있어서 장애가 될
것이므로 이를 방지한다.

2. 고유목적사업준비금의 손금산입범위액

(1) 개요

다음 금액의 합계액(②에 따른 수익사업에서 결손금이 발생한 경우에는
①의 합계액에서 그 결손금 상당액을 차감한 금액)의 범위에서 그 계상
한 고유목적사업준비금을 해당 사업연도의 소득금액을 계산할 때 손금
에 산입한다.

① (이자소득금액 + 배당소득금액 + 융자금 이자금액) × 100%

   ㉠ 이자소득금액: 「소득세법」제16조 제1항 (비영업대금의 이익 제외)
      에 따른 이자소득금액

   ㉡ 배당소득금액: 「소득세법」제17조 제1항에 따른 배당소득금액. 다만,
      「상속세 및 증여세법」제16조 또는 제48조에 따라 상속세 과세가
      액 또는 증여세 과세가액에 산입되거나 증여세가 부과되는 주식
      등으로부터 발생한 배당소득의 금액은 제외한다.

   ㉢ 융자금 이자금액: 특별법에 따라 설립된 비영리내국법인이 해당 법
      률에 따른 복지사업으로서 그 회원이나 조합원에게 대출한 융자금
      에서 발생한 이자금액

② (수익사업소득금액 - ①의 소득금액 - 이월결손금 - 특례기부금) × 설정률

   ㉠ 수익사업소득금액: 수익사업에서 발생한 소득은 해당 사업연도의
      수익사업에서 발생한 소득금액(고유목적사업준비금과 특례기부금
      을 손금에 산입하기 전의 소득금액에서 경정으로 증가된 소득금액
      중 해당 법인의 특수관계인에게 상여 및 기타소득으로 처분된 금
      액 제외)에서 100% 설정대상금액, 이월결손금 및 특례기부금을 뺀
      금액으로 한다.

	소득금액	×××
(+)	당기 계상 고유목적사업준비금	×××
(+)	특례기부금	×××
	해당 사업연도 소득금액	×××
(−)	고유목적사업준비금 100% 설정대상 금액	×××
(−)	이월결손금 중 공제대상액	×××
(−)	특례기부금	×××
	수익사업소득금액	×××

ⓛ 이월결손금: 「법인세법」 제13조 제1항에 따른 이월결손금으로서 각 사업연도 소득의 80%을 이월결손금 공제한도로 적용받는 법인은 공제한도 적용으로 인해 공제받지 못하고 이월된 결손금을 차감한 금액(이중 불이익 방지)을 말한다.

ⓒ 설정률

ⓐ 「법인세법」: 그 밖의 수익사업에서 발생한 소득에 50%(「공익법인의 설립·운영에 관한 법률」에 따라 설립된 법인으로서 고유목적사업 등에 대한 지출액 중 50% 이상의 금액을 장학금으로 지출하는 법인의 경우 80%)을 곱하여 산출한 금액

ⓑ 「조세특례제한법」: 공익성이 큰 비영리법인이므로 100% 설정 가능

㉞ 「사립학교법」에 따른 학교법인, 사회복지법인, 「공익법인의 설립·운영에 관한 법률」에 따라 설립된 법인으로서 해당 과세연도의 고유목적사업이나 일반기부금에 대한 지출액 중 80% 이상의 금액을 장학금으로 지출한 법인)

3. 고유목적사업준비금의 손금산입방법

(1) 원칙 − 결산조정

법인이 고유목적사업준비금을 손금에 산입하기 위해서는 법인의 장부에 손비로 계상하여야 한다.

(2) 특례 − 신고조정

「주식회사 등의 외부감사에 관한 법률」에 따른 감사인의 회계감사를 받는 비영리내국법인이 고유목적사업준비금을 세무조정계산서에 계상하고 그 금액 상당액을 해당 사업연도의 이익처분을 할 때 고유목적사업준비금으로 적립한 경우에는 그 금액을 결산을 확정할 때 손비로 계상한 것으로 본다.

Ⅲ 기타 비영리법인 과세특례

1. 구분경리

비영리법인이 수익사업을 하는 경우에는 자산·부채 및 손익을 그 수익사업에 속하는 것과 수익사업이 아닌 그 밖의 사업에 속하는 것을 각각 다른 회계로 구분하여 기록하여야 한다.

2. 이자소득신고 특례

(1) 비영리내국법인은 이자소득(비영업대금의 이익 제외, 투자신탁의 이익 포함)으로서 원천징수된 이자소득에 대하여는 과세표준신고를 하지 아니할 수 있다. 이 경우 과세표준신고를 하지 아니한 이자소득은 각 사업연도의 소득금액을 계산할 때 포함하지 아니한다.

→ 일부만 분리과세 적용도 가능함

(2) 과세표준신고를 하지 아니한 이자소득에 대하여는 수정신고, 기한후신고 또는 경정 등에 의하여 이를 과세표준에 포함시킬 수 없다.

3. 자산양도소득신고 특례

비영리내국법인(사업활동에 해당하는 수익사업을 하는 비영리내국법인 제외)이 자산양도소득이 있는 경우에는 과세표준신고를 하지 아니할 수 있다. 이 경우 과세표준신고를 하지 아니한 자산양도소득은 각 사업연도의 소득금액을 계산할 때 포함하지 아니한다. 따라서 사업소득이 없는 비영리법인은 자산양도소득에 대하여 다음의 두 가지 중 한 방법을 선택하여 신고·납부할 수 있다.

(1) 「법인세법」의 규정에 의한 각 사업연도 소득에 대한 법인세를 신고납부하는 방법

(2) 「소득세법」의 규정에 의한 양도소득세 상당액을 법인세로 납부하는 방법

4. 가산세 배제

비영리내국법인은 장부의 기록·보관 불성실 가산세의 적용이 배제된다.

5. 필수적 첨부서류

모든 법인은 필수적 첨부서류를 첨부하지 아니한 경우 무신고로 간주되나, 수익사업(사업소득과 채권 등의 매매차익)을 영위하지 않는 비영리법인은 그러하지 아니한다.

Ⅳ 고유목적사업준비금의 사용·승계·환입

1. 사용

(1) 고유목적사업준비금은 해당 준비금을 손금으로 계상한 사업연도의 종료일 이후 5년 이내 고유목적사업 또는 일반기부금의 지출에 사용하여야 한다.

(2) 이 경우 고유목적사업 또는 일반기부금에 사용한 금액은 먼저 계상한 고유목적사업준비금부터 사용한 것으로 보며, 직전 사업연도 종료일 현재의 고유목적사업준비금 잔액을 초과하여 해당 사업연도의 고유목적사업 및 일반기부금에 지출한 금액은 이를 해당 사업연도의 고유목적사업준비금으로 계상하여 지출한 것으로 본다.

2. 승계

고유목적사업준비금을 손금에 산입한 비영리내국법인이 사업에 관한 모든 권리와 의무를 다른 비영리내국법인에 포괄적으로 양도하고 해산하는 경우에는 해산등기일 현재의 고유목적사업준비금 잔액은 그 다른 비영리내국법인이 승계할 수 있다.

3. 환입

원칙	손금에 산입한 고유목적사업준비금의 잔액이 있는 비영리내국법인이 다음 중 어느 하나에 해당하게 된 경우 그 잔액(⑤의 경우에는 고유목적사업 등이 아닌 용도에 사용한 금액)은 해당 사유가 발생한 날이 속하는 사업연도의 소득금액을 계산할 때 익금에 산입한다. ① 해산한 경우(고유목적사업준비금을 승계한 경우는 제외) ② 고유목적사업을 전부 폐지한 경우 ③ 법인으로 보는 단체가 「국세기본법」 제13조 제3항에 따라 승인이 취소되거나 거주자로 변경된 경우 ④ 고유목적사업준비금을 손금에 산입한 사업연도의 종료일 이후 5년이 되는 날까지 고유목적사업 등에 사용하지 아니한 경우(5년 내에 사용하지 아니한 잔액으로 한함) ⑤ 고유목적사업준비금을 고유목적사업 등이 아닌 용도에 사용한 경우
조기 임의환입	손금에 산입한 고유목적사업준비금의 잔액이 있는 비영리내국법인은 고유목적사업준비금을 손금에 산입한 사업연도의 종료일 이후 5년 이내에 그 잔액 중 일부를 감소시켜 익금에 산입할 수 있다. 이 경우 먼저 손금에 산입한 사업연도의 잔액부터 차례로 감소시킨 것으로 본다. ∵ 조기에 환입하여 이자상당액을 경감시킴

이자
상당액
납부
	다음의 사유로 고유목적사업준비금의 잔액을 익금에 산입하는 경우에는 법령에 따라 계산한 이자상당액을 해당 사업연도의 법인세에 더하여 납부하여야 한다.
	
	① 이자상당액 납부사유
	   ⊙ 고유목적사업준비금을 손금에 산입한 사업연도의 종료일 이후 5년이 되는 날까지 고유목적사업 또는 일반기부금에 사용하지 아니한 경우
	   ⓒ 고유목적사업준비금을 고유목적사업등이 아닌 용도에 사용한 경우
	   ⓒ 조기임의환입하는 경우
	② 이자상당액 계산

$$\begin{array}{c} \text{고유목적사업준비금의} \\ \text{잔액을 손금에 산입한} \\ \text{사업연도에 그 잔액을} \\ \text{손금에 산입함에 따라} \\ \text{발생한 법인세액의} \\ \text{차액} \end{array} \times \begin{array}{c} \text{손금에 산입한} \\ \text{사업연도의 다음} \\ \text{사업연도의 개시일부터} \\ \text{익금에 산입한 사업} \\ \text{연도의 종료일까지의} \\ \text{기간(일수)} \end{array} \times \dfrac{22}{100,000}$$

사례

비영리법인이 2024.12.31. 사업연도 종료일에 5천만원을 고유목적사업준비금으로 계상하였으며, 2029.12.31. 사업연도 종료일까지 3천만원만 고유목적사업비로 지출한 경우 2029년도에 대한 법인세 신고시 추가납부하여야 할 이자상당액은?

해설

1. 2024년 사업연도 법인세 과세표준: 90,000,000
2. 2024년 사업연도 법인세 산출세액: 8,100,000(= 90,000,000×9%)
   미사용 고유목적사업준비금에 대한 2024년 사업연도 법인세액의 계산
   ① 미사용액을 손금산입하지 않은 경우 과세표준: 90,000,000 + 20,000,000
   = 110,000,000
   ② 미사용액을 손금산입하지 않은 경우 산출세액: 110,000,000 × 9%
   = 9,900,000
   ③ 미사용액에 대한 법인세액: 9,900,000 – 8,100,000 = 1,800,000
   ④ 이자상당액: 1,800,000 × (365+365+365+365+365) × 2.2/10,000
   = 722,700

4 청산소득금액

I 의의

영리내국법인이 해산(합병이나 분할에 의한 해산 제외)에 의하여 소멸할 때 청산소득에 대해 법인세를 과세한다. 단, 내국법인이 다음의 어느 하나에 해당하면 청산소득에 대한 법인세를 과세하지 아니한다.

1. 「상법」의 규정에 따라 조직변경하는 경우
2. 특별법에 따라 설립된 법인이 그 특별법의 개정이나 폐지로 인하여 「상법」에 따른 회사로 조직변경하는 경우
3. 그 밖의 법률에 따라 내국법인이 조직변경하는 경우로서 법령으로 정하는 경우

II 청산소득금액 계산

청산소득금액은 그 법인의 해산에 의한 잔여재산의 가액에서 해산등기일 현재의 자기자본의 총액을 공제한 금액으로 한다.

> 과세표준 = 잔여재산가액 – 자기자본총액

1. 잔여재산가액

> 해산등기일 현재 자산총액 – 부채총액

자산총액	평가액
추심할 채권과 환가처분할 자산	추심 또는 환가처분한 날 현재의 금액
추심 또는 환가처분 전에 분배한 경우	분배한 날 현재 시가에 의하여 평가한 금액

2. 자기자본총액

> 자본금 + 세무상 잉여금 + 환급법인세 – 세무상 이월결손금

자본금	세무상 자본금을 말하되, 청산소득 금액을 계산할 때 해산등기일 전 2년 이내에 자본금 또는 출자금에 전입한 잉여금이 있는 경우에는 해당 금액을 자본금 또는 출자금에 전입하지 아니한 것으로 본다. ∵ 잉여금을 편법으로 축소시켜 청산소득을 줄이는 조세회피 방지
세무상 잉여금	재무상태표상 자본잉여금과 이익잉여금 ± 유보
환급법인세	내국법인의 해산에 의한 청산소득의 금액을 계산할 때 그 청산기간에 「국세기본법」에 따라 환급되는 법인세액이 있는 경우 이에 상당하는 금액은 그 법인의 해산등기일 현재의 자기자본의 총액에 가산한다.
세무상 이월결손금	① 청산소득금액을 계산할 때 세무상 이월결손금은 그 법인의 자기자본총액에서 상계하여야 한다. 다만, 상계하는 이월결손금은 자기자본의 총액 중 잉여금의 금액을 초과하지 못하며, 초과하는 이월결손금이 있는 경우에는 그 이월결손금은 없는 것으로 본다. ② 세무상 이월결손금은 해산등기일 현재 각 사업연도 소득금액에 대한 과세표준 계산 시 공제되지 않은 금액으로서 공제기한 (예 15년)이 경과한 금액을 포함한다. 단, 자기자본총액에서 이미 상계된 것으로 보는 이월결손금(∵ 기업회계상 이미 소멸됨)은 제외한다.
자기주식가액	해산에 의한 청산소득금액을 계산함에 있어서 보유 중인 자기주식의 가액은 해산등기일 현재의 자본금 또는 출자금에서 차감하지 아니하며, 잔여재산가액 계산 시의 자산총액에도 포함하지 아니한다.

Ⅲ 세율

내국법인의 청산소득에 대한 법인세는 그 청산소득의 과세표준에 각 사업연도 소득에 대한 세율(9% ~ 19%)을 적용하여 계산한 금액으로 한다.

Ⅳ 청산 중 계속사업 영위

내국법인의 해산에 의한 청산소득의 금액을 계산할 때 그 청산기간에 생기는 각 사업연도의 소득금액이 있는 경우에는 그 법인의 해당 각 사업연도의 소득금액에 산입한다. 구체적으로 법인이 해산등기일 현재의 자산을 청산기간 중에 처분한 금액(환가를 위한 재고자산의 처분액 포함)은 이를 청산소득에 포함하나, 청산기간 중에 해산 전의 사업을 계속하여 영위하는 경우 당해 사업에서 발생한 사업수입이나 임대수입, 공·사채 및 예금의 이자수입 등은 각 사업연도의 소득금액에 포함한다.

Ⅴ 신고 · 납부

1. 확정신고

청산소득에 대한 법인세의 납부의무가 있는 내국법인은 다음의 기한까지 청산소득에 대한 법인세의 과세표준과 세액을 납세지 관할 세무서장에게 신고하여야 한다.

→ 청산소득의 금액이 없는 경우에도 적용함

(1) **잔여재산이 확정한 경우**

　　잔여재산가액확정일이 속하는 달의 말일부터 3개월 이내

(2) **해산에 의한 잔여재산의 일부를 주주들에게 분배한 후 사업을 계속하는 경우**

　　계속등기일이 속하는 달의 말일부터 3개월 이내

2. 중간신고

내국법인(유동화전문회사 또는 프로젝트금융회사 제외)이 다음의 어느 하나에 해당하면 다음의 날이 속하는 달의 말일부터 1개월 이내에 이를 납세지 관할 세무서장에게 신고하여야 한다. 다만, 「국유재산법」에 규정된 청산절차에 따라 청산하는 법인의 경우에는 (2)는 적용하지 아니한다.

(1) **해산에 의한 잔여재산가액이 확정되기 전에 그 일부를 주주 등에게 분배한 경우**

　　그 분배한 날

(2) **해산등기일부터 1년이 되는 날까지 잔여재산가액이 확정되지 아니한 경우**

　　그 1년이 되는 날

5 법인과세 신탁재단

I 통칙

1. 적용관계

법인과세 신탁재산 및 이에 귀속되는 소득에 대하여 법인세를 납부하는 신탁의 수탁자(법인과세 수탁자)에 대해서는 이 장의 규정을 다른 규정에 우선하여 적용한다.

2. 신탁재산에 대한 법인세 과세방식

(1) 법인과세 수탁자는 법인과세 신탁재산에 귀속되는 소득에 대하여 그 밖의 소득과 구분하여 법인세를 납부하여야 한다.

(2) 재산의 처분 등에 따라 법인과세 수탁자가 법인과세 신탁재산의 재산으로 그 법인과세 신탁재산에 부과되거나 그 법인과세 신탁재산이 납부할 법인세 및 강제징수비를 충당하여도 부족한 경우에는 그 신탁의 수익자(신탁이 종료되어 신탁재산이 귀속되는 자 포함)는 분배받은 재산가액 및 이익을 한도로 그 부족한 금액에 대하여 제2차 납세의무를 진다.

(3) 법인과세 신탁재산이 그 이익을 수익자에게 분배하는 경우에는 배당으로 본다.

3. 신탁재산 설립과 해산

(1) 법인과세 신탁재산은 「신탁법」에 따라 그 신탁이 설정된 날에 설립된 것으로 본다.

(2) 법인과세 신탁재산은 그 신탁이 종료된 날(신탁이 종료된 날이 분명하지 아니한 경우 「부가가치세법」에 따른 폐업일)에 해산된 것으로 본다.

(3) 법인과세 수탁자는 법인과세 신탁재산에 대한 사업연도를 따로 정하여 법인 설립신고 또는 사업자등록과 함께 납세지 관할 세무서장에게 사업연도를 신고하여야 한다. 이 경우 사업연도의 기간은 1년을 초과하지 못한다.

(4) 법인과세 신탁재산의 법인세 납세지는 그 법인과세 수탁자의 납세지로 한다.

4. 공동수탁자가 있는 경우

하나의 법인과세 신탁재산에 둘 이상의 수탁자가 있는 경우에는 수탁자 중 신탁사무를 주로 처리하는 수탁자(대표수탁자)로 신고한 자가 법인과세 신탁재산에 귀속되는 소득에 대하여 법인세를 납부하여야 한다. 대표수탁자 외의 수탁자는 법인과세 신탁재산에 관계되는 법인세에 대하여 연대하여 납부할 의무가 있다.

Ⅱ 과세표준과 그 계산

1. 법인과세 신탁재산 소득공제

(1) 법인과세 신탁재산이 수익자에게 배당한 경우에는 그 금액을 해당 배당을 결의한 잉여금 처분의 대상이 되는 사업연도의 소득금액에서 공제한다. 이 경우 공제하는 배당금액이 해당 배당을 결의한 잉여금 처분의 대상이 되는 사업연도의 소득금액을 초과하는 경우 그 초과금액은 없는 것으로 본다.

(2) 배당을 받은 법인과세 신탁재산의 수익자에 대하여 그 배당에 대한 소득세 또는 법인세가 비과세되는 경우에는 소득공제규정을 적용하지 아니한다. 다만, 배당을 받은 수익자가 동업기업과세특례를 적용받는 동업기업인 경우로서 그 동업자들에 대하여 배분받은 배당에 해당하는 소득에 대한 소득세 또는 법인세가 전부 과세되는 경우 소득공제규정을 적용한다.

2. 신탁의 합병 및 분할

(1) 법인과세 신탁재산에 대한 신탁의 합병은 법인의 합병으로 보아 「법인세법」을 적용한다. 이 경우 신탁이 합병되기 전의 법인과세 신탁재산은 피합병법인으로 보고, 신탁이 합병된 후의 법인과세 신탁재산은 합병법인으로 본다.

(2) 법인과세 신탁재산에 대한 신탁의 분할(분할합병 포함)은 법인의 분할로 보아 「법인세법」을 적용한다. 이 경우 신탁의 분할에 따라 새로운 신탁으로 이전하는 법인과세 신탁재산은 분할법인 등으로 보고, 신탁의 분할에 따라 그 법인과세 신탁재산을 이전받은 법인과세 신탁재산은 분할신설법인 등으로 본다.

3. 법인과세 신탁재산의 소득금액 계산

수탁자의 변경에 따라 법인과세 신탁재산의 수탁자가 그 법인과세 신탁재산에 대한 자산과 부채를 변경되는 수탁자에게 이전하는 경우 그 자산과 부채의 이전가액을 수탁자 변경일 현재의 장부가액으로 보아 이전에 따른 손익은 없는 것으로 한다.

Ⅲ 신고·납부 및 징수

1. 신고 및 납부

법인과세 신탁재산에 대해서는 성실신고확인서 제출 및 중간예납의무를 적용하지 아니한다.

2. 법인과세 신탁재산의 원천징수

법인과세 신탁재산이 다음의 소득을 지급받고, 법인과세 신탁재산의 수탁자가 대통령령으로 정하는 금융회사 등에 해당하는 경우에는 원천징수하지 아니한다.

(1) 「소득세법」에 따른 이자소득의 금액(금융보험업을 하는 법인의 수입금액 포함). 다만, 원천징수대상 채권 등의 이자 등을 투자회사 또는 자본확충목적회사가 아닌 법인에 지급하는 경우는 제외한다.

(2) **집합투자기구로부터의 이익 중 투자신탁의 이익의 금액**

※ 채권보유기간의 이자상당액에 대한 규정을 적용하는 경우 법인과세 신탁재산에 속한 원천징수대상 채권 등을 매도하는 경우 법인과세 수탁자를 원천징수의무자로 봄

PART 6 기출문제

01 법인세법상 납세의무자에 대한 설명으로 옳은 것은 모두 몇 개인가?

2017년 국가직 7급 변형

> ㄱ. 영리외국법인은 토지 등 양도소득에 대한 법인세 납세의무는 있지만 청산소득에 대한 법인세 납세의무는 없다.
> ㄴ. 비영리외국법인은 국내원천소득 중 수익사업에서 생기는 소득에 대해 법인세 납세의무가 있다.
> ㄷ. 비영리내국법인은 토지 등 양도소득에 대한 법인세 납세의무는 있다.
> ㄹ. 연결법인은 각 연결사업연도의 소득에 대한 법인세(각 연결법인의 토지 등 양도소득에 대한 법인세와 투자·상생 협력 촉진을 위한 과세특례를 적용한 법인세 포함)를 연대하여 납부할 의무가 있다.
> ㅁ. 외국의 정부 및 지방자치단체는 비과세법인에 해당하므로 법인세 납세의무가 없다.

① 2개   ② 3개
③ 4개   ④ 5개

정답 및 해설

옳은 것은 총 4개(ㄱ, ㄴ, ㄷ, ㄹ)이다.
ㄷ. 투자·상생 협력 촉진을 위한 과세특례를 적용한 법인세는 영리내국법인 중 자기자본이 500억 원을 초과하는 기업(중소기업 제외) 또는 상호출자제한기업집단에 속하는 법인만 납세의무자로 한다.

선지분석

ㅁ. 외국의 정부 및 지방자치단체는 비영리외국법인으로 보아 국내원천 수익사업소득과 토지 등 양도소득에 대한 법인세 납세의무가 있다. 국내 국가·지방자치단체·지방자치단체조합이 비과세법인에 해당한다.

답 ③

02 법인세법상 납세의무 및 과세소득의 범위에 대한 설명으로 옳지 않은 것은?

2007년 국가직 9급

① 내국법인 중 국가 및 지방자치단체에 대하여는 법인세를 부과하지 않는다.
② 외국법인의 청산소득에 대해서는 법인세를 부과하지 않는다.
③ 외국법인은 법인세법에 의하여 원천징수하는 법인세를 납부할 의무가 있다.
④ 비영리내국법인의 청산소득에 대해서는 법인세를 부과한다.

정답 및 해설

비영리내국법인은 청산소득에 대해 법인세를 부과하지 않는다.
∵ 비영리법인이 청산하는 경우에는 잔여재산을 구성원에게 분배할 수 없고 국가에 인도하여 청산소득이 발생하지 않기 때문이다.

답 ④

03 법인세법상 사업연도에 대한 설명으로 옳지 않은 것은?

① 사업연도는 법령이나 법인의 정관 등에서 정하는 1회계기간으로 한다. 다만, 그 기간은 1년을 초과하지 못한다.

② 국내사업장이 없는 외국법인으로서 부동산 운영으로 인하여 발생한 소득 또는 국내자산의 양도소득이 있는 법인은 따로 사업연도를 정하여 그 소득이 최초로 발생하게 된 날부터 3월 이내에 납세지 관할 세무서장에게 사업연도를 신고하여야 한다.

③ 사업연도를 변경하려는 법인은 그 법인의 직전 사업연도 종료일부터 3개월 이내에 법령으로 정하는 바에 따라 납세지 관할 세무서장에게 이를 신고하여야 한다.

④ 내국법인이 사업연도 중에 연결납세방식을 적용받는 경우에는 그 사업연도 개시일부터 연결사업연도 개시일의 전날까지의 기간을 1사업연도로 본다.

정답 및 해설

국내사업장이 없는 외국법인으로서 부동산 운영으로 인하여 발생한 소득이 있는 법인은 따로 사업연도를 정하여 그 소득이 최초로 발생하게 된 날부터 <u>1개월</u> 이내에 납세지 관할 세무서장에게 사업연도를 신고하여야 한다.

답 ②

---

04 법인세법상 사업연도에 대한 설명으로 옳지 않은 것은?

① 법령이나 정관 등에 사업연도에 관한 규정이 없는 내국법인은 따로 사업연도를 정하여 법인세법에 따른 법인 설립신고 또는 사업자등록과 함께 납세지 관할 세무서장에게 사업연도를 신고하여야 한다.

② 내국법인이 사업연도 중에 합병에 따라 해산한 경우에는 그 사업연도 개시일부터 합병등기일 전날까지의 기간을 그 해산한 법인의 1사업연도로 본다.

③ 내국법인이 사업연도 중에 연결납세방식을 적용받는 경우에는 그 사업연도 개시일부터 연결사업연도 개시일의 전날까지의 기간을 1사업연도로 본다.

④ 국내사업장이 있는 외국법인이 사업연도 중에 그 국내사업장을 가지지 아니하게 된 경우(단, 국내에 다른 사업장을 계속하여 가지고 있는 경우는 제외)에는 그 사업연도 개시일부터 그 사업장을 가지지 아니하게 된 날까지의 기간을 그 법인의 1사업연도로 본다.

정답 및 해설

내국법인이 사업연도 중에 합병 또는 분할에 따라 해산한 경우에는 그 사업연도 개시일부터 합병등기일 또는 분할등기일까지의 기간을 그 해산한 법인의 1사업연도로 본다. 법인이 합병 또는 분할을 한 때에는 합병등기 또는 분할등기를 하여야 하며 동 등기를 함으로써 합병 또는 분할의 효력이 발생하기 때문이다.

선지분석

③ 사업연도 중에 연결납세방식 적용하는 경우에는 그 사업연도 개시일부터 연결사업연도 개시일 전날을 1사업연도로 본다.

④ 국내사업장이 있는 외국법인이 사업연도 중에 그 국내사업장을 가지지 않게 된 경우에는 사업연도 개시일부터 국내사업장을 가지지 않게 된 날을 1사업연도로 본다. 단, 국내에 다른 사업장을 계속하여 가지고 있는 경우 의제되지 아니한다.

답 ②

다음 법인세법과 관련된 내용 중 옳지 않은 것으로만 묶어진 것은?

ㄱ. 내국법인은 국내에 본점·주사무소 또는 사업의 실질적 관리장소가 있는 법인이다.

ㄴ. 법인세의 사업연도는 원칙적으로 1년을 초과할 수 없다.

ㄷ. 법인세 과세표준의 신고는 각 사업연도 종료일로부터 3개월 이내에 하여야 한다.

ㄹ. 영리목적 유무에 불구하고 모든 내국법인은 청산소득에 대하여 법인세 납세의무가 있다.

ㅁ. 비영리내국법인도 법령이 정한 수익사업에 대하여는 각 사업연도소득에 대한 법인세 납세의무가 있다.

ㅂ. 법인이 법령이 정하는 비사업용 토지를 양도한 경우에는 각 사업연도소득에 대한 법인세에 추가하여 토지 등 양도소득에 대한 법인세를 납부하여야 한다.

① ㄱ, ㄷ, ㄹ

② ㄴ, ㄷ, ㅂ

③ ㄷ, ㄹ, ㅁ

④ ㄷ, ㄹ

정답 및 해설

옳지 않은 것은 ㄷ, ㄹ이다.

ㄷ. 법인세 과세표준의 신고는 각 사업연도 종료일이 속하는 달의 말일부터 3개월 이내에 하여야 한다.

ㄹ. 영리내국법인만이 청산소득에 대하여 법인세 납세의무가 있다.

선지분석

ㄱ. 내국법인의 개념에 대한 옳은 내용이다.

ㄴ. 법인의 원칙적인 사업연도에 대한 옳은 내용이다.

ㅁ. 비영리내국법인의 과세소득 범위는 국내 및 국외 수익사업소득이다.

ㅂ. 토지 등 양도소득에 대한 법인세규정에 대한 옳은 내용이다.

답 ④

법인세법상 소득처분에 관한 설명으로 옳은 것은?

① 사외유출된 금액의 귀속이 불분명하여 대표자에 대한 상여로 처분한 경우 당해 법인이 그 처분에 따른 소득세 등을 대납하고 이를 손비로 계상함에 따라 익금에 산입한 금액에 대하여는 기타사외유출로 소득처분한다.

② 익금산입한 금액의 귀속자가 법인의 임원인 경우에는 그 귀속자에 대한 배당으로 처분한다.

③ 귀속자가 법인이거나 사업을 영위하는 개인인 경우(다만, 각 사업연도 소득이나 사업소득을 구성하는 경우)에는 그 귀속자에 대한 상여로 처분한다.

④ 배당이나 상여로 소득처분한 경우에는 법인의 원천징수의무가 있으나, 기타소득으로 소득처분한 경우에는 법인의 원천징수의무가 없다.

정답 및 해설

귀속이 불분명하여 대표자 상여처분에 대한 소득세를 회사가 대납해 주는 실무상 관행을 인정하여 상여가 아닌 기타사외유출로 처분한다.

선지분석

② 익금산입한 금액의 귀속자가 법인의 임원인 경우에는 그 귀속자에 대한 <u>상여</u>로 처분한다.

③ 귀속자가 법인이거나 사업을 영위하는 개인인 경우(다만, 각 사업연도 소득이나 사업소득을 구성하는 경우)에는 그 귀속자에 대한 <u>기타사외유출</u>로 처분한다.

④ 배당이나 상여, <u>기타소득</u>으로 소득처분한 경우에 법인의 원천징수의무가 <u>있다</u>.

답 ①

07

법인세법상 소득처분에 대한 설명으로 옳지 않은 것은?

① 외국법인의 국내사업장의 각 사업연도의 소득에 대한 법인세의 과세표준을 신고하거나 결정 또는 경정함에 있어서 익금에 산입한 금액이 그 외국법인 등에 귀속되는 소득은 기타사외유출로 처분한다.

② 익금에 산입한 금액이 사외에 유출된 것이 분명한 경우에 그 귀속자가 사업을 영위하는 개인의 경우에는 상여로 처분한다.

③ 법인세를 납부할 의무가 있는 비영리내국법인과 비영리외국법인에 대하여도 소득처분에 관한 규정을 적용한다.

④ 익금에 산입한 금액의 귀속자가 임원 또는 직원인 경우에는 그 귀속자에 대한 상여로 처분한다.

정답 및 해설

익금에 산입한 금액이 사외에 유출된 것이 분명한 경우에 그 귀속자가 사업을 영위하는 개인이거나 법인인 경우 기타사외유출로 소득처분한다.

선지분석

① 반드시 기타사외유출로 처분하는 경우에 해당한다.

④ 귀속자는 소득세법상 근로소득(인정상여)으로 과세한다.

답 ②

08 법인세법령상 내국법인의 소득처분에 대한 설명으로 옳지 않은 것은?

① 대표자가 2명 이상인 법인에서 익금에 산입한 금액이 사외에 유출되고 귀속이 불분명한 경우에는 사실상의 대표자에게 귀속된 것으로 본다.

② 익금에 산입한 금액이 사외에 유출되지 아니한 경우에는 사내유보로 처분한다.

③ 세무조사가 착수된 것을 알게 된 경우로 경정이 있을 것을 미리 알고 법인이 국세기본법 제45조의 수정신고기한 내에 매출누락 등 부당하게 사외유출된 금액을 익금에 산입하여 신고하는 경우의 소득처분은 사내유보로 한다.

④ 사외유출된 금액의 귀속자가 불분명하여 대표자에게 귀속된 것으로 보아 대표자에 대한 상여로 처분한 경우 해당 법인이 그 처분에 따른 소득세를 대납하고 이를 손비로 계상함에 따라 익금에 산입한 금액은 기타사외유출로 처분한다.

정답 및 해설

세무조사가 착수된 것을 알게 된 경우로 경정이 있을 것을 미리 알고 법인이 국세기본법 제45조의 수정신고기한 내에 매출누락 등 부당하게 사외유출된 금액을 익금에 산입하여 신고하는 경우의 소득처분은 귀속자에 따라 상여 등으로 소득처분한다.

📄 **소득의 귀속자가 불분명한 경우**

원칙	대표자 상여
특례	1. 수정신고기한 내에 사외유출된 금액을 회수하고 익금에 산입하여 신고하는 경우: 유보 2. 경정이 있을 것을 미리 알고 사외유출된 금액을 익금산입하는 경우(수정신고기한 내인 경우라도): 귀속자에 따라 사외유출(귀속불분명 시 대표자 상여)

답 ③

09 법인세법상 익금에 산입되지 아니하는 것은?

① 손금에 산입한 금액 중 환입된 금액
② 국세의 과오납금의 환급금에 대한 이자
③ 채무의 면제로 인하여 생기는 부채의 감소액
④ 자산의 양도금액

정답 및 해설

국세·지방세의 환급가산금은 국세·지방세의 환급액이 익금항목인지 여부에 관계없이 무조건 익금불산입(기타)한다.
∵ 세금의 초과납부에 대한 보상이기 때문이다.

선지분석
① 익금(유보 또는 기타)에 해당한다.
③, ④ 익금(유보)에 해당한다.

답 ②

10 법인세법상 내국법인의 각 사업연도의 소득금액계산에 있어서 익금불산입항목에 해당되지 않는 것은?

2009년 국가직 9급 변형

① 주식의 포괄적 교환차익
② 이월익금 및 부가가치세의 매출세액
③ 무상으로 받은 자산의 가액(국고보조금 등은 제외) 중 법령이 정하는 이월결손금의 보전에 충당된 금액
④ 채무의 출자전환으로 주식을 발행하는 경우 당해 주식의 시가를 초과하여 발행된 금액

정답 및 해설

법인이 채무를 출자전환하는 경우로서 주식의 시가를 초과하여 발행된 금액은 채무면제이익으로서 익금(유보)에 해당한다.

답 ④

11 법인세법상 익금불산입항목에 대한 설명으로 옳지 않은 것은?

2021년 국가직 9급

① 주식의 포괄적 교환차익과 주식의 포괄적 이전차익은 내국법인의 각 사업연도 소득금액을 계산할 때 익금에 산입하지 아니한다.
② 자본감소의 경우로서 그 감소액이 주식의 소각, 주금의 반환에 든 금액과 결손의 보전에 충당한 금액을 초과한 경우의 그 초과금액은 내국법인의 각 사업연도 소득금액을 계산할 때 익금에 산입하지 아니한다.
③ 채무의 출자전환으로 액면금액 이상의 주식 등을 발행하는 경우에는 그 주식 등의 시가를 초과하여 발행된 금액은 내국법인의 각 사업연도 소득금액을 계산할 때 익금에 산입하지 아니한다.
④ 부가가치세의 매출세액은 내국법인의 각 사업연도의 소득금액을 계산할 때 익금에 산입하지 아니한다.

정답 및 해설

채무의 출자전환으로 주식 등을 발행하는 경우에는 그 주식 등의 시가를 초과하여 발행된 금액은 주식발행액면초과액에서 제외하며 채무면제이익으로 보아 익금에 산입한다.

참고 출자전환으로 발행된 주식의 시가를 초과하는 금액은 경제적 실질상 채무가 면제된 것과 동일함

답 ③

12 제조업을 영위하는 (주)한국이 유가증권(A 주식)과 관련된 거래를 다음과 같이 적절하게 회계처리한 경우 2022년 및 2023년에 유보(또는 △ 유보)로 소득처분 할 금액(순액)은? [단, (주)한국의 사업연도는 1월 1일부터 12월 31일까지임]

2013년 국가직 7급 변형

> • 2022년 중 특수관계인인 개인으로부터 시가 1,000,000원인 유가증권(A 주식)을 900,000원에 매입하여 장부에 매입가액으로 계상하였다.
> • 2022년 말 유가증권(A 주식)의 시가는 1,200,000원이며, 300,000원의 평가이익을 장부에 계상하였다.
> • 2023년 중 2022년에 취득한 유가증권(A 주식)을 1,300,000원에 매각하면서 처분이익 100,000원을 장부에 계상하였다.

	2022년	2023년
①	유보 200,000원	△ 유보 200,000원
②	△ 유보 200,000원	유보 200,000원
③	유보 300,000원	△ 유보 300,000원
④	△ 유보 300,000원	유보 300,000원

정답 및 해설

<2022년>
ⓐ 특수관계인인 개인으로부터 유가증권 저가매입: 익금산입 100,000 유보
ⓑ 유가증권 평가이익 부인: 익금불산입 300,000 △유보
ⓒ 계: 100,000 - 300,000 = △ 200,000
<2023년>
처분 시 유보추인: 200,000 유보

답 ②

13 2023년 3월 10일 A 법인이 잉여금을 자본전입함에 따라 이 회사의 주주인 B 법인은 무상주를 교부받았다. 자본전입의 재원이 다음과 같을 때, 교부받은 무상주의 가액이 B 법인의 익금에 해당하지 않는 것은? (단, 잉여금의 자본전입에 따른 B 법인의 지분비율 변동은 없음)

2011년 7급 국가직 변형

ㄱ. 2021년 9월 1일 자기주식을 처분하여 발생한 이익
ㄴ. 2021년 3월 15일 발생한 상법에 따른 이익준비금
ㄷ. 자산재평가법에 따른 건물 재평가적립금
ㄹ. 2021년 5월 1일 발생한 주식소각이익(소각 당시 시가가 취득가액을 초과하지 아니함)

---

① ㄱ
② ㄴ
③ ㄷ
④ ㄹ

정답 및 해설

ㄷ. 건물의 재평가적립금(3%)을 자본전입함에 따라 주주가 받는 무상주는 익금에 해당하지 않는다.

> **비교** 토지의 재평가적립금(1%)을 자본전입함에 따라 주주가 받는 무상주는 익금에 해당함

선지분석

ㄱ. 자기주식처분이익은 익금에 해당한다.
ㄴ. 이익준비금은 익금에 해당한다.
ㄹ. 주식소각이익으로서 소각일로부터 2년 이내에 자본전입 또는 소각 당시 시가가 취득가액을 초과하는 무상주는 익금에 해당한다.

답 ③

14 법인세법상 의제배당에 관한 설명으로 옳지 않은 것은?

2014년 국가직 7급

① 의제배당이란 법인의 잉여금 중 사내에 유보되어 있는 이익이 일정한 사유로 주주나 출자자에게 귀속되는 경우 이를 실질적으로 현금배당과 유사한 경제적 이익으로 보아 과세하는 제도이다.

② 주식의 소각으로 인하여 주주가 취득하는 금전과 그 밖의 재산가액의 합계액이 주주가 해당 주식을 취득하기 위하여 사용한 금액을 초과하는 경우 그 초과금액을 의제배당 금액으로 한다.

③ 감자 절차에 따라 주식을 주주로부터 반납받아 소각함으로써 발생한 일반적 감자차익은 자본에 전입하더라도 의제배당에 해당하지 않는다.

④ 자기주식을 소각하여 생긴 이익은 소각 당시 시가가 취득가액을 초과하지 아니하는 경우라면 소각 후 2년 내에 자본에 전입하더라도 의제배당에 해당하지 않는다.

정답 및 해설

📑 **의제배당에 해당하는 경우**

다음 중 어느 하나에 해당하는 자기주식소각이익의 자본전입으로 인하여 수령한 무상주는 의제배당에 해당한다.
1. 소각 당시 시가가 취득가액을 <u>초과하는 경우</u>
2. <u>소각일부터 2년 이내에</u> 자본전입하는 경우

선지분석

① 의제배당제도의 취지 및 개념이다.
② 주식의 소각(감자)으로 인한 의제배당에 대한 내용이다.
③ 감자차익은 익금불산입항목이다.

답 ④

15 법인소득의 이중과세문제를 완화하기 위한 세법상의 조치에 대한 설명으로 옳지 않은 것은? 2012년 국가직 7급 변형

① 유동화전문회사 또는 기업구조조정투자회사 등이 배당가능이익의 90% 이상을 배당하는 경우 그 금액을 해당 사업연도의 소득금액에서 공제한다.

② 고유목적사업준비금을 손금에 산입하는 비영리내국법인이 다른 내국법인으로부터 받은 수입배당금에 대해서는 일정비율만큼 익금불산입할 수 있다.

③ 지주회사가 자회사인 벤처기업으로부터 수취한 배당금에 대하여 익금불산입을 적용받기 위해서는 벤처기업 발행주식 총수 또는 출자총액의 20% 이상을 보유해야 한다.

④ 지주회사가 자회사 주식을 보유하여 수취한 배당금에 대하여 익금불산입을 적용받기 위해서는 그 주식을 배당기준일 현재 3개월 이상 계속 보유하고 있어야 한다.

정답 및 해설

고유목적사업준비금을 손금에 산입하는 비영리내국법인은 수입배당금 익금불산입을 적용하지 아니한다. 비영리내국법인은 수입배당금을 고유목적사업준비금을 설정함으로써 손금산입할 수 있으므로, 동 금액에 대해 다시 익금불산입을 적용하면 이중으로 손금산입이 되기 때문이다.

선지분석

① 법인세법상 유동화전문회사·투자회사 등에 대한 소득공제규정이다.

④ 이는 배당기준일 직전에 주식을 매입하여 배당 받을 권리를 확보한 후 곧바로 매각하는 경우 배당금에 대하여는 익금불산입이 적용되고, 주식 매각 시 양도차손(권리락 발생을 가정)이 발생하여 법인세를 감소시키게 되기 때문에 배당기준일 단기보유주식의 배당에 대하여는 익금불산입을 적용하지 아니한다.

답 ②

16 법인세법상 영리내국법인 (주)대한이 제10기(2023.1.1. ~ 12.31.) 사업연도에 수령한 수입배당금(법인세법에 따라 익금불산입이 배제되는 수입배당금은 아님) 중 익금불산입액은? [단, (주)대한은 지주회사가 아니고, 제10기 사업연도에 지출한 차입금의 이자는 없으며, 보유 중인 주식은 모두 배당기준일 현재 1년 이상 보유한 것임]

2021년 국가직 7급

배당지급법인	지분비율	수입배당금액	비고
(주)A	99 %	3,000,000원	비상장내국법인
(주)B	20 %	5,000,000원	상장내국법인
(주)C	100 %	4,000,000원	비상장내국법인

① 6,400,000원
② 7,000,000원
③ 8,000,000원
④ 8,500,000원

정답 및 해설

우선순위	내용	금액
(주)A	3,000,000원 × 100%	3,000,000원
(주)B	5,000,000원 × 30%	1,500,000원
(주)C	4,000,000원 × 100%	4,000,000원
합계		8,500,000원

답 ④

---

17 법인세법상 손금에 대한 설명으로 옳지 않은 것은?

2020년 국가직 9급

① 결산을 확정할 때 잉여금의 처분을 손비로 계상한 금액은 손금으로 산입할 수 있다.
② 부도가 발생한 주권상장법인이 발행한 주식은 감액하여 손금으로 산입할 수 있다.
③ 재고자산으로서 파손·부패 등의 사유로 정상가격으로 판매할 수 없는 경우에는 감액하여 손금으로 산입할 수 있다.
④ 기업구조조정촉진법에 따른 부실징후기업이 된 주권상장법인이 발행한 주식은 감액하여 손금으로 산입할 수 있다.

정답 및 해설

법인세법 제20조 【자본거래 등으로 인한 손비의 손금불산입】 다음 각 호의 금액은 내국법인의 각 사업연도의 소득금액을 계산할 때 손금에 산입하지 아니한다.
1. 결산을 확정할 때 잉여금의 처분을 손비로 계상한 금액
2. 주식할인발행차금: 상법 제417조에 따라 액면미달의 가액으로 신주를 발행하는 경우 그 미달하는 금액과 신주발행비의 합계액

답 ①

18 법인세법상 손금에 해당하는 것만을 모두 고른 것은?

> ㄱ. 자기주식처분손실
> ㄴ. 우리사주조합에 출연하는 자사주(장부가액)
> ㄷ. 주식할인발행차금
> ㄹ. 출자임원(지분율 1%)이 사용하는 사택의 유지관리비용
> ㅁ. 업무무관자산의 유지관리비
> ㅂ. 법인의 임직원이 아닌 지배주주에 대하여 지급한 교육훈련비

① ㄱ, ㄴ
② ㄱ, ㄴ, ㄹ
③ ㄴ, ㄷ, ㅂ
④ ㄷ, ㄹ, ㅁ

정답 및 해설

ㄱ. 손금에 해당하는 내용이며, 자기주식처분이익은 익금이다.
ㄴ. 한도 없이 전액 손금이다.

선지분석

ㄷ. 자본거래로 인한 순자산 감소는 손금에 산입하지 않는다.
ㄹ. 소액주주(1% 미만) 아닌 출자임원의 사택유지비는 손금에 산입하지 않는다.
ㅁ. 업무무관자산 관련 비용은 손금에 산입하지 않는다.
ㅂ. 임원 또는 직원이 아닌 지배주주 등에게 지급하는 여비 및 교육훈련비는 손금에 산입하지 않는다.

답 ①

19 법인세법령상 내국법인의 각 사업연도의 소득금액을 계산할 때 인건비의 손금산입에 대한 설명으로 옳지 않은 것은? (단, 임원 및 지배주주 등은 법령상 정의를 충족함)

① 법인이 임원이 아닌 직원에게 지급한 상여금 중 주주총회의 결의에 의해 결정된 급여지급기준에 따른 금액을 초과하여 지급한 경우 그 초과금액은 이를 손금에 산입한다.
② 법인이 지배주주 등인 임원에게 정당한 사유 없이 동일직위에 있는 지배주주 등 외의 임원에게 지급하는 금액을 초과하여 보수를 지급한 경우 그 초과금액은 이를 손금에 산입하지 아니한다.
③ 합명회사 또는 합자회사의 노무출자사원에게 지급하는 보수는 이익처분에 의한 상여로 보아 이를 손금에 산입하지 아니한다.
④ 법인이 정관 또는 정관에서 위임된 퇴직급여지급규정이 없는 경우 현실적으로 퇴직한 임원에게 지급한 퇴직급여는 그 전액을 손금에 산입하지 아니한다.

정답 및 해설

법인이 정관 또는 정관에서 위임한 퇴직급여지급규정이 없는 경우 현실적으로 퇴직한 임원에게 지급한 퇴직급여는 다음의 금액(한도액)을 초과하는 금액은 손금에 산입하지 아니한다.

> 한도액 = 퇴직하는 날부터 소급하여 1년 동안 지급한 총급여액 × 10% × 근속연수

답 ④

20 비상장법인인 (주)한국은 2023년 사업연도 중에 퇴직한 상무이사 홍길동에 대한 인건비로 다음의 금액을 지출하였다. 이 경우 한도초과로 손금불산입되는 총 금액은?

2008년 국가직 9급 변형

- 일반급여: 50,000,000원(퇴직 전 1년간의 총급여액으로, 손금불산입되는 금액은 없음)
- 상 여 금: 30,000,000원(지급규정이 없음)
- 퇴직급여: 50,000,000원(지급규정이 없음)
- 근속연수: 4년 6개월 20일

① 30,000,000원   ② 52,500,000원

③ 57,500,000원   ④ 80,000,000원

정답 및 해설

ⓐ 지급규정이 없는 상여금: 전액 손금불산입 30,000,000원
ⓑ 임원 퇴직급여 한도초과액
  - B: 50,000,000원
  - T: $50,000,000원 \times 0.1 \times 4\frac{6}{12} = 22,500,000원$
  - D: 27,500,000원
ⓒ 계: 30,000,000원 + 27,500,000원 = 57,500,000원

답 ③

21 법인세법상 접대비와 기부금에 대한 설명으로 옳은 것은?

2017년 국가직 9급

① 영업자가 조직한 단체로서 법인이거나 주무관청에 등록된 조합 또는 협회에 지급한 일반회비는 접대비로 보아 한도 내에서 손금인정한다.
② 접대비를 지출(그 지출사실은 객관적으로 명백함)한 국외에서 현금 외 다른 지출수단이 없어 적격증빙을 갖추지 못한 경우에는 해당 국외 지출을 접대비로 보지 아니한다.
③ 법인이 새마을금고(특수관계인이 아님)에 정당한 사유 없이 자산을 정상가액보다 낮은 가액으로 양도한 경우 그 차액이 실질적으로 증여한 것으로 인정되는 금액은 일반기부금으로 의제하여 한도 내에서 손금산입한다.
④ 법인이 특수관계인에게 일반기부금을 금전 외의 자산으로 제공한 경우 해당 자산의 가액은 이를 제공한 때의 장부가액과 시가 중 큰 금액으로 한다.

정답 및 해설

현물기부금의 평가에 대한 옳은 내용이다.

선지분석

① 영업자가 조직한 단체로서 법인이거나 주무관청에 등록된 조합 또는 협회에 지급한 일반회비는 전액 손금이다.
② 접대비를 지출(그 지출사실은 객관적으로 명백함)한 국외에서 현금 외 다른 지출수단이 없어 적격증빙을 갖추지 못한 경우에는 해당 국외 지출을 접대비로 보아 한도 내에서 손금산입한다.
③ 새마을금고는 비지정기부금에 해당하기에 전액 손금불산입(기타사외유출)한다.

답 ④

22 법인세법령상 접대비와 기부금에 대한 설명으로 옳지 않은 것은?

2022년 국가직 9급

① 법인이 그 직원이 조직한 단체에 복리시설비를 지출한 경우 해당 단체가 법인인 때에는 이를 접대비로 본다.
② 주주가 부담하여야 할 성질의 접대비를 법인이 지출한 것은 이를 접대비로 보지 아니한다.
③ 법인이 천재지변으로 생기는 이재민을 위한 구호금품을 금전 외의 자산으로 제공한 경우 해당 자산의 가액은 기부했을 때의 시가에 따라 산정한다.
④ 법인이 기부금을 미지급금으로 계상한 경우 실제로 이를 지출할 때까지는 당해 사업연도의 소득금액계산에 있어서 이를 기부금으로 보지 아니한다.

정답 및 해설

법인이 천재지변으로 생기는 이재민을 위한 구호금품을 금전 외의 자산으로 제공한 경우 해당 자산의 가액은 기부했을 때의 장부가액에 따라 산정한다.

답 ③

23 법인세법상 일반기부금(10% 한도 기부금)에 해당하는 것만을 고른 것은?

2013년 국가직 9급 변형

ㄱ. 사립학교에 시설비로 지출하는 기부금
ㄴ. 국립대학의 고유목적사업비로 지출하는 기부금
ㄷ. 산업교육 진흥 및 산학연협력 촉진에 관한 법률에 따른 산학협력단에 연구비로 지출하는 기부금
ㄹ. 천재지변으로 생기는 이재민을 위한 구호금품의 가액
ㅁ. 영유아보육법에 따른 어린이집의 고유목적사업비로 지출하는 기부금
ㅂ. 아동복지법에 따른 아동복지시설에 해당하는 사회복지시설 또는 기관 중 무료 또는 실비로 이용할 수 있는 시설 또는 기관에 기부하는 금품의 가액

① ㄱ, ㄴ, ㄷ
② ㄱ, ㄴ, ㅁ
③ ㄴ, ㅁ, ㅂ
④ ㄹ, ㅁ, ㅂ

정답 및 해설

일반기부금에 해당하는 것은 ㄴ, ㅁ, ㅂ이다.

📄 일반기부금

1. 비영리법인(국립대학)에 고유목적사업비로 지출하는 기부금
2. 고유목적사업비: 비영리법인 법령 또는 정관에 규정된 설립 목적을 수행하는 사업에 사용하기 위한 금액

선지분석

📄 특례기부금

1. 사립학교에 시설비, 교육비, 연구비, 장학금으로 지출하는 기부금
2. 산학협력단 연구비
3. 천재지변으로 인한 이재민 구호물품

답 ③

24 법인세법상 지급이자 손금불산입에 대한 설명으로 옳은 것은? 2017년 국가직 9급

① 투자부동산에 대한 건설자금이자를 취득원가로 계상한 경우 그 계상액을 손금산입(△유보)하고 그 투자 부동산의 처분 혹은 감가상각 시 익금산입(유보)으로 추인한다.

② 특정차입금의 연체로 인하여 생긴 이자를 원본에 가산한 경우 그 가산한 금액과 그 원본에 가산한 금액 에 대한 지급이자는 해당 사업연도의 자본적 지출로 한다.

③ 특수관계인으로부터 시가를 초과하는 가액으로 업무무관자산을 매입한 경우 부당행위계산의 부인규정 에 의한 시가초과액을 포함하지 않은 가액으로 업무무관자산을 평가하여 지급이자를 계산한다.

④ 지급이자에 대한 손금불산입규정이 동시에 적용되는 경우 지급받은 자가 불분명한 채권·증권 이자, 채 권자가 불분명한 사채이자, 업무무관자산에 대한 지급이자, 건설자금에 충당한 차입금이자 순으로 부인 된다.

정답 및 해설

투자자산 및 재고자산은 건설자금이자 자본화 대상자산에 해당하지 않는다. 따라서 투자부동산에 대한 건설자금이자를 취득원가 로 계상한 경우 그 계상액을 손금산입(△유보)하고 그 투자부동산의 처분 혹은 감가상각 시 익금산입(유보)으로 추인한다는 옳은 문장이다.

선지분석

② 특정차입금의 연체로 인하여 생긴 이자를 원본에 가산한 경우 그 가산한 금액은 <u>자본적 지출로</u>하고, 그 원본에 가산한 금액에 대한 지급이자는 <u>당기 손금으로 계상하여야</u> 한다.

③ 특수관계인으로부터 시가를 초과하는 가액으로 업무무관자산을 매입한 경우 부당행위계산의 부인규정에 의한 시가초과액을 <u>포함한</u> 가액으로 업무무관자산을 평가하여 지급이자를 계산한다.

④ 지급이자에 대한 손금불산입 규정이 동시에 적용되는 경우 채권자가 불분명한 사채이자, 지급받은 자가 불분명한 채권· 증권 이자, 건설자금에 충당한 차입금이자, 업무무관자산에 대한 지급이자 순으로 부인된다.

답 ①

25 법인세법령상 건설자금에 충당한 차입금의 이자에 대한 설명으로 옳지 않은 것은? 2020년 국가직 7급

① 특정차입금에 대한 지급이자는 건설 등이 준공된 날까지 이를 자본적 지출로 하여 그 원본에 가산하되, 특정차입금의 일시예금에서 생기는 수입이자는 원본에 가산하는 자본적 지출금액에서 차감한다.

② 특정차입금의 일부를 운영자금에 전용한 경우에는 그 부분에 상당하는 지급이자는 이를 손금으로 한다.

③ 특정차입금의 연체로 인하여 생긴 이자를 원본에 가산한 경우 그 가산한 금액은 이를 해당 사업연도의 자본적 지출로 하고, 그 원본에 가산한 금액에 대한 지급이자는 이를 손금으로 한다.

④ 건설자금에 충당한 차입금의 이자에서 특정차입금에 대한 지급이자를 뺀 금액으로서 대통령령으로 정하 는 금액은 내국법인의 각 사업연도의 소득금액을 계산할 때 손금에 산입해야 한다.

정답 및 해설

법인세법 제28조 【지급이자의 손금불산입】 ② 건설자금에 충당한 차입금의 이자에서 제1항 제3조(특정차입금 관련) 이자를 뺀 금액으로서 대통령령으로 정하는 금액은 내국법인의 각 사업연도의 소득금액을 계산할 때 이를 손금에 <u>산입하지 아니할 수 있다.</u>

답 ④

26 법인세법상 감가상각에 대한 설명으로 옳지 않은 것은?

① 유휴설비는 감가상각자산에 포함하지 아니한다.

② 장기할부조건으로 매입한 고정자산의 경우 법인이 해당 고정자산의 가액 전액을 자산으로 계상하고 사업에 사용하는 경우에는 그 대금의 청산 또는 소유권의 이전 여부에 관계없이 이를 감가상각자산에 포함한다.

③ 금전 외의 자산을 지방자치단체에 기부한 후 그 자산을 사용하는 경우 해당 자산의 장부가액은 감가상각 대상이다.

④ 건설 중인 것은 감가상각자산에 포함하지 아니한다.

정답 및 해설

사업에 사용하였으나 일시적으로 미사용한 유휴설비는 상각자산에 포함한다.

> 📄 **감가상각자산에 포함하지 않는 자산(법인세법 시행령 제24조 제3항 참조)**
>
> 1. 사업에 사용하지 아니하는 것(단, 유휴설비는 제외)
> 2. 사용 중 철거한 자산
> 3. 취득 후 사용하지 않고 보관 중인 자산
> 4. 건설 중인 것
> 5. 시간의 경과에 따라 그 가치가 감소되지 아니하는 것(토지, 골동품 등)

답 ①

27 법인세법령상 내국법인의 감가상각에 대한 설명으로 옳지 않은 것은? (단, 법인세법령상 해당 요건은 충족하고, 법인세법과 조세특례제한법에 따른 법인세 면제, 감면 및 감가상각특례는 고려하지 아니함)

① 내국법인은 법인세법 시행령 제28조 제1항 제2호에 해당하는 감가상각자산에 대하여 한국채택국제회계기준을 최초로 적용하는 사업연도에 결산내용연수를 연장한 경우에는 기준내용연수에 기준내용연수의 100분의 25를 가감하는 범위에서 사업장별로 납세지 관할 지방국세청장의 승인을 받아 적용하던 내용연수를 연장할 수 있다.

② 내국법인이 각 사업연도에 지출한 수선비로서 개별 자산별로 300만 원 미만인 자본적 지출에 해당하는 금액을 해당 사업연도의 손비로 계상한 경우에는 상각계산의 기초가액을 계산할 때 해당 수선비를 자본적 지출액에 포함하여 상각범위액을 계산한다.

③ 내국법인이 기준내용연수(해당 내국법인에게 적용되는 기준내용연수를 의미함)의 100분의 50 이상이 경과된 자산을 다른 법인으로부터 취득한 경우에는 그 자산의 기준내용연수의 100분의 50에 상당하는 연수와 기준내용연수의 범위에서 선택하여 납세지 관할 세무서장에게 신고한 연수를 내용연수로 할 수 있다.

④ 내국법인이 감가상각자산에 대하여 감가상각과 법인세법 제42조 제1항 제1호에 따른 평가증을 병행한 경우에는 먼저 감가상각을 한 후 평가증을 한 것으로 보아 상각범위액을 계산한다.

정답 및 해설

법인이 각 사업연도에 지출한 수선비가 개별 자산별로 수선비로 지출한 금액이 600만 원 미만인 경우로서 그 수선비를 해당 사업연도의 손비로 계상한 경우에는 자본적 지출에 포함하지 않는다.

참고 소액 수선비에 대해 해당 사업연도에 전액 비용화할 수 있도록 계산상의 편의를 도모하고자 하는 특례임

답 ②

---

28 법인세법령상 즉시상각의 의제에 대한 설명으로 옳지 않은 것은?

① 법인이 개별자산별로 수선비로 지출한 금액이 600만 원 미만인 경우로서 그 수선비를 해당 사업연도의 손비로 계상한 경우에는 자본적 지출에 포함하지 않는다.

② 자본적 지출이란 법인이 소유하는 감가상각자산의 내용연수를 연장시키거나 해당 자산의 가치를 현실적으로 증가시키기 위하여 지출한 수선비를 말한다.

③ 재해를 입은 자산에 대한 외장의 복구·도장 및 유리의 삽입에 대한 지출은 자본적 지출에 포함한다.

④ 시설의 개체 또는 기술의 낙후로 인하여 생산설비의 일부를 폐기한 경우에는 해당 자산의 장부가액에서 1천 원을 공제한 금액을 폐기일이 속하는 사업연도의 손금에 산입할 수 있다.

정답 및 해설

재해를 입은 자산에 대한 외장의 복구·도장 및 유리의 삽입에 대한 지출은 수익적 지출에 해당한다.

참고 재해 등으로 인하여 멸실 또는 훼손되어 본래의 용도에 이용할 가치가 없는 건축물·기계·설비 등의 복구에 대한 지출은 자본적 지출에 해당함

답 ③

29

다음의 자료는 특정자산에 대한 감가상각과 관련된 것이다. 자료를 이용하여 세무조정을 할 경우 옳은 것은?

2014년 국가직 9급

• 전기 말까지 감가상각비 부인누계액	1,000,000원
• 당기 중 감가상각비 범위액	1,500,000원
• 당기 중 회사계상 감가상각비	1,200,000원

① 감가상각비 부인누계액 중 300,000원은 손금산입하고, 나머지 700,000원은 다음 사업연도로 이월한다.

② 당기 감가상각비 시인부족액 300,000원은 소멸하고, 감가상각비 부인누계액 1,000,000원은 다음 사업연도로 이월한다.

③ 감가상각비 부인누계액 1,000,000원은 소멸하고, 당기 감가상각비 시인부족액 300,000원은 다음 사업연도로 이월한다.

④ 감가상각비 부인누계액 1,000,000원과 감가상각비 시인부족액 300,000원은 각각 다음 사업연도로 이월한다.

정답 및 해설

ⓐ 회사계상액: 1,200,000원
ⓑ 상각범위액: 1,500,000원
ⓒ 시인부족액: △300,000원
상각부인액(전기 말 감가상각비 부인누계액)은 그 후의 사업연도에 해당 법인의 시인부족액을 한도로 손금에 산입한다.

답 ①

30 甲법인의 제3기 사업연도의 다음 자료에 의하여 감가상각비 시부인계산을 한 후의 감가상각비에 대한 유보잔액은?

2010년 국가직 7급

(단, △는 시인부족액) (단위: 원)

구분	건물	비품	기계장치	특허권
전기상각시부인액	△300,000	△400,000	600,000	200,000
회사상각액	1,200,000	700,000	–	900,000
상각범위액	1,400,000	500,000	300,000	800,000
당기상각시부인액	△200,000	200,000	△300,000	100,000

① 500,000원　　　　　　　　② 600,000원
③ 800,000원　　　　　　　　④ 1,100,000원

정답 및 해설

구분	건물	비품	기계장치	특허권
회사상각액	1,200,000원	700,000원	–	900,000원
상각범위액	1,400,000원	500,000원	300,000원	800,000원
당기상각시부인액	△200,000원	200,000원	△300,000원	100,000원
세무조정	–	손不 유보	손入 유보	손不 유보
유보잔액	–	200,000원	300,000원	300,000원

답 ③

31 내국법인 (주)C는 제9기에 건물의 일부(취득 당시의 장부가액 3,000,000원)를 양도하였는데, 양도 직전 건물 전체에 관한 자료는 다음과 같다. 제9기에 양도한 건물에 대한 세무조정으로 옳은 것은?

2016년 국가직 9급

- 건물 전체의 취득 당시의 장부가액: 15,000,000원
- 건물 전체의 감가상각누계액: 7,000,000원
- 건물 전체의 상각부인액: 2,500,000원

① 익금산입 500,000원(유보)　　　　② 손금산입 500,000원(△유보)
③ 익금산입 2,500,000원(유보)　　　④ 손금산입 2,500,000원(△유보)

정답 및 해설

$$2,500,000원 \times \frac{3,000,000원}{15,000,000원} = 500,000원$$

감가상각자산을 양도한 경우 당해 자산의 상각부인액은 양도일이 속하는 사업연도의 <u>손금산입</u>한다.

답 ②

32 다음은 제조업을 영위하는 내국법인 (주)A의 제22기 사업연도(2023.1.1. ~ 2023.12.31.)의 업무용승용차 관련 내용이다. (주)A가 제22기 사업연도의 법인세를 2024년 3월 8일에 신고하는 경우 업무용승용차 관련 비용 중 손금불산입금액은?

2018년 국가직 7급 변형

- 2022년 12월 10일 대표이사 업무용승용차(배기량 3,000cc, 5인승)를 100,000,000원에 구입함
- 해당 업무용승용차 관련비용으로 손금산입하거나 지출한 항목은 아래와 같음
  - 업무전용자동차보험료: 1,000,000원
  - 유류비: 20,000,000원
  - 자동차세: 1,500,000원
  - 감가상각비: 20,000,000원
- 차량운행기록부 내역 중 업무사용비율은 90%로 확인됨
- 그 외 업무용승용차는 없고, 해당 업무용승용차는 취득 이후 업무전용자동차보험에 가입되어 있으며 위 비용 이외에 업무용승용차 관련비용은 없음

① 4,250,000원
② 10,000,000원
③ 14,250,000원
④ 28,250,000원

정답 및 해설

ⓐ 5년 정액법 강제상각
- 회사계상액: 20,000,000원
- 상각범위액: 100,000,000원 × 1/5 = 20,000,000원
- 상각부인액: 0원

ⓑ 승용차 관련 비용 중 업무미사용금액 손금불산입
- 승용차 관련 비용: 1,000,000원 + 20,000,000원 + 1,500,000원 + 20,000,000원 = 42,500,000원
- 업무미사용금액: 42,500,000원 × (1 − 90%) = 4,250,000원 ⋯ 손금불산입(상여)

ⓒ 감가상각비 800만 원 한도초과액 손금불산입
20,000,000원 × 90% − 8,000,000원 = 10,000,000원 ⋯ 손금불산입 상여

∴ 합계: 4,250,000원 + 10,000,000원 = 14,250,000원

답 ③

33 법인세법령상 업무용승용차 관련 비용의 손금불산입에 대한 설명으로 옳지 않은 것은? (단, 부동산임대업을 주된 사업으로 하는 등 법령으로 정하는 요건에 해당하는 내국법인은 아니며, 사업연도가 1년 미만이거나 사업연도 중 일부 기간 동안 보유하거나 임차한 경우에도 해당하지 않음)

2021년 국가직 7급

① 업무용승용차는 정액법을 상각방법으로 하고 내용연수를 5년으로 하여 계산한 금액을 감가상각비로 하여 손금에 산입하여야 한다.

② 내국법인이 업무용승용차를 취득하거나 임차함에 따라 해당 사업연도에 발생하는 감가상각비, 임차료, 유류비 등 업무용승용차 관련 비용 중 업무사용금액에 해당하지 아니하는 금액은 해당 사업연도의 소득금액을 계산할 때 손금에 산입하지 아니한다.

③ 업무사용금액 중 업무용승용차별 감가상각비가 해당 사업연도에 800만 원을 초과하는 경우 그 초과하는 금액은 해당 사업연도의 손금에 산입하지 아니하고 이월하여 손금에 산입한다.

④ 업무용승용차를 처분하여 발생하는 손실로서 업무용승용차별로 800만 원을 초과하는 금액은 해당 사업연도에 손금에 산입하지 않고 유보로 소득처분한다.

정답 및 해설

업무용승용차를 처분하여 발생하는 손실로서 업무용승용차별로 800만 원을 초과하는 금액은 해당 사업연도에 손금에 산입하지 않고 기타사외유출로 소득처분한다.

답 ④

34 법인세법령상 내국법인의 대손금에 대한 설명으로 옳지 않은 것은?

2022년 국가직 9급

① 민법에 따른 소멸시효가 완성된 대여금은 해당 사유가 발생한 날이 속하는 사업연도의 손금으로 한다.

② 부도발생일부터 6개월 이상 지난 어음상의 채권(해당 법인이 채무자의 재산에 대하여 저당권을 설정하고 있는 경우는 제외함)은 해당 사유가 발생한 날이 속하는 사업연도의 손금으로 한다.

③ 채무자의 파산으로 회수할 수 없는 채권은 해당 사유가 발생하여 손비로 계상한 날이 속하는 사업연도의 손금으로 한다.

④ 회수기일이 6개월 이상 지난 채권 중 채권가액이 30만 원 이하(채무자별 채권가액의 합계액을 기준으로 함)인 채권은 해당 사유가 발생하여 손비로 계상한 날이 속하는 사업연도의 손금으로 한다.

정답 및 해설

부도발생일부터 6개월 이상 지난 어음상의 채권(해당 법인이 채무자의 재산에 대하여 저당권을 설정하고 있는 경우는 제외)은 해당 사유가 발생하여 손비로 계상한 날이 속하는 사업연도의 손금으로 한다.

답 ②

35 법인세법상 대손금과 대손충당금에 대한 설명으로 옳지 않은 것은?

☐☐☐

① 대손충당금을 손금으로 계상한 내국법인은 대손금이 발생한 경우 그 대손금을 대손충당금과 먼저 상계하여야 하고, 상계 후 남은 대손충당금의 금액은 다음 사업연도의 소득금액계산에 있어서 이를 익금에 산입한다.

② 내국법인이 기업회계기준에 따른 채권의 재조정에 따라 채권의 장부가액과 현재가치의 차액을 대손금으로 계상한 경우에는 이를 손금에 산입하며, 손금에 산입한 금액은 기업회계기준의 환입방법에 따라 익금에 산입한다.

③ 법인이 다른 법인과 합병하는 경우로서 결산조정사항에 해당하는 대손금을 합병등기일이 속하는 사업연도까지 손금으로 계상하지 아니한 경우 그 대손금은 해당 법인의 합병등기일이 속하는 사업연도의 손금으로 한다.

④ 채무보증(법령으로 정하는 일정한 채무보증은 제외)으로 인하여 발생한 구상채권에 대하여는 주채무자에 대해 구상권을 행사한 결과 무재산 등으로 회수할 수 없는 경우에 대손처리할 수 있다.

정답 및 해설

채무보증(법령으로 정하는 일정한 채무보증은 제외)으로 인하여 발생한 구상채권에 대하여는 주채무자에 대해 구상권을 행사한 결과 무재산 등으로 회수할 수 없는 경우에도 대손금을 손금에 산입하지 아니하며, 다음에 해당하는 채권은 법령상 대손사유를 충족해도 대손처리할 수 없다.

> 📄 **대손금으로 손금산입할 수 없는 채권**
> 1. 특수관계인에 대한 업무무관가지급금
> 2. 채무보증으로 인하여 발생한 구상채권
> 3. 부가가치세법상 대손세액공제를 받은 부가가치세 매출세액 미수금

답 ④

36 다음 자료에 의하여 영리내국법인 (주)B의 제5기(2023년 1월 1일 ~ 12월 31일) 대손충당금 손금산입 한도초과액을 계산하면?

2016년 국가직 9급

- 제5기 회계장부상 대손충당금 당기상계액: 20,000,000원(전액 법인세법상 대손금의 손금산입 요건을 충족함)
- 제5기 회계장부상 대손충당금 당기설정액: 30,000,000원
- 제5기 회계장부상 대손충당금 기말잔액: 50,000,000원
- 제4기 말 법인세법상 대손충당금 설정대상 채권 잔액: 10억 원
- 제5기 말 법인세법상 대손충당금 설정대상 채권 잔액: 12억 원

① 6,000,000원
② 24,000,000원
③ 26,000,000원
④ 28,000,000원

정답 및 해설

구분	기초채권	대손금	회수	기말채권
회사	10억 원	20,000,000원	–	12억 원
채권유보	–	–	–	–
세법	10억 원	20,000,000원	–	12억 원

대손실적률   2%

ⓐ 기말잔액: 50,000,000원
ⓑ 한도액: 12억 원 × Max[1%, 2%] = 24,000,000원
ⓒ 한도초과액: 26,000,000원

답 ③

---

37 법인세법상 거래형태별 권리의무확정주의에 의한 손익의 귀속시기에 대한 설명으로 옳지 않은 것은?

2012년 국가직 7급

① 자본시장과 금융투자에 관한 법률 제9조 제13항에 따른 증권시장에서 같은 법 제393조 제1항에 따른 증권시장 업무규정에 따라 보통거래방식으로 한 유가증권의 매매의 경우에는 인도일로 한다.
② 법인세가 원천징수되지 않는 이자수익으로 결산확정 시에 기간 경과분을 수익으로 계상한 경우에는 익금으로 인정한다.
③ 사채할인발행차금은 기업회계기준에 의한 사채할인발행차금의 상각방법에 따라 손금에 산입해야 한다.
④ 물품을 수출하는 경우에는 수출물품을 계약상 인도하여야 할 장소에 보관한 날에 익금으로 확정된다.

정답 및 해설

자본시장과 금융투자에 관한 법률 제9조 제13항에 따른 증권시장에서 같은 법 제393조 제1항에 따른 증권시장 업무규정에 따라 보통거래방식으로 한 유가증권의 매매의 경우에는 <u>매매계약을 체결한 날</u>로 한다.

답 ①

38 법인세법상 손익의 귀속시기에 관한 설명으로 옳지 않은 것은?

① 건설·제조 기타 용역의 제공으로 인한 익금과 손금은 그 목적물의 인도일이 속하는 사업연도의 익금과 손금에 산입하는 것을 원칙으로 한다.

② 상품 등의 시용판매의 경우 상대방이 그 상품 등에 대한 구입 의사를 표시한 날(구입의 의사표시 기간에 대한 특약은 없음)을 익금 및 손금의 귀속사업연도로 한다.

③ 장기할부조건이라 함은 자산의 판매 또는 양도로서 판매금액 또는 수입금액을 월부·연부 기타의 지불방법에 따라 2회 이상으로 분할하여 수입하는 것 중 당해 목적물의 인도일의 다음날부터 최종 할부금의 지급기일까지의 기간이 1년 이상인 것을 말한다.

④ 투자회사 등이 결산을 확정할 때 증권 등의 투자와 관련된 수익 중 이미 경과한 기간에 대응하는 이자 및 할인액과 배당소득을 해당 사업연도의 수익으로 계상한 경우에는 그 계상한 사업연도의 익금으로 한다.

정답 및 해설

건설·제조 기타 용역의 제공으로 인한 익금과 손금은 그 목적물의 건설 등의 착수일이 속하는 사업연도부터 그 목적물의 인도일이 속하는 사업연도까지 그 목적물의 건설 등을 완료한 정도(작업진행률)를 기준으로 하여 계산한 수익과 비용을 각각 해당 사업연도의 익금과 손금에 산입하는 것을 원칙으로 한다.

답 ①

39 법인세법령상 손익의 귀속시기에 대한 설명으로 옳지 않은 것은?

① 상품 등 외의 자산의 양도로 인한 익금의 귀속사업연도는 그 대금을 청산한 날이 속하는 사업연도로 하되, 대금을 청산하기 전에 소유권 등의 이전등기(등록을 포함)를 하거나 당해 자산을 인도하거나 상대방이 당해 자산을 사용수익하는 경우에는 그 이전등기일(등록일을 포함)·인도일 또는 사용수익일 중 빠른 날이 속하는 사업연도로 한다.

② 임대료 지급기간이 1년을 초과하는 경우 이미 경과한 기간에 대응하는 임대료 상당액과 비용은 실제 지급일이 속하는 사업연도의 익금과 손금으로 한다.

③ 중소기업인 법인이 수행하는 계약기간이 1년 미만인 건설·제조 기타 용역(도급공사 및 예약매출을 포함)의 제공으로 인한 익금과 손금은 그 목적물의 인도일이 속하는 사업연도의 익금과 손금에 산입할 수 있다.

④ 법인이 수입하는 배당금은 소득세법 시행령에 따른 수입시기에 해당하는 날이 속하는 사업연도의 익금에 산입하되, 법인세법 시행령상 금융회사 등이 금융채무 등 불이행자의 신용회복 지원과 채권의 공동추심을 위하여 공동으로 출자하여 설립한 자산유동화에 관한 법률에 따른 유동화전문회사로부터 수입하는 배당금은 실제로 지급받은 날이 속하는 사업연도의 익금에 산입한다.

정답 및 해설

임대료 지급기간이 1년을 초과하는 경우 법인이 결산을 확정함에 있어서 수익과 비용으로 계상하지 않았더라도 이미 경과한 기간에 대응하는 임대료 상당액과 비용은 이를 각각 당해 사업연도의 익금과 손금으로 한다. ∵ 기간손익의 적정화 도모

답 ②

40 다음은 (주)甲의 제5기(2023년 1월 1일 ~ 12월 31일)에 발생한 할부판매와 관련된 자료이다. 회사는 결산상 회수기일도래기준을 적용하여 수익을 인식하고 있다. 아래의 자료 이외에 고려해야 할 다른 사항이 없다고 가정할 때, (주)甲이 제5기에 익금으로 인식할 금액은? (단, 회사는 제5기에 익금을 최대한 적게 인식하는 방향으로 결정하였다고 가정함)

2012년 국가직 7급 변형

구분	총판매대금	인도일	제5기 대금 회수액	계약서상의 대금회수조건
A제품	120,000,000원	2023년 3월 30일	30,000,000원	인도 후 매 6개월마다 30,000,000원씩 회수
B제품	60,000,000원	2023년 6월 30일	40,000,000원	인도 후 매 3개월마다 20,000,000원씩 회수

① 30,000,000원

② 70,000,000원

③ 90,000,000원

④ 180,000,000원

정답 및 해설

구분	익금	비고
A제품	30,000,000원	장기할부판매이므로 세부담최소화 가정에 따라 회수기일도래기준 적게 인식됨
B제품	60,000,000원	단기할부판매의 경우 인도일에 전액 익금으로 인식함
합계	90,000,000원	–

답 ③

41 영리내국법인 (주)A는 제10기 사업연도(2023년 1월 1일 ~ 12월 31일) 7월 1일에 다음과 같은 조건으로 제품을 할부판매하였다. (주)A가 할부판매 거래에 대해 선택지와 같이 각각 회계처리했다고 가정할 경우 세무조정이 필요한 것은? [단, (주)A는 중소기업에 해당하지 아니하며, 회계처리의 기업회계기준 위배 여부와 대응하는 매출원가는 고려하지 아니함]

2016년 국가직 9급 변형

- 총 할부매출채권: 40백만 원
- 대금회수조건: 매월 25일에 2백만 원씩 20개월간 회수
- 제10기 중 현금 회수액: 14백만 원(2024년 1월분 선수금액이 포함되어 있음)
- 총 할부매출채권의 기업회계기준에 의한 현재가치: 36백만 원

① (차) 장기매출채권   40백만 원   (대) 매   출   40백만 원
② (차) 장기매출채권   40백만 원   (대) 매   출   36백만 원
　　　　　　　　　　　　　　　　　　　현재가치할인차금   4백만 원
③ (차) 현   금   14백만 원   (대) 매   출   14백만 원
④ (차) 현   금   14백만 원   (대) 매   출   12백만 원
　　　　　　　　　　　　　　　　　　　선수금   2백만 원

정답 및 해설

장기할부조건에 따른 회수기일 이전에 회수한 2,000,000원은 선수금으로 처리하여 익금불산입하여야 한다. 이는 2024년 익금이기 때문이다.

선지분석

구분	손익귀속시기	익금산입할 금액	세무조정
①	인도기준	명목가액	불필요
②	인도기준	현재가치	불필요
④	회수기일 도래기준	회수하였거나 회수할 금액	불필요

답 ③

---

42 법인세법상 자산 및 부채의 평가손익이 인정되지 않는 것은?

2008년 국가직 7급

① 보험업법에 의한 유형자산 및 무형자산 등의 평가손실
② 은행법에 의한 인가를 받아 설립한 금융기관이 보유하는 통화선도와 통화스왑의 평가손실
③ 은행법에 의한 인가를 받아 설립한 금융기관이 보유하는 외화자산 및 부채의 평가이익
④ 파손·부패 등의 사유로 인해 정상가격으로 판매할 수 없는 재고자산 평가손실

정답 및 해설

보험업법이나 그 밖의 법률에 따른 유형자산 또는 무형자산의 평가(장부가액을 증액한 경우만 해당함)의 경우에는 해당 자산의 장부가액을 평가 후의 가액으로 한다. 따라서 보험업법 등에 따른 고정자산의 평가는 평가이익만을 인정한다.

선지분석

④ 감액한 사유가 발생한 사업연도에 평가손실을 결산서에 비용으로 계상한 경우에만 손금으로 인정한다.

답 ①

43 법인세법상 재고자산 및 유가증권의 평가방법에 대한 설명으로 옳지 않은 것은? 2015년 국가직 9급

① 법인이 보유한 주식의 평가는 개별법, 총평균법, 이동평균법 중 법인이 납세지 관할 세무서장에게 신고한 방법에 의한다.

② 법인의 재고자산평가는 원가법과 저가법 중 법인이 납세지 관할 세무서장에게 신고한 방법에 의한다.

③ 법인의 재고자산평가는 자산과목별로 구분하여 종류별·영업장별로 각각 다른 방법으로 평가할 수 있다.

④ 법인이 재고자산평가와 관련하여 신고한 평가방법 이외의 방법으로 평가한 경우에는 무신고 시의 평가방법과 당초에 신고한 방법 중 평가가액이 큰 평가방법에 의한다.

정답 및 해설

법인세법에서 <u>주식</u>의 평가는 <u>총평균법</u>, <u>이동평균법</u> 중 관할 세무서장에게 신고한 방법에 의해서만 평가하며, <u>채권</u>의 평가는 <u>개별법</u>, <u>총평균법</u>, <u>이동평균법</u> 중 관할 세무서장에게 신고한 방법에 따른다.

답 ①

---

44 법인세법령상 내국법인의 자산의 취득가액과 평가에 관한 설명으로 옳은 것은? 2018년 국가직 9급

① 재고자산의 평가방법을 신고한 법인이 그 평가방법을 변경하기 위하여 재고자산 등 평가방법변경신고서를 납세지 관할 세무서장에게 제출하려고 하는 경우에는 변경할 평가방법을 적용하고자 하는 사업연도의 종료일 이전 2월이 되는 날까지 제출하여야 한다.

② 유형고정자산의 취득과 함께 국·공채를 매입하는 경우 기업회계기준에 따라 그 국·공채의 매입가액과 현재가치의 차액을 당해 유형고정자산의 취득가액으로 계상했더라도 그 금액은 자산의 취득가액에 포함하지 아니한다.

③ 재고자산이 부패로 인해 정상가격으로 판매할 수 없게 된 경우 그 사유가 발생한 사업연도 종료일 현재의 처분가능한 시가로 자산의 장부가액을 감액할 수 있고 그 감액분을 신고조정을 통해 손금산입할 수 있다.

④ 매매를 목적으로 소유하는 재고자산인 부동산의 평가방법을 법령에 따른 기한 내에 신고하지 아니한 경우, 납세지 관할 세무서장은 그 재고자산을 개별법에 의하여 평가한다.

정답 및 해설

(선지분석)

① 재고자산 변경신고 시에는 사업연도 종료일 이전 3개월이 되는 날까지 제출하여야 한다.

② 유형고정자산 취득 시 함께 취득한 국·공채 매입가액과 현재가치 차액을 취득가액으로 계상한 경우 취득가액에 포함한다.

③ 재고자산 부패로 인해 정상가액으로 판매할 수 없게 된 경우에는 해당 감액사유가 발생한 사업연도에 감액한 금액을 해당 사업연도의 손비로 계상하는 경우만 손금으로 인정하는 결산조정사항이다.

답 ④

45 법인세법령상 각 사업연도 소득금액을 구하기 위해 세무조정을 해야 하는 것은? 2020년 국가직 9급
□□□

① 영업자가 조직한 단체로서 법인이거나 주무관청에 등록된 조합 또는 협회에 지급한 일반회비를 손익계산서상 비용 계상하였다.

② 전기요금의 납부지연으로 인한 연체가산금을 납부하고 손익계산서상 비용 계상하였다.

③ 부동산의 임차보증금에 대한 부가가치세 매입세액을 임차법인이 납부하고 손익계산서상 비용 계상하였다.

④ 대통령령으로 정하는 이월결손금을 보전하는 데에 충당한 무상으로 받은 자산의 가액(법인세법 제36조에 따른 국고보조금 등이 아님)을 손익계산서상 수익 계상하였다.

정답 및 해설

무상으로 받은 자산의 가액(제36조에 따른 국고보조금 등은 제외)과 채무의 면제 또는 소멸로 인한 부채의 감소액 중 대통령령으로 정하는 이월결손금을 보전하는 데에 충당한 금액은 각 사업연도의 소득금액을 계산할 때 익금에 산입하지 아니한다.

참고 회사가 위 금액을 수익 계상한 경우 익금불산입의 세무조정을 해야 함

답 ④

46 법인세법상 '조세의 부담을 부당히 감소시킨 것으로 인정되는 경우'에 해당하지 않는 것은? 2012년 국가직 9급
□□□

① 자산을 시가보다 높은 가액으로 매입 또는 현물출자 받았거나 그 자산을 과대상각한 경우

② 무수익 자산을 매입 또는 현물출자 받았거나 그 자산에 대한 비용을 부담한 경우

③ 불량자산을 차환하거나 불량채권을 양수한 경우

④ 주식매수선택권의 행사에 따라 주식을 양도하는 경우로서 주식을 시가보다 낮은 가액으로 양도한 경우

정답 및 해설

자산을 무상 또는 시가보다 낮은 가액으로 양도 또는 현물출자한 경우 부당행위에 해당한다(다만, 법정의 주식매수선택권, 주식기준보상의 행사·지급에 따라 주식을 저가로 양도하는 경우에는 부당행위계산부인을 적용하지 않음).

답 ④

47 법인세법상 부당행위계산의 부인에 대한 설명으로 옳은 것을 모두 고른 것은?

> ㄱ. 법인이 특수관계인으로부터 무수익 자산을 2억 원에 매입한 경우에는 부당행위계산의 부인을 적용한다.
> ㄴ. 부당행위계산의 부인은 법인과 특수관계에 있는 자 간의 거래를 전제로 하며, 특수관계인 외의 자를 통하여 이루어진 거래는 이에 포함하지 않는다.
> ㄷ. 부당행위계산의 부인에서 특수관계의 존재 여부는 해당 법인과 법령이 정하는 일정한 관계에 있는 자를 말하며, 이 경우 해당 법인도 그 특수관계인의 특수관계인으로 본다.
> ㄹ. 부당행위계산의 부인을 적용할 때 시가가 불분명한 경우에는 부동산가격공시 및 감정평가에 관한 법률에 의한 감정평가법인이 감정한 가액과 상속세 및 증여세법에 따른 보충적 평가방법을 준용하여 평가한 가액 중 큰 금액을 시가로 한다.

① ㄱ, ㄴ
② ㄱ, ㄷ
③ ㄴ, ㄹ
④ ㄷ, ㄹ

정답 및 해설

ㄱ. 무수익자산을 매입한 경우 현저한 이익요건은 따지지 않는다.
ㄷ. 특수관계인은 쌍방관계에 해당한다.

선지분석

ㄴ. 특수관계인 외의 제3자를 통한 간접적인 방법이나 둘 이상의 행위 또는 거래를 거치는 방법이 국세기본법 또는 세법의 혜택을 부당하게 받기 위한 것으로 인정되는 경우에는 그 경제적 실질 내용에 따라 당사자가 직접 거래를 한 것으로 보거나 연속된 하나의 행위 또는 거래를 한 것으로 본다. 따라서 특수관계인 외의 자를 통한 거래시에도 부당행위계산부인규정이 적용될 수 있다.
ㄹ. 부당행위계산의 부인을 적용할 때 시가가 불분명한 경우에는 다음을 차례로 적용하여 계산한 금액에 의한다.
  ⓐ 감정평가 및 감정평가사에 관한 법률에 의한 감정평가법인 등이 감정한 가액
  ⓑ 상속세 및 증여세법에 따른 보충적 평가방법을 준용하여 평가한 가액

답 ②

① 부당행위계산부인규정에 의하여 행위 또는 소득금액의 계산을 부인하려는 법인(부인대상법인)에 100분의 30 이상을 출자하고 있는 법인에 100분의 30 이상을 출자하고 있는 법인도 그 부인대상법인의 특수관계인에 해당한다.

② 특수관계인인 법인 간 합병에 있어서 불공정한 비율로 합병하여 합병에 따른 양도손익을 감소시킨 거래에 대해 부당행위계산으로 부인함에 있어서 특수관계인인 법인의 판정은 합병등기일이 속하는 사업연도의 전전 사업연도 개시일부터 합병등기일 전날까지의 기간에 의한다.

③ 시가보다 높은 가액으로 부동산을 매입한 거래를 부당행위계산으로 부인하기 위해서는 시가와 거래가액의 차액이 3억 원 이상이거나 시가의 100분의 5에 상당하는 금액 이상인 경우이어야 한다.

④ 부당행위계산부인규정은 국내지점을 가진 외국법인의 소득금액계산에 대해서도 준용한다.

정답 및 해설

📄 **특수관계인 판정시점**

1. 원칙: 행위 당시를 기준으로 적용
2. 불공정합병 판단 시: 합병등기일 속하는 사업연도의 직전 사업연도의 개시일부터 합병등기일까지의 기간

선지분석

① 특수관계인의 범위 중 해당 법인에 30% 이상을 출자하고 있는 법인에 30% 이상을 출자하고 있는 법인이나 개인도 포함한다.

③

📄 **현저한 이익이 있는 경우에만 부당행위계산부인 적용하는 거래**

1. 고가매입, 저가양도, 저리대여, 고리차용
2. 현저한 이익 = Min[시가 5%, 3억 원]
   참고 단, 상장주식의 거래는 현저한 이익 요건 적용 ×

④ 부당행위계산부인규정은 국내에서 납세의무가 있는 모든 법인에 적용된다.

답 ②

49 영리내국법인 (주)C는 제10기(2023년 1월 1일 ~ 12월 31일) 중 출자직원으로부터 토지(시가 150백만 원)를 구입하면서 현금 지급액 200백만 원을 장부에 계상하였다. 매입한 토지와 관련하여 (주)C가 수행해야 할 제10기 세무조정으로 옳은 것은?

2017년 국가직 9급 변형

	익금산입	손금산입
①	부당행위계산의 부인 50백만 원(배당)	–
②	부당행위계산의 부인 50백만 원(배당)	토지 50백만 원(△유보)
③	부당행위계산의 부인 50백만 원(상여)	토지 50백만 원(△유보)
④	부당행위계산의 부인 50백만 원(기타소득)	토지 50백만 원(△유보)

정답 및 해설

특수관계인(출자직원)으로부터 자산(토지)을 고가매입한 경우 부당행위계산부인에 해당한다. 따라서 아래 두 가지 세무조정이 발생한다.
ⓐ 토지매입가액을 시가로 감액하는 세무조정: 손금산입 50백만 원 △유보
ⓑ 시가초과지급액에 대한 부당행위계산부인 세무조정: 익금산입 50백만 원 상여

답 ③

50 법인세법상 내국법인의 각 사업연도 소득에서 공제하는 이월결손금에 대한 설명으로 옳지 않은 것은?

2015년 국가직 7급

① 한 사업연도에서 발생한 결손금을 다른 사업연도의 소득에서 공제하는 방법과 관련하여, 예외적으로 법령에 의하여 소급공제를 허용하는 경우를 제외하고는, 그 후 사업연도의 소득에서 이월공제한다.
② 이월결손금공제에 있어서는 먼저 발생한 사업연도의 결손금부터 순차로 공제한다.
③ 법인세 과세표준을 추계결정하는 경우에도 이월결손금을 공제할 수 있는 경우가 있다.
④ 이월결손금으로 공제될 수 있는 결손금은 법인세 과세표준신고에 포함되었거나 과세행정청의 법인세 결정·경정에 포함된 결손금이어야 하며, 그 외 납세자가 국세기본법 제45조에 따라 수정신고하면서 과세표준에 포함된 경우에는 그 대상이 될 수 없다.

정답 및 해설

이월결손금으로 공제될 수 있는 결손금은 법인세 과세표준신고에 포함되었거나 과세행정청의 법인세 결정·경정에 포함된 결손금이어야 하며, 그 외 납세자가 국세기본법 제45조에 따라 수정신고하면서 과세표준에 포함된 경우도 해당한다.

답 ④

51 법인세법령상 내국법인의 각 사업연도 소득에 대한 비과세 및 소득공제에 대한 설명으로 옳은 것은?

2021년 국가직 7급

① 공익신탁의 신탁재산에서 생기는 소득에 대하여는 각 사업연도 소득에 대한 법인세를 과세한다.
② 기업구조조정투자회사법에 따른 기업구조조정투자회사가 법령으로 정하는 배당가능이익의 100분의 90 이상을 배당한 경우 그 금액은 해당 배당을 결의한 잉여금 처분의 대상이 되는 사업연도의 소득금액에서 공제한다.
③ 유동화전문회사 등에 대한 소득공제를 받으려는 법인은 소득공제신청서를 배당일로부터 2주 이내에 본점 소재지 관할 세무서장에게 제출하여야 한다.
④ 배당을 지급하는 내국법인이 사모방식으로 설립되었고, 개인 2인이 발행주식총수의 100분의 95의 주식을 소유한 법인(개인에게 배당 및 잔여재산의 분배에 관한 청구권이 없는 경우는 제외)인 경우에는 유동화전문회사 등에 대한 소득공제규정을 적용할 수 있다.

정답 및 해설

선지분석
① 내국법인의 각 사업연도 소득 중 공익신탁법에 따른 공익신탁의 신탁재산에서 생기는 소득에 대하여는 각 사업연도의 소득에 대한 법인세를 과세하지 아니한다.
③ 유동화전문회사 등에 대한 소득공제를 받으려는 법인은 과세표준신고와 함께 기획재정부령으로 정하는 소득공제신청서를 납세지 관할 세무서장에게 제출하여야 한다.
④ 사모방식으로 설립되었고, 개인 2인 이하 또는 개인 1인 및 그 친족이 발행주식총수 또는 출자총액의 100분의 95 이상의 주식 등을 소유한 법인(개인 등에게 배당 및 잔여재산의 분배에 관한 청구권이 없는 경우를 제외)인 경우에는 소득공제규정을 적용할 수 없다.
∵ 개인투자자들이 명목회사를 조세회피수단으로 활용하는 것을 방지한다.

답 ②

---

52 (주)대한은 법인세법에 따른 외국자회사(A국 소재)로부터 4천만 원의 배당금을 받았는데 당해 외국자회사의 해당 사업연도의 소득금액과 법인세액은 각각 1억 원과 2천만 원이다. (주)대한의 외국납부세액공제 또는 손금산입되는 외국법인세액은? (단, 외국자회사는 외국납부세액공제 대상이 되는 요건을 충족하며, 제시된 자료 이외는 고려하지 않음)

2020년 국가직 9급

① 8백만 원
② 1천만 원
③ 1천2백만 원
④ 2천만 원

정답 및 해설

간접외국납부세액: 2천만 원 × $\dfrac{\text{4천만 원}}{\text{(1억 원 - 2천만 원)}}$ = 1천만 원

$$\text{외국 자회사의 해당 사업연도 법인세액} \times \dfrac{\text{수입배당금액}}{\text{외국자회사의 해당사업연도 소득금액 - 외국자회사의 해당사업연도 법인세액}}$$

답 ②

53 법인세법령상 내국법인의 신고 및 납부에 대한 설명으로 옳은 것만을 모두 고르면?

ㄱ. 성실신고확인서를 제출하는 법인의 경우 과세표준과 세액의 신고기한은 각 사업연도의 종료일이 속하는 달의 말일부터 3개월이다.

ㄴ. 중소기업에 해당하는 내국법인의 납부할 세액이 2천만 원인 경우에는 1천만 원을 초과하는 금액을 납부기한이 지난 날부터 2개월 이내에 분납할 수 있다.

ㄷ. 주식회사 등의 외부감사에 관한 법률에 따라 감사인에 의한 감사를 받아야 하는 내국법인이 해당 사업연도의 감사가 종결되지 아니하여 결산이 확정되지 아니하였다는 사유로 대통령령으로 정하는 바에 따라 신고기한의 연장을 신청한 경우에는 그 신고기한을 2개월의 범위에서 연장할 수 있다.

ㄹ. 사업연도의 기간이 6개월을 초과하는 고등교육법에 따른 사립학교를 경영하는 학교법인은 각 사업연도 (합병이나 분할에 의하지 아니하고 새로 설립된 법인의 최초 사업연도는 제외) 중 중간예납세액을 납부할 의무가 있다.

① ㄴ
② ㄹ
③ ㄱ, ㄷ
④ ㄴ, ㄹ

정답 및 해설

(선지분석)

ㄱ. 성실신고확인서를 제출하는 법인의 경우 과세표준과 세액의 신고기한은 각 사업연도의 종료일이 속하는 달의 말일부터 4개월이다.

ㄷ. 주식회사 등의 외부감사에 관한 법률에 따라 감사인에 의한 감사를 받아야 하는 내국법인이 해당 사업연도의 감사가 종결되지 아니하여 결산이 확정되지 아니하였다는 사유로 대통령령으로 정하는 바에 따라 신고기한의 연장을 신청한 경우에는 그 신고기한을 1개월의 범위에서 연장할 수 있다. ∵ 회계투명성 제고 및 정확한 법인세신고를 유도

ㄹ. 사업연도의 기간이 6개월을 초과하는 고등교육법에 따른 사립학교를 경영하는 학교법인은 각 사업연도 중 중간예납세액을 납부할 의무가 없다. ∵ 사립학교의 납세편의 제고

답 ①

54 중소기업인 (주)A의 제11기(2022.1.1.~12.31.) 사업연도의 법인세 납부세액이 22,000,000원인 경우, 법인세법 령상 (주)A의 최대 분납가능금액과 분납기한에 대한 설명으로 옳은 것은? [단, (주)A는 성실신고확인서를 제출한 경우에 해당하지 않으며, 국세기본법에 따른 기한의 특례는 고려하지 않음] 2021년 국가직 7급

① 최대 10,000,000원을 2023년 4월 30일까지 분납할 수 있다.
② 최대 10,000,000원을 2023년 5월 31일까지 분납할 수 있다.
③ 최대 11,000,000원을 2023년 4월 30일까지 분납할 수 있다.
④ 최대 11,000,000원을 2023년 5월 31일까지 분납할 수 있다.

정답 및 해설

📄 **분납할 수 있는 세액(법인세법 제64조 제2항, 법인세법 시행령 제101조 제2항 참조)**

내국법인이 납부할 세액이 1천만 원을 초과하는 경우에는 납부할 세액의 일부를 납부기한이 지난 날부터 1개월(중소기업의 경우에는 2개월) 이내에 분납할 수 있다. 분납할 수 있는 세액은 다음 각 호에 의함
1. 납부할 세액이 2천만 원 이하인 경우에는 1천만 원을 초과하는 금액
2. 납부할 세액이 2천만 원을 초과하는 경우에는 그 세액의 100분의 50 이하의 금액

답 ④

55 합병이 사업의 계속성과 주주의 동질성이 인정되는 형식적 조직개편에 지나지 않는 경우에는 합병시점에 합병으로 인한 이익이 실현되었다고 보기 어렵기에 합병으로 인한 이익의 과세를 합병시점 이후로 이연한다. 이러한 합병으로 적격합병이라고 하는데, 적격합병요건에 해당되지 않는 것은? 2007년 국가직 7급 변형

① 합병등기일 현재 1년 이상 계속하여 사업을 영위하던 내국법인 간의 합병일 것
② 합병등기일 당시 피합병법인에 종사하는 대통령령으로 정하는 근로자 중 합병법인이 승계한 근로자의 비율이 100분의 80 이상이고, 합병등기일이 속하는 사업연도의 종료일까지 그 비율을 유지할 것
③ 피합병법인의 특정한 지배주주가 합병등기일이 속하는 사업연도의 종료일까지 그 주식을 보유할 것
④ 합병법인이 합병등기일이 속하는 사업연도의 종료일까지 피합병법인으로부터 승계받은 사업을 계속 영위할 것

정답 및 해설

합병등기일 1개월 전 당시 피합병법인에 종사하는 대통령령으로 정하는 근로자 중 합병법인이 승계한 근로자의 비율이 100분의 80 이상이고, 합병등기일이 속하는 사업연도의 종료일까지 그 비율을 유지할 것을 요건으로 한다.

참고 합병이 인력감축의 수단으로 활용되는 것을 방지하여 고용 안정성을 보장하기 위함임

답 ②

56 법인세법상 내국법인 간 합병과 관련한 설명으로 옳지 않은 것은?

① 합병법인이 법인세법 제44조 제2항 및 제3항에 따라 양도손익이 없는 것으로 한 합병(적격합병)이 아닌 합병으로 피합병법인의 자산을 승계한 경우에는 그 자산을 피합병법인으로부터 합병등기일 현재의 시가로 양도받은 것으로 본다.

② 법인세법 제44조 제2항 각호의 요건을 모두 갖춘 합병 시 피합병법인이 합병법인으로부터 받은 양도가액을 피합병법인의 합병등기일 현재의 순자산 장부가액(자산의 장부가액 총액에서 부채의 장부가액 총액을 뺀 가액)으로 보아 피합병법인에 양도손익이 없는 것으로 할 수 있다.

③ 내국법인이 발행주식총수를 소유하고 있는 다른 법인을 합병하는 경우에는 피합병법인에 양도손익이 없는 것으로 할 수 있다.

④ 합병법인은 피합병법인의 자산을 시가로 양도받은 것으로 보는 경우에 피합병법인에 지급한 양도가액이 피합병법인의 합병등기일 현재의 자산총액에서 부채총액을 뺀 금액보다 적은 경우에는 그 차액을 합병등기일부터 3년간 균등하게 나누어 손금에 산입한다.

정답 및 해설

합병법인은 피합병법인의 자산을 시가로 양도받은 것으로 보는 경우로서 피합병법인에 지급한 양도가액이 피합병법인의 합병등기일 현재의 자산총액에서 부채총액을 뺀 금액보다 적은 경우에는 그 차액을 세무조정계산서에 계상하고 합병등기일부터 5년간 균등하게 나누어 익금에 산입한다.

답 ④

> ㄱ. 다른 내국법인을 완전지배하는 내국법인이 비영리내국법인인 경우에도 연결납세제도가 적용된다.
> ㄴ. 연결자법인이 다른 연결법인에 흡수합병되어 해산하는 경우에는 해산등기일이 속하는 연결사업연도에 연결납세방식을 적용할 수 없다.
> ㄷ. 연결법인은 연결납세방식의 적용을 포기할 수 있지만, 연결납세방식을 최초로 적용받은 연결사업연도와 그 다음 연결사업연도의 개시일부터 4년 이내에 끝나는 연결사업연도까지는 연결납세방식의 적용을 포기할 수 없다.
> ㄹ. 연결모법인과 그 법인의 완전자법인이 보유한 다른 내국법인의 주식 등의 합계가 그 다른 내국법인 발행주식총수의 전부(근로복지기본법 제2조 제4호에 따른 우리사주조합을 통하여 근로자가 취득한 주식 등 대통령령으로 정한 주식으로서 발행주식총수의 100분의 5 이내의 주식은 제외함)인 경우에도 연결납세제도를 적용할 수 있기 위한 요건으로서의 완전지배관계가 인정된다.

① ㄱ, ㄴ
② ㄱ, ㄹ
③ ㄴ, ㄷ
④ ㄷ, ㄹ

정답 및 해설

옳은 것은 ㄷ, ㄹ이다.

선지분석
ㄱ. 비영리내국법인은 연결납세제도 시 완전모법인이 될 수 없다.
ㄴ. 연결모법인의 완전 지배를 받지 아니하게 되거나 해산한 연결자법인은 해당 사유가 발생한 날이 속하는 연결사업연도의 개시일부터 연결납세방식을 적용하지 아니한다. 다만, 연결자법인이 다른 연결법인에 흡수합병되어 해산하는 경우에는 해산등기일이 속하는 연결사업연도에 연결납세방식을 <u>적용할 수 있다.</u>

답 ④

58 법인세법상 내국법인의 청산소득에 대한 설명으로 옳지 않은 것은? 2013년 국가직 7급

① 비영리내국법인은 어떠한 경우라도 청산소득에 대한 법인세의 납세의무를 지지 않는다.
② 합병이나 분할에 의한 해산하는 내국법인을 제외한 내국법인이 해산한 경우 그 청산소득의 금액은 그 법인의 해산에 의한 잔여재산의 가액에서 해산등기일 현재의 자본금 또는 출자금과 잉여금의 합계액을 공제한 금액으로 한다.
③ 내국법인의 해산에 의한 청산소득의 금액을 계산할 때 그 청산기간에 국세기본법에 따라 환급되는 법인 세액이 있는 경우 이에 상당하는 금액은 그 법인의 해산등기일 현재의 자기자본의 총액에는 포함되지 아니한다.
④ 특별법에 따라 설립한 법인이 그 특별법의 개정으로 인하여 상법에 따른 회사로 조직변경하는 경우에는 청산소득에 대한 법인세를 과세하지 아니한다.

| 정답 및 해설 |

내국법인의 해산에 의한 청산소득의 금액을 계산할 때 그 청산기간에 국세기본법에 따라 환급되는 법인세액이 있는 경우 이에 상당하는 금액은 그 법인의 해산등기일 현재의 자기자본의 총액에 <u>가산한다.</u>

| 선지분석 |
① 영리내국법인만이 청산소득에 대한 납세의무를 진다.
② 청산소득금액은 '잔여재산가액 – (납입자본금 + 세무상 잉여금 + 법인세환급액)'이다.

답 ③

---

59 중소기업이 아닌 (주)한국은 등기된 비사업용 토지(장부가액 5억 원)를 10억 원(취득시기: 2017년 3월 2일, 양도시기: 2023년 3월 3일)에 양도하였다. (주)한국의 법인세 산출세액은? [단, (주)한국의 사업연도는 2023년 1월 1일부터 2023년 12월 31일까지이며, 다른 소득은 없다고 가정함] 2014년 국가직 9급 변형

① 50,000,000원
② 80,000,000원
③ 100,000,000원
④ 125,000,000원

| 정답 및 해설 |

ⓐ 각 사업연도소득금액 법인세

구분	금액	비고
익금	10억 원	양도가액
손금	(-) 5억 원	장부가액
과세표준	5억 원	-
산출세액	8천만 원	2억 원 × 9% + (5억 원 - 2억 원) × 19%

ⓑ 토지 등 양도소득에 대한 법인세: 5억 × 10% = 5천만 원
ⓒ 법인세 산출세액: 7천 5백만 원 + 5천만 원 = 1억 2천 5백만 원

참고 토지 등 양도소득은 각 사업연도 소득에 포함되어 각 사업연도 소득에 대한 법인세로 과세되며, 부동산투기 방지 목적으로 토지 등 양도소득에 대한 법인세로 추가로 과세함

답 ④

964 해커스공무원 학원·인강 gosi.Hackers.com

60

법인세법상 비영리내국법인에 대한 설명으로 옳지 않은 것은?

2015년 국가직 7급 변형

① 비영리내국법인의 고유목적사업에 직접 사용하는 자산의 처분으로 인한 대통령령으로 정하는 수입은 각 사업연도의 소득에 포함되어 과세되지 않는다.

② 모든 비영리내국법인은 복식부기의 방식으로 장부를 기장하고 이를 비치할 의무는 있지만, 이를 이행하지 않았을 경우에 무기장가산세의 부과대상은 아니다.

③ 비영리내국법인의 경우에는 국내뿐만 아니라 국외의 수익사업소득에 대해서도 각 사업연도의 소득으로 법인세가 과세된다.

④ 주식회사 등의 외부감사에 관한 법률 제2조 제7호 및 제9조에 따른 감사인의 회계감사를 받는 비영리내국법인이 법인세법 제29조에 따른 고유목적사업준비금을 세무조정계산서에 계상한 경우로서 그 금액에 상당하는 금액이 해당 사업연도의 이익처분에 있어서 그 준비금의 적립금으로 적립되어 있는 경우 그 금액은 손금으로 계상한 것으로 본다.

정답 및 해설

사업소득 및 채권매매익의 수익사업을 영위하지 아니하는 경우에는 장부기장 및 비치 보존의무가 없다. 즉, 계속적 사업이 아닌 일시적인 이자수입 등이 있는 비영리내국법인에 대하여는 기장의무가 없다. 또한, 사업소득 및 채권매매익의 수익사업을 영위함으로써 장부기장 등에 대해서 의무를 해태한 때에도 무기장 가산세는 적용하지 아니한다.

답 ②

PART 7
상속세 및 증여세법

01 상속세

1 총설

Ⅰ 상속세의 개요

1. 상속세 · 증여세의 기본개념

(1) 상속세

① 상속세란 사망으로 인한 재산의 무상이전에 대하여 부과되는 조세이다.

② 상속제도는 국가 재정수입의 확보라는 일차적인 목적 이외에도 자유시장경제에 수반되는 모순을 제거하고 사회정의와 경제민주화를 실현하기 위하여 국가적 규제와 조정들을 광범위하게 인정하는 사회적 시장경제질서의 헌법이념에 따라 재산상속을 통한 부의 영원한 세습과 집중을 완화하여 국민의 경제적 균등을 도모하려는 목적도 아울러 가지는 조세제도이다(헌재 2003. 1. 30. 2001헌바61, 판례집 15-1, 25, 34).

(2) 증여세

증여세는 생전의 부의 무상이전에 대해 과세하며, 증여세가 없다면 사망 전에 재산을 미리 증여하는 방식으로 상속세를 회피할 수 있으므로 상속세의 보완세 역할을 하고 있다.

2. 상속세 · 증여세의 과세체계

(1) 상속세 - 유산과세형

피상속인의 상속재산 전부를 기준으로 초과누진세율(최고 50%)을 적용한다. 유산과세형은 상속인들이 위장분할상속으로 상속세의 부담을 회피하는 것을 방지하며, 상속분할 전의 유산총액을 과세기초로 하기 때문에 세율구조가 동일하다면 취득과세형보다 세수증대 효과가 크다. 아울러 피상속인의 유산총액만을 확인한 후 상속세 신고서를 조사확인하기 때문에 세무행정이 간편하다는 장점이 있다. 단, 분할 전 상속재산에 초과누진세율을 적용한 세액을 각 상속인이 상속으로 취득한 재산가액에 비례해 안분해서 각 상속인이 부담할 세액을 산정하므로 개인별 담세력에 부응하는 과세를 할 수 없다.

(2) 증여세 - 취득과세형

수증자가 증여받은 재산가액에 대하여 수증자별로 각각 증여세를 과세한다.

3. 용어의 정의

(1) 상속

상속이란 「민법」 제5편에 따른 상속을 말하며, 다음의 것을 포함한다.

① 유증: 유산의 전부 또는 일부를 무상으로 타인(수유자)에게 주는 단독행위

② 사인증여: 「민법」 제562조에 따른 증여자의 사망으로 인하여 효력이 생길 증여(상속개시일 전 10년 이내에 피상속인이 상속인에게 진 증여채무 및 상속개시일 전 5년 이내에 피상속인이 상속인이 아닌 자에게 진 증여채무의 이행 중에 증여자가 사망한 경우의 그 증여를 포함)

③ 특별연고자의 상속재산 분여: 「민법」 제1057조의 2에 따른 피상속인과 생계를 같이 하고 있던 자, 피상속인의 요양간호를 한 자 및 그 밖에 피상속인과 특별한 연고가 있던 자에 대한 상속재산의 분여

④ 유언대용신탁: 신탁계약에 의해 위탁자의 사망시 수익자가 수익권을 취득하는 신탁

⑤ 수익자연속신탁: 수익자가 사망한 경우 그 수익자가 갖는 수익권이 소멸하고 타인이 새로 수익권을 취득하는 신탁

(2) 증여

증여란 그 행위 또는 거래의 명칭·형식·목적 등과 관계없이 직접 또는 간접적인 방법으로 타인에게 무상으로 유형·무형의 재산 또는 이익을 이전(현저히 낮은 대가를 받고 이전하는 경우 포함)하거나 타인의 재산가치를 증가시키는 것을 말한다. 다만, 유증, 사인증여, 유언대용신탁 및 수익자연속신탁은 제외한다.

(3) 상속개시일

상속개시일이란 피상속인이 사망한 날을 말한다. 다만, 피상속인의 실종선고로 인하여 상속이 개시되는 경우에는 실종선고일을 말한다.

(4) 상속인

상속인이란 민법에 따른 상속인을 말하며, 상속을 포기한 사람 및 특별연고자를 포함한다.

(5) 수유자

수유자란 다음에 해당하는 자를 말한다.

① 유증을 받은 자

② 사인증여에 의하여 재산을 취득한 자

③ 유언대용신탁 및 수익자연속신탁에 의하여 신탁의 수익권을 취득한 자

(6) 민법상 법정상속분

민법에서 정해놓은 상속인 간 유산 배분 비율로, 상속인 간 동등하게 배분하고, 배우자는 5할 가산한다.

예 배우자와 자녀 2명의 법정상속분 = 1.5 : 1 : 1

Ⅱ 상속세 과세대상과 납부의무자

1. 과세대상의 범위

상속개시일 현재 다음의 구분에 따른 상속재산에 대하여 상속세를 부과한다.

구분	과세대상	비교
피상속인이 거주자인 경우	모든 상속재산	무제한 납세의무
피상속인이 비거주자인 경우	국내에 있는 모든 상속재산	제한 납세의무

2. 상속세 납부의무자

(1) 납부의무자

① 상속인

㉠ 법령: 상속인(특별연고자 중 영리법인은 제외) 또는 수유자(영리법인은 제외)는 상속재산(상속재산에 가산하는 증여재산 중 상속인이나 수유자가 받은 증여재산을 포함) 중 각자가 받았거나 받을 재산을 기준으로 법령으로 정하는 비율(재산의 점유비율)에 따라 계산한 금액을 상속세로 납부할 의무가 있다. → 상속포기자 및 태아 포함

㉡ 집행기준

> 3의 2-3-1 【상속인별 상속세 납부비율 계산방법】
>
> $$\frac{\text{상속 재산에 가산한 상속인·}}{\text{수유자별 사전 증여재산}} + \left\{ \frac{\text{상속세}}{\text{과세표준}} - \frac{\text{사전}}{\text{증여재산}} \right\} \times \left\{ \frac{\text{상속인·수유자별 과세가액상당액}}{\text{상속세 과세가액 - 사전증여 재산가액}} \right\}$$
>
> 상속세 과세표준 - 상속인 및 수유자가 아닌 자에게 증여한 사전증여재산 과세표준

② 영리법인(수유자): 영리법인은 무상으로 받은 재산(자산수증이익)에 대해 법인세가 과세되므로 상속세 납부의무자에서 제외한다. 단, 변칙적인 상속을 통한 조세회피를 방지하기 위하여 특별연고자 또는 수유자가 영리법인인 경우로서 그 영리법인의 주주 중 상속인과 그 직계비속이 있는 경우에는 다음과 같이 계산한 지분상당액을 그 상속인 및 직계비속이 납부할 의무가 있다.

> {영리법인이 받았거나 받을 상속재산에 대한 상속세 상당액 −
> (영리법인이 받았거나 받을 상속재산 × 10%)} × 상속인과 그 직계비속의 주식
> 또는 출자지분의 비율

(2) 상속인·수유자별 연대납부의무

상속세는 상속인 또는 수유자 각자가 받았거나 받을 재산을 한도로 연대하여 납부할 의무를 진다. "각자가 받았거나 받을 재산"이란 상속으로 인하여 얻은 자산(사전증여재산을 포함)의 총액에서 부채총액과 그 상속으로 인하여 부과되거나 납부할 상속세 및 가산한 증여재산에 대한 증여세를 공제한 가액을 말한다.

■ 사례

구분	배우자	자녀A	자녀B
상속재산 35억 원	15억 원	10억 원	10억 원
상속세 7억 원	3억 원	2억 원	2억 원

→ 자녀들이 상속세를 납부하지 않은 경우 배우자로부터 상속세 4억 원을 징수할 수 있음

Ⅲ 상속세의 과세관할과 납세지

1. 과세관할

(1) 상속개시지가 국내인 경우

상속세는 피상속인의 주소지(주소지가 없거나 분명하지 아니한 경우에는 거소지)를 관할하는 세무서장(국세청장이 특히 중요하다고 인정하는 것에 대해서는 관할 지방국세청장)이 과세한다.

(2) 상속개시지가 국외인 경우

상속개시지가 국외인 경우에는 상속재산 소재지를 관할하는 세무서장 등이 과세하고, 상속재산이 둘 이상의 세무서장 등의 관할구역에 있을 경우에는 주된 재산의 소재지를 관할하는 세무서장 등이 과세한다.

2. 상속재산의 소재지

① 부동산(부동산에 관한 권리)	부동산의 소재지
② 광업권 또는 조광권	광구의 소재지
③ 어업권, 양식업권 또는 입어권	어장에서 가장 가까운 연안
④ 선박	선적의 소재지. 단, 등기·등록이 제외되는 선박에 대하여는 그 선박 소유자의 주소지
⑤ 항공기	항공기 정치장의 소재지
⑥ 주식·출자지분 또는 사채	발행 법인의 본점 또는 주된 사무소의 소재지. 단, 외국법인이 국내에서 발행한 주식 등은 취급 금융기관 영업장의 소재지
⑦ 금전신탁	그 신탁재산을 인수한 영업장의 소재지. 단, 금전신탁 외 신탁재산은 신탁한 재산소재지
⑧ ⑥ 및 ⑦외의 금융재산	그 재산을 취급하는 금융기관 영업장의 소재지
⑨ 금전채권	채무자의 주소지. 다만 위 ⑥·⑦·⑧에 해당하는 경우에는 제외함
⑩ ②부터 ⑨에 해당하지 않는 그 밖의 유형재산 또는 동산	그 유형재산의 소재지 또는 동산이 현재 있는 장소
⑪ 특허권·상표권 등 등록이 필요한 권리	그 권리를 등록한 기관의 소재지
⑫ 저작권, 출판권, 저작인접권	저작물이 발행되었을 경우 그 발행 장소
⑬ ①부터 ⑫까지를 제외한 그 밖의 영업장을 가진 자의 그 영업에 관한 권리	그 영업장의 소재지
⑭ 기타의 재산	그 재산 권리자의 주소

2 상속세 과세가액의 계산

☑ **핵심정리 | 상속세의 계산구조**

		총 상속재산가액	본래상속재산 + 의제상속재산 + 추정상속재산
(−)		비과세재산가액	
(−)		과세가액 불산입	
(−)		공과금·장례비용·채무	
(+)		사전증여재산	상속개시일 전 일정 기간 이내에 증여한 재산가액
(=)		상속세 과세가액	
(−)		상속공제	인적공제, 물적공제
(−)		감정평가수수료공제	
(=)		상속세 과세표준	
(×)		세율	10%~50% 초과누진세율
(=)		상속세 산출세액	
(−)		징수유예액, 세액공제액	
(=)		신고납부세액	

Ⅰ 총 상속재산가액

1. 상속재산

(1) 본래 상속재산

상속재산이란 피상속인에게 귀속되는 모든 재산을 말하며, 다음의 물건과 권리를 포함한다. 다만, 피상속인의 일신에 전속하는 것으로서 피상속인의 사망으로 인하여 소멸되는 것은 제외한다.

① 금전으로 환산할 수 있는 경제적 가치가 있는 모든 물건

② 재산적 가치가 있는 법률상 또는 사실상의 모든 권리

(2) 의제 상속재산

보험금	① 피상속인의 사망으로 인하여 받는 생명보험 또는 손해보험의 보험금으로서 피상속인이 보험계약자인 보험계약에 의하여 받는 것은 상속재산으로 본다. 이 경우 상속재산으로 보는 보험금의 가액은 다음 계산식에 따라 계산한 금액으로 한다. $$\text{지급받은 보험금의 총합계액} \times \frac{\text{피상속인이 부담한 보험료의 금액}}{\text{해당 보험계약에 따라 피상속인의 사망 시까지 납입된 보험료의 총합계액}}$$

	② 보험계약자가 피상속인이 아닌 경우에도 피상속인이 실질적으로 보험료를 납부하였을 때에는 피상속인을 보험계약자로 보아 해당 보험금도 상속재산으로 본다.
신탁재산	① 피상속인이 신탁한 재산은 상속재산으로 본다. 다만, 신탁이익의 증여 규정에 따라 수익자의 증여재산가액으로 하는 해당 신탁의 이익을 받을 권리의 가액은 상속재산으로 보지 아니한다. ② 피상속인이 신탁으로 인하여 타인으로부터 신탁의 이익을 받을 권리를 소유하고 있는 경우에는 그 이익에 상당하는 가액을 상속재산에 포함한다. ③ 수익자연속신탁의 수익자가 사망함으로써 타인이 새로 신탁의 수익권을 취득하는 경우 그 타인이 취득한 신탁의 이익을 받을 권리의 가액은 사망한 수익자의 상속재산에 포함한다.
퇴직금	피상속인에게 지급될 퇴직금, 퇴직수당, 공로금, 연금 또는 이와 유사한 것이 피상속인의 사망으로 인하여 지급되는 경우 그 금액은 상속재산으로 본다. 다만, 다음의 어느 하나에 해당하는 것은 상속재산으로 보지 아니한다. ① 「국민연금법」에 따라 지급되는 유족연금 또는 사망으로 인하여 지급되는 반환일시금 ② 「공무원연금법」, 「공무원 재해보상법」 또는 「사립학교교직원 연금법」에 따라 지급되는 퇴직유족연금, 장해유족연금, 순직유족연금, 직무상유족연금, 위험직무순직유족연금, 퇴직유족연금부가금, 퇴직유족연금일시금, 퇴직유족일시금, 순직유족보상금, 직무상유족보상금 또는 위험직무순직유족보상금 ③ 「군인연금법」 또는 「군인 재해보상법」에 따라 지급되는 퇴역유족연금, 상이유족연금, 순직유족연금, 퇴역유족연금부가금, 퇴역유족연금일시금, 순직유족연금일시금, 퇴직유족일시금, 장애보상금 또는 사망보상금 ④ 「산업재해보상보험법」에 따라 지급되는 유족보상연금·유족보상일시금·유족특별급여 또는 진폐유족연금 ⑤ 근로자의 업무상 사망으로 인하여 「근로기준법」 등을 준용하여 사업자가 그 근로자의 유족에게 지급하는 유족보상금 또는 재해보상금과 그 밖에 이와 유사한 것 ⑥ 「전직대통령예우에 관한 법률」 또는 「별정우체국법」에 따라 지급되는 유족연금·유족연금일시금 및 유족일시금

2. 추정상속재산

(1) 의의

① 내용

㉠ 피상속인이 상속개시일 전 재산을 처분하여 받은 금액이나 피상속인의 재산에서 인출 또는 채무를 부담한 경우로서 다음에 해당하는 경우 상속받은 것으로 추정하여 상속세 과세가액에 산입한다.

기간	상속개시 전 재산처분액 또는 채무부담액
상속개시일 전 1년 이내	재산종류별 또는 채무합계액으로 계산하여 2억 원 이상인 경우로서 용도가 객관적으로 명백하지 않은 경우
상속개시일 전 2년 이내	재산종류별 또는 채무합계액으로 계산하여 5억 원 이상인 경우로서 용도가 객관적으로 명백하지 않은 경우

㉡ 피상속인이 국가, 지방자치단체 및 금융회사 등이 아닌 자에 대하여 부담한 채무로서 상속인이 변제할 의무가 없는 것으로 추정되는 경우(서류 등에 의하여 상속인이 실제로 부담하는 사실이 확인되지 아니하는 경우)에는 이를 상속세 과세가액에 산입한다.

∵ 사망 전 재산처분 또는 차입을 통하여 현금을 상속인에게 은밀히 증여하여 상속세를 회피하는 것을 방지함

② 재산 종류별

구분	1년 이내	2년 이내
㉠ 현금·예금 및 유가증권		
㉡ 부동산 및 부동산에 관한 권리	2억 원 이상	5억 원 이상
㉢ 위 외의 기타재산(특허권 등)		

③ 용도 불분명 사례

㉠ 피상속인이 재산을 처분하여 받은 금액이나 피상속인의 재산에서 인출한 금전 등 또는 채무를 부담하고 받은 금액을 지출한 거래상대방이 거래증빙의 불비 등으로 확인되지 아니하는 경우

㉡ 거래상대방이 금전 등의 수수사실을 부인하거나 거래상대방의 재산상태 등으로 보아 금전 등의 수수사실이 인정되지 아니하는 경우

㉢ 거래상대방이 피상속인의 특수관계인으로서 사회통념상 지출사실이 인정되지 아니하는 경우

㉣ 피상속인이 재산을 처분하거나 채무를 부담하고 받은 금전 등으로 취득한 다른 재산이 확인되지 아니하는 경우

㉤ 피상속인의 연령·직업·경력·소득 및 재산상태 등으로 보아 지출사실이 인정되지 아니하는 경우

(2) 계산

사용처가 입증되지 아니한 금액이 다음의 기준금액에 미달하는 경우에는 용도가 객관적으로 명백하지 아니한 것으로 추정하지 아니하며, 기준금액 이상인 경우에는 기준금액을 차감한 금액을 용도가 객관적으로 명백하지 아니한 것으로 추정한다.

∵ 상속인이 피상속인의 처분대금 등의 사용처를 입증하기 어려운 점을 고려

❶
기준금액: Min(①, ②)
① 재산 처분금액이나 인출한 금전 또는 채무를 부담하고 받은 금액 × 20%
② 2억 원

> 추정상속재산가액 = 용도불명금액 − 기준금액❶

☑ 핵심정리

구분	재산처분액 또는 채무부담액
상속추정의 배제	미소명금액 < Min(①처분재산가액 · 인출금액 · 채무부담액 × 20%, ②2억 원)
추정상속재산가액	미소명금액 − Min(①처분재산가액 · 인출금액 · 채무부담액 × 20%, ②2억 원)

사례

구분	금액	입증금액	미소명금액	추정상속재산
현금 인출	5억 원	4억 원	1억 원	−
부동산 매각	10억 원	4억 원	6억 원	6억 − Min(10억 × 20%, 2억) = 4억

☑ 핵심정리 | 소명해야 할 채무부담액

구분	1년 이내	2년 이내
국가, 지자체 금융회사 등의 채무부담액	2억 원 이상	5억 원 이상
개인의 채무 중 변제의무가 없다고 추정되는 채무부담액	상속채무로 공제한 금액 전부	

Ⅱ 상속세의 비과세

1. 전사자 등 비과세

전쟁 또는 비상사태로 토벌 또는 경비 등 작전업무수행 중 사망하거나 해당 전쟁 또는 공무의 수행 중 입은 부상 또는 그로 인한 질병으로 사망하여 상속이 개시되는 경우에는 상속세를 부과하지 아니한다.

2. 기타 비과세

다음에 규정된 재산에 대해서는 상속세를 부과하지 아니한다.

(1) 국가, 지방자치단체, 지방자치단체조합 또는 공공도서관 등 공공단체에 유증(사망으로 인하여 효력이 발생하는 증여를 포함)한 재산

(2) **금양임야와 묘토 및 족보와 제구**

제사를 주재하는 상속인(다수의 상속인이 공동으로 제사를 주재하는 경우 그 공동으로 주재하는 상속인 전체)을 기준으로 다음에 해당하는 재산을 말한다.

구분	비과세 요건	비과세 한도
금양임야	피상속인이 제사를 주재하고 있던 선조의 분묘에 속한 9,900㎡(3,000평) 이내의 금양임야	2억 원
묘토인 농지	분묘에 속한 1,980㎡(600평)이내의 묘토인 농지	
족보와 제구	요건 없음	1천만 원

(3) 「정당법」에 따른 정당에 유증등을 한 재산

(4) 「근로복지기본법」에 따른 사내근로복지기금, 우리사주조합, 공동근로복지기금 및 근로복지진흥기금 단체에 유증 등을 한 재산

(5) 사회통념상 인정되는 이재구호금품, 치료비 및 그 밖에 이와 유사한 것으로서 대통령령으로 정하는 재산

(6) 상속재산 중 상속인이 상속세 과세표준 신고기한까지 국가, 지방자치단체 또는 공공단체에 증여한 재산

Ⅲ 상속세 과세가액 불산입

1. 공익법인 등에 출연한 재산에 대한 상속세 과세가액 불산입

(1) 개요

상속재산 중 피상속인이나 상속인이 공익법인 등에게 출연한 재산의 가액으로서 상속세 신고기한(법령상 또는 행정상의 사유로 공익법인 등의 설립이 지연되는 등 부득이한 사유가 있는 경우에는 그 사유가 없어진 날이 속하는 달의 말일부터 6개월까지)까지 출연한 재산의 가액은 상속세 과세가액에 산입하지 아니한다.

∵ 공익사업에 대하여 세제혜택을 주어 공익사업에 출연을 유도함

(2) 불산입제한

원칙	내국법인의 의결권 있는 주식 등을 공익법인 등에 출연하는 경우로서 출연하는 주식 등과 다음 중 어느 하나의 주식 등을 합한 것이 그 내국법인의 의결권 있는 발행주식총수 또는 출자총액(자기주식과 자기출자지분은 제외)의 10%를 초과하는 경우에는 그 초과하는 가액을 상속세 과세가액에 산입한다. ∵ 공익법인을 통한 내국법인을 지배하면서 상속세를 회피하는 것을 방지함 ① 출연자가 출연할 당시 해당 공익법인 등이 보유하고 있는 동일한 내국법인의 주식 등 ② 출연자 및 그의 특수관계인이 해당 공익법인 등 외의 다른 공익법인 등에 출연한 동일한 내국법인의 주식 등 ③ 상속인 및 그의 특수관계인이 재산을 출연한 다른 공익법인 등이 보유하고 있는 동일한 내국법인의 주식 등
예외	다음 중 어느 하나에 해당하는 경우에는 다음의 구분에 따른 비율 초과 보유분을 상속세 과세가액에 산입한다. ① 다음의 요건을 모두 갖춘 공익법인 등(② 또는 ③에 해당하는 공익법인 등은 제외)에 출연하는 경우: 20% 　㉠ 출연받은 주식 등의 의결권을 행사하지 아니할 것 　㉡ 자선·장학 또는 사회복지를 목적으로 할 것 ② 상호출자제한기업집단과 특수관계에 있는 공익법인 등: 5% ③ 제48조 제11항 각 호의 요건을 충족하지 못하는 공익법인 등: 5%

2. 공익신탁재산에 대한 상속세 과세가액 불산입

(1) 개요

상속재산 중 피상속인이나 상속인이 「공익신탁법」에 따른 공익신탁으로서 종교·자선·학술 또는 그 밖의 공익을 목적으로 하는 신탁을 통하여 공익법인 등에 출연하는 재산의 가액은 상속세 과세가액에 산입하지 아니한다.

(2) 공익신탁 요건

공익신탁은 다음의 요건을 갖춘 것으로 한다.
① 공익신탁의 수익자가 공익법인 등이거나 그 공익법인 등의 수혜자일 것
② 공익신탁의 만기일까지 신탁계약이 중도해지되거나 취소되지 아니할 것
③ 공익신탁의 중도해지 또는 종료 시 잔여신탁재산이 국가·지방자치단체 및 다른 공익신탁에 귀속될 것

(3) 이행 기한

상속세과세가액에 산입하지 아니하는 재산은 상속세과세표준 신고기한까지 신탁을 이행하여야 한다. 다만, 법령상 또는 행정상의 사유로 신탁이행이 늦어지면 그 사유가 끝나는 날이 속하는 달의 말일부터 6개월 이내에 신탁을 이행하여야 한다.

Ⅳ 공과금 · 장례비용 및 채무

1. 거주자의 경우

(1) 공과금

상속개시일 현재 피상속인이 납부할 의무가 있는 것으로서 상속인에게 승계된 조세 · 공공요금 및 국세기본법에 따른 공과금(공공요금에 해당하는 경우 제외)을 말한다. 한편, 공과금에는 상속개시일 이후 상속인이 책임져야할 사유로 납부 또는 납부할 가산세, 강제징수비, 벌금, 과료, 과태료 등은 포함되지 아니한다.

(2) 장례비용

장례비용은 다음의 구분에 의한 금액을 합한 금액으로 한다.

① 피상속인의 사망일부터 장례일까지 장례에 직접 소요된 금액(봉안시설 또는 자연장지의 사용에 소요된 금액을 제외함). 이 경우 그 금액이 500만 원 미만인 경우에는 500만 원으로 하고 그 금액이 1천만 원을 초과하는 경우에는 1천만 원으로 한다.

② 봉안시설 또는 자연장지의 사용에 소요된 금액. 이 경우 그 금액이 500만 원을 초과하는 경우에는 500만 원으로 한다.

사례

구분	장례비용	봉안시설 등	공제액
Case1	3,000,000	4,000,000	9,000,000
Case2	7,000,000	8,000,000	12,000,000
Case3	11,000,000	7,000,000	15,000,000

(3) 채무

① 채무란 명칭여하에 관계없이 상속개시당시 피상속인이 부담하여야 할 확정된 채무로서 공과금 외의 모든 부채는 상속재산에서 공제한다. 다만, 상속개시일 전 10년 이내에 피상속인이 상속인에게 진 증여채무와 상속개시일 전 5년 이내에 피상속인이 상속인이 아닌 자에게 진 증여채무(증여하기로 약속하고 아직 증여하지 않은 상태로 남아있는 채무)는 공제하지 않는다.

② 입증방법: 상속개시 당시 피상속인의 채무로서 상속인이 실제로 부담하는 사실이 다음의 어느 하나에 따라 증명되는 것을 말한다.
　　㉠ 국가·지방자치단체 및 금융회사 등에 대한 채무는 해당 기관에 대한 채무임을 확인할 수 있는 서류
　　㉡ ㉠ 외의 자에 대한 채무는 채무부담계약서, 채권자확인서, 담보설정 및 이자지급에 관한 증빙 등에 의하여 그 사실을 확인할 수 있는 서류

2. 비거주자의 경우

(1) 공과금

상속세가 부과되는 국내에 소재하는 상속재산에 관한 공과금 및 피상속인의 사망 당시 국내에 사업장이 있는 경우로서 그 사업장에 갖춰 두고 기록한 장부에 의하여 확인되는 사업상의 공과금을 말한다.

(2) 채무

① 해당 상속재산을 목적으로 하는 유치권, 질권, 전세권, 임차권(사실상 임대차계약이 체결된 경우를 포함), 양도담보권·저당권 또는 「동산·채권 등의 담보에 관한 법률」에 따른 담보권으로 담보된 채무
② 피상속인의 사망 당시 국내에 사업장이 있는 경우로서 그 사업장에 갖춰 두고 기록한 장부에 의하여 확인되는 사업상의 채무

V 사전증여재산

1. 다음의 증여재산가액은 상속재산에 가산한다. 이 경우 공과금 등이 상속재산가액을 초과하는 경우 그 초과액은 없는 것으로 본다. 비거주자의 사망으로 인하여 상속이 개시되는 경우에는 국내에 있는 재산을 증여한 경우에만 그 증여재산을 가산한다.

(1) 상속개시일 전 10년 이내에 피상속인이 상속인에게 증여한 재산가액
(2) 상속개시일 전 5년 이내에 피상속인이 상속인이 아닌 자에게 증여한 재산가액
∵ 생전에 분산증여를 통해 초과누진세율에 의한 상속세 부담을 회피하는 것 방지

2. 합산과세재산평가

상속재산의 가액에 가산하는 증여재산의 가액은 상속개시일이 아닌 증여일 현재의 시가에 따라 평가하며, 시가가 불분명한 경우 보충적평가방법에 따라 평가한 가액에 따른다.
→ 합산되는 증여재산에 대한 증여세액은 상속세 산출세액에서 공제함

3. 합산배제대상

(1) 비과세되는 증여재산

(2) 공익법인 등이 출연받은 재산에 대한 증여세 과세가액 불산입액

(3) 공익신탁재산에 대한 증여세 과세가액 불산입액

(4) 장애인이 증여받은 재산의 과세가액 불산입액

(5) 재산취득후 해당 재산의 가치 증가

(6) 전환사채 등의 주식전환이익, 양도이익

(7) 주식의 상장 등의 이익에 따른 증여

(8) 합병에 대한 상장 등 이익의 증여

(9) 재산취득후 재산가치 증가에 따른 이익의 증여

(10) 재산 취득자금 등의 증여 추정

(11) 명의신탁재산의 증여 의제

(12) 특수관계법인과의 거래를 통한 이익의 증여의제

(13) 특수관계법인으로부터 제공받은 사업기회로 발생한 이익의 증여의제

3 상속세 과세표준의 계산

☑ 핵심정리

	상속세 과세가액	
(−)	인적공제	기초공제, 그 밖의 인적공제, 배우자상속공제
상속공제	일괄공제	선택: Min(기초공제 2억+그 밖의 인적공제, 5억)
	물적공제	가업상속공제, 영농상속공제, 금융재산상속공제, 재해손실공제, 동거주택상속공제
(−)	감정평가수수료공제	
=	상속세 과세표준	과세표준이 50만 원 미만이면 상속세를 부과하지 않음

I 상속공제

1. 기초공제와 그 밖의 인적공제

(1) 기초공제

거주자나 비거주자의 사망으로 상속이 개시되는 경우에는 상속세 과세가액에서 2억 원을 공제한다.

→ 비거주의 사망시 기초공제만 적용하며, 다른 인적공제와 물적공제는 적용되지 않음

(2) 그 밖의 인적공제

① 거주자의 사망으로 상속이 개시되는 경우로서 다음 중 어느 하나에 해당하는 경우에는 해당 금액을 상속세 과세가액에서 공제한다. 그 밖의 인적공제는 공제요건에 해당하는 자가 상속의 포기 등으로 상속을 받지 아니하는 경우에도 적용한다.

구분	공제요건❶	공제액
자녀공제	피상속인의 자녀(태아 포함)	1인당 5,000만 원
미성년자공제	배우자를 제외한 상속인 및 동거가족 중 미성년자(태아를 포함)	1인당 1,000만 원 × (19세가 될 때까지의 연수)
연로자공제	배우자를 제외한 상속인 및 동거가족 중 65세 이상인 자	1인당 5,000만 원
장애인공제	배우자를 포함한 상속인 및 동거가족 중 장애인	1인당 1,000만 원 × (기대 여명의 연수)

② 중복적용: 원칙적으로 그 밖의 인적공제(배우자 상속공제 포함)는 서로 중복하여 적용할 수 없다. 단, 동일인이 둘 이상의 인적공제대상이 되는 다음의 경우에는 각각 그 금액을 합산하여 공제한다.
  ㉠ 자녀공제와 미성년자공제
  ㉡ 장애인 공제와 그 밖의 인적공제(자녀, 미성년자, 연로자) 또는 배우자공제

2. 배우자 상속공제

(1) 개요

배우자 상속공제는 배우자의 재산형성 기여도를 감안하여 전체 상속재산 중 상속지분인 일정비율까지는 과세를 유보한 후, 잔존배우자 사망시 과세하되, 고액재산가들의 세부담 경감혜택이 확대되지 않도록 30억 원의 한도를 설정하였다.

❶ 동거가족은 상속개시일 현재 피상속인이 사실상 부양하고 있는 직계존비속(배우자의 직계존속을 포함) 및 형제자매를 말한다.

(2) 공제액

① 거주자의 사망으로 배우자가 상속받는 경우 다음의 금액을 상속세 과세가액에서 공제한다. 배우자 상속공제는 상속세과세표준신고기한의 다음날부터 9개월이 되는 날(분할기한)까지 배우자의 상속재산을 분할(등기·등록·명의개서 등이 필요한 경우 그 등기·등록·명의개서 등이 된 것에 한정함)한 경우에 적용한다. 이 경우 상속인은 상속재산의 분할사실을 분할기한까지 납세지 관할세무서장에게 신고하여야 한다.

> 배우자 상속공제액: Min(①, ②) → 5억 원 미만이면 최소 5억 원 공제
> ① 배우자가 실제 상속받은 금액❶
> ② 한도: Min(㉠, ㉡)
>   ㉠ 한도금액 = (A − B + C) × D − E
>   A: 총상속재산가액
>   B: 상속재산 중 상속인이 아닌 수유자가 유증등을 받은 재산의 가액
>   C: 상속개시일 전 10년 내에 피상속인이 상속인에게 증여한 재산가액
>   D: 민법에 따른 배우자의 법정상속분(공동상속인 중 상속을 포기한 사람이 있는 경우 그 사람이 포기하지 아니한 경우의 배우자 법정상속분)
>   E: 상속재산에 가산한 증여재산 중 배우자가 사전증여받은 재산에 대한 증여세 과세표준
>   ㉡ 30억 원

② 배우자가 실제 상속받은 금액이 없거나 5억 원 미만이면 상속세의 신고 여부에 관계없이 5억 원을 공제한다.

(3) 세부사항

다음의 부득이한 사유로 배우자상속재산분할기한까지 배우자의 상속재산을 분할할 수 없는 경우로서 배우자상속재산분할기한(부득이한 사유가 소의 제기나 심판청구로 인한 경우에는 소송 또는 심판청구가 종료된 날)의 다음날부터 6개월이 되는 날(배우자상속재산분할기한의 다음날부터 6개월이 지나 과세표준과 세액의 결정이 있는 경우에는 그 결정일)까지 상속재산을 분할하여 신고하는 경우에는 배우자상속재산분할기한까지 분할한 것으로 본다. 다만, 상속인이 그 부득이한 사유를 배우자상속재산분할기한까지 납세지 관할세무서장에게 신고하는 경우에 한정한다.

① 상속인등이 상속재산에 대하여 상속회복청구의 소를 제기하거나 상속재산 분할의 심판을 청구한 경우

② 상속인이 확정되지 아니하는 부득이한 사유 등으로 배우자상속분을 분할하지 못하는 사실을 관할세무서장이 인정하는 경우

❶
1. 배우자가 상속받은 상속재산가액(사전증여재산가액 및 추정상속재산가액 제외)
   ① 배우자가 승계하기로 한 공과금 및 채무액
   ② 배우자 상속재산 중 비과세 재산가액
   ③ 배우자 상속재산 중 과세가액불산입액
2. 상속재산의 가액

상속재산가액	유의사항
총상속재산가액	상속·유증·사인 증여한 재산+간주상속재산 +추정상속재산
+ 상속개시 전 10년 이내에 상속인에게 증여한 재산가액	상속개시 전 5년 이내 상속인이 아닌 자에게 증여한 재산가액은 합산 제외
− 상속인이 아닌 자가 유증·사인증여 받은 재산가액	상속인에게 유증·사인 증여한 재산은 차감하지 않음
− 비과세되는 상속재산가액	비과세 상속재산
− 공과금·채무액	장례비는 차감하지 않음
− 과세가액 불산입액	공익법인 등에 출연한 재산 및 공익신탁재산
= 상속재산의 가액	

3. 일괄공제

(1) 거주자의 사망으로 상속이 개시되는 경우에 상속인이나 수유자는 기초
공제(2억 원) + 그 밖의 인적공제액을 합친 금액과 5억 원 중 큰 금액으로
공제받을 수 있다. 다만, 상속세 과세표준 신고기한 내의 신고 또는 기한
후 신고가 없는 경우에는 5억 원을 공제한다.

(2) 일괄공제 적용배제

피상속인의 배우자가 단독으로 상속받는 경우에는 일괄공제를 배제하고
기초공제와 그 밖의 인적공제액을 합친 금액으로만 공제한다.

사례

구분	배우자와 자녀가 있을 때	배우자만 있을 때	자녀만 있을 때
일괄공제	5억 원	2억 원	5억 원
배우자공제	5억 원 ~ 30억 원	5억 원 ~ 30억 원	–
공제액	10억 원 ~ 35억 원	7억 원 ~ 32억 원	5억 원

4. 가업상속공제

거주자의 사망으로 상속이 개시되는 경우로서 가업[중소기업 또는 중견기업
(상속이 개시되는 소득세 과세기간 또는 법인세 사업연도의 직전 3개 소득
세 과세기간 또는 법인세 사업연도의 매출액 평균금액이 5천억 원 이상인
기업은 제외)으로서 피상속인이 10년 이상 계속하여 경영한 기업의 상속에
해당하는 경우에는 가업상속 재산가액에 상당하는 금액을 상속세 과세가액
에서 공제한다. 이 경우 공제하는 금액은 다음의 구분에 따른 금액을 한도로
한다.

피상속인이 10년 이상 20년 미만 계속하여 경영한 경우	300억 원
피상속인이 20년 이상 30년 미만 계속하여 경영한 경우	400억 원
피상속인이 30년 이상 계속하여 경영한 경우	600억 원

5. 영농상속공제

거주자의 사망으로 상속이 개시되는 경우로서 영농상속에 해당하는 경우에
는 영농상속 재산가액에 상당하는 금액(30억 원을 한도로 함)을 상속세 과
세가액에서 공제한다.

6. 금융재산 상속공제

(1) 공제액

거주자의 사망으로 상속이 개시되는 경우로서 상속개시일 현재 상속재산가액 중 금융재산의 가액에서 금융채무를 뺀 가액(순금융재산의 가액)이 있으면 다음의 구분에 따른 금액을 상속세 과세가액에서 공제하되, 그 금액이 2억 원을 초과하면 2억 원을 공제한다.

① 순금융재산의 가액이 2천만 원을 초과하는 경우: 그 순금융재산의 가액의 20% 또는 2천만 원 중 큰 금액

② 순금융재산의 가액이 2천만 원 이하인 경우: 그 순금융재산의 가액

> **☑ 핵심정리 | 순금융재산의 가액**
>
> | 금융재산 | 금융회사 등이 취급하는 예금·적금·부금·계금·출자금·신탁재산(금전신탁재산에 한함)·보험금·공제금·주식·채권·수익증권·출자지분·어음 등의 금전 및 유가증권과 다음 중 어느 하나에 해당하는 것을 말한다.
① 거래소에 상장되지 아니한 주식 등으로서 금융기관이 취급하지 아니하는 것
② 발행회사가 금융기관을 통하지 아니하고 직접 모집하거나 매출하는 방법으로 발행한 회사채 |
> |---|---|
> | 금융채무 | 채무의 입증방법에 따라 입증된 금융회사 등에 대한 채무 |

(2) 공제배제

금융재산에는 최대주주 또는 최대출자자❶가 보유하고 있는 주식 등(∵ 경영권이 반영된 주식에 대하여는 경영권 프리미엄을 추가로 인정해 평가액을 높여야 함)과 상속세 과세표준 신고기한까지 신고하지 아니한 타인 명의의 금융재산은 포함되지 아니한다.

(3) 공제신고

금융재산 상속공제를 받고자 하는 자는 금융재산 상속공제신고서를 상속세 과세표준신고와 함께 납세지 관할세무서장에게 제출하여야 한다.

> **▍사례**
>
> | 순금융재산가액 | 공제액 | 비고 |
> |---|---|---|
> | 1천만 원 | 1천만 원 | 2천만 원 이하 |
> | 5천만 원 | Max(5천 × 20%, 2천만 원) = 2천만 원 | 2천만 원 초과 |
> | 2억 원 | Max(2억 원 × 20%, 2천만 원) = 4천만 원 | 2천만 원 초과 |
> | 20억 원 | 2억 원 | 한도 2억 원 |

❶ **최대주주 또는 최대출자자**: 주주 등 1인과 그의 특수관계인의 보유주식 등을 합하여 그 보유주식 등의 합계가 가장 많은 경우의 해당 주주 등 1인과 그의 특수관계인 모두이다.

7. 재해손실 공제

(1) 공제액

거주자의 사망으로 상속이 개시되는 경우로서 상속세 신고기한 이내에 재난으로 인하여 상속재산이 멸실되거나 훼손된 경우에는 그 손실가액을 상속세 과세가액에서 공제한다. 다만, 그 손실가액에 대한 보험금 등의 수령 또는 구상권 등의 행사에 의하여 그 손실가액에 상당하는 금액을 보전받을 수 있는 경우에는 그러하지 아니하다. 상속세과세가액에서 공제하는 손실가액은 재난으로 인하여 손실된 상속재산의 가액으로 한다.

(2) 공제신고

재해손실공제를 받으려는 상속인이나 수유자는 재해손실공제신고서에 그 손실가액·손실내용 및 당해 재난의 사실을 입증하는 서류를 첨부하여 상속세과세표준신고와 함께 납세지관할세무서장에게 제출하여야 한다.

8. 동거주택 상속공제

(1) 공제액

거주자의 사망으로 상속이 개시되는 경우로서 동거주택 상속공제요건을 모두 갖춘 경우에는 상속주택가액(주택부수토지의 가액을 포함하되, 상속개시일 현재 해당 주택 및 주택부수토지에 담보된 피상속인의 채무액을 뺀 가액)의 100%에 상당하는 금액을 상속세 과세가액에서 공제한다. 다만, 그 공제할 금액은 6억 원을 한도로 한다.

∵ 1세대 1주택 실수요자의 상속세 부담을 완화 및 상속인의 주거 안정 도모

(2) 공제요건

① 피상속인과 상속인(직계비속 및 「민법」 제1003조 제2항(대습상속)에 따라 상속인이 된 그 직계비속의 배우자인 경우로 한정)이 상속개시일부터 소급하여 10년 이상(상속인이 미성년자인 기간은 제외) 계속하여 하나의 주택에서 동거할 것. 단, 피상속인과 상속인이 징집, 취학, 근무상 형편 또는 질병 요양의 사유에 해당하여 동거하지 못한 경우에는 계속하여 동거한 것으로 보되, 그 동거하지 못한 기간은 동거기간에 산입하지 아니한다.

② 피상속인과 상속인이 상속개시일부터 소급하여 10년 이상 계속하여 1세대를 구성하면서 1세대 1주택에 해당할 것. 이 경우 무주택인 기간이 있는 경우에는 해당 기간은 전단에 따른 1세대 1주택에 해당하는 기간에 포함한다.

③ 상속개시일 현재 무주택자이거나 피상속인과 공동으로 1세대 1주택을 보유한 자로서 피상속인과 동거한 상속인이 상속받은 주택일 것

9. 상속공제 적용의 한도

거주자의 사망으로 인해 상속이 개시되는 경우 기초공제, 가업상속공제, 영농상속공제, 배우자 상속공제, 그 밖의 인적공제, 일괄공제, 금융재산 상속공제, 재해손실공제 및 동거주택 상속공제는 상속세 과세가액에서 다음 중 어느 하나에 해당하는 가액을 뺀 금액을 한도로 한다. 다만, (3)은 상속세 과세가액이 5억 원을 초과하는 경우에만 적용한다.

∵ 상속인이 실제 상속받은 재산을 한도로 적용하겠다는 취지

(1) 선순위인 상속인이 아닌 자에게 유증등을 한 재산의 가액

(2) 선순위인 상속인의 상속 포기로 그 다음 순위의 상속인이 상속받은 재산의 가액

(3) 상속세 과세가액에 가산한 증여재산가액(제53조 증여재산공제 또는 제54조 준용규정에 따라 공제받은 금액이 있으면 그 증여재산가액에서 그 공제받은 금액을 뺀 가액)

사례

상속재산가액은 20억 원, 상속개시일 이전 10년 이내에 자녀에 대한 사전증여재산이 20억 원(증여세 과세표준 12억 원)이고 상속인이 아닌 손자에게 유증한 금액이 4억인 경우 상속공제 한도액은?

① 상속세 과세가액	40억
② 상속인이 아닌 자에게 유증한 가액	(−) 4억
③ 사전증여재산	(−)12억
= 상속공제 한도액	24억

10. 감정평가수수료 공제

(1) 내용

상속세를 신고·납부하기 위하여 상속재산을 평가하는데 드는 다음 중 어느 하나에 해당하는 감정평가 수수료를 다음의 구분에 따라 공제한다.

구분	공제액	한도
감정평가법인 등의 평가에 따른 수수료 (상속세 납부목적용으로 한정함)	당해 수수료	500만 원
중소기업 비상장주식의 평가수수료 (평가심의위원회가 의뢰한 신용평가전문기관으로 한정함)		평가대상 법인 수 및 신용평가전문기관의 수별로 각각 1,000만 원
판매용이 아닌 서화·골동품 등 예술적 가치가 있는 유형재산 평가에 대한 감정수수료		500만 원

(2) 신고

수수료를 공제받고자 하는 자는 당해 수수료의 지급사실을 입증할 수 있는 서류를 상속세과세표준 신고와 함께 납세지 관할세무서장에게 제출하여야 한다.

4 │ 상속세 산출세액 및 결정세액의 계산

Ⅰ │ 산출세액의 계산

1. 산출세액

(상속세 과세표준 × 세율) + 세대생략 할증과세액

2. 세율

과세표준	세율
1억 원 이하	과세표준의 10%
1억 원 초과 5억 원 이하	1천만 원 + (1억 원을 초과하는 금액의 20%)
5억 원 초과 10억 원 이하	9천만 원 + (5억 원을 초과하는 금액의 30%)
10억 원 초과 30억 원 이하	2억4천만 원 + (10억 원을 초과하는 금액의 40%)
30억 원 초과	10억4천만 원 + (30억 원을 초과하는 금액의 50%)

3. 세대생략 할증과세

상속인이나 수유자가 피상속인의 자녀를 제외한 직계비속인 경우에는 상속세산출세액에 상속재산(상속재산에 가산한 증여재산 중 상속인이나 수유자가 받은 증여재산을 포함) 중 그 상속인 또는 수유자가 받았거나 받을 재산이 차지하는 비율을 곱하여 계산한 금액의 30%(피상속인의 자녀를 제외한 직계비속이면서 미성년자에 해당하는 상속인 또는 수유자가 받았거나 받을 상속재산의 가액이 20억 원을 초과하는 경우에는 40%)에 상당하는 금액을 가산한다. 다만, 「민법」에 따른 대습상속(아버지가 조부모보다 먼저 사망하거나 상속결격자가 되어 손자가 상속받는 경우)의 경우에는 그러하지 아니하다.

∵ 1세대를 뛰어넘는 변칙적 상속에 대한 과세강화 및 세대마다 상속세를 과세하는 것과 상속세 부담의 형평을 이루기 위함

Ⅱ 결정세액의 계산

📋 핵심정리 | 계산구조

상속세 산출세액		
(-) 상속세 세액공제	증여세액공제	상속재산에 가산한 증여재산에 대한 증여세 산출세액을 공제
	외국납부세액공제	외국에 있는 상속재산에 대하여 외국의 법령에 의해 상속세를 부과받은 경우 그 상당액 공제
	단기재상속세액공제	상속이 개시된 후 10년 이내에 다시 개시된 경우 그 재상속이 개시되는 기간에 따라 일정액 공제
	신고세액공제	상속세 과세표준 신고기한 이내에 신고한 경우 3% 공제
(-) 지정문화재 등 징수유예액		
= 상속세 결정세액		

1. 증여세액공제

(1) 상속재산에 가산한 증여재산에 대한 증여세액(증여 당시의 그 증여재산에 대한 증여세 산출세액)은 상속세산출세액에서 공제한다(∵ 이중과세 조정). 다만, 상속세 과세가액에 가산하는 증여재산에 대하여 국세부과제 척기간의 만료로 인하여 증여세가 부과되지 아니하는 경우와 상속세 과세가액이 5억 원 이하인 경우 증여세 산출세액은 공제하지 아니한다.

(2) 공제한도

수증자가 상속인(수유자)인 경우	증여세 산출세액을 각자가 납부할 상속세액에서 다음의 금액을 한도로 공제한다. 상속인 등 각자 납부할 상속세 산출세액 × $\dfrac{\text{상속인 등 각자의 증여재산에 대한 증여세 과세표준}}{\text{상속인 등 각자가 받았거나 받을 상속재산(증여재산 포함)에 대한 상속세 과세표준 상당액}}$
수증자가 상속인(수유자)이 아닌 경우	증여세 산출세액을 상속세액에서 다음의 금액을 한도로 공제한다. 상속세 산출세액 × $\dfrac{\text{사전증여재산에 대한 증여세 과세표준}}{\text{상속세 과세표준}}$

2. 외국납부세액공제

(1) 거주자의 사망으로 상속세를 부과하는 경우에 외국에 있는 상속재산에 대하여 외국의 법령에 따라 상속세를 부과받은 경우에는 다음의 금액을 상속세산출세액에서 공제한다. 이는 국제적 이중과세를 조정하기 위함이다.

외국납부세액공제: Min(①, ②)
① 외국법령에 의하여 부과된 상속세액
② $\quad \dfrac{\text{상속세}}{\text{산출세액}} \times \dfrac{\text{외국의 법령에 의하여 상속세가 부과된 상속재산의 과세표준}}{\text{상속세의 과세표준}}$

(2) 신고

외국납부세액공제를 받고자 하는 자는 외국납부세액공제신청서를 상속세과세표준신고와 함께 납세지관할세무서장에게 제출하여야 한다.

3. 단기 재상속에 대한 세액공제

(1) 상속개시 후 10년 이내에 상속인이나 수유자의 사망으로 다시 상속이 개시되는 경우에는 전(前)의 상속세가 부과된 상속재산(상속재산에 가산하는 증여재산 중 상속인이나 수유자가 받은 증여재산을 포함) 중 재상속되는 상속재산에 대한 전의 상속세 상당액을 상속세산출세액에서 공제한다.

∵ 단기간 내에 상속이 반복하여 개시되는 경우 상속재산이 상속세의 과세로 갑자기 그 재산적 가치가 감소되는 것을 방지하기 위함

(2) 공제액

단기재상속에 대한 세액공제는 재상속된 각각의 상속재산별로 구분하여 다음과 같이 계산한다.

$$\dfrac{\text{전의 상속세}}{\text{산출세액}} \times \dfrac{\text{재상속분의 재산가액} \times \dfrac{\text{전의 상속세 과세가액}}{\text{전의 상속재산가액}}}{\text{전의 상속세 과세가액}} \times \text{공제율}$$

☑ 핵심정리 | 공제율

재상속 기간	1년 내	2년 내	3년 내	4년 내	5년 내	6년 내	7년 내	8년 내	9년 내	10년 내
공제율	100	90	80	70	60	50	40	30	20	10

(3) 한도

공제되는 세액은 상속세 산출세액에서 공제되는 증여세액 및 공제되는 외국 납부세액을 차감한 금액을 한도로 한다.

4. 신고세액공제

상속세 과세표준을 신고한 경우에는 상속세산출세액(제27조에 따라 산출세액에 가산하는 금액을 포함)에서 다음의 금액을 공제한 금액의 3%에 상당하는 금액을 공제한다.

(1) 지정문화재 등 징수를 유예받은 금액

(2) 상속세 및 증여세법 또는 다른 법률에 따라 산출세액에서 공제되거나 감면되는 금액

5. 지정문화유산 등에 대한 상속세의 징수유예

(1) 개요

납세지 관할세무서장은 상속재산 중 다음의 어느 하나에 해당하는 재산이 포함되어 있는 경우에는 법령에 따라 계산한 그 재산가액에 상당하는 상속세액의 징수를 유예한다.

① 문화유산자료 등과 「문화유산의 보존 및 활용에 관한 법률」에 따른 보호구역에 있는 토지로서 대통령령으로 정하는 토지

② 「박물관 및 미술관 진흥법」에 따라 등록한 박물관자료 또는 미술관자료로서 같은 법에 따른 박물관 또는 미술관(사립박물관이나 사립미술관의 경우에는 공익법인 등에 해당하는 것만을 말함)에 전시 중이거나 보존 중인 재산(이하 "박물관자료 등"이라 함)

③ 「문화유산의 보존 및 활용에 관한 법률」에 따른 국가지정문화유산 및 시·도지정문화유산과 같은 법에 따른 보호구역에 있는 토지로서 대통령령으로 정하는 토지(이하 이 조에서 "국가지정문화유산 등"이라 함)

④ 「자연유산의 보존 및 활용에 관한 법률」에 따라 지정된 천연기념물·명승 및 시·도자연유산과 같은 법에 따른 보호구역에 있는 토지로서 대통령령으로 정하는 토지(이하 이 조에서 "천연기념물 등"이라 함)

(2) 징수유예 세액계산

징수를 유예하는 상속세액은 상속세산출세액에 상속재산(법 제13조에 따라 상속재산에 가산하는 증여재산을 포함) 중 법 제74조 제1항 각 호의 어느 하나에 해당하는 재산이 차지하는 비율을 곱하여 계산한 금액으로 한다.

(3) 추징

① 납세지 관할세무서장은 문화유산자료 등, 박물관자료 등, 국가지정문화유산 등 또는 천연기념물 등을 상속받은 상속인 또는 수유자가 이를 유상으로 양도하거나 그 밖에 대통령령으로 정하는 사유로 박물관자료 등을 인출하는 경우에는 즉시 그 징수유예한 상속세를 징수하여야 한다.

ⓐ 박물관 또는 미술관의 등록이 취소된 경우

ⓑ 박물관 또는 미술관을 폐관한 경우

ⓒ 문화체육관광부에 등록된 박물관 자료 또는 미술관 자료에서 제외되는 경우

② 납세지 관할세무서장은 징수유예 기간에 문화유산자료 등, 박물관자료 등, 국가지정문화유산 등 또는 천연기념물 등을 소유하고 있는 상속인 또는 수유자의 사망으로 다시 상속이 개시되는 경우에는 그 징수유예한 상속세액의 부과 결정을 철회하고 그 철회한 상속세액을 다시 부과하지 아니한다.

(4) 담보제공

① 징수유예를 받으려는 자는 그 유예할 상속세액에 상당하는 담보를 제공하여야 한다. 이 경우 담보의 제공에 대해서는 제71조를 준용한다.

② 국가지정문화유산 등 및 천연기념물 등에 대한 상속세를 징수유예 받으려는 자는 그 유예할 상속세액에 상당하는 담보를 제공하지 아니할 수 있다. 납세담보를 제공하지 아니한 자는 매년 말 관할 세무서장에게 국가지정문화유산 등 또는 천연기념물 등의 보유현황을 제출하여야 하며, 관할 세무서장은 보유현황의 적정성을 점검하여야 한다.

③ 납세담보를 제공하지 아니한 자가 국가지정문화유산 등 또는 천연기념물 등을 유상으로 양도할 때에는 국가지정문화유산 등 또는 천연기념물 등을 양도하기 7일 전까지 그 사실을 관할 세무서장에게 신고하여야 한다.

5　상속세 납세절차

I　상속세의 신고와 납부

1. 신고

상속세 납부의무가 있는 상속인 또는 수유자는 상속개시일이 속하는 달의 말일부터 6개월(피상속인 또는 상속인이 외국에 주소를 둔 경우에는 9개월) 이내에 상속세의 과세가액 및 과세표준을 납세지 관할세무서장에게 신고하여야 한다.

2. 납부

원칙	상속세를 신고하는 자는 각 신고기한까지 각 산출세액에서 다음의 어느 하나에 규정된 금액을 뺀 금액을 납세지 관할 세무서, 한국은행 또는 우체국에 납부하여야 한다. ① 지정문화재 등 징수유예세액 ② 공제 또는 감면되는 세액 ③ 신고세액공제 ④ 가업상속에 대한 납부유예를 신청한 금액 ⑤ 연부연납 또는 물납을 신청한 금액
분납	납부할 금액이 1천만 원을 초과하는 경우에는 다음의 금액을 납부기한이 지난 후 2개월 이내에 분할납부할 수 있다. 다만, 연부연납을 허가받은 경우에는 그러하지 아니하다. ① 납부할 세액이 2천만 원 이하인 때에는 1천만 원을 초과하는 금액 ② 납부할 세액이 2천만 원을 초과하는 때에는 그 세액의 50% 이하의 금액

II　연부연납과 물납

1. 연부연납

(1) 개요

납세지 관할세무서장은 상속세 납부세액이나 증여세 납부세액이 2천만 원을 초과하는 경우에는 납세의무자의 신청을 받아 연부연납을 허가할 수 있다. 이 경우 납세의무자는 담보를 제공하여야 하며, 금전, 일정한 유가증권, 납세보증보험증권, 세무서장이 인정하는 보증인의 납세보증서에 해당하는 납세담보를 제공하여 연부연납 허가를 신청하는 경우에는 그 신청일에 연부연납을 허가받은 것으로 본다.

(2) 연부연납기간

연부연납의 기간은 다음의 구분에 따른 기간의 범위에서 해당 납세의무자가 신청한 기간으로 한다. 다만, 각 회분의 분할납부 세액이 1천만 원을 초과하도록 연부연납기간을 정하여야 한다.❶

❶
가업상속공제를 받았거나 중소기업 또는 중견기업을 상속받은 경우의 대통령령으로 정하는 상속재산(사립유치원에 직접 사용하는 재산 등 대통령령으로 정하는 재산을 포함)

상속세	가업상속 재산의 경우	연부연납 허가일부터 20년 또는 연부연납 허가 후 10년이 되는 날부터 10년
	그 밖의 상속재산의 경우	연부연납 허가일부터 10년
증여세	가업승계 증여재산의 경우	연부연납 허가일부터 15년
	그 밖의 증여재산	연부연납 허가일부터 5년

(3) 연부연납

연부연납하는 경우의 납부금액은 매년 납부할 금액이 1천만 원을 초과하는 금액 범위에서 다음에 따라 계산된 금액으로 한다.

① 일반적인 경우: 신고납부기한 또는 납부고지서에 따른 납부기한과 납부기한 경과 후 연부연납 기간에 매년 납부할 금액: 연부연납 대상금액 / (연부연납기간+1)

② 연부연납 허가 후 10년이 되는 날부터 10년간 납부하는 경우 연부연납 금액: 연부연납허가 후 10년이 되는 날부터 연부연납 기간에 매년 납부할 금액은 다음 계산식으로 계산한 금액: 연부연납 대상금액 / (연부연납기간+1)

사례

상속세 납부세액이 5,500만 원인 경우(가업상속 아님)

1. 신고납부기한 납부금액: 5,500만 원 / (4+1) = 1,100만 원
2. 연부연납기간에 매년 납부할 금액: 5,500만 원 / (4+1) = 1,100만 원

---

(4) 연부연납가산금

연부연납의 허가를 받은 자는 다음의 어느 하나에 규정한 금액을 각 회분의 분할납부 세액에 가산하여 납부하여야 한다.

① 처음의 분할납부 세액에 대해서는 연부연납을 허가한 총세액에 대하여 신고기한 또는 납부고지서에 의한 납부기한의 다음 날부터 그 분할납부 세액의 납부기한까지의 일수에 국세환급가산금의 기본이자율을 곱하여 계산한 금액

② ① 외의 경우에는 연부연납을 허가한 총세액에서 직전 회까지 납부한 분할납부 세액의 합산금액을 뺀 잔액에 대하여 직전 회의 분할납부 세액 납부기한의 다음 날부터 해당 분할납부기한까지의 일수에 국세환급가산금의 기본이자율을 곱하여 계산한 금액

2. 물납

(1) 개요

납세지 관할 세무서장은 다음의 요건을 모두 갖춘 경우에는 납세의무자의 신청을 받아 물납을 허가할 수 있다. 다만, 물납을 신청한 재산의 관리·처분이 적당하지 아니하다고 인정되는 경우에는 물납허가를 하지 아니할 수 있다.

① 상속재산(상속재산에 가산하는 증여재산 중 상속인 및 수유자가 받은 증여재산을 포함) 중 부동산과 유가증권(국내에 소재하는 부동산 등 대통령령으로 정하는 물납에 충당할 수 있는 재산으로 한정)의 가액이 해당 상속재산가액의 2분의 1을 초과할 것

② 상속세 납부세액이 2천만 원을 초과할 것

③ 상속세 납부세액이 상속재산가액 중 금융재산의 가액(상속재산에 가산하는 증여재산의 가액은 포함하지 아니함)을 초과할 것

(2) 물납재산범위

물납에 충당할 수 있는 부동산 및 유가증권은 다음의 것으로 한다.

① 국내에 소재하는 부동산

② 국채·공채·주권 및 내국법인이 발행한 채권 또는 증권과 그 밖에 기획재정부령으로 정하는 유가증권. 다만, 다음의 어느 하나에 해당하는 유가증권은 제외한다.

　　㉠ 거래소에 상장된 것. 다만, 최초로 거래소에 상장되어 물납허가통지서 발송일 전일 현재 「자본시장과 금융투자업에 관한 법률」에 따라 처분이 제한된 경우에는 그러하지 아니하다.

　　㉡ 거래소에 상장되어 있지 아니한 법인의 주식 등. 다만, 상속의 경우로서 그 밖의 다른 상속재산이 없거나 충당순위 ①~③의 상속재산으로 상속세 물납에 충당하더라도 부족하면 그러하지 아니하다.

(3) 물납충당순위

물납에 충당하는 재산은 세무서장이 인정하는 정당한 사유가 없는 한 다음의 순서에 따라 신청 및 허가하여야 한다.

① 국채 및 공채

② 거래소에 상장된 유가증권(①의 재산 제외)

③ 국내에 소재하는 부동산(⑥의 재산 제외)

④ 유가증권(①, ② 및 ⑤의 재산 제외)

⑤ 거래소에 상장되어 있지 아니한 법인의 주식등

⑥ 상속개시일 현재 상속인이 거주하는 주택 및 그 부수토지

(4) 수납가액결정

물납에 충당할 부동산 및 유가증권의 수납가액은 원칙적으로 상속재산의 가액으로 한다.

(5) 문화재물납

다음의 요건을 모두 갖춘 납세의무자는 상속재산에 문화유산 등이 포함된 경우 납세지 관할 세무서장에게 해당 문화유산 등에 대한 물납을 신청할 수 있다.

① 상속세 납부세액이 2천만 원을 초과할 것
② 상속세 납부세액이 상속재산가액 중 금융재산의 가액(상속재산에 가산하는 증여재산의 가액은 포함하지 아니함)을 초과할 것

Ⅲ 가업상속에 대한 상속세의 납부유예

납세지 관할세무서장은 납세의무자가 다음의 요건을 모두 갖추어 상속세의 납부유예를 신청하는 경우에는 가업상속에 대한 상속세액에 대하여 납부유예를 허가할 수 있다. 이 경우 납부유예 허가를 받으려는 납세의무자는 담보를 제공하여야 한다.

1. 상속인이 가업(중소기업으로 한정함)을 상속받았을 것

2. 가업상속공제를 받지 아니하였을 것. 이 경우 가업상속공제 대신 영농상속공제를 받은 경우에는 가업상속공제를 받은 것으로 본다.

Ⅳ 상속세의 결정과 경정

1. 개요

관할 세무서장(국세청장이 특히 중요하다고 인정하는 것에 대해서는 관할지방국세청장)은 상속세과세표준 신고기한으로부터 9개월 이내에 과세표준과 세액을 결정하여야 한다. 다만, 상속재산 또는 증여재산의 조사, 가액의 평가 등에 장기간이 걸리는 등 부득이한 사유가 있어 그 기간 이내에 결정할 수 없는 경우에는 그 사유를 상속인·수유자 또는 수증자에게 알려야 한다.

2. 고액재산사후관리

세무서장 등은 결정된 상속재산의 가액이 30억 원 이상인 경우로서 상속개시 후 5년 이내에 상속인이 보유한 부동산, 주식, 그 밖에 주요 재산의 가액이 상속개시 당시에 비하여 크게 증가한 경우에는 그 결정한 과세표준과 세액에 탈루 또는 오류가 있는지를 조사하여야 한다. 다만, 상속인이 그 증가한 재산의 자금 출처를 증명한 경우에는 그러하지 아니하다.

∵ 고액상속인의 누락한 상속재산을 사후에 추적하여 과세하기 위함

3. 경정청구특례

상속세 과세표준 및 세액을 신고한 자 또는 상속세 과세표준 및 세액의 결정 또는 경정을 받은 자에게 다음의 어느 하나에 해당하는 사유가 발생한 경우에는 그 사유가 발생한 날부터 6개월 이내에 결정이나 경정을 청구할 수 있다.

(1) 상속재산에 대한 상속회복청구소송 등 대통령령으로 정하는 사유로 상속개시일 현재 상속인 간에 상속재산가액이 변동된 경우

(2) 상속개시 후 1년이 되는 날까지 상속재산의 수용 등 대통령령으로 정하는 사유로 상속재산의 가액이 크게 하락한 경우

02 증여세

1 총설

I 개요

1. 의의

상속세는 사망으로 인한 부의 무상이전에 대하여 부과하는 조세로서, 재산상속에 의한 부의 집중현상을 완화함으로써 계층변동과 사회발전의 역동성을 보장하는 사회적 의미를 지닌다. 단, 상속세는 사망한 경우에 과세하므로 생전증여에 의한 부의 무상이전에 대하여 과세하지 못한다면 상속세 과세가 무의미해질 수 있다. 따라서 상속세의 보완 역할로서 증여세를 부과하는 것이다.

2. 소득세와 관계

(1) 증여재산에 대하여 수증자에게 「소득세법」에 따른 소득세 또는 「법인세법」에 따른 법인세가 부과되는 경우에는 증여세를 부과하지 아니한다.

(2) 소득세 또는 법인세가 「소득세법」, 「법인세법」 또는 다른 법률에 따라 비과세되거나 감면되는 경우에도 또한 같다.

3. 과세체계

(1) 원칙

증여세는 증여에 따라 재산을 취득하는 자에게 부과하되, 원칙적으로 증여자별·수증자별로 과세가액을 계산하여 과세한다.

(2) 사전증여합산

해당 증여일 전 10년 이내에 동일인(증여자가 직계존속인 경우에는 그 직계존속의 배우자를 포함)으로부터 받은 증여재산가액을 합친 금액이 1천만 원 이상인 경우에는 그 가액을 증여세 과세가액에 가산한다. 다만, 합산배제증여재산의 경우에는 그러하지 아니하다.

Ⅱ 정의

1. 증여

증여란 그 행위 또는 거래의 명칭·형식·목적 등과 관계없이 직접 또는 간접적인 방법으로 타인에게 무상으로 유형·무형의 재산 또는 이익을 이전(현저히 낮은 대가를 받고 이전하는 경우를 포함)하거나 타인의 재산가치를 증가시키는 것을 말한다. 다만, 유증, 사인증여, 유언대용신탁 및 수익자연속신탁은 제외한다.

∵ 법에 열거되지 않은 거래로 증여세를 회피하는 것을 방지하기 위함

2. 증여재산

증여로 인하여 수증자에게 귀속되는 모든 재산 또는 이익을 말하며, 다음의 물건, 권리 및 이익을 포함한다.

(1) 금전으로 환산할 수 있는 경제적 가치가 있는 모든 물건

(2) 재산적 가치가 있는 법률상 또는 사실상의 모든 권리

(3) 금전으로 환산할 수 있는 모든 경제적 이익

3. 거주자

(1) 거주자

국내에 주소를 두거나 183일 이상 거소를 둔 사람을 말한다.

(2) 비거주자

거주자가 아닌 사람을 말한다.

4. 수증자

증여재산을 받은 거주자(본점이나 주된 사무소의 소재지가 국내에 있는 비영리법인을 포함) 또는 비거주자(본점이나 주된 사무소의 소재지가 외국에 있는 비영리법인을 포함)를 말한다.

5. 특수관계인

본인과 친족관계, 경제적 연관관계 또는 경영지배관계 등 대통령령으로 정하는 관계에 있는 자를 말한다. 이 경우 본인도 특수관계인의 특수관계인으로 본다.

Ⅲ 증여세 과세대상

1. 포괄규정

다음의 어느 하나에 해당하는 증여재산에 대해서는 증여세법에 따라 증여세를 부과한다.

(1) 무상으로 이전받은 재산 또는 이익

(2) 현저히 낮은 대가를 주고 재산 또는 이익을 이전받음으로써 발생하는 이익이나 현저히 높은 대가를 받고 재산 또는 이익을 이전함으로써 발생하는 이익. 다만, 특수관계인이 아닌 자 간의 거래인 경우에는 거래의 관행상 정당한 사유가 없는 경우로 한정한다.

(3) 재산 취득 후 해당 재산의 가치가 증가한 경우의 그 이익. 다만, 특수관계인이 아닌 자 간의 거래인 경우에는 거래의 관행상 정당한 사유가 없는 경우로 한정한다.

(4) 각 규정의 경우와 경제적 실질이 유사한 경우 등 제4호의 각 규정을 준용하여 증여재산의 가액을 계산할 수 있는 경우의 그 재산 또는 이익

2. 증여예시

(1) 신탁이익의 증여

(2) 보험금의 증여

(3) 저가 양수 또는 고가 양도에 따른 이익의 증여

(4) 채무 면제·변제·인수에 따른 증여

(5) 부동산무상사용에 따른 이익의 증여

(6) 불공정 합병에 따른 대주주 이익의 증여

(7) 불균등 증자에 따른 이익의 증여

(8) 불균등 감자에 따른 이익의 증여

(9) 현물출자에 따른 이익의 증여

(10) 전환사채 등의 주식전환 등에 따른 이익의 증여

(11) 초과배당에 따른 이익의 증여

(12) 주식 등의 상장 등에 따른 이익의 증여

(13) 금전 무상대출 등에 따른 이익의 증여

(14) 합병에 따른 상장 등 이익의 증여

(15) 재산사용 및 용역제공 등에 따른 이익의 증여

(16) 법인의 조직 변경 등에 따른 이익의 증여

(17) 재산 취득 후 재산가치 증가에 따른 이익의 증여

3. 증여추정

(1) 배우자 등에게 양도한 재산의 증여 추정

(2) 재산 취득자금 등의 증여 추정

4. 증여의제

(1) 명의신탁재산의 증여 의제

(2) 특수관계법인과의 거래를 통한 이익의 증여 의제

(3) 특수관계법인으로부터 제공받은 사업기회로 발생한 이익의 증여 의제

(4) 특정법인과의 거래를 통한 이익의 증여 의제

Ⅳ 증여세 납부의무

1. 개요

증여세는 수증자를 기준으로 납세의무의 범위를 다음과 같이 정하고 있다.

수증자	과세대상
거주자(본점·주사무소의 소재지가 국내에 있는 비영리법인 포함)	증여세 과세대상이 되는 모든 증여재산
비거주자(본점·주사무소의 소재지가 외국에 있는 비영리법인 포함)	증여세 과세대상이 되는 국내에 있는 모든 증여재산

2. 명의신탁증여의제

(1) 원칙

명의신탁 증여의제 규정에 따라 재산을 증여한 것으로 보는 경우(명의자가 영리법인인 경우를 포함)에는 실제소유자가 해당 재산에 대하여 증여세를 납부할 의무가 있다.

∵ 조세회피 목적으로 명의신탁을 활용하는 주체는 실제소유자임

(2) 물적 납세의무

실제소유자가 명의신탁증여의제 규정에 따른 증여세·가산금 또는 강제징수비를 체납한 경우에 그 실제소유자의 다른 재산에 대하여 강제징수를 하여도 징수할 금액에 미치지 못하는 경우에는 「국세징수법」에서 정하는 바에 따라 명의자에게 증여한 것으로 보는 재산으로써 납세의무자인 실제소유자의 증여세 및 강제징수비를 징수할 수 있다.

3. 법인의 납세의무

(1) 영리법인

영리법인은 증여세 납세의무가 없다(∵ 순자산증가설에 따라 증여재산 가액을 각 사업연도 소득금액에 포함하여 법인세로 납부하기 때문). 또한 영리법인이 증여받은 재산 또는 이익에 대하여 「법인세법」에 따른 법인세가 부과되는 경우(법인세가 「법인세법」 또는 다른 법률에 따라 비과세되거나 감면되는 경우를 포함) 해당 법인의 주주 등에 대해서는 증여세를 부과하지 아니한다. 단, 다음의 규정은 해당 법인의 주주 등에 대해서 증여세를 부과한다.

① 특수관계법인과의 거래를 통한 이익의 증여 의제
② 특수관계법인으로부터 제공받은 사업기회로 발생한 이익의 증여 의제
③ 특정법인과의 거래를 통한 이익의 증여 의제

(2) 비영리법인

비영리법인은 법인세법에 열거된 수익사업에 대하여만 법인세가 과세되며, 이에 포함되지 않는 목적사업과 관련하여 무상으로 받은 자산은 법인세를 과세하지 않는다. 따라서 비영리법인은 증여로 인하여 취득한 재산에 대하여 증여세 납세의무가 있다.

4. 법인격 없는 단체

법인격이 없는 사단·재단 또는 그 밖의 단체인 경우에는 「국세기본법」 제13조 제4항에 따른 법인으로 보는 단체에 해당하면 비영리법인으로 보고, 그 외의 경우 거주자 또는 비거주자로 보아 상속세 및 증여세법을 적용한다.

5. 연대납부의무

(1) 사유

증여자는 다음의 어느 하나에 해당하는 경우에는 수증자가 납부할 증여세를 연대하여 납부할 의무가 있다.

① 수증자의 주소나 거소가 분명하지 아니한 경우로서 증여세에 대한 조세채권을 확보하기 곤란한 경우
② 수증자가 증여세를 납부할 능력이 없다고 인정되는 경우로서 강제징수를 하여도 증여세에 대한 조세채권을 확보하기 곤란한 경우
③ 수증자가 비거주자인 경우

(2) 면제

다음에 해당하는 경우 증여자에게 연대납부의무를 지우지 아니한다.

① 신탁이익의 증여, 보험금의 증여 외의 변칙적 거래에 따른 이익의 증여
② 재산취득자금 및 채무상환자금의 증여추정의 경우

③ 특수관계법인과의 거래를 통한 이익의 증여의제, 특수관계법인으로부터 제공받은 사업기회로 발생한 이익의 증여의제, 특정법인과의 거래를 통한 이익의 증여의제의 경우

④ 공익법인이 출연받은 재산에 대한 과세가액 불산입 규정에서 출연자가 당해 공익법인의 운영에 책임이 없는 경우로서 일정한 요건을 갖춘 경우

(3) 통지

세무서장은 연대납세의무 규정에 따라 증여자에게 증여세를 납부하게 할 때에는 그 사유를 알려야 한다.

6. 증여세 면제

다음의 증여에 해당하는 경우로서 수증자가 증여세를 납부할 능력이 없다고 인정되면서 강제징수를 하여도 증여세에 대한 조세채권을 확보하기 곤란한 경우에는 그에 상당하는 증여세의 전부 또는 일부를 면제한다.

(1) 저가 양수 또는 고가 양도에 따른 이익의 증여

(2) 채무면제 등에 따른 증여

(3) 부동산 무상사용에 따른 이익의 증여

(4) 금전 무상대출 등에 따른 이익의 증여

Ⅴ 증여재산의 취득시기

권리의 이전이나 그 행사에 등기·등록을 요하는 재산	등기부·등록부에 기재된 등기·등록접수일. 다만, 판결 등 기타 법률규정에 따른 등기를 요하지 아니하는 부동산의 취득에 대하여는 실제로 부동산의 소유권을 취득한 날
① 건물을 신축하여 증여할 목적으로 수증자의 명의로 건축허가를 받거나 신고를 하여 해당 건물을 완성한 경우 ② 건물을 증여할 목적으로 수증자의 명의로 분양권을 건설사업자로부 취득하거나 분양권을 타인으로부터 전득한 경우	건물의 사용승인서 교부일. 이 경우 사용승인 전에 사실상 사용하거나 임시사용승인을 얻은 경우에는 그 사실상의 사용일 또는 임시사용승인일로 하고, 건축허가를 받지 아니하거나 신고하지 아니하고 건축하는 건축물에 있어서는 그 사실상의 사용일

타인의 기여에 의해 재산가치가 증가한 경우	① 개발사업의 시행: 개발구역으로 지정되어 고시된 날 ② 형질변경: 해당 형질변경허가일 ③ 공유물의 분할: 공유물 분할등기일 ④ 사업의 인가·허가 또는 지하수개발·이용의 허가 등: 해당 인가·허가일 ⑤ 주식 등의 상장 및 비상장주식의 등록, 법인의 합병: 주식등의 상장일 또는 비상장주식의 등록일, 법인의 합병등기일 ⑥ 생명보험·손해보험의 보험금 지급: 보험사고가 발생한 날 ⑦ 위 외의 경우: 재산가치증가사유가 발생한 날
증여받는 재산이 주식 등인 경우	수증자가 배당금의 지급이나 주주권의 행사 등에 의하여 해당 주식 등을 인도받은 사실이 객관적으로 확인되는 날. 다만, 해당 주식 등을 인도받은 날이 불분명하거나 해당 주식 등을 인도받기 전에 취득자의 주소와 성명 등을 주주명부 또는 사원명부에 기재한 경우에는 그 명의개서일 또는 그 기재일
증여받은 재산이 무기명채권인 경우	해당 채권에 대한 이자지급사실 등에 의하여 취득사실이 객관적으로 확인되는 날. 다만, 그 취득일이 불분명한 경우 해당 채권에 대하여 취득자가 이자지급을 청구한 날 또는 해당 채권의 상환을 청구한 날
위 외의 재산	인도한 날 또는 사실상의 사용일

VI 과세관할

1. 원칙

증여세는 수증자의 주소지(주소지가 없거나 분명하지 아니한 경우 거소지)를 관할하는 세무서장 등이 과세한다.

2. 예외

(1) 증여자의 주소지

다음의 어느 하나에 해당하는 경우에는 증여자의 주소지를 관할하는 세무서장 등이 과세한다.

① 수증자가 비거주자인 경우

② 수증자의 주소 및 거소가 분명하지 아니한 경우

③ 명의신탁재산의 증여의제규정에 따라 재산을 증여한 것으로 보는 경우

(2) 증여재산 소재지

다음의 어느 하나에 해당하는 경우에는 증여재산의 소재지를 관할하는 세무서장 등이 과세한다.
① 수증자와 증여자가 모두 비거주자인 경우
② 수증자와 증여자 모두의 주소 또는 거소가 분명하지 아니한 경우

2 증여세 계산구조

☑ **핵심정리 | 계산구조**

	증여재산가액	
(+)	사전증여재산가액	합산기간 이내에 동일인으로부터 증여받은 재산가액
(−)	부담부증여 인수채무액	
(=)	증여세 과세가액	
(−)	증여공제	증여재산공제, 재해손실공제
(−)	감정평가수수료공제	
(=)	증여세 과세표준	
(×)	세율	10%~50% 초과누진세율
(=)	증여세 산출세액	
(−)	징수유예액, 세액공제액	
(=)	신고납부세액	

I 증여세 과세가액

1. 상속재산의 분할로 당초 상속분을 초과하여 취득한 자산

(1) 원칙

상속개시 후 상속재산에 대하여 등기·등록·명의개서 등으로 각 상속인의 상속분이 확정된 후, 그 상속재산에 대하여 공동상속인이 협의하여 분할한 결과 특정 상속인이 당초 상속분을 초과하여 취득하게 되는 재산은 그 분할에 의하여 상속분이 감소한 상속인으로부터 증여받은 것으로 보아 증여세를 부과한다.
∵ 상속 확정 후 민법상 협의분할을 통해 증여세 회피하는 것을 방지

(2) 예외

다만, 상속세 과세표준 신고기한까지 분할에 의하여 당초 상속분을 초과하여 취득한 경우와 당초 상속재산의 분할에 대하여 무효 또는 취소 등 다음의 어느 하나에 해당하는 정당한 사유가 있는 경우에는 증여세를 부과하지 아니한다.

① 상속회복청구의 소에 의한 법원의 확정판결에 따라 상속인 및 상속재산에 변동이 있는 경우
② 「민법」 제404조에 따른 채권자대위권의 행사에 의하여 공동상속인들의 법정상속분대로 등기 등이 된 상속재산을 상속인 사이의 협의분할에 의하여 재분할하는 경우
③ 상속세과세표준 신고기한 내에 상속세를 물납하기 위하여 「민법」 제1009조에 따른 법정상속분으로 등기·등록 및 명의개서 등을 하여 물납을 신청하였다가 물납허가를 받지 못하거나 물납재산의 변경명령을 받아 당초의 물납재산을 상속인 사이의 협의분할에 의하여 재분할하는 경우

2. 증여재산의 반환

수증자가 증여재산(금전은 제외)을 당사자 간의 합의에 따라 증여세 과세표준 신고기한까지 증여자에게 반환하는 경우(반환하기 전에 과세표준과 세액을 결정받은 경우는 제외)에는 처음부터 증여가 없었던 것으로 보며, 증여세 과세표준 신고기한이 지난 후 3개월 이내에 증여자에게 반환하거나 증여자에게 다시 증여하는 경우에는 그 반환하거나 다시 증여하는 것에 대해서는 증여세를 부과하지 아니한다.
∵ 금전은 거래관계 포착이 어려워 반환 여부가 불확실하기 때문

🗹 **핵심정리**

	반환 또는 재증여	당초 증여	반환 증여
금전	시기에 관계 없음	과세	과세
금전 외 재산	증여세 신고기한 이내 (증여받은 날이 속하는 달의 말일부터 3개월 이내)	과세제외	과세제외
	신고기한 경과 후 3개월 이내 (증여받은 날이 속하는 달의 말일부터 3개월 이내)	과세	과세제외
	신고기한 경과 후 3개월 후	과세	과세

3. 재차증여의 경우 합산과세

(1) 해당 증여일 전 10년 이내에 동일인(증여자가 직계존속인 경우에는 그 직계존속의 배우자를 포함)으로부터 받은 증여재산가액을 합친 금액이 1천만 원 이상인 경우에는 그 가액을 증여세 과세가액에 가산한다. 다만, 합산배제증여재산의 경우에는 그러하지 아니하다.
∵ 수차례 분할 증여를 통해 누진세를 회피하여 부당하게 증여세가 경감되는 것을 방지

(2) 합산과세방법

재차증여재산의 합산과세 시 증여재산의 가액은 각 증여일 현재의 재산 가액에 따른다.

→ 합산과세시점을 기준으로 과거의 증여재산가액을 재평가하는 것이 아님

(3) 합산배제증여재산

① 재산취득 후 해당 재산가치 증가에 따른 이익

② 전환사채 등에 의하여 주식으로의 전환·교환 또는 주식의 인수를 하거나 전환사채 등을 양도함으로써 얻은 이익

③ 주식 등의 상장 등에 따른 이익

④ 합병에 따른 상장 등 이익

⑤ 재산 취득 후 재산가치 증가에 따른 이익

⑥ 재산 취득자금 등의 증여추정

⑦ 명의신탁재산의 증여 의제

⑧ 특수관계법인과의 거래를 통한 이익의 증여 의제

⑨ 특수관계법인으로부터 제공받은 사업기회로 발생한 이익의 증여 의제

Ⅱ 부담부증여

1. 부담부증여란 수증자가 재산을 증여받으면서 동시에 일정한 채무의 부담이나 인수 등을 하는 증여를 말한다. 수증자가 부담하거나 인수한 채무액은 증여로 볼 수 없으므로 증여재산가액에서 공제하는 것이 원칙이다.

2. 원칙

일반적인 경우	증여자의 채무가 담보된 자산을 증여받은 경우 그 채무를 수증자가 부담하기로 약정하여 인수한 경우에는 그 증여재산의 가액에서 그 채무액을 공제한 가액을 증여세 과세가액으로 한다.
배우자·직계존비속 부담부증여	배우자 간 또는 직계존비속 간의 부담부증여(배우자 또는 직계존비속간의 양도시 증여로 추정되는 경우를 포함)에 대해서는 수증자가 증여자의 채무를 인수한 경우에도 그 채무액은 수증자에게 인수되지 아니한 것으로 추정한다. 다만, 그 채무액이 국가 및 지방자치단체에 대한 채무 등이 다음에 따라 객관적으로 인정되는 것인 경우에는 그러하지 아니하다. ① 국가·지방자치단체 및 금융회사 등에 대한 채무는 해당 기관에 대한 채무임을 확인할 수 있는 서류 ② ① 외의 자에 대한 채무는 채무부담계약서, 채권자확인서, 담보설정 및 이자지급에 관한 증빙 등에 의하여 그 사실을 확인할 수 있는 서류 ∵ 부담부증여로 외형형태를 갖추어 채무를 공제한 후 실제로는 증여자가 그 채무를 반제함으로써 증여세 회피하는 것을 방지

Ⅲ 비과세되는 증여재산

1. 비과세 증여재산은 법에 열거되어 있으면 특정 요건 없이 과세하지 않는다. 반면에 과세가액불산입은 특정요건을 갖춘 경우에만 과세하지 않되, 특정요건을 사후관리하여 요건을 충족하지 못한 경우 면제된 증여세를 추징할 수 있다.

2. 다음의 어느 하나에 해당하는 금액에 대해서는 증여세를 부과하지 아니한다.

(1) 국가나 지방자치단체로부터 증여받은 재산의 가액

(2) 내국법인의 종업원으로서 우리사주조합에 가입한 자가 해당 법인의 주식을 우리사주조합을 통하여 취득한 경우로서 그 조합원이 소액주주(당해 법인의 발행주식총수의 1% 미만을 소유하는 경우로서 주식의 액면가액의 합계액이 3억 원 미만인 주주)에 해당하는 경우 그 주식의 취득가액과 시가의 차액으로 인하여 받은 이익에 상당하는 가액

(3) 「정당법」에 따른 정당이 증여받은 재산의 가액

(4) 「근로복지기본법」에 따른 사내근로복지기금 및 공동근로복지기금이나 동법에 따른 우리사주조합 및 근로복지진흥기금이 증여받은 재산의 가액

(5) 사회통념상 인정되는 이재구호금품, 치료비, 피부양자의 생활비, 교육비, 그 밖에 이와 유사한 것으로서 해당 용도에 직접 지출한 것

  ① 학자금 또는 장학금 기타 이와 유사한 금품

  ② 기념품·축하금 기타 이와 유사한 금품으로서 통상 필요하다고 인정되는 금품

  ③ 혼수용품으로서 통상 필요하다고 인정되는 금품

  ④ 타인으로부터 기증을 받아 외국에서 국내에 반입된 물품으로서 당해 물품의 관세의 과세가격이 100만 원 미만인 물품

  ⑤ 무주택근로자가 건물의 총연면적이 85㎡ 이하인 주택(주택에 부수되는 토지로서 건물연면적의 5배 이내의 토지를 포함)을 취득 또는 임차하기 위하여 사내근로복지기금 및 공동근로복지기금으로부터 증여받은 주택취득보조금 중 그 주택취득가액의 5% 이하의 것과 주택임차보조금 중 전세가액의 10% 이하의 것

  ⑥ 불우한 자를 돕기 위하여 언론기관을 통하여 증여한 금품

(6) 「신용보증기금법」에 따라 설립된 신용보증기금이나 그 밖에 이와 유사한 것으로서 대통령령으로 정하는 단체가 증여받은 재산의 가액

(7) 국가, 지방자치단체 또는 공공단체가 증여받은 재산의 가액

(8) 장애인 및 국가유공자 예우 및 지원에 관한 법률에 의한 상이자 등을 보험금 수령인으로 하는 보험. 이 경우 비과세되는 보험금은 연간 4천만 원을 한도로 한다.

(9) 「국가유공자 등 예우 및 지원에 관한 법률」에 따른 국가유공자의 유족이나 「의사상자 등 예우 및 지원에 관한 법률」에 따른 의사자의 유족이 증여받은 성금 및 물품 등 재산의 가액

(10) 비영리법인의 설립근거가 되는 법령의 변경으로 비영리법인이 해산되거나 업무가 변경됨에 따라 해당 비영리법인의 재산과 권리·의무를 다른 비영리법인이 승계받은 경우 승계받은 해당 재산의 가액

Ⅳ 과세가액 불산입

1. 공익법인 관련

공익법인 등이 출연받은 재산의 가액은 증여세 과세가액에 산입하지 아니한다.

2. 공익신탁 관련

증여재산 중 증여자가 「공익신탁법」에 따른 공익신탁으로서 종교·자선·학술 또는 그 밖의 공익을 목적으로 하는 신탁을 통하여 공익법인 등에 출연하는 재산의 가액은 증여세 과세가액에 산입하지 아니한다.

3. 장애인이 증여받은 재산

(1) 요건

① 자익신탁: 장애인이 재산을 증여받고 그 재산을 본인을 수익자로 하여 신탁한 경우로서 해당 신탁이 다음의 요건을 모두 충족하는 경우에는 그 증여받은 재산가액은 증여세 과세가액에 산입하지 아니한다.

ㄱ 신탁업자에게 신탁되었을 것

ㄴ 그 장애인이 신탁의 이익 전부를 받는 수익자일 것

ㄷ 신탁기간이 그 장애인이 사망할 때까지로 되어 있을 것. 다만, 장애인이 사망하기 전에 신탁기간이 끝나는 경우에는 신탁기간을 장애인이 사망할 때까지 계속 연장하여야 한다.

② 타익신탁: 타인이 장애인을 수익자로 하여 재산을 신탁한 경우로서 해당 신탁이 다음의 요건을 모두 충족하는 경우에는 장애인이 증여받은 그 신탁의 수익(신탁원본의 인출이 있는 경우에는 해당 인출금액을 포함)은 증여세 과세가액에 산입하지 아니한다.

ⓐ 신탁업자에게 신탁되었을 것

ⓒ 그 장애인이 신탁의 이익 전부를 받는 수익자일 것. 다만, 장애인이 사망한 후의 잔여재산에 대해서는 그러하지 아니하다.

ⓒ 다음의 내용이 신탁계약에 포함되어 있을 것

ⓐ 장애인이 사망하기 전에 신탁이 해지 또는 만료되는 경우에는 잔여재산이 그 장애인에게 귀속될 것

ⓑ 장애인이 사망하기 전에 수익자를 변경할 수 없을 것

ⓒ 장애인이 사망하기 전에 위탁자가 사망하는 경우에는 신탁의 위탁자 지위가 그 장애인에게 이전될 것

(2) 한도

증여받은 재산가액(그 장애인이 살아 있는 동안 증여받은 재산가액을 합친 금액) 및 타익신탁 원본의 가액(그 장애인이 살아 있는 동안 그 장애인을 수익자로 하여 설정된 타익신탁의 설정 당시 원본가액을 합친 금액)을 합산한 금액은 5억 원을 한도로 한다.

3 증여세 과세표준과 세액의 계

I 증여세 과세표준의 계산

1. 증여세 과세표준

(1) 증여세의 과세표준은 증여세 과세가액에서 증여공제와 증여재산의 감정평가 수수료를 뺀 금액으로 한다. 단, 과세표준이 50만 원 미만이면 증여세를 부과하지 아니한다.

(2) 합산배제증여재산

합산배제증여재산	증여세 과세표준
명의신탁재산의 증여의제	명의신탁재산의 금액 – 감정평가 수수료공제
① 특수관계법인과의 거래를 통한 이익의 증여의제 ② 특수관계법인으로부터 제공받은 사업기회로 발생한 이익의 증여의제	증여의제이익 – 감정평가수수료공제
위 외 합산배제증여재산	증여재산가액 – 3천만 원 – 감정평가수수료공제

2. 증여재산공제

(1) 거주자가 다음 중 어느 하나에 해당하는 사람으로부터 증여를 받은 경우에는 다음의 구분에 따른 금액을 증여세 과세가액에서 공제한다. 이 경우 그 증여세 과세가액에서 공제받을 금액과 수증자가 그 증여를 받기 전 10년 이내에 공제받은 금액(혼인·출산 증여재산 공제액은 제외)을 합한 금액이 다음의 구분에 따른 금액을 초과하는 경우에는 그 초과하는 부분은 공제하지 아니한다.

→ 증여 1건당 공제액이 아닌 합산기간 동안 공제액을 의미

구 분	증여재산공제
① 배우자로부터 증여를 받은 경우	6억 원
② 직계존속❶으로부터 증여를 받은 경우	5천만 원. 다만, 미성년자가 직계존속으로부터 증여를 받은 경우에는 2천만 원으로 한다.
③ 직계비속(수증자와 혼인 중인 배우자의 직계비속을 포함)으로부터 증여를 받은 경우	5천만 원
④ ②·③의 경우 외에 6촌 이내의 혈족, 4촌 이내의 인척으로부터 증여를 받은 경우	1천만 원

(2) 공제방법

증여세과세가액에서 공제할 금액의 계산은 다음의 어느 하나의 방법에 따른다.

① 2 이상의 증여가 그 증여시기를 달리하는 경우에는 2 이상의 증여 중 최초의 증여세과세가액에서부터 순차로 공제하는 방법

② 2 이상의 증여가 동시에 있는 경우에는 각각의 증여세과세가액에 대하여 안분하여 공제하는 방법

3. 혼인·출산 증여재산 공제

(1) 내용

① 거주자가 직계존속으로부터 혼인일(혼인관계증명서상 신고일) 전후 2년 이내에 증여를 받는 경우에는 출산공제 및 자녀공제와 별개로 1억 원을 증여세 과세가액에서 공제한다. 이 경우 그 증여세 과세가액에서 공제받을 금액과 수증자가 이미 전단에 따라 공제받은 금액을 합한 금액이 1억 원을 초과하는 경우에는 그 초과하는 부분은 공제하지 아니한다.

❶
수증자의 직계존속과 혼인(사실혼은 제외) 중인 배우자를 포함한다.

② 거주자가 직계존속으로부터 자녀의 출생일(출생신고서상 출생일) 또는 입양일(입양신고일)부터 2년 이내에 증여를 받는 경우에는 혼인공제 및 자녀공제와 별개로 1억 원을 증여세 과세가액에서 공제한다. 이 경우 그 증여세 과세가액에서 공제받을 금액과 수증자가 이미 전단에 따라 공제받은 금액을 합한 금액이 1억 원을 초과하는 경우에는 그 초과하는 부분은 공제하지 아니한다.

③ ① 및 ②에 따라 증여세 과세가액에서 공제받았거나 받을 금액을 합한 금액이 1억 원을 초과하는 경우에는 그 초과하는 부분은 공제하지 아니한다.

④ 변칙적 이익의 증여·증여추정 등 증여재산에 대해서는 위 공제를 적용하지 아니한다.

(2) 사후관리

① 거주자가 혼인 및 출산공제를 받은 후 약혼자의 사망 등 대통령령으로 정하는 부득이한 사유가 발생하여 해당 증여재산을 그 사유가 발생한 달의 말일부터 3개월 이내에 증여자에게 반환하는 경우에는 처음부터 증여가 없었던 것으로 본다.

② 혼인 전에 공제를 받은 거주자가 증여일(공제를 적용받은 증여가 다수인 경우 최초 증여일)부터 2년 이내에 혼인하지 아니한 경우로서 증여일부터 2년이 되는 날이 속하는 달의 말일부터 3개월이 되는 날까지 「국세기본법」에 따른 수정신고 또는 기한 후 신고를 한 경우에는 가산세의 전부 또는 일부를 부과하지 아니하되, 대통령령으로 정하는 바에 따라 계산한 이자상당액을 증여세에 가산하여 부과한다.

③ 혼인 공제를 받은 거주자가 혼인이 무효가 된 경우로서 혼인무효의 소에 대한 판결이 확정된 날이 속하는 달의 말일부터 3개월이 되는 날까지 「국세기본법」에 따른 수정신고 또는 기한 후 신고를 한 경우에는 가산세의 전부 또는 일부를 부과하지 아니하되, 대통령령으로 정하는 바에 따라 계산한 이자상당액을 증여세에 가산하여 부과한다.

4. 재해손실 공제 및 감정평가수수료 공제

(1) 재해손실 공제

타인으로부터 증여받은 경우로서 증여세 신고기한 이내에 재난으로 인하여 증여재산이 멸실되거나 훼손된 경우에는 그 손실가액을 증여세 과세가액에서 공제한다. 다만, 그 손실가액에 대한 보험금 등의 수령 또는 구상권 등의 행사에 의하여 그 손실가액에 상당하는 금액을 보전받을 수 있는 경우에는 그러하지 아니하다.

(2) 감정평가수수료 공제

증여세를 신고·납부하기 위하여 증여재산을 평가하는데 드는 다음 중 어느 하나에 해당하는 감정평가 수수료를 다음의 구분에 따라 공제한다.

구분	공제액	한도
감정평가법인등의 평가에 따른 수수료 (증여세 납부목적용으로 한정함)	당해 수수료	500만 원
중소기업 비상장주식의 평가수수료 (평가심의위원회가 의뢰한 신용평가전문기관으로 한정함)		평가대상 법인수 및 신용평가전문기관의 수별로 각각 1,000만 원
판매용이 아닌 서화·골동품 등 예술적 가치가 있는 유형재산 평가에 대한 감정수수료		500만 원

Ⅱ 증여세 산출세액의 계산

1. 세율

(1) 세율

증여세 산출세액은 증여세 과세표준에 상속세와 동일한 세율을 적용하여 계산한다.

(2) 할증과세

수증자가 증여자의 자녀가 아닌 직계비속인 경우에는 다음의 금액을 증여세산출세액에 가산한다. 다만, 증여자의 최근친인 직계비속이 사망하여 그 사망자의 최근친인 직계비속이 증여받은 경우에는 그러하지 아니하다.❶

$$증여세 산출세액 × 30\%(40\%)$$

2. 세액공제 등

(1) 납부세액공제

① 증여세 과세가액에 가산한 증여재산의 가액(둘 이상의 증여가 있을 때에는 그 가액을 합친 금액)에 대하여 납부하였거나 납부할 증여세액(증여 당시의 해당 증여재산에 대한 증여세산출세액)은 증여세산출세액에서 공제한다. 다만, 증여세 과세가액에 가산하는 증여재산에 대하여 제척기간의 만료로 인하여 증여세가 부과되지 아니하는 경우에는 그러하지 아니하다.

② 한도: 이 경우에 공제할 증여세액은 증여세산출세액에 해당 증여재산의 가액과 가산한 증여재산의 가액을 합친 금액에 대한 과세표준에 대하여 가산한 증여재산의 과세표준이 차지하는 비율을 곱하여 계산한 금액을 한도로 한다.

❶ 수증자가 증여자의 자녀가 아닌 직계비속이면서 미성년자인 경우로서 증여재산가액이 20억 원을 초과하는 경우이다.

(2) 외국납부세액공제

타인으로부터 재산을 증여받은 경우에 외국에 있는 증여재산에 대하여 외국의 법령에 따라 증여세를 부과받은 경우에는 그 부과받은 증여세에 상당하는 금액을 증여세산출세액에서 공제한다.

(3) 신고세액공제

증여세 과세표준을 신고한 경우에는 증여세산출세액(할증세액 포함)에서 다음의 금액을 공제한 금액의 3%에 상당하는 금액을 공제한다.

→ 신고기한까지 신고한 과세표준에 대한 산출세액

① 박물관자료에 대한 징수를 유예받은 금액

② 산출세액에서 공제되거나 감면되는 금액

Ⅲ 증여세의 납세절차

1. 신고납부

증여세 납부의무가 있는 자는 증여받은 날이 속하는 달의 말일부터 3개월 이내에 증여세의 과세가액 및 과세표준을 납세지 관할 세무서장에게 신고하여야 한다. 증여세를 신고하는 자는 신고기한까지 증여세 산출세액에서 다음의 어느 하나에 규정된 금액을 뺀 금액을 납세지 관할 세무서, 한국은행 또는 우체국에 납부하여야 한다.

(1) 박물관자료 징수유예세액

(2) 공제 또는 감면되는 세액

(3) 신고세액공제액

(4) 연부연납을 신청한 금액

2. 분할납부연부연납

증여세의 경우에도 분할납부 및 연부연납이 허용되나, 물납은 허용되지 않는다. 분할납부 및 연부연납의 기본내용은 상속세와 동일하지만 증여세의 연부연납기간은 연부연납허가일부터 5년 이내에서 해당 납세의무자가 신청한 기간만 허용된다.

3. 결정경정

관할 세무서장(국세청장이 특히 중요하다고 인정하는 것에 대해서는 관할지방국세청장)은 증여세과세표준 신고기한으로부터 6개월 이내에 증여세 과세표준과 세액을 결정한다.

4 변칙적 거래에 따른 이익의 증여

I 신탁이익의 증여

1. 내용

(1) 신탁계약에 의하여 위탁자가 타인을 신탁의 이익의 전부 또는 일부를 받을 수익자로 지정한 경우로서 다음 중 어느 하나에 해당하는 경우에는 원본 또는 수익이 수익자에게 실제 지급되는 날 등을 증여일로 하여 해당 신탁의 이익을 받을 권리의 가액을 수익자의 증여재산가액으로 한다.

① 원본을 받을 권리를 소유하게 한 경우에는 수익자가 그 원본을 받은 경우

② 수익을 받을 권리를 소유하게 한 경우에는 수익자가 그 수익을 받은 경우

(2) 수익자가 특정되지 아니하거나 아직 존재하지 아니하는 경우에는 위탁자 또는 그 상속인을 수익자로 보고, 수익자가 특정되거나 존재하게 된 때에 새로운 신탁이 있는 것으로 보아 (1)을 적용한다.

2. 신탁이익 계산방법

(1) 원본 또는 수익이 수익자에게 실제 지급되는 날이란 다음의 구분에 따른 날을 제외하고는 원본 또는 수익이 수익자에게 실제 지급되는 날을 말한다.

① 수익자로 지정된 자가 그 이익을 받기 전에 해당 신탁재산의 위탁자가 사망한 경우: 위탁자가 사망한 날

② 신탁계약에 의하여 원본 또는 수익을 지급하기로 약정한 날까지 원본 또는 수익이 수익자에게 지급되지 아니한 경우: 해당 원본 또는 수익을 지급하기로 약정한 날

③ 원본 또는 수익을 여러 차례 나누어 지급하는 경우: 해당 원본 또는 수익이 최초로 지급된 날. 다만, 다음의 어느 하나에 해당하는 경우에는 해당 원본 또는 수익이 실제 지급된 날로 한다.

㉠ 신탁계약을 체결하는 날에 원본 또는 수익이 확정되지 않는 경우

㉡ 위탁자가 신탁을 해지할 수 있는 권리, 수익자를 지정하거나 변경할 수 있는 권리, 신탁 종료 후 잔여재산을 귀속 받을 권리를 보유하는 등 신탁재산을 실질적으로 지배·통제하는 경우

(2) 여러 차례 나누어 원본과 수익을 지급받는 경우의 신탁이익은 증여시기를 기준으로 평가한 가액으로 한다.

Ⅱ 보험금의 증여

생명보험이나 손해보험에서 보험사고(만기보험금 지급의 경우를 포함)가 발생한 경우 해당 보험사고가 발생한 날을 증여일로 하여 다음의 구분에 따른 금액을 보험금 수령인의 증여재산가액으로 한다. 단, 보험금을 상속재산으로 보는 경우에는 적용하지 아니한다.

1. 보험금 수령인과 보험료 납부자가 다른 경우(보험금 수령인이 아닌 자가 보험료의 일부를 납부한 경우를 포함)

보험금 수령인이 아닌 자가 납부한 보험료 납부액에 대한 보험금 상당액

2. 보험계약 기간에 보험금 수령인이 재산을 증여받아 보험료를 납부한 경우

증여받은 재산으로 납부한 보험료 납부액에 대한 보험금 상당액에서 증여받은 재산으로 납부한 보험료 납부액을 뺀 가액

Ⅲ 저가 양수 또는 고가 양도에 따른 이익의 증여

1. 의의

(1) 특수관계인 간에 재산을 시가보다 낮은 가액으로 양수하거나 시가보다 높은 가액으로 양도한 경우로서 그 대가와 시가의 차액이 기준금액 이상인 경우에는 해당 재산의 양수일 또는 양도일을 증여일로 하여 그 대가와 시가의 차액에서 기준금액을 뺀 금액을 그 이익을 얻은 자의 증여재산가액으로 한다.

(2) 특수관계인이 아닌 자 간에 거래의 관행상 정당한 사유 없이 재산을 시가보다 현저히 낮은 가액으로 양수하거나 시가보다 현저히 높은 가액으로 양도한 경우로서 그 대가와 시가의 차액이 기준금액 이상인 경우에는 해당 재산의 양수일 또는 양도일을 증여일로 하여 그 대가와 시가의 차액에서 3억 원을 뺀 금액을 그 이익을 얻은 자의 증여재산가액으로 한다.
∵ 거래가액을 조작하여 얻게 되는 이익에 대하여 증여세 과세하기 위함

2. 유형

(1) 저가양수

구분	적용요건	증여재산가액
특수관계인 간 거래	(시가 – 양수가액) ≥ Min(시가 × 30%, 3억)	(시가 – 양수가액) – Min(시가 × 30%, 3억)
특수관계인 아닌 자간 거래	(시가 – 양수가액) ≥ 시가 × 30%	(시가 – 양수가액) – 3억

(2) 고가양도

구분	적용요건	증여재산가액
특수관계인 간 거래	(양도가액 − 시가) ≥ Min(시가 × 30%, 3억)	(양도가액 − 시가) − Min(시가 × 30%, 3억)
특수관계인 아닌 자간 거래	(양도가액 − 시가) ≥ 시가 × 30%	(양도가액 − 시가) − 3억

3. 적용배제

(1) 거래소에 상장되어 있는 법인의 주식 및 출자지분으로서 증권시장에서 거래된 경우 다만, 시간외 대량매매의 경우에는 공정한 거래를 통하여 가액이 결정된 것으로 보기 어려우므로 과세대상에서 제외되지 않는다.
  ∵ 공정한 경쟁매매 과정을 거쳐 결정된 가액임

(2) 전환사채, 신주인수권부사채 기타 주식으로 전환·교환하거나 주식을 인수할 수 있는 권리가 부여된 사채를 양수 또는 양도한 경우
  ∵ 구체적 과세규정이 존재함

(3) 재산을 양수하거나 양도하는 경우로서 그 대가가 「법인세법」에 따른 시가에 해당하여 그 거래에 대하여 법인세법 및 양도소득세 부당행위계산부인규정(시간외 시장에서 매매된 경우 포함)이 적용되지 아니하는 경우. 다만, 거짓이나 그 밖의 부정한 방법으로 상속세 또는 증여세를 감소시킨 것으로 인정되는 경우에는 그러하지 아니하다.

Ⅳ 채무면제 등에 따른 증여

1. 채권자로부터 채무를 면제받거나 제3자로부터 채무의 인수 또는 변제를 받은 경우에는 그 면제, 인수 또는 변제(이하 "면제 등")를 받은 날을 증여일로 하여 그 면제 등으로 인한 이익에 상당하는 금액(보상액을 지급한 경우에는 그 보상액을 뺀 금액)을 그 이익을 얻은 자의 증여재산가액으로 한다.

2. 증여일

채무면제 등을 받은 날은 다음의 구분에 따른 날로 한다.

(1) **채권자로부터 채무를 면제 받은 경우**
  채권자가 면제에 대한 의사표시를 한 날

(2) **제3자로부터 채무의 인수를 받은 경우**
  제3자와 채권자 간에 채무의 인수계약이 체결된 날

Ⅴ 부동산 무상사용에 따른 이익의 증여

1. 부동산무상사용

(1) 내용

① 타인의 부동산(그 부동산 소유자와 함께 거주하는 주택과 그에 딸린 토지는 제외)을 무상으로 사용함에 따라 이익을 얻은 경우에는 그 무상 사용을 개시한 날을 증여일로 하여 그 이익에 상당하는 금액을 부동산 무상 사용자의 증여재산가액으로 한다.

② 수인이 부동산을 무상사용하는 경우로서 각 부동산사용자의 실제 사용면적이 분명하지 않은 경우에는 해당 부동산사용자들이 각각 동일한 면적을 사용한 것으로 본다. 이 경우 부동산소유자와 친족관계에 있는 부동산사용자가 2명 이상인 경우 그 부동산사용자들에 대해서는 최근친인 사람을 무상사용자로 보고, 최근친인 사람이 2명 이상인 경우에는 그 중 최연장자를 무상사용자로 보며, 그 외의 경우에는 해당 부동산사용자들을 각각 무상사용자로 본다.

(2) 계산

증여재산가액은 다음의 계산식에 따른다. 단, 증여재산가액이 1억 원 미만인 경우는 제외한다.

> 각 연도의 부동산무상사용이익의 현재가치(기간: 5년, 이자율: 10%)❶

2. 부동산무상담보제공

(1) 내용

타인의 부동산을 무상으로 담보로 이용하여 금전 등을 차입함에 따라 이익을 얻은 경우에는 그 부동산 담보 이용을 개시한 날을 증여일로 하여 그 이익에 상당하는 금액을 부동산을 담보로 이용한 자의 증여재산가액으로 한다.

(2) 계산

증여재산가액은 다음의 계산식에 따른다. 단, 증여재산가액이 1천만 원 미만인 경우는 제외한다.

> 차입금 × 적정이자율❷ − 차입할 때 실제 지급하였거나 지급할 이자

3. 기타규정

부동산 무상사용에 따른 이익의 증여와 관련하여 특수관계인이 아닌 자 간의 거래는 거래의 관행상 정당한 사유가 없는 경우에 한정하여 적용한다.

---

❶
1. **부동산무상사용이익**: 부동산가액 × 1년 간 부동산 사용료를 고려하여 기획재정부령으로 정하는 율(2%)
2. 해당 부동산에 대한 무상사용 기간은 5년으로 하고, 무상사용 기간이 5년을 초과하는 경우에는 그 무상사용을 개시한 날부터 5년이 되는 날의 다음 날에 새로 해당 부동산의 무상사용을 개시한 것으로 본다.

❷
1. 법인세법 당좌대출이자율을 말한다. 다만, 법인으로부터 대출받은 경우에는 법인세법상 인정이자율을 적정이자율로 본다.
2. 차입기간이 정하여지지 아니한 경우에는 그 차입기간은 1년으로 하고, 차입기간이 1년을 초과하는 경우에는 그 부동산 담보 이용을 개시한 날부터 1년이 되는 날의 다음 날에 새로 해당 부동산의 담보 이용을 개시한 것으로 본다.

Ⅵ 금전무상대출 등에 따른 이익의 증여

1. 타인으로부터 금전을 무상으로 또는 적정 이자율보다 낮은 이자율로 대출받은 경우에는 그 금전을 대출받은 날에 다음의 구분에 따른 금액을 그 금전을 대출받은 자의 증여재산가액으로 한다. 다만, 다음의 구분에 따른 금액이 1,000만 원 미만인 경우는 제외한다.

(1) **무상으로 대출받은 경우**
   대출금액에 적정 이자율(연간 4.6%)을 곱하여 계산한 금액
(2) **적정 이자율보다 낮은 이자율로 대출받은 경우**
   대출금액에 적정 이자율(연간 4.6%)을 곱하여 계산한 금액에서 실제 지급한 이자 상당액을 뺀 금액

2. 적용방법

(1) 위 규정을 적용할 때 대출기간이 정해지지 아니한 경우에는 그 대출기간을 1년으로 보고, 대출기간이 1년 이상인 경우에는 1년이 되는 날의 다음 날에 매년 새로 대출받은 것으로 보아 해당 증여재산가액을 계산한다.
(2) 특수관계인이 아닌 자 간의 거래인 경우에는 거래의 관행상 정당한 사유가 없는 경우에 한정하여 적용한다.

Ⅶ 불공정자본거래에 따른 이익의 증여

불공정합병·불공정증자·불공정감자를 통하여 주주가 이익을 얻은 경우에는 당해 이익에 상당하는 금액을 그 이익을 얻은 자의 증여재산가액으로 한다.

Ⅷ 현물출자에 따른 이익의 증여

1. 현물출자에 의하여 다음 중 어느 하나에 해당하는 이익을 얻은 경우에는 현물출자 납입일을 증여일로 하여 그 이익에 상당하는 금액을 그 이익을 얻은 자의 증여재산가액으로 한다.

(1) 주식 등을 시가보다 낮은 가액으로 인수함으로써 현물출자자가 얻은 이익
(2) 주식 등을 시가보다 높은 가액으로 인수함으로써 현물출자자의 특수관계인에 해당하는 주주 등이 얻은 이익

2. 주주 등 범위

현물출자자가 아닌 주주 등 중 소액주주가 2명 이상인 경우에는 소액주주가 1명인 것으로 보고 이익을 계산한다.

IX 전환사채 등의 주식전환 등에 따른 이익의 증여

전환사채, 신주인수권부사채(신주인수권증권이 분리된 경우에는 신주인수권증권) 또는 그 밖의 주식으로 전환·교환하거나 주식을 인수할 수 있는 권리가 부여된 사채(이하 "전환사채 등")를 인수·취득·양도하거나, 전환사채 등에 의하여 주식으로 전환·교환 또는 주식의 인수(이하 "주식전환 등")를 함으로써 이익을 얻은 경우에는 그 이익에 상당하는 금액을 그 이익을 얻은 자의 증여재산가액으로 한다.

X 초과배당에 따른 이익의 증여

1. 법인이 이익이나 잉여금을 배당 등하는 경우로서 그 법인의 최대주주 등이 본인이 지급받을 배당 등의 금액의 전부 또는 일부를 포기하거나 본인이 보유한 주식 등에 비례하여 균등하지 아니한 조건으로 배당 등을 받음에 따라 그 최대주주 등의 특수관계인이 본인이 보유한 주식 등에 비하여 높은 금액의 배당 등을 받은 경우에는 법인이 배당 또는 분배한 금액을 지급한 날을 증여일로 하여 초과배당금액에서 해당 초과배당금액에 대한 소득세 상당액을 공제한 금액을 그 최대주주 등의 특수관계인의 증여재산가액으로 한다.

2. 계산

(1) 증여재산가액

> 증여재산가액 = 초과배당금액 − 초과배당금액에 대한 소득세 상당액

(2) 초과배당액

> 증여재산가액 = (최대주주 등의 특수관계인이 배당받은 금액 − 최대주주 등의 특수관계인의 균등 배당액) × 최대주주 등의 과소배당금액/과소배당금액❶

(3) 소득세상당액

초과배당금액에서 차감하는 소득세 상당액은 다음 구분에 따른 금액으로 한다.

① 초과배당금액에 대한 증여세 과세표준 신고기한이 해당 초과배당금액이 발생한 연도의 다음 연도 6월 1일(성실신고확인대상사업자의 경우에는 7월 1일) 이후인 경우: 실제 소득세 상당액

② 그 밖의 경우: 초과배당금액에 다음의 율을 곱한 금액

❶
과소배당금액이란 보유한 주식 등에 비하여 낮은 금액의 배당을 받은 주주 등의 다음의 계산식에 따른 금액으로 한다.
과소배당금액 = 균등 배당받은 금액
− 배당금액

3. 증여세액정산

초과배당금액에 대하여 증여세를 부과받은 자는 해당 초과배당금액에 대한 소득세를 납부할 때(납부할 세액이 없는 경우를 포함) (2)의 증여세액에서 (1)의 증여세액을 뺀 금액을 관할 세무서장에게 납부하여야 한다. 다만, (1) 의 증여세액이 (2)의 증여세액을 초과하는 경우에는 그 초과되는 금액을 환급받을 수 있다.

(1) 당초 증여재산가액을 기준으로 계산한 증여세액

(2) 정산증여재산가액기준

초과배당금액에 대한 실제 소득세액을 반영한 증여재산가액을 기준으로 계산한 증여세액

XI 주식등의 상장 등에 따른 이익의 증여

1. 의의

(1) 기업의 경영 등에 관하여 공개되지 아니한 정보를 이용할 수 있는 지위에 있다고 인정되는 최대주주 등의 특수관계인이 일정한 방법에 따라 해당 법인의 주식 등을 증여받거나 취득한 경우 그 주식 등을 증여받거나 취득한 날부터 5년 이내에 그 주식 등이 증권시장(유가증권시장 및 코스닥시장)에 상장됨에 따라 그 가액이 증가한 경우로서 그 주식 등을 증여받거나 취득한 자가 당초 증여세 과세가액(증여받은 재산으로 최대주주 등이 아닌 자로부터 해당 법인의 주식 등을 취득한 경우는 제외) 또는 취득가액을 초과하여 이익을 얻은 경우에는 그 이익에 상당하는 금액을 그 이익을 얻은 자의 증여재산가액으로 한다. 다만, 그 이익에 상당하는 금액이 대통령령으로 정하는 기준금액 미만인 경우는 제외한다.

(2) 최대주주(증여자)

① 최대주주 또는 최대출자자

② 지분율 25% 이상의 대주주: 특수관계인의 소유주식 등을 합하여 내국법인의 발행주식총수 또는 출자총액의 25% 이상을 소유한 주주

(3) 일정한 방법

주식 등을 증여받거나 취득한 경우는 다음의 어느 하나에 해당하는 경우로 한다.

① 최대주주 등으로부터 해당 법인의 주식 등을 증여받거나 유상으로 취득한 경우

② 증여받은 재산(주식 등을 유상으로 취득한 날부터 소급하여 3년 이내에 최대주주 등으로부터 증여받은 재산)으로 최대주주 등이 아닌 자로부터 해당 법인의 주식 등을 취득한 경우

2. 계산

> 증여재산가액 = [(1) − (2) − (3)] × 증여받거나 유상으로 취득한 주식 수

(1) 정산기준일(해당 주식 등의 상장일부터 3개월이 되는 날) 현재 1주당 평가가액(법 제63조에 따라 평가한 가액을 말함)

(2) 주식 등을 증여받은 날 현재의 1주당 증여세 과세가액(취득의 경우에는 취득일 현재의 1주당 취득가액)

(3) 1주당 기업가치의 실질적인 증가로 인한 이익

$$\frac{\text{취득일부터 상장일 전일까지의 1주당 순손익 합계액}}{\text{취득일부터 상장일 전일까지의 월수}} \times \text{취득일부터 정산기준일까지의 월수}$$

(4) 다음의 기준금액 미만인 경우 과세제외

> Min(①, ②)
> ① (주식 등을 증여받은 날 현재의 1주당 증여세 과세가액 + 1주당 기업가치의 실질적인 증가로 인한 이익) × 증여 또는 유상으로 취득한 주식수 × 30%
> ② 3억 원

5 증여 추정 및 증여 의제

I 배우자 등에게 양도한 재산의 증여 추정

1. 양도 시 증여추정

배우자 또는 직계존비속에게 양도한 재산은 양도자가 그 재산을 양도한 때에 그 재산의 가액을 배우자등이 증여받은 것으로 추정하여 이를 배우자등의 증여재산가액으로 한다.

∵ 배우자 또는 직계존비속간에 소유권이 이전되는 경우 정상적인 대가가 지급되는 유상양도보다는 증여일 개연성이 높을 뿐만 아니라 거래의 실질을 객관적으로 파악하기 곤란하기 때문에 객관적으로 대가를 지급한 사실이 명백히 인정되는 경우를 제외하고는 증여로 과세하려는 것

2. 우회양도 증여추정

(1) 특수관계인에게 양도한 재산을 그 특수관계인(이하 "양수자")이 양수일부터 3년 이내에 당초 양도자의 배우자등에게 다시 양도한 경우에는 양수자가 그 재산을 양도한 당시의 재산가액을 그 배우자등이 증여받은 것으로 추정하여 이를 배우자등의 증여재산가액으로 한다. 다만, 당초 양도자 및 양수자가 부담한 「소득세법」에 따른 결정세액을 합친 금액이 양수자가 그 재산을 양도한 당시의 재산가액을 당초 그 배우자등이 증여받은 것으로 추정할 경우의 증여세액보다 큰 경우에는 그러하지 아니하다.

(2) 해당 배우자등에게 증여세가 부과된 경우에는 「소득세법」의 규정에도 불구하고 당초 양도자 및 양수자에게 그 재산 양도에 따른 소득세를 부과하지 아니한다.

3. 적용배제

해당 재산이 다음 중 어느 하나에 해당하는 경우 증여추정규정을 적용하지 아니한다.

(1) 법원의 결정으로 경매절차에 따라 처분된 경우

(2) 파산선고로 인하여 처분된 경우

(3) 「국세징수법」에 따라 공매된 경우

(4) 증권시장을 통하여 유가증권이 처분된 경우. 다만, 불특정 다수인 간의 거래에 의하여 처분된 것으로 볼 수 없는 경우로서 시간외시장에서 매매된 것은 제외한다.

(5) 배우자등에게 대가를 받고 양도한 사실이 명백히 인정되는 경우로서 다음의 어느 하나에 해당하는 경우를 말한다.
① 권리의 이전이나 행사에 등기 또는 등록을 요하는 재산을 서로 교환한 경우
② 당해 재산의 취득을 위하여 이미 과세(비과세 또는 감면받은 경우 포함)받았거나 신고한 소득금액 또는 상속 및 수증재산의 가액으로 그 대가를 지급한 사실이 입증되는 경우
③ 당해 재산의 취득을 위하여 소유재산을 처분한 금액으로 그 대가를 지급한 사실이 입증되는 경우

Ⅱ 재산 취득자금 등의 증여 추정

1. 재산취득자금 증여 추정

(1) 재산 취득자의 직업, 연령, 소득 및 재산 상태 등으로 볼 때 재산을 자력으로 취득하였다고 인정하기 어려운 경우로서 자금출처로 입증된 금액이 취득재산가액에 미달하는 경우에는 그 재산을 취득한 때에 그 재산의 취득자금을 그 재산 취득자가 증여받은 것으로 추정하여 이를 그 재산 취득자의 증여재산가액으로 한다.

  ∵ 과세관청은 가족 간에 은밀히 이루어지는 증여사실파악이 어려워 증여세 과세가 누락되는 것을 방지하기 위함

(2) 「금융실명거래 및 비밀보장에 관한 법률」 제3조에 따라 실명이 확인된 계좌 또는 외국의 관계 법령에 따라 이와 유사한 방법으로 실명이 확인된 계좌에 보유하고 있는 재산은 명의자가 그 재산을 취득한 것으로 추정하여 증여추정규정을 적용한다.

2. 채무상환자금 증여 추정

채무자의 직업, 연령, 소득, 재산 상태 등으로 볼 때 채무를 자력으로 상환(일부 상환을 포함)하였다고 인정하기 어려운 경우로서 자금출처로 입증된 금액이 채무상환자금에 미달하는 경우에는 그 채무를 상환한 때에 그 상환자금을 그 채무자가 증여받은 것으로 추정하여 이를 그 채무자의 증여재산가액으로 한다.

3. 자금출처 원천

취득재산가액 또는 채무상환금액은 다음에 따라 입증된 금액의 합계액으로 소명하여야 한다.

(1) 신고하였거나 과세(비과세 또는 감면받은 경우 포함)받은 소득금액

(2) 신고하였거나 과세(비과세 또는 감면받은 경우 포함)받은 상속 또는 수증재산의 가액

(3) 재산을 처분한 대가로 받은 금전이나 부채를 부담하고 받은 금전으로 당해 재산의 취득 또는 당해 채무의 상환에 직접 사용한 금액

4. 증여 추정 배제 사유

다음의 경우에는 증여추정을 적용하지 아니한다.

(1) 입증되지 아니하는 금액이 취득재산의 가액 또는 채무의 상환금액의 20%에 상당하는 금액과 2억 원 중 적은 금액에 미달하는 경우

(2) 취득자금 또는 상환자금의 출처에 관한 충분한 소명(疏明)이 있는 경우

(3) 취득자금 또는 상환자금이 국세청장이 정한 일정액 이하인 경우

Ⅲ 명의신탁재산의 증여 의제

1. 의의

권리의 이전이나 그 행사에 등기 등이 필요한 재산(토지와 건물은 제외)의 실제소유자와 명의자가 다른 경우에는 「국세기본법」 실질과세원칙에도 불구하고 그 명의자로 등기 등을 한 날(그 재산이 명의개서를 하여야 하는 재산인 경우에는 소유권취득일이 속하는 해의 다음 해 말일의 다음 날)에 그 재산의 가액(그 재산이 명의개서를 하여야 하는 재산인 경우에는 소유권취득일을 기준으로 평가한 가액)을 실제소유자가 명의자에게 증여한 것으로 본다.
∵ 명의신탁제도가 조세회피수단으로 악용되는 것을 방지하기 위함

2. 적용배제

다음의 어느 하나에 해당하는 경우에는 그러하지 아니하다.
(1) 조세 회피의 목적 없이 타인의 명의로 재산의 등기 등을 하거나 소유권을 취득한 실제소유자 명의로 명의개서를 하지 아니한 경우
(2) 「자본시장과 금융투자업에 관한 법률」에 따른 신탁재산인 사실의 등기 등을 한 경우
(3) 비거주자가 법정대리인 또는 재산관리인의 명의로 등기 등을 한 경우

3. 조세회피 목적 추정 여부

타인의 명의로 재산의 등기 등을 한 경우 및 실제소유자 명의로 명의개서를 하지 아니한 경우에는 조세 회피 목적이 있는 것으로 추정한다. 다만, 실제소유자 명의로 명의개서를 하지 아니한 경우로서 다음의 어느 하나에 해당하는 경우에는 조세 회피 목적이 있는 것으로 추정하지 아니한다.
(1) 매매로 소유권을 취득한 경우로서 종전 소유자가 「소득세법」에 따른 양도소득 과세표준신고 또는 「증권거래세법」에 따른 신고와 함께 소유권 변경 내용을 신고하는 경우
(2) 상속으로 소유권을 취득한 경우로서 상속인이 다음의 어느 하나에 해당하는 신고와 함께 해당 재산을 상속세 과세가액에 포함하여 신고한 경우. 다만, 상속세 과세표준과 세액을 결정 또는 경정할 것을 미리 알고 수정신고하거나 기한 후 신고를 하는 경우는 제외한다.
　① 상속세 과세표준신고
　② 「국세기본법」 제45조에 따른 수정신고
　③ 「국세기본법」 제45조의3에 따른 기한 후 신고

03 재산의 평가

Ⅰ 평가의 원칙

1. 원칙

상속세나 증여세가 부과되는 재산의 가액은 상속개시일 또는 증여일 현재의 시가에 따른다. 이 경우 시가는 불특정 다수인 사이에 자유롭게 거래가 이루어지는 경우에 통상적으로 성립된다고 인정되는 가액으로 하고 수용가격·공매가격 및 감정가격 등 시가로 인정되는 것을 포함한다. 다만, 상속재산의 가액에 가산하는 증여재산의 가액은 증여일 현재의 시가에 따른다.

2. 예외

시가를 산정하기 어려운 경우에는 해당 재산의 종류, 규모, 거래 상황 등을 고려하여 보충적 평가방법으로 평가한 가액을 시가로 본다.

3. 시가로 인정되는 것

(1) 시가로 인정되는 것이란 상속개시일 또는 증여일(평가기준일) 전후 6개월(증여재산의 경우에는 평가기준일 전 6개월부터 평가기준일 후 3개월까지로 함. 이하 "평가기간"이라 함)이내의 기간 중 매매·감정·수용·경매(「민사집행법」에 따른 경매) 또는 공매가 있는 경우에 다음 중 어느 하나에 따라 확인되는 가액을 말한다.❶

해당 재산에 대한 매매사실이 있는 경우	그 거래가액
해당 재산(주식은 제외)에 대하여 둘 이상의 감정기관이 평가한 감정가액이 있는 경우	그 감정가액의 평균액
해당 재산에 대하여 수용·경매 또는 공매사실이 있는 경우	그 보상가액·경매가액 또는 공매가액

(2) 다만, 평가기간에 해당하지 않는 기간으로서 평가기준일 전 2년 이내의 기간 중에 매매 등이 있거나 평가기간이 경과한 후부터 법정결정기한까지의 기간 중에 매매 등이 있는 경우에도 평가기준일부터 매매계약일 등에 해당하는 날까지의 기간 중에 주식발행회사의 경영상태, 시간의 경과 및 주위환경의 변화 등을 고려하여 가격변동의 특별한 사정이 없다고 보아 상속세 또는 증여세 납부의무가 있는 자, 지방국세청장 또는 관할세무서장이 신청하는 때에는 평가심의위원회의 심의를 거쳐 해당 매매 등의 가액을 시가로 인정되는 가액에 포함시킬 수 있다.

❶ 감정가격을 결정할 때에는 둘 이상의 감정기관(기준시가 10억 원 이하의 부동산의 경우에는 하나 이상의 감정기관)에 감정을 의뢰하여야 한다. 이 경우 관할 세무서장 또는 지방국세청장은 감정기관이 평가한 감정가액이 다른 감정기관이 평가한 감정가액의 80%에 미달하는 경우에는 평가심의위원회의 심의를 거쳐 1년의 범위에서 기간을 정하여 해당 감정기관을 시가불인정 감정기관으로 지정할 수 있으며, 시가불인정 감정기관으로 지정된 기간 동안 해당 시가불인정 감정기관이 평가하는 감정가액은 시가로 보지 않는다.

4. 유사 매매 사례가

시가를 적용할 때 해당 재산과 면적·위치·용도·종목 및 기준시가가 동일하거나 유사한 다른 재산에 대한 매매 등의 가액(상속세 또는 증여세 과세표준을 신고한 경우에는 평가기준일 전 6개월부터 평가기간 이내의 신고일까지의 가액)이 있는 경우에는 해당 가액을 시가로 본다.

5. 평가기간 기준일

다음 중 어느 하나에 따른 가액이 평가기준일 전후 6개월(증여재산의 경우에는 평가기준일 전 6개월부터 평가기준일 후 3개월까지) 이내에 해당하는지는 다음의 구분에 따른 날을 기준으로 하여 판단하며, 시가로 보는 가액이 둘 이상인 경우에는 평가기준일을 전후하여 가장 가까운 날에 해당하는 가액(그 가액이 둘 이상인 경우에는 그 평균)을 적용한다. 다만, 해당 재산의 매매 등의 가액이 있는 경우에는 해당 재산과 면적 및 기준시가가 동일하거나 유사한 다른 재산에 대한 시가로 인정되는 가액을 적용하지 아니한다.

(1) 해당재산에 대한 매매사실이 있는 경우

　　매매계약일

(2) 해당 재산에 대하여 둘 이상의 감정기관이 평가한 감정가액이 있는 경우

　　가격산정기준일과 감정가액평가서 작성일

(3) 해당 재산에 대하여 수용·경매 또는 공매사실이 있는 경우

　　보상가액·경매가액 또는 공매가액이 결정된 날

Ⅱ 재산 평가의 특례

1. 저당권 등 설정재산

다음의 어느 하나에 해당하는 재산은 그 재산이 담보하는 채권액 등을 기준으로 평가한 가액과 평가기준일 당시의 시가(시가를 산정하기 어려운 경우에는 보충적 평가방법에 따른 평가액) 중 큰 금액을 그 재산의 가액으로 한다.

(1) 저당권, 담보권 또는 질권이 설정된 재산

(2) 양도담보재산

(3) 전세권이 등기된 재산(임대보증금을 받고 임대한 재산을 포함)

(4) 위탁자의 채무이행을 담보할 목적으로 대통령령으로 정하는 신탁계약을 체결한 재산

2. 상장주식 가상재산

상장주식과 가상자산은 보충적 평가방법으로 평가한 가액을 '시가'로 본다.

Ⅲ 유가증권 등의 평가

1. 상장주식

상장주식(유가증권시장과 코스닥시장에서 거래되는 주식)은 평가기준일 이전·이후 각 2개월 동안 공표된 매일의 거래소 최종 시세가액(거래실적 유무를 따지지 아니함)의 평균액(평균액을 계산할 때 평가기준일 이전·이후 각 2개월 동안에 증자·합병 등의 사유가 발생하여 그 평균액으로 하는 것이 부적당한 경우에는 평가기준일 이전·이후 각 2개월의 기간 중 대통령령으로 정하는 바에 따라 계산한 기간의 평균액으로 함)

2. 비상장주식

원칙	1주당 평가액 = Max(①, ②) ① (1주당 순손익가치 × 3 + 1주당 순자산가치 × 2) ÷ 5❶ ② 1주당 순자산가치 × 80%
예외	다음 중 어느 하나에 해당하는 경우에는 순자산가치에 따른다. ① 상속세 및 증여세 과세표준신고기한 이내에 평가대상 법인의 청산절차가 진행 중이거나 사업자의 사망 등으로 인하여 사업의 계속이 곤란하다고 인정되는 법인의 주식 등 ② 사업개시 전의 법인, 사업개시 후 3년 미만의 법인 또는 휴업·폐업 중인 법인의 주식 등. 이 경우 「법인세법」 제46조의3, 제46조의5 및 제47조의 요건을 갖춘 적격분할 또는 적격물적분할로 신설된 법인의 사업기간은 분할 전 동일 사업부분의 사업개시일부터 기산한다. ③ 법인의 자산총액 중 부동산 등의 합계액이 차지하는 비율이 100분의 80 이상인 법인의 주식 등 ④ 법인의 자산총액 중 주식 등의 가액의 합계액이 차지하는 비율이 100분의 80 이상인 법인의 주식 등 ⑤ 법인의 설립 시 정관에 존속기한이 확정된 법인으로서 평가기준일 현재 잔여 존속기한이 3년 이내인 법인의 주식 등

❶
부동산과다보유법인: (1주당 순손익가치 × 2 + 1주당 순자산가치 × 3) ÷ 5

3. 최대주주 할증평가

최대주주 등의 주식 등에 대해서는 일반적인 평가액의 20%을 가산한다. 단, 중소기업, 중견기업(평가기준일이 속하는 과세기간 또는 사업연도의 직전 3개 과세기간 또는 사업연도의 매출액의 평균이 5천억 원 미만인 기업) 및 평가기준일이 속하는 사업연도 전 3년 이내의 사업연도부터 계속하여 결손금이 있는 법인의 주식 등은 그러하지 아니하다.

2025 대비 최신개정판

해커스공무원
이훈엽
세법 기본서 | 2권

개정 4판 1쇄 발행 2024년 5월 3일

지은이	이훈엽 편저
펴낸곳	해커스패스
펴낸이	해커스공무원 출판팀

주소	서울특별시 강남구 강남대로 428 해커스공무원
고객센터	1588-4055
교재 관련 문의	gosi@hackerspass.com
	해커스공무원 사이트(gosi.Hackers.com) 교재 Q&A 게시판
	카카오톡 플러스 친구 [해커스공무원 노량진캠퍼스]
학원 강의 및 동영상강의	gosi.Hackers.com

ISBN	2권: 979-11-7244-078-7 (14360)
	세트: 979-11-7244-076-3 (14360)
Serial Number	04-01-01

공무원 교육 1위,
해커스공무원 **gosi.Hackers.com**

해커스공무원

· **해커스공무원 학원 및 인강**(교재 내 인강 할인쿠폰 수록)
· 정확한 성적 분석으로 약점 극복이 가능한 **합격예측 온라인 모의고사**(교재 내 응시권 및 해설강의 수강권 수록)
· 해커스 스타강사의 **공무원 세법 무료 특강**
· '회독'의 방법과 공부 습관을 제시하는 **해커스 회독증강 콘텐츠**(교재 내 할인쿠폰 수록)

한경비즈니스 선정 2020 한국소비자만족지수 교육(공무원) 부문 1위